CHARLOTTE LINK
Die Suche

CHARLOTTE LINK

Die Suche

Kriminalroman

blanvalet

Sollte diese Publikation Links auf Webseiten Dritter enthalten,
so übernehmen wir für deren Inhalte keine Haftung,
da wir uns diese nicht zu eigen machen, sondern lediglich auf
deren Stand zum Zeitpunkt der Erstveröffentlichung verweisen.

Verlagsgruppe Random House FSC® N001967

1. Auflage
Copyright © 2018 by Blanvalet in der
Verlagsgruppe Random House GmbH,
Neumarkterstr. 28, 81673 München
Umschlaggestaltung: www.buerosued.de
Umschlagmotiv: plainpicture/BY
Herstellung: wag
Satz: Uhl + Massopust, Aalen
Druck und Bindung: GGP Media GmbH, Pößneck
Printed in Germany
ISBN 978-3-7341-0742-9

www.blanvalet.de

I

Es war dunkel. Es war kalt. Und der Zug nach Scarborough war ihr direkt vor der Nase weggefahren. Der Zug, den sie mit ihrem Vater vereinbart hatte. Hannah hatte geschworen, dass sie ihn erreichen würde.

»Das wäre ja das erste Mal, dass du pünktlich bist«, hatte Ryan, ihr Vater, gesagt. »Ich bin nicht sicher, ob es eine gute Idee ist, dich alleine nach Hull fahren zu lassen.«

»Aber Granny wünscht es sich. Es ist ihr Geburtstag!«

»Du und Granny! Ich verstehe wirklich nicht, was du ...« Den Rest des Satzes hatte Ryan verschluckt. Granny war seine Mutter, und er hatte noch nie ein gutes Verhältnis zu ihr gehabt. Hannah wusste nicht, woran das lag, aber da eigentlich niemand wirklich gut mit ihrem Vater auskam, dachte sie, dass es vor allem mit seinem Verhalten zusammenhing. Ryan war meistens schlecht gelaunt und behandelte andere Menschen unwirsch und kurz angebunden. Auch seine Frau hatte es mit ihm nicht ausgehalten: Als Hannah vier Jahre alt gewesen war, hatte sich ihre Mutter aus dem Staub gemacht.

Ryan hatte sich breitschlagen lassen, seine vierzehnjährige Tochter alleine mit dem Zug nach Kingston-upon-Hull fahren zu lassen, um die Großmutter an diesem verregneten Novembertag, einem Samstag, zu deren Geburtstag zu besuchen, aber er hatte sehr deutlich gemacht, dass ihm die ganze Aktion eigentlich gegen den Strich ging.

»Du bist ständig verträumt. Du bist immer unpünktlich. Du bringst nichts auf die Reihe. Ich frage mich wirklich, ob das gut gehen kann.«

Hannah wusste, dass ihr Vater ihr nichts zutraute, aber diesmal hatte sie sich nicht einschüchtern lassen. Hatte gebettelt und gequengelt und schließlich die Erlaubnis bekommen. Gemeinsam hatten sie die Züge von Scarborough nach Hull und zurück ausgesucht. In Scarborough wollte Ryan sie dann mit dem Auto abholen und mit ihr nach Staintondale fahren, wo sie wohnten, einem sehr kleinen Ort, zu dem es nichts als eine schlechte Busverbindung gab.

Der Zug war weg, daran war nicht zu rütteln. Hannah stand auf dem Bahnsteig und kämpfte mit den Tränen. Wie hatte das passieren können? Sie hatte sich so fest vorgenommen, ihren Vater nicht zu enttäuschen, sondern ihm zu beweisen, dass sie zuverlässig und selbstständig und schon ziemlich erwachsen war. Stattdessen bestätigte sie nun genau seine Vorurteile.

Sie wischte sich über die Augen. Heulen brachte jetzt nichts. Sie sprach einen Schaffner an und erfuhr, dass der nächste Zug nach Scarborough fast zwei Stunden später gehen würde. Es half nichts. Sie kramte ihr Handy aus der Tasche und rief ihren Vater an, der für eine Gebäudereinigungsfirma arbeitete und sich absichtlich für den Dienst an diesem Samstag hatte einteilen lassen. Wie zu erwarten gewesen war, reagierte er äußerst verärgert.

»Ich wollte dich um Viertel nach sieben abholen! Was soll ich denn jetzt zwei Stunden länger machen? Wir sind um sieben mit allem fertig! Herrgott, Hannah, warum ist es immer dasselbe mit dir? Was ist so schwer daran, *einmal* pünktlich loszugehen?«

Hannah schluckte. Was sollte sie dazu sagen? Granny hatte sie im letzten Moment noch gebeten, ihr die Wäsche aus der Waschmaschine zu holen und in den Korb zu legen, und vielleicht waren das die zuletzt fehlenden, entscheidenden zwei Minuten gewesen. Blieb die Tatsache, dass sie insgesamt zu knapp kalkuliert hatte. Wie immer.

»Wie immer!«, beendete ihr Vater gerade seine letzten Vorhaltungen, deren Inhalt an Hannahs Ohren vorbeigerauscht war. »Und weißt du was, jetzt sieh zu, wie du heimkommst! Ich habe ziemlich wenig Lust, immer bereitzustehen, wenn du wie üblich alles vermasselst!« Mit diesen Worten unterbrach er wütend die Verbindung.

Hannah überlegte, was sie nun tun sollte. Sie verließ mit langsamen Schritten den Bahnsteig, durchquerte das Bahnhofsgebäude, zögerte, als sie an einem *Pumpkin*-Café vorbeikam. Sie hatte ein bisschen Geld dabei, vielleicht könnte sie sich in das Café setzen, sich eine Cola und ein Muffin bestellen und einfach warten… Das wäre ungemein erwachsen. Aber dann dachte sie an die harte Stimme ihres Vaters, und wieder traten ihr die Tränen in die Augen. Sie würde zu ihrer Großmutter zurückgehen. Sie wollte von ihr in die Arme genommen und getröstet werden.

Hannah trat auf den Bahnhofsvorplatz hinaus. Vor ihr rauschte dichter Verkehr über den vierspurigen Ferensway – an diesem frühen Samstagabend nicht viel weniger als an normalen Werktagen. Die Dunkelheit war hereingebrochen, ein feiner Nieselregen hing in der kalten Luft. Sie zog schaudernd die Schultern zusammen.

Die Tragik der Situation bestand darin, dass dieses ganze Missgeschick Wasser auf den Mühlen ihres Vaters war. Es war furchtbar, aber Hannah schaffte es einfach nicht, Ryan davon zu überzeugen, dass sie kein kleines, dummes Mädchen mehr war. Ständig hatte er etwas an ihr auszusetzen, nörgelte, machte ihr Vorwürfe. Hannah fragte sich oft, wie ihr Leben wohl aussehen würde, wenn ihre Mutter noch da wäre. Sie hatte keine klare Erinnerung an sie, aber auf Fotos sah ihre Mutter jung und sehr hübsch aus, und sie hatte so ein schönes Lächeln. Irgendwie konnte Hannah nachvollziehen, weshalb sie sich von einem Mann wie Ryan getrennt hatte, aber sie fragte sich, weshalb sie gleich so weit fort hatte gehen müssen.

»Australien vermutlich«, hatte ihr Vater geknurrt, als Hannah ihn vor Jahren schüchtern gefragt hatte, wohin ihre Mutter denn gegangen sei. »Sie hat Verwandte dort.«

Es hatte nie wieder einen Kontakt gegeben.

Hannah steckte die Kopfhörer ihres Smartphones in die Ohren. Die hämmernden Bässe der Musik übertönten alles, den Verkehr, die Stimmen der Menschen. Sogar Ryans wütende Stimme, die noch immer in Hannahs Kopf herumgeisterte. Hannah hatte fast ständig die Kopfhörer im Ohr, auch wenn ihr Vater daran natürlich auch etwas auszusetzen hatte. Aber mit der Musik konnte sie abtauchen, all die Schwierigkeiten und Probleme ihres Lebens vergessen. Eine Zeitlang jedenfalls. Leider lösten sie sich ja nicht einfach in Luft auf. Sie kehrten zuverlässig immer wieder zurück.

Sie schrak heftig zusammen, als ihr jemand nachdrücklich auf die Schulter tippte, fuhr herum und nahm die Stöpsel aus den Ohren.

Sie blickte in die dunklen Augen eines jungen Mannes.

»Hannah?«, fragte der Mann. »Hannah Caswell?«

»Ja?« Wegen der Kapuze über seinem Kopf und den nassen Haarsträhnen, die ihm in die Augen fielen, erkannte sie ihn nicht sofort.

8

»Tut mir leid, ich wollte dich nicht erschrecken«, sagte er. »Ich habe dich ein paar Mal angesprochen, aber du hast mich nicht gehört.«

Jetzt wusste sie, wer er war. Kevin Bent. Er wohnte auf einer stillgelegten Farm in Staintondale, nur ein paar Meilen von Hannah entfernt, zusammen mit seiner Mutter und einem älteren Bruder. Einen Vater gab es in der Familie nicht mehr, aber niemand wusste genau, was aus ihm geworden war. Ryan sprach über die Bents nur im Ton tiefster Verachtung und hatte Hannah den Umgang mit beiden Söhnen strikt verboten. Hannah begriff diese ablehnende Haltung nicht. Mrs. Bent war ganz nett, und dafür, dass sie an multipler Sklerose litt, sich nur noch im Rollstuhl bewegte und den Farmbetrieb völlig hatte einstellen müssen, konnte sie nichts. Die Bents lebten von der Sozialhilfe, aber dafür durfte man weder der Mutter noch den beiden Jungen die Schuld geben.

»Hallo, Kevin«, sagte sie. Sie hoffte, dass er die Tränenspuren auf ihren Wangen nicht sehen konnte. Er war immerhin schon neunzehn Jahre alt. Sie mochte nicht wie ein kleines, verheultes Mädchen vor ihm stehen.

»Bist du ganz alleine hier?«, fragte er.

Sie nickte. »Ja. Und gerade eben habe ich meinen Zug verpasst.«

Er schwenkte seinen Autoschlüssel. »Du könntest mitfahren. Jedenfalls bis nach Scarborough. Ich muss dann rüber nach Cropton zu Freunden, aber vielleicht könnte dich dein Vater in Scarborough abholen.«

Hannah überlegte. Wenn sie jetzt bei Kevin mitfuhr, würde sie fast zum ursprünglich vereinbarten Zeitpunkt in Scarborough ankommen. Ihrem Vater durfte sie natürlich nicht sagen, dass sie ausgerechnet bei Kevin Bent mitgefahren war, aber vielleicht fiel ihr noch irgendetwas ein, was sie stattdessen anbringen konnte. Vielleicht wäre Ryan sogar beeindruckt, wenn Hannah es trotz allem schaffte, nahezu pünktlich zu sein.

»Das ist aber ein ziemlicher Umweg für dich«, gab sie zu bedenken. »Du wärst von hier viel schneller in Cropton, wenn du nicht über Scarborough fährst.«

Er zuckte mit den Schultern. »Eine Viertelstunde. Mehr ist es nicht.«

Hannah vermutete, dass es mehr als eine Viertelstunde war, aber sie korrigierte ihn nicht. Sie fühlte sich ein wenig geschmeichelt. Der gutaussehende Kevin Bent würde ihretwegen Zeit verlieren, aber das schien ihn nicht zu stören. Ob ihm an ihrer Gesellschaft gelegen war? Sie konnte sich das kaum vorstellen. Wer war sie schon? Eine kleine graue Maus, an der noch nie ein Junge Interesse gezeigt hatte.

»Also, willst du oder nicht?«, fragte er.

Hannah gab sich einen Ruck. Sie fühlte sich vollkommen verunsichert, aber wenn sie jetzt ablehnte, würde sie sich später ärgern, das wusste sie genau.

»Ja. Das ist total nett von dir«, sagte sie.

Sie liefen nebeneinander her, überquerten eine Straße und erreichten einen großen Parkplatz, der voller Autos war. Kevin kramte ein Ticket hervor und bezahlte am Automaten, dann gingen sie über den Platz, bis Kevin vor einem kleinen, etwas zerbeulten, aber blitzsauberen Fiat stehen blieb. Er öffnete die Tür, und Hannah glitt auf den Beifahrersitz, erleichtert, der Situation zu entkommen. Sie wusste, dass ihr Vater nie erfahren durfte, dass sie sich von Kevin Bent hatte mitnehmen lassen. Aus irgendeinem Grund hegte er die feste Überzeugung, dass sämtliche Bents gefährliche Kriminelle waren, Taugenichtse und arbeitsscheues Gesindel sowieso, darüber hinaus aber auch Diebe und Betrüger und vielleicht Schlimmeres. Tatsächlich war Kevins Bruder acht Jahre zuvor ins Visier der Polizei geraten, als diese im Fall einer vergewaltigten Fünfzehnjährigen ermittelte, die auf dem Schulweg von mehreren Jugendlichen zum Mitgehen überredet und dann über Stunden in einer stillgelegten Fabrikhalle misshandelt und mehrfach sexuell missbraucht worden war. Kevins damals sechzehnjähriger Bruder hatte seine Beteiligung an der Tat stets abgestritten, und tatsächlich war ihm am Ende nichts nachzuweisen gewesen. Was Ryan natürlich nicht beeindruckt hatte. »Klar war er dabei«, hatte er gesagt, »grundlos hat sich die Polizei bestimmt nicht für ihn interessiert. Sie konnten ihm leider nichts nachweisen. Diese Typen gehören alle hinter Gitter.«

Kevin ließ den Motor an, sie fuhren vom Parkplatz und fädelten sich in den dichten Verkehr auf dem Ferensway ein.

»Ich hätte dich fast nicht erkannt«, sagte Kevin. »Du bist ganz schön gewachsen.«

Hannah errötete vor Freude. »Na ja, ich…« Oh Gott, wie konnte man so unbeholfen klingen wie sie? »Ich werde fünfzehn im nächsten April.«

»Donnerwetter!«, sagte Kevin. Sie warf ihm einen schnellen Seitenblick zu. Er grinste. Klar. Sie hörte sich an wie ein blödes kleines Schulmädchen, das die Tage bis zu seinem nächsten Geburtstag zählt.

Vergiss es, Hannah, sagte sie zu sich selbst, vergiss es, ihn beeindrucken zu wollen. Er ist einfach freundlich, und deshalb nimmt er dich mit, aber er findet absolut nichts an dir, und das wird er auch in Zukunft nicht, so wie du dich anstellst!

Sie sprachen nichts, bis sie den Stadtrand erreichten und auf die A165 bogen, die Straße, die von Hull nach Scarborough führte, streckenweise nahe am Meer, oft gesäumt von flachen, windzerzausten Hecken, die man aber jetzt im Dunkeln nicht sehen konnte. Es herrschte noch immer reger Verkehr, sie fuhren in einer Kolonne von Autos, und auch auf der anderen Seite reihte sich ein Fahrzeug an das andere. Sie würden fast einhalb Stunden unterwegs sein. Es war warm und gemütlich im Auto, aber Hannah fühlte sich so angespannt, dass sie inzwischen wünschte, sie hätte doch auf den nächsten Zug gewartet. Sie saß hier auf engstem Raum mit einem der attraktivsten jungen Männer in Scarborough zusammen – und sie wusste, dass es nicht nur sie war, die ihn so gut aussehend fand. Über Kevin wurde viel geredet, in der Schule und in den sozialen Netzwerken, über die sich die Mädchen aus Hannahs Umgebung austauschten. Jede hätte alles gegeben für ein Date mit ihm. Er wechselte seine Freundinnen ziemlich schnell und häufig. Zurzeit galt er als Single, was nicht hieß, dass er nicht irgendwelche Affären nebenher laufen hatte.

Hannah wusste, dass jede sie um diese Situation beneidet hätte, glühend, aber genauso wusste sie, dass sie es vermasseln würde. Sie war nicht wirklich attraktiv, fand sie, nicht so wie die anderen Mädchen. Etliche Pfund zu viel auf den Hüften, ein Gesicht mit kindlichen Pausbacken, unmögliche Klamotten. Ihr Vater bestimmte, was sie anzog, und er kaufte ihr die Sachen auch. Da es den Caswells ständig an Geld mangelte, war der möglichst niedrige Kaufpreis das einzige Kriterium, das seine Auswahl bestimmte. Und genauso waren die Sachen. Billig und formlos, nach wenigen Wäschen bereits ausgeblichen. Und immer mindestens eine Nummer zu groß, damit sie hineinwachsen konnte und man nicht so schnell etwas Neues kaufen musste.

Sie seufzte.

»Was hattest du in Hull zu tun?«, fragte Kevin unvermittelt. »So weit weg von zu Hause?«

»Ich habe meine Großmutter besucht. Sie wohnt dort.«

»Und dein Vater hat dich da ganz alleine hinfahren lassen?« Es war in Staintondale bekannt, dass Ryan Caswell sehr streng war und seine Tochter kaum einen unbewachten Schritt tun ließ. Als könnte sie bei der ersten Gelegenheit ebenfalls nach Australien durchbrennen, so wie Mrs. Caswell zehn Jahre zuvor. Die arme Hannah durfte praktisch keinen unkontrollierten Atemzug holen.

»Es war nicht leicht«, räumte Hannah ein. »Er wollte nicht, dass ich fahre. Er meinte, dass ich das am Ende wieder nicht hinkriegen würde. Das Schlimme ist...«

»Dass du jetzt wirklich den Zug verpasst hast«, vollendete Kevin ihren Satz, als sie stockte.

Sie nickte. »Ja. Mein Vater weiß jetzt wieder, dass er recht hat.«

»Ich glaube, du machst solche Fehler nur, weil er dir lange genug einredet, dass du sie machen wirst«, meinte Kevin. »Man kann Menschen jegliches Selbstvertrauen nehmen, und dann klappen die Dinge bei ihnen tatsächlich nicht mehr. Du solltest an dich glauben, Hannah. Dann würde alles gut werden.«

Sie dachte nach. »Es ist schwierig, an sich zu glauben«, sagte sie dann, »wenn...«

»Wenn man einen Vater wie deinen hat?«

»Es ist nicht nur mein Vater. Es ist auch... Ich meine, ich bin nun mal...«

Sie redete nicht weiter, spürte, dass er sie ansah. »Was bist du?«

Es war verkehrt, das zu sagen, aber es kam im Grunde auch nicht mehr darauf an. »Ich bin nicht wie die anderen Mädchen. Nicht so... cool.« *Hübsch* hatte sie eigentlich sagen wollen, aber das Wort hatte sie zum Glück noch verschluckt. Nicht, dass er das nicht von selbst feststellen konnte, aber direkt mit der Nase musste sie ihn trotzdem nicht darauf stoßen.

»Warum müssen alle *cool* sein?«, fragte Kevin. »Du hast irgendwie etwas Besonderes, Hannah. Du bist nicht wie alle anderen. Das finde ich viel interessanter!«

Sie schluckte. Meinte er das ernst?

Was sagte man jetzt in einer solchen Situation?

Die anderen wüssten es, dachte sie verzweifelt, *sie wüssten es!*

Wieder schwiegen sie beide. Inzwischen hatten sie zahlreiche Ortschaften passiert, und viele Autos waren bereits abgebogen. Die Straße wurde leerer. Wenn sie aus dem Fenster blickte, konnte Hannah die Wiesen ahnen, die sich am Horizont verloren. Irgendwo dahinter war das Meer.

So fühlt sich Freiheit an, dachte sie unvermittelt. Die Nacht. Kevin. Mein Vater, der keine Ahnung hat, wo ich bin.

Um irgendetwas zu sagen, fragte sie: »Was hast du in Hull getan?«

»Ein Kumpel von mir eröffnet dort ein Pub. Ich habe ihm heute beim Zusammenbauen und Aufstellen der Möbel geholfen. Morgen muss ich wieder hin.«

»Ah. Wie ... nett von dir!«

»Ich kenne ihn schon ewig. Anfang Dezember ist die Eröffnung. Wenn du willst, bekommst du auch eine Einladung.«

Großer Gott. »Ich ... na ja ...«

»Eine Cola darfst du schon trinken, schätze ich.«

»Klar. Gerne. Danke.« Ihr Vater würde das nie im Leben erlauben. Ein Pub in Hull. Das von einem Freund Kevin Bents geführt wurde. Aussichtslos. Es sei denn, sie ließe sich eine Ausrede einfallen. Sie hatte eine Freundin, Sheila. Manchmal, *manchmal* erlaubte ihr Vater, dass sie bei ihr übernachtete. Wenn sie behauptete, bei Sheila zu schlafen, und stattdessen nach Hull fuhr?

»Könntest du mich mitnehmen?«, fragte sie. »Zu der Eröffnung, meine ich?«

»Natürlich. Meinst du, dein Vater erlaubt es?«

»Nein. Aber er muss es nicht erfahren.« Das klang jetzt definitiv cool, fand Hannah.

Kevin grinste wieder. »Okay. Wenn du das hinbekommst.«

Außer ihnen waren nur noch wenige Autos unterwegs. Kevin drehte das Autoradio an. Ariana Grande.

»Magst du diese Musik?«, fragte Kevin.

»Ja. Total gerne.«

Sie schwiegen beide. Die Musik war laut. Sie erfüllte den ganzen Wagen. Draußen glitt die Dunkelheit vorbei.

Vielleicht, dachte Hannah, fängt jetzt ein neues Leben für mich an. Irgendwie.

2

Es war kurz nach sieben, als sie in Scarborough ankamen. Kevin fuhr sie zum Bahnhof. Er hatte sie gefragt, ob sie nicht ihren Vater anrufen und von ihrer früheren Rückkehr unterrichten wollte, aber Hannah hatte, möglichst leichthin klingend, geantwortet, er sei noch in den Büroräumen der Reinigungsfirma, und dort werde sie nun ebenfalls hingehen. Es war natürlich völlig undenkbar, ihn aus dem Auto anzurufen. Er hätte sofort wissen wollen, wer sie da mitnahm, und selbst wenn sie ihm nicht Kevin Bents Namen genannt hätte, wäre er wütend geworden. Er hatte ihr eingeschärft, niemals, *niemals* zu jemandem ins Auto zu steigen, es sei denn, sie kannte die betreffende Person sehr gut.

Einen guten Bekannten konnte sie jedoch nicht vorgeben, weil das Risiko bestand, dass ihr Vater sich bei diesem vergewissert hätte. Ryan Caswell misstraute Gott und der Welt.

Die große Frage war überhaupt, was sie nun sagen sollte. Hannah hatte sich den Kopf zerbrochen, aber nun stellte sich das Schicksal überraschend auf ihre Seite: Sie erreichten den Bahnhof nahezu zeitgleich mit der Ankunft des Zuges, den sie ursprünglich hatte nehmen wollen. Sie konnte behaupten, ihn in letzter Sekunde doch noch erwischt zu haben. Ihr Vater würde mosern, weil sie ihn deswegen nicht angerufen hatte, aber den Vorwurf konnte sie wegstecken. Besser als alles andere.

»Wo ist denn diese Firma?«, fragte Kevin. »Ich könnte dich direkt dort absetzen.«

»Nein, der Bahnhof ist schon gut. Ich sage meinem Vater, ich bin doch mit dem Zug gekommen.«

»Okay.« Er hielt an. »Und du gehst wirklich dorthin?«, vergewisserte er sich. »Zu deinem Vater?«

»Ja, natürlich.« Ihr Vater war vermutlich heimgefahren, aber das brauchte Kevin nicht zu wissen. Sie würde ihn anrufen, er würde sich aufregen, dass er nun wieder zurückfahren musste, er würde sie fragen, ob sie eigentlich ihren Kopf gelegentlich noch einschaltete, aber er würde sie letzten Endes abholen.

Sie stieg aus, schauderte. Die feuchtkalte Luft war doppelt unangenehm nach der Fahrt in dem warmen Auto. Kevin neigte sich über ihren Sitz. »Wir sprechen noch wegen der Eröffnung, okay?«

»Ja, unbedingt!«

»Du trampst nicht nach Staintondale, versprochen? Das ist gefährlich!«

»Bestimmt nicht.«

»Gut. Bis bald, Hannah. Schönen Abend noch.«

Sie schloss die Tür, sah seinem Auto nach.

Liebe Güte, war das wirklich passiert? Sie hatte in gewisser Weise ein Date mit Kevin Bent. Nicht gerade ein romantisches nur zu zweit, weil sie ja zu einem Fest gehen würden, aber immerhin. Sie würde mit ihm zusammen ausgehen. Es war das erste Mal in ihrem Leben, dass ein Junge sie gefragt hatte, ob sie irgendwohin mit ihm gehen wollte. Und dann auch noch Kevin! Aufgeregt kramte sie ihr Smartphone aus der Jeanstasche. Sie würde platzen, wenn sie das nicht auf der Stelle Sheila erzählte.

Sheila, die man von ihrem Handy nur durch eine Amputation hätte trennen können, meldete sich sofort.

»Hi! Was gibt's?«

»Ich bin am Bahnhof in Scarborough. Ich war in Hull. Rate, wie ich hierhergekommen bin.«

»Mit dem Zug, schätze ich«, entgegnete Sheila etwas gelangweilt.

»Nein. Ich habe in Hull jemanden getroffen, der mich mit dem Auto mitgenommen hat.«

»Wen denn?« Sheila klang genervt.

Hannah genoss den Moment. »Kevin.«

Sheila schwieg einen Augenblick. Dann fragte sie völlig perplex: »Bent? Kevin Bent?«

»Ja. Genau den.«

»Das ist ja ein Ding. Kevin Bent hat dich im Auto mitgenommen? Wie hast du denn das geschafft?«

»Ich musste gar nichts *schaffen*. Wir sind uns begegnet, und er hat mich gefragt, ob ich mitfahren möchte.«

»Du hast ja vielleicht Glück!« Es gelang Sheila kaum, ihren Neid zu verbergen. »Und wie war er? Wie warst du? Hoffentlich nicht wieder zu schüchtern, um den Mund aufzumachen.«

Das war genau die Befürchtung, die Hannah hegte.

»Nun, ich …«

»Nicht, dass er sich mit dir vielleicht gelangweilt hat?«, fragte Sheila.

Für eine beste Freundin verhielt sie sich nicht gerade ausgesprochen nett, fand Hannah. Es mochte der Neid sein, der aus ihr sprach, aber unglücklicherweise kannte sie Hannahs wunde Punkte nur zu gut und traf sie zielsicher.

Hannah beschloss, ihren nächsten Trumpf auszuspielen. »Ich glaube eigentlich nicht, dass er sich mit mir gelangweilt hat. Er hat sich mit mir verabredet. Für Anfang Dezember.«

»Was?«

»Eine Party.« Das klang, fand Hannah, besser als eine Puberöffnung. »Er hat mich gefragt, ob ich mit ihm dorthin gehe.«

»Kevin Bent will mit dir zu einer Party gehen?«, fragte Sheila so ungläubig, dass Hannah es erneut als verletzend empfand.

»Ja.«

»Ich fasse es nicht. Echt! Kevin und du …«

»Das Problem ist mein Vater«, sagte Hannah. »Er wird es nicht erlauben.«

»Das wird er garantiert nicht«, stimmte Sheila fast erleichtert zu.

»Deshalb dachte ich, ich sage ihm, dass ich bei dir übernachte. Was meinst du? Würdest du mitmachen?«

»Hm.« Sheila war anzumerken, wie sehr ihr ihre Rolle bei diesem Spiel missfiel. Hannah begleitete Kevin Bent – den attraktivsten jungen Mann der ganzen Region – zu einer Party, und sie, Sheila, saß zu Hause und gab lediglich das Alibi ab. Sie fand sich hübscher und cooler als Hannah, tougher und schlagfertiger, und sie hatte viel bessere Klamotten. Wo, zum Teufel, hatte Kevin denn seine Augen?

Als könnte sie Gedanken lesen, fragte Hannah: »Und

kannst du mir auch etwas zum Anziehen leihen? Du weißt ja, meine Sachen …«

»In denen kannst du nicht gehen, die sind völlig unmöglich. Mich wundert, dass Kevin das offenbar heute gar nicht gestört hat. Ich meine, seine letzte Freundin sah echt gut aus und war super angezogen …«

Hannah empfand jedes einzelne Wort wie eine Ohrfeige, aber sie bemühte sich, es Sheila nicht merken zu lassen. »Hilfst du mir nun oder nicht?«

Sheila schien zu begreifen, dass ihr nichts anderes übrig blieb, wollte sie sich nicht als schlechte Freundin erweisen. Zudem sicherte sie sich Informationen aus erster Hand, wenn sie als Unterstützerin fungierte.

»Okay«, meinte sie gedehnt.

»Danke. Du bist ein Schatz!«

»Wieso hat er dich eigentlich nicht mit nach Staintondale genommen? Er wohnt doch auch dort draußen.«

»Er musste weiter nach Cropton. Zu Freunden. Außerdem – wie hätte ich das meinem Vater erklären sollen? So kann ich behaupten, dass ich mit dem Zug gekommen bin.«

Das sah Sheila ein. Sie redeten noch ein paar Minuten, Sheila wollte jedes Detail der Fahrt und der Unterhaltung wissen, dann verabschiedeten sie sich voneinander, und Hannah wählte die Nummer ihres Vaters. Zuerst seine Handynummer, und als sich dort niemand meldete, versuchte sie es zu Hause. Auch nichts. Bei beiden Anschlüssen landete sie auf der Mailbox, hinterließ jedoch keine Nachricht.

Auch bei ihren zweiten, dritten, vierten Versuchen hatte sie kein Glück. Ihr Vater meldete sich nicht.

Hannah überlegte, was sie tun sollte. War ihr Vater so wütend, dass er absichtlich nicht reagierte? Oder war er unterwegs und steckte in einem Funkloch?

Sie stand vor dem backsteinernen Bahnhofsgebäude mit

dem hohen Turm, den eine große Uhr und eine imposante Kuppel zierten, und merkte, wie sie in dieser ungemütlichen Mischung aus Nebel und feinstem Nieselregen immer mehr fror. Es waren wenig Menschen an diesem Samstagabend um diese Uhrzeit am Bahnhof, kaum jemand auf dem Platz davor. Wer konnte, blieb daheim und machte es sich vor dem Kamin gemütlich. Bei all der freudigen Aufregung der letzten beiden Stunden merkte Hannah, wie Müdigkeit und Ängstlichkeit in ihr aufstiegen. Ihr Vater rechnete viel später mit ihr; was, wenn er bis dahin unerreichbar blieb?

Sie konnte in das Innere des Bahnhofs gehen und dort warten; immerhin würde sie dort Schutz vor der Kälte und der Nässe finden. Auch hier gab es ein Pumpkin Café. Aber die Vorstellung, dort bis fast neun Uhr alleine zu sitzen, war wenig verlockend.

Sie versuchte es noch einmal bei ihrem Vater, erneut ohne Erfolg.

Unschlüssig tat sie ein paar Schritte die Straße entlang, da hielt ein Auto neben ihr. Die Scheibe wurde hintergelassen.

»Hannah!«

Sie blieb stehen.

3

Dustin Walker hatte den Zug von London King's Cross nach Scarborough als Schaffner begleitet und war froh, pünktlich um halb zehn angekommen zu sein. Mit schnellen Schritten ging er den Bahnsteig entlang. Er wollte so rasch wie möglich nach Hause. Der Tag war lang gewesen, jeder zweite Mitreisende im Zug hatte eine Erkältung gehabt. Dustin war von Husten und Triefnasen umgeben gewesen. Daheim musste er schnell ein paar Vitamine einwerfen. Er hoffte, dass er sich nicht bereits angesteckt hatte.

Ein Mann trat ihm in den Weg, er wollte ausweichen, aber der Mann machte ebenfalls einen Schritt zur Seite. Dustin blieb genervt stehen.

»Ja?«, fragte er.

»Der Zug aus Hull ist längst angekommen«, sagte der Mann. Er sah sehr blass aus. Die Augen waren weit aufgerissen und verstört. »Pünktlich. Vor einer Dreiviertelstunde.«

»Das kann sein. Ich komme gerade aus London«, sagte Dustin.

»Meine Tochter hätte in dem Zug sein müssen. Sie ist nicht angekommen!«

»Ich kann Ihnen da nicht helfen. Wie gesagt, ich bin eben aus London …«

»Niemand kann mir helfen!«, rief der Mann. Er schien dicht vor einem Panikanfall zu stehen. »Im Reisecenter ist niemand mehr. Ich habe die Notfalltaste am Help Point gedrückt, aber dort wusste man auch nichts. Niemand ist zuständig!«

Dustin war auch nicht zuständig, aber der Mann tat ihm leid.

»Ihre Tochter wollte aus Hull kommen?«, fragte er.

»Ja. Sie ist vierzehn Jahre alt. Sie wollte eigentlich einen Zug früher kommen, aber den hat sie versäumt. Sie hat mich angerufen, wir haben vereinbart, dass sie den nächsten nimmt. Aber da war sie nicht.«

»Waren Sie rechtzeitig am Gleis? Vielleicht ist sie irgendwohin gegangen, um …«

»Ich war pünktlich! Ich war sogar zehn Minuten zu früh da. Ich stand am richtigen Gleis. Der Zug kam. Aber sie ist nicht ausgestiegen!«

»Vielleicht haben Sie einander einfach im Gedränge verfehlt. Das kommt doch vor.«

»Aber dann müsste sie ja irgendwo sein. Ich habe inzwischen den ganzen Bahnhof abgesucht. Ich war sogar in den Damentoiletten. Sie ist nirgends. Ich war auch draußen vor dem Bahnhof, ich habe überall nachgeschaut, sie ist nicht hier.«

»Hat Ihre Tochter ein Handy?«

»Ja. Ich habe sie immer wieder angerufen. Aber es meldet sich nur die Mailbox.«

Dustin seufzte. Er nahm an, dass sich dieser Vater zu Unrecht Sorgen machte. Dem Mädchen war vermutlich nichts passiert, aber die heutigen Vierzehnjährigen ... Wahrscheinlich hatte sie einen Freund, mit dem sie gerade irgendwo die Zeit vergaß.

»Was hat sie denn in Hull gemacht?«, fragte er.

»Sie hat ihre Großmutter besucht. Bei ihr habe ich natürlich inzwischen auch schon angerufen, aber da ist sie nicht. Ich habe zum letzten Mal mit ihr gesprochen, als sie mir sagte, dass sie den Zug verpasst hat.«

»Danach hat sie sich nicht mehr gemeldet?«

»Sie hat mich mehrfach versucht anzurufen. Zwischen zehn nach sieben und zwanzig nach sieben. Ich saß in meinem Auto, unten am Meer, unterhalb der Burg. Offensichtlich hatte ich dort keinen Empfang, deshalb habe ich viel zu spät gesehen, dass sie es versucht hat ... Aber sie hat keine Nachricht hinterlassen. Ich weiß nicht, von wo sie angerufen hat und worum es ging.«

Dustin seufzte erneut. Wäre er bloß nicht stehen geblieben. Jetzt hatte er diesen Mann am Hals.

»Hören Sie, Mr. …?«

»Caswell. Ryan Caswell. Ich wohne draußen in Staintondale, zusammen mit Hannah. Meiner Tochter. Ich bin alleinerziehend. Ich arbeite für eine Gebäudereinigungsfirma. Ich habe heute bis kurz vor sieben gearbeitet, dann wollte ich Hannah eigentlich hier abholen. Aber dann… musste ich warten. Auf den nächsten Zug.«

Bisschen komischer Typ, dachte Dustin, wartet bei dieser Kälte fast zwei Stunden lang in seinem Auto irgendwo unten am Meer, anstatt sich in ein Pub zu setzen und wenigstens einen heißen Tee zu trinken. Geizig bis zum Anschlag wahrscheinlich… Wundert mich nicht, dass das Mädchen nicht allzu viel Lust verspürt, nach Hause zu kommen…

»Ich war ziemlich verärgert, als sie mir sagte, dass es später wird«, sagte Ryan Caswell leise. »Ich habe gedroht, sie nun gar nicht abzuholen. Ich war wütend, weil sie immer… Sie ist so verträumt. Ständig vergisst sie irgendetwas, verliert etwas… Es war so typisch, dass das mit dem Zug jetzt auch wieder schiefging. So dermaßen typisch!«

»Armes Ding«, murmelte Dustin lautlos.

»Aber deswegen würde sie nicht weglaufen«, fuhr Caswell fort. »Sie ist… wirklich noch ein Kind. Ich weiß, wie frühreif heutzutage viele Vierzehnjährige sind, aber meine Hannah ist ganz anders. Verspielt, kindlich…«

Manchmal täuschen sich Eltern, was das betrifft, dachte Dustin, aber laut sagte er: »Hat Hannah Freunde? Oder eine beste Freundin? Jemand, zu dem sie gegangen sein könnte?«

»Sie kann doch hier zu niemandem gegangen sein«, sagte Caswell, »dann hätte sie doch mit diesem Zug kommen müssen.«

»Keine Ahnung. Zumindest hat sie einer Freundin vielleicht Bescheid gesagt, wo sie ist. Nachdem sie Sie ja nicht erreichen konnte.«

Hoffnung glomm in Ryan Caswells Augen. »Sheila«, sagte er. »Sheila Lewis. Das ist ihre beste Freundin hier in Scarborough.« Schon tippte er auf seinem Handy herum. Dustin überlegte, dass er nun eigentlich weitergehen könnte, aber irgendetwas – seine idiotische Gutmütigkeit, wie er fand – hinderte ihn daran, diesen aufgelösten Mann einfach sich selbst zu überlassen. Irgendwie hatte er sich in ein Gefühl von Verantwortung manövrieren lassen.

»Sheila, hier ist Ryan. Ryan Caswell!«, rief Caswell in sein Telefon. Er schrie es fast. »Weißt du, wo Hannah ist? Ich bin am Bahnhof. Sie hätte im Zug von Hull vor fünfundvierzig Minuten sein müssen, aber … Ja. Nein, sie ist nicht hier. Wieso?«

Er lauschte. »Ich verstehe nicht … Kannst du bitte aufhören, herumzustottern? Weißt du, wo sie ist, oder nicht? Hör mal zu, Sheila, wenn Hannah etwas passiert ist und du hältst jetzt aus falsch verstandener Freundschaft den Mund, dann wirst du Schwierigkeiten bekommen. Richtig schlimme Schwierigkeiten, das kann ich dir versprechen!«

Der Kerl war echt unangenehm, fand Dustin. Ganz offensichtlich wusste diese Sheila irgendetwas und stammelte herum, und es brachte doch nichts, sie dermaßen unter Druck zu setzen. Aber das war die Art von diesem Caswell. Das drückte sich schon in seinen Gesichtszügen aus. Verbittert. Chronisch schlecht gelaunt. Mit sich und der Welt im Unreinen.

Caswell lauschte wieder. Dann schnappte er nach Luft. »Was? Was sagst du da?«

Oh je, oh je, dachte Dustin.

»Sie ist *bei wem* mitgefahren?«, schrie Caswell. Die wenigen Reisenden, die noch auf den Bahnsteigen unterwegs waren, drehten sich um.

»Das kann nicht wahr sein! Das kann nicht wahr sein!

Und jetzt ist sie weg! Verschwunden!« Caswell beendete abrupt das Gespräch und wandte sich Dustin zu. Er sah aus, als wäre er dem Teufel persönlich begegnet.

»Sie ist bei Kevin Bent mitgefahren! Im Auto!«

Dustin wusste nicht, wer Kevin Bent war, aber allem Anschein nach stellte die Tatsache, dass seine Tochter zu diesem Mann ins Auto gestiegen war, eine Art Super-GAU für Ryan Caswell dar.

»Ein gefährlicher Krimineller. Sein Bruder war wegen Vergewaltigung angeklagt.« Caswell tippte erneut eine Nummer in sein Handy. »Ich rufe jetzt sofort die Polizei an!«

TEIL I

FREITAG, 13. OKTOBER 2017

1

»Asoziale«, sagte die alte Dame und verzog angewidert das Gesicht. »So sieht das aus. Du lieber Gott. Aber ich fand Ihre Mieter ja von Anfang an sehr seltsam. Ich hatte kein gutes Gefühl.«

Kate Linville stand im Wohnzimmer ihres Elternhauses in Scalby, einem Vorort von Scarborough, und schaute sich fassungslos um. Sie war Polizistin, und sie hatte schon viel gesehen, vor allem viel Unschönes, aber das hier übertraf alles: Leere Konservendosen, die sich in den Ecken stapelten, angegessene Pizzareste auf Papptellern, Flaschen mit Alkohol, die teilweise umgekippt waren und deren Inhalt große hässliche Flecken auf dem Teppich hinterlassen hatte. Eine Katzentoilette, die seit Monaten niemand mehr gesäubert haben konnte. Klamottenberge. Unterwäsche auf dem Fensterbrett. Erbrochenes auf einem Sessel. Und mit etwas, das in der Farbgebung an getrocknetes Blut erinnerte, hatte jemand einen obszönen Text an die Wand gekritzelt, der nur in Teilen zu entziffern war, aber mindestens fünfmal das Wort *Fuck* enthielt.

»Oh Gott«, sagte Kate. War es schlimmer als alles, was sie kannte? Oder war sie persönlich betroffen, und das machte es so schlimm? Sie ahnte, dass sie einfach losgeheult hätte, stünde nicht die Nachbarin neben ihr. Kate war selten zu Gefühlsäußerungen in der Gegenwart anderer fähig.

»Die Küche ist noch mehr verwüstet«, sagte die Nachbarin. Sie hatte immer einen Ersatzschlüssel besessen, schon zu Lebzeiten von Kates Vater, und daran hatte sich nie etwas geändert. Sie war es, die Kate in London angerufen hatte.

»Ihre Mieter habe ich seit zwei Wochen nicht mehr gesehen. Es stapeln sich Milchflaschen vor der Haustür. Der Briefkasten quillt auch über. Und ich habe die Katze maunzen gehört. Da stimmt etwas nicht. Soll ich rübergehen?«

Kate hatte ihr Okay gegeben. Zwanzig Minuten später hatte die Nachbarin erneut angerufen. »Sie sollten herkommen. Schnell!«

Kate, Detective Sergeant bei Scotland Yard, hatte sich ein paar Tage Urlaub genommen, was angesichts der extremen Arbeitsüberlastung in der ganzen Abteilung zu hochgezogenen Augenbrauen bei ihrem Chef geführt hatte.

»Das Haus, das ich von meinem Vater geerbt habe. Ich hatte es vermietet. Nun sind die Mieter offenbar verschwunden und haben die völlige Verwüstung hinterlassen. Ich muss mich darum kümmern, es hilft nichts.«

Der Chef wirkte irritiert. »Ich dachte, Sie hätten das Haus längst verkauft?«

»Nein«, musste Kate einräumen.

Sie hatte den Urlaub bewilligt bekommen. Und jetzt, als sie der Nachbarin in die Küche folgte und vor dem Dreck und dem Gestank zurückzuckte – es war schlimmer als auf einer Mülldeponie –, fragte sie sich, ob das nun einfach die gerechte Quittung für ihre Schwäche war. Ja, sie hatte das Haus verkaufen wollen. Und nein, sie hatte es nicht geschafft. Hatte sich dafür entschieden, es zu vermieten, obwohl sie wusste, dass das zu Ärger führen konnte. Nicht, dass sie sich eine solche Katastrophe vorgestellt hätte wie die, der sie nun gegenüberstand. Aber Häuser verursachten Kosten, brauchten ständig Reparaturen, und wenn man Pech hatte, geriet man an Mieter, die wegen jedes tropfenden Wasserhahns und jeder knarrenden Bodendiele anriefen und sofortige Maßnahmen verlangten. Trotzdem, sie hatte es riskiert. Weil sie das Haus ihrer Eltern nicht hergeben konnte, noch nicht. Ihre Mutter war in diesem Haus nach langer, schwerer Krankheit gestorben. Ihr Vater war in diesem Haus auf grausame Weise ermordet worden. Kate hatte dieses Verbrechen drei Jahre zuvor aufgeklärt und dabei manches über die Vergangenheit ihres Vaters erfahren, was sie in ihrer Verklärung seiner Person erschüttert hatte. Und dennoch ... sie war noch nicht so weit gewesen. Sie hatte einfach noch nicht endgültig loslassen können.

»Irgendwie bin es immer ich, die herausfindet, wenn hier etwas nicht stimmt«, sagte die Nachbarin. Sie zog ein Taschentuch hervor und presste es gegen ihre Nase. »Das ist ja furchtbar, dieser Gestank! Ich habe es damals entdeckt, als Ihr Vater umgebracht worden war, und jetzt ist mir auch aufgefallen, dass etwas nicht in Ordnung ist. Immer ich!« Es klang fast anklagend.

Na ja, du beschäftigst dich auch ständig mit allem, was in deiner Nachbarschaft geschieht, dachte Kate gereizt, hier kann überhaupt niemand irgendetwas tun, was du nicht sofort bemerkst!

Sie bemühte sich, ihren Ärger nicht spürbar werden zu lassen. Es war ungerecht. Sie konnte der alten Frau dankbar sein.

»Ich hoffe, das war das letzte Mal, dass Sie hier unangenehme Entdeckungen machen mussten«, sagte sie.

»Wer weiß ...« Die Nachbarin zuckte mit den Schultern.

Kate argwöhnte, dass sie die Situation in Wahrheit genoss. Endlich ein wenig Abwechslung in ihrem eintönigen, einsamen Dasein.

Die beiden Frauen setzten den deprimierenden Rundgang durch das Haus fort. Es war überall dasselbe, auch in den Schlafzimmern im ersten Stock. Hauptsächlich schmutzige Wäsche und vergammeltes Essen. Herausgerissene Elektrokabel, abgeschraubte Fenstergriffe, kaputte Türklinken. Die Badezimmertür war aufgebrochen worden und hing schief an nur noch einem intakten Scharnier. Im Bad selbst hatte schon lange niemand mehr die Toilettenspülung betätigt, der Gestank hob sekundenlang Kates Magen. Sie erhaschte einen Blick auf sich im Spiegel über dem Waschbecken: Sie war weiß im Gesicht und glänzte von Schweiß. Ihre Haare über der Stirn waren feucht.

»Das ist ... unfassbar«, sagte sie mühsam.

Die Nachbarin, noch immer das Taschentuch vor der Nase, nickte. »Die Badewanne ist auch total verdreckt«, murmelte sie undeutlich.

In der Wanne stand fußhoch das Wasser. Irgendetwas schwamm darin herum, es schien sich um Erbrochenes zu handeln.

»Was haben die denn hier gemacht?«, fragte Kate fassungslos.

Sie hatte die Mieter damals kennengelernt. Ein Mann und eine Frau, beide um die dreißig. Nicht besonders sympathisch, aber auch nicht wirklich unangenehm. Etwas undurchsichtig vielleicht. Er hatte erklärt, gerade auf Jobsuche zu sein, aber sie hatte einen Arbeitsvertrag mit einer Baufirma vorlegen und ein festes Einkommen nachweisen können. Tatsächlich war die Miete zwar nicht immer pünktlich, aber letzten Endes einigermaßen verlässlich eingegangen. Kate war erleichtert gewesen, weil sich die Mieter nie meldeten. Sie brachten keine Beanstandungen vor und waren bereit gewesen, das Haus möbliert zu übernehmen.

Vielleicht hätte mich das misstrauisch machen sollen, dachte Kate nun, dass sie keine eigenen Möbel hatten und dass sie sich nie über irgendetwas beschwerten.

Im ehemaligen Schlafzimmer ihrer Eltern entdeckten sie die Katze, die offenbar unversorgt zurückgelassen worden war. Klein, zart, kohlschwarz. Sie hatte die Zeit überstehen können, weil sie sich vermutlich von den vielen Essensresten ringsum ernährt hatte. Sie sah verwahrlost aus. Sie lag in dem ungemachten Bett zwischen Bettwäsche, die vor Dreck stand, und gab leise Klagelaute von sich.

»Die haben sich nicht mal Gedanken um ihre Katze gemacht«, sagte Kate.

»Ich habe ihr gestern etwas Milch rübergebracht«, sagte die Nachbarin. »Aber sie kann nicht zu mir. Ich bin allergisch gegen Katzen!« Wie zum Beweis nieste sie.

Kate verspürte den nahezu überwältigend starken Wunsch, sich einfach in einer Ecke niederzukauern, das Gesicht in den Händen zu vergraben und zu warten, dass irgendjemand kam, der ihr sagte, er werde sich um alles kümmern und sie solle sich keine Gedanken machen. Sie wünschte sich ein Wunder, das dafür sorgen würde, dass sich all der Schmutz und die Verwüstung in Luft auflösten, dass dieses hübsche kleine Haus, in dem sie aufgewachsen war, wie durch Zauberhand wieder zu dem gemütlichen Heim wurde, das es immer für sie gewesen war. All die Jahre hindurch hatte Kate dieses Gefühl von Sicherheit und Geborgenheit gehabt, wenn sie hier ankam – wenn sie der Kälte ihrer Londoner Wohnung, der Einsamkeit ihres Lebens, den beruflichen Problemen entkam und eintauchte in etwas, das vergangen war und trotzdem noch immer wärmte. Das würde nie wieder so sein, das begriff sie in diesen Momenten. Selbst wenn sie alle Schäden beseitigt hätte, wenn alles wieder schön und ordentlich war, würde diese Verletzung bleiben. Die zweite Verletzung nach der Ermordung ihres Vaters. Irgendwann erholten sich ein Haus und seine Atmosphäre nicht mehr.

Es würde niemand kommen und ihr helfen. Sie war alleine mit dem Problem. Sie riss sich zusammen. Es ging nicht, dass sie sich in die Ecke kauerte. Sie musste sich die nächsten Schritte überlegen.

Es gab einen einzigen Vorteil inmitten der ganzen Misere: Ein halbwegs ordnungsgemäßes Kündigungsschreiben der Mieter, das auf dem Tisch im Wohnzimmer lag und an Kate adressiert war. Kate wollte es noch einem Juristen zeigen, aber sie nahm an, dass sie damit wieder das alleinige Verfügungsrecht über das Haus besaß. Die Kündigung eines Mietverhältnisses gegenüber Mietern, deren Aufenthaltsort unbekannt war, hätte eine Kette von zermürbenden Problemen nach sich gezogen.

»Wo wollen Sie denn die nächsten Tage wohnen?«, fragte die Nachbarin. »Hier können Sie ja nicht leben.«

»Ich suche mir ein *Bed & Breakfast*. Um diese Zeit müsste vieles frei sein. Dann engagiere ich ein Entrümpelungsunternehmen. Ich lasse das Haus entkernen. Alles andere hat keinen Sinn.«

»Das wird teuer!«

»Klar. Aber ich habe ja keine Wahl.«

»Werden Sie die Mieter anzeigen?«

Kate nickte. »Natürlich. Aber ich habe nicht allzu viel Hoffnung, dass man sie auffinden wird. Die sind vielleicht schon gar nicht mehr in England.«

»Die müssen krank sein«, meinte die Nachbarin schaudernd.

Kate ging hinunter ins Wohnzimmer, das, obwohl es furchtbar aussah, noch den erträglichsten Raum darstellte. Sie setzte sich auf den äußersten Rand des Sofas, holte ihren Laptop hervor und googelte die infrage kommenden Unterkünfte in der näheren Umgebung. Sie fand eine Pension, unweit des Scarborough North Cliff Golf Club gelegen. Ein Katzensprung mit dem Auto von Scalby aus, und noch dazu nahe am Meer.

Apropos Katze: Man durfte Haustiere mitbringen. Kate hatte noch nie ein Tier gehabt, aber sie konnte die Katze nicht hierlassen, und irgendetwas in ihr sträubte sich, sie einfach ins Tierheim zu bringen. Sie würde sie mitnehmen. Vielleicht fand sich später jemand, der sie behalten konnte.

Sie rief in dem *Bed & Breakfast* an und erfuhr, dass sie jederzeit einziehen und bleiben konnte, so lange sie wollte.

»Sie sind der einzige Gast im Moment«, sagte die freundliche Frau am anderen Ende der Leitung. »Wir freuen uns, wenn Sie kommen.«

Kate hatte ihren Koffer im Auto gelassen. Sie suchte etwas, worin sie die Katze transportieren konnte, und fand tatsächlich einen tragbaren Katzenkorb in der Küche. Er war verdreckt wie alles. Sie schrubbte ihn mit viel heißem Wasser und einem traurigen Rest Spülmittel sauber und hoffte, man werde ihr in der Pension eine Decke als Unterlage zur Verfügung stellen können. Hier im Haus gab es buchstäblich nichts mehr, was sowohl der Katze als auch den Besitzern des *Bed & Breakfast* zumutbar gewesen wäre.

Gemeinsam mit der Nachbarin verließ sie das Haus, schloss sorgfältig hinter sich ab. Es war ein milder Herbsttag, die Oktobersonne schien von einem blauen Himmel, der hier und da von weißen Wolkenschlieren durchzogen wurde. Die Bäume in den Vorgärten entlang der Straße trugen rotes und goldfarbenes Laub.

Trotz allem, dachte Kate, es ist immer noch voller Frieden hier.

Das Auto hatte sie seinerzeit von ihrem Vater geerbt. Sie hing daran wie an allem, was von ihm kam. Wie an dem Haus. Sie empfand die Verletzung, die dem Haus zugefügt worden war, beinahe wie einen körperlichen Schmerz am eigenen Leib.

»Wir bleiben in Kontakt«, sagte die Nachbarin.

Kate verstaute den Korb mit der Katze auf dem Rücksitz und setzte sich hinter das Steuer.

Ich bringe das in Ordnung. Und dann verkaufe ich das Haus. So schnell wie möglich.

2

Carol Jones hatte der Termin den ganzen Tag über schon im Magen gelegen. Es war hektisch zugegangen im Jugendamt in Scarborough an diesem Freitag, dennoch hatte sie den Fall Allard kaum verdrängen können. Eine leise quälende Stimme im Hinterkopf hatte ihr ständig zugeflüstert: *Du musst heute noch zu den Allards! Du musst heute noch zu den Allards! Du musst…*

Freitagnachmittag, kurz vor halb fünf. Fast alle Kollegen waren schon ins Wochenende verschwunden, wer noch da war, packte seine Sachen spätestens jetzt zusammen und sah zu, dass er wegkam. Carol schob ziemlich lustlos ihren Laptop in die Tasche.

Irene Karimian, ihre Chefin, steckte den Kopf zur Tür hinein. Sie hatte schon ihren Mantel an und die Tasche über der Schulter. »Ich bin dann weg. Sie denken noch an die Allards, Carol?«

»Klar. Ich fahre da jetzt gleich vorbei.« Carol bemühte sich, geschäftig und motiviert zu klingen, damit Irene ihre schlechte Laune nicht bemerkte.

Die beiden Frauen verließen gemeinsam das graue, etwas triste Gebäude in der Stadtmitte. Irene, die reich verheiratet war, stieg in ihren Mercedes, Carol in ihren kleinen, klapprigen Renault, bei dem sie immer den Atem anhielt, ob er anspringen würde. Er tat ihr den Gefallen, Gott sei Dank. Freitag, der Dreizehnte. Es hätte gepasst, wenn auch das Auto streikte.

Die Allards wohnten nicht allzu weit vom Jugendamt entfernt, in der Roscoe Street, einer langen, sehr trostlosen Straße, die aus einer Kette winzig kleiner, schmaler Reihenhäuser bestand, die dringend modernisiert gehörten, wofür den Eigentümern jedoch das Geld fehlte. Klapprige Fenster, die im Winter die Heizungswärme nach draußen und die feuchte Luft vom Meer nach innen dringen ließen. Betonierte Vorplätze von der Größe eines Badetuchs. Jede Front bestand aus einer Haustür, deren Lack längst abgeblättert war, sowie einem verglasten Erker, den schmuddelige Gardinen abschirmten, da sonst die Bewohner des Hauses praktisch auch gleich auf der Straße unter den Blicken aller Passanten hätten sitzen können. Darüber im ersten Stock befand sich jeweils ein einzelnes Fenster. Die Dächer waren nur leicht abgeschrägt und boten keine Möglichkeit eines Ausbaus nach oben. Carol wusste, dass es nach hinten hinaus eine Küche gab, deren Tür in einen Hof führte, dessen Mauer an den Hof der dahinter befindlichen Reihenhauskette stieß. Manche Bewohner hatten hier auch etwas Rasen angelegt, einige sogar Blumen und Gemüse gepflanzt. Nicht die Allards, sie hatten ihren Hof kurzerhand zugeteert. Alles, was sie nicht brauchten, luden sie dort ab. Eine alte Waschmaschine rostete vor sich hin, und ein Sofa zerfiel und verschimmelte. Dazwischen trocknete die Wäsche, meist hing sie auch dann draußen, wenn es regnete. Im ersten Stock gab es ein Schlafzimmer für die Eltern, ein Bad und ein Zimmer, das sich die Töchter der Familie, Mandy und Lynn, teilten.

Die vierzehnjährige Mandy fehlte seit Anfang der Woche unentschuldigt in der Schule, trotz zweifacher Aufforderung an die Eltern, eine Erklärung abzugeben. Die Direktorin hatte sich an das Jugendamt gewandt, weil sie wusste, dass die Familie dort betreut wurde. Es hatte häufig Probleme gegeben, die Mädchen waren oft in sehr verwahrlostem Zustand in die Schule gekommen, fehlten immer wieder unentschuldigt, und zwei Jahre zuvor hatte sich Mandy bei einem Streit mit ihrer Mutter den Arm gebrochen, wobei nie wirklich hatte geklärt werden können, inwieweit ein tätlicher Angriff oder nur ein unglückliches Stolpern der Grund gewesen war. Eine Trennung der Mädchen von der Familie war diskutiert worden, man hatte sich jedoch vorläufig dagegen entschieden. Plätze in Pflegefamilien waren rar, Heimaufenthalte sollten nur im äußersten Notfall angeordnet werden. Irene hatte Carol beauftragt, sich um die Allards zu kümmern und ein wachsames Auge auf sie zu halten. Carol war fest entschlossen, niemanden zu enttäuschen. Irene nicht, die beiden Mädchen nicht und sich selbst auch nicht.

Sie musste ein Stück entfernt parken, direkt vor einem Fitnessstudio, das in einem besonders schäbig wirkenden, langgezogenen Gebäude untergebracht war. Große Plakate priesen die Angebote an. *Personal Trainer* stand in leuchtend roten Buchstaben quer über dem Schaufenster aus Milchglas. Carol seufzte. Sie haderte mit ihrer Figur, und ein Personal Trainer wäre vielleicht genau das, was sie brauchte. Aber ihr fehlte die Energie, abends am Ende eines harten Arbeitstages noch einen weiteren anstrengenden Programmpunkt abzuarbeiten.

Carol lief ein Stück die Straße hinauf, überquerte sie dann und blieb vor dem Haus der Familie Allard stehen. Das allgegenwärtige Erkerfenster wurde nur von einer Gardine in halber Länge bedeckt, wenn man sich ein Stück gebückt hätte, hätte man leicht in das Zimmer blicken können. Carol erkannte aber auch so, dass der Fernseher lief, das bläuliche Licht flackerte unübersehbar. Wenigstens war jemand zu Hause. Allerdings war das sowieso meist der Fall. Marlon Allard, der Vater, hatte nur gelegentlich Arbeit, wenn irgendwo auf einer Baustelle eine zusätzliche Hilfskraft gebraucht wurde. Patsy Allard hatte in einer Drogerie als Verkäuferin gearbeitet, war aber gekündigt worden, weil sie geklaut hatte. Seitdem war sie arbeitslos und tyrannisierte die Familie. Sie war das Problem. Marlon trank manchmal zu viel, war aber lethargisch und friedlich. Patsy hingegen konnte zur Furie werden. Sie hasste ihr Leben, hasste ihren Mann. Sie beteuerte, ihre Kinder zu lieben, ließ aber ihren Frust oft genug an ihnen aus.

Carol hatte ein wenig Angst vor ihr. Und Patsy spürte das. Keine gute Voraussetzung.

Sie klingelte, straffte die Schultern. Wappnete sich. Sie war von Patsy Allard schon manches Mal mit einer Flut bösartigster Schimpfwörter empfangen worden.

Die Tür wurde schnell geöffnet. Patsy stand vor ihr. Klein, mager. Blond gefärbtes Haar, das am Ansatz grau nachwuchs. Vor vielen Jahren mochte sie eine attraktive Frau gewesen sein, aber die Frustration, die ihr Leben begleitete, hatte sich tief in ihre Züge eingegraben. Sie sah verhärmt aus. Wesentlich älter als die neununddreißig Jahre, die sie tatsächlich zählte. Es gab Fünfzigjährige, die deutlich jünger wirkten als sie. Sie trug enge Jeans, darüber ein blaues Sweatshirt, das ihr viel zu groß war und ihre Magerkeit betonte.

»Ja?«, fragte sie unfreundlich.

Carol lächelte. Nicht unterwürfig, aber die Bereitschaft signalisierend, die Probleme, die auftauchen mochten, einvernehmlich zu lösen. »Hallo, Patsy. Wie geht's Ihnen?«

»Wie soll es mir gehen? So beschissen wie immer. Danke der Nachfrage.«

»Hat Marlon Arbeit?«

»Nein. Ich auch nicht. Lynn hat seit acht Wochen eine Lehrstelle. Aber das wissen Sie ja.«

Natürlich wusste Carol das. Das Jugendamt hatte der sechzehnjährigen Lynn die Lehrstelle in einer Tischlerei beschafft.

Wenigstens ein Mitglied dieser Familie, um das man sich derzeit keine Sorgen machen musste.

Aus Erfahrung wusste Carol, dass Patsy ihr nicht anbieten würde, ins Haus zu kommen. Sie musste selbst fragen und konnte Glück oder Pech haben. »Darf ich reinkommen?«

»Marlon schaut gerade ein Fußballspiel im Fernsehen. Wir können nicht ins Wohnzimmer.«

»Gerne in die Küche.«

Patsy seufzte, trat aber einen Schritt zurück.

Carol folgte ihr durch den Flur, der eng und dunkel war, und durch den zwei Menschen nur hintereinander, nicht nebeneinander gehen konnten. Das Haus wirkte im Inneren immer recht aufgeräumt. Die Allards entsorgten ihr Gerümpel auf den Hof, achteten drinnen aber auf eine gewisse Ordnung. In einem so kleinen Haus wäre auch nichts anderes wirklich möglich gewesen.

Die Küche war winzig, aber es gab einen kleinen quadratischen Holztisch in der Ecke mit vier Stühlen. Carol nahm unaufgefordert Platz. Patsy seufzte erneut, blieb demonstrativ an den Herd gelehnt stehen. »Ich habe noch viel zu tun heute«, sagte sie.

»Keine Angst, Patsy, ich will selbst ins Wochenende«, erklärte Carol liebenswürdig. »Es ist nur … Wir sind von Mandys Schule angerufen worden. Mandy fehlt seit Montag. Unentschuldigt. Sie sind per Mail zweimal vom Schulsekretariat aufgefordert worden, sich zu äußern, haben aber nicht reagiert.«

»Ja, und?«

»Sie wissen, dass das Fehlen eines Kindes in der Schule von den Eltern entschuldigt werden muss.«

»Okay. Ich schicke denen eine Mail. War es das dann?«

»Was hat Mandy denn?«

»Grippe. Typisch für diese Jahreszeit.«

Der Oktober war bislang so mild gewesen wie selten, und Carol wusste auch nichts von einer Grippewelle, aber sie nickte. »Die Arme. Liegt sie im Bett?«

»Klar.«

»Darf ich kurz nach ihr sehen?«

Patsy bekam schmale Augen. »Sie schläft. Wir wollen sie doch nicht wecken.«

»Wenn ich von der Tür aus einen Blick auf sie werfe, wacht sie bestimmt nicht auf.«

»Die wacht schon auf, wenn wir die Treppe hochgehen. So, wie die Stufen knarren …«

»Ich würde sie trotzdem gerne sehen.«

»Tut mir leid«, sagte Patsy.

Carol erhob sich. »Heißt das *nein*?«

»So ist es.«

Eine Frau wie Patsy kannte ihre Rechte. Sie wusste, dass

Carol nicht nach oben durfte. Wenn es hart auf hart kam, konnte sie das nur in Begleitung polizeilicher Einsatzkräfte tun, die wiederum eine richterliche Genehmigung brauchten. Noch rechtfertigten die Umstände solch drastische Maßnahmen nicht.

»Patsy, wir wissen, dass es diese unschöne Geschichte gab«, sagte Carol. »Mandys gebrochener Arm…«

»Das ist zwei Jahre her.«

»Aber Sie hatten ihn ihr gebrochen. Das war keine Bagatelle.«

»Sie ist unglücklich gestürzt.«

»Sie haben sie gegen die Wand geschleudert.«

»Wir hatten Streit.«

»Ein Streit zwischen Eltern und Kindern sollte niemals so eskalieren, dass das Kind am Ende gebrochene Knochen hat.«

»Es war ein Unfall.«

»Ich mache mir Sorgen um Mandy.«

»Sie hat die Grippe. Sonst nichts.«

»Haben Sie einen Arzt hinzugezogen?«

»So schlimm ist es nicht. Ein paar Tage im Bett, und sie ist wieder okay.« Patsy klang gelassen. Zu gelassen? Irgendwie schien sie Carol nicht ganz aufrichtig zu sein.

»Melden Sie sich bei der Schule«, sagte sie resigniert.

»Mach ich«, sagte Patsy. Die beiden Frauen gingen zur Haustür. Aus dem Wohnzimmer klang die Stimme des Sportreporters.

Irgendetwas stimmt hier nicht, dachte Carol. Sie kannte Patsy, sie würde sich nicht so fürsorgliche Gedanken um den Schlaf ihrer Tochter machen, so viele mütterliche Gefühle hatte sie einfach nicht. Sie hatte andere Gründe, weshalb sie Carol nicht nach oben ließ.

Blieb Lynn, die ältere Schwester. Carol nahm sich vor, sie

gleich am Montag in der Werkstatt, in der sie ausgebildet wurde, aufzusuchen. Lynn versuchte, seitdem sie die Schule verlassen hatte, einen inneren Abstand zu ihrer Familie zu bekommen, aber sie würde ihre Schwester nicht im Stich lassen. Wenn Mandy etwas Ernsthaftes zugestoßen war, würde Lynn mit der Sprache herausrücken.

Carol trat auf die Straße. Es dämmerte bereits. Der Wind hatte auf östliche Richtung gedreht, er wurde kühler und brachte den Geruch des Meeres mit sich.

»Rufen Sie mich bitte jederzeit an, wenn Sie meinen, doch irgendetwas mit mir besprechen zu wollen«, sagte sie. »Bitte. Reden ist immer eine gute Sache. Auf jeden Fall besser, als Dinge irgendwie vertuschen zu wollen.«

»Klar. Ich ruf an, wenn etwas ist«, sagte Patsy. Ihre Augen sagten etwas anderes: *Verpiss dich. Und eher siedeln wir uns alle auf dem Mars an, als dass ich bei dir anrufe!*

Carol ging zu ihrem Auto, stieg ein. Im Scheibenwischer steckte ein Flyer, der für einen Pizzaservice warb. Sie starrte die bedrückende Straße entlang.

Sie machte sich Sorgen um Mandy Allard.

Ich frage mich, wann sie sie finden. Ich habe sie nicht noch einmal gesehen, aber ich habe ihr Bild noch immer vor Augen. Das Bild, als sie noch lebte.

Sie war nicht besonders hübsch, aber sie hatte etwas sehr liebenswert Kindliches an sich. Es ist jetzt fast ein Jahr her, seit ich ihr begegnete. Reiner Zufall, dass ich an jenem Abend durch diese dunkle Straße fuhr. Ich wollte einen Stau, den es damals wegen einer Baustelle gab, auf der Hauptstraße umgehen, sonst wäre ich gar nicht in diesem stillen Wohnviertel unterwegs gewesen. Aber eigentlich glaube ich ja, dass es gar keine Zufälle gibt. Alles im Leben ist Bestimmung, davon bin ich fest überzeugt. Ich sollte ihr begegnen an jenem Abend.

Und sie mir.

Sie will nicht einsteigen, obwohl es dunkel ist und regnet und ich ihr anbiete, sie nach Hause zu bringen.

»Wie heißt du?«, frage ich sie.

»Saskia«, antwortet sie. Sie schaut mich misstrauisch an. Ich bin inzwischen ausgestiegen und stehe direkt vor ihr. Würde sie sich umdrehen und versuchen wegzulaufen, könnte ich sie mit einem Griff packen und festhalten.

Während ich mit ihr spreche, behalte ich die Straße, die umliegenden Häuser, die dunklen Vorgärten im Blick. Sollte sich irgendjemand blicken lassen, muss ich sehen, dass ich schnell wegkomme. Freiwillig geht an einem solchen Abend und bei diesem Wetter kaum jemand vor die Tür, aber es gibt ja jede Menge Hundebesitzer – und die gehen immer. Zu den unmöglichsten Zeiten und bei schrecklichem Wetter.

Aber offenbar haben nicht einmal die Hunde Lust auf einen Spaziergang. Alles bleibt still. Hinter den Fenstern brennen Lichter. Aber niemand lässt sich blicken.

»Ich muss dann weiter«, sagt Saskia und atmet etwas hastig.

Sie hat Angst. Ich kann das förmlich riechen. Aber sie ist nicht der Typ, der schreien oder mich gegen das Schienbein treten würde. Dafür ist sie zu schüchtern. Zu höflich. Mädchen wie sie lernen gutes Benehmen und perfekte Umgangsformen, und das funktioniert, solange sie sich in ihren Kreisen bewegen, also unter Menschen, die so sind wie sie selbst. Wenn sie dem Leben in seiner ganzen Gefährlichkeit, in seinen Abgründen begegnen, sind solche Mädchen ziemlich verloren. Sie haben einfach nichts mit auf den Weg bekommen, das ihnen als Waffe zur Verfügung stehen würde. Sie sind hilflos.

Saskia hat mit Sicherheit gelernt, dass sie niemals zu Fremden ins Auto steigen soll. Aber wenn jemand Fremdes unmittelbar vor ihr steht, eine Fußlänge höchstens entfernt, wenn sie die Entschlossenheit spürt, wenn die Gefahr unmittelbar da ist ... dafür haben sie ihr nichts beigebracht. Vielleicht haben sie noch gesagt, dass sie weglaufen soll. Aber sie weiß instinktiv bereits, dass ihr das nichts nützen würde.

Sie weiß im Grunde schon, dass sie verloren hat.

Sie will einen Schritt an mir vorbei machen, aber sofort verstelle ich ihr den Weg.

»Bitte ...«, sagt sie leise.

»Steig ein«, sage ich. Mit autoritärer Stimme.

Sie fängt an zu weinen.

Ich packe sie am Oberarm, sie macht keinerlei Abwehrbewegung. Mein Instinkt war richtig, dieses Mädchen hat gelernt zu tun, was man ihr sagt. Daheim bringt ihr das Pluspunkte ein, sie wird geliebt und umsorgt, und ihre Eltern zeigen ihr, wie stolz sie sind, eine so brave Tochter zu haben. Was Menschen wie Saskias Eltern nicht bedenken, ist, dass ihr Kind immer brav sein wird. Immer.

Mein Griff ist hart, nicht schmerzhaft, aber unnachgiebig. Ich habe gewonnen, das weiß ich. Selbst wenn sie jetzt noch plötzlich zu schreien beginnen würde, hätte ich sie im Auto und wäre weg, ehe die Menschen in den Häusern ringsum sich aus ihren Fernsehsesseln gewuchtet, die Pantoffeln geangelt und den Weg zum Fenster angetreten hätten.

Sie schreit aber nicht. Ich schiebe sie auf den Beifahrersitz und lege ihr den Sicherheitsgurt an. Registriere die beigefarbene Strumpfhose, die braunen Stiefel und irgendeinen geblümten Stoff, offenbar ein Kleid aus Cord.

Saskia ist noch nicht in dem Alter, in dem sie durchlöcherte Jeans und bauchfreie Tops tragen und zu viel Farbe im Gesicht haben. Nicht, dass ich das grundsätzlich unattraktiv fände. Aber wenn sie an dem Punkt sind, an dem sich Saskia in ihrer Entwicklung befindet, sind sie fügsamer.

Und formbar.

Die Beifahrertür ist mit einer Kindersicherung versehen. Saskia kann nicht plötzlich an einer Ampelkreuzung aus dem Auto springen und irgendeinen Passanten um Hilfe anflehen.

Sie weint und weint. Still.

Ich steige ein, starte den Motor. Gleichmäßig gleiten die Scheibenwischer über die Windschutzscheibe.

Wir fahren durch die Stadt. Ich registriere, dass Saskia angestrengt nach draußen starrt. Einmal halten wir an einer Ampel, direkt neben einem anderen Auto. Ich merke, dass Saskia den Blickkontakt zu dem anderen Fahrer sucht, und möchte absolut nicht, dass dieser sich später, wenn Saskias Gesicht in allen Zeitungen sein wird, an das tränenüberströmte Kind erinnert, das ihn durch eine regennasse Autoscheibe verzweifelt angestarrt hat.

»Schau zu mir!«, herrsche ich sie an.

Sofort wendet sie sich mir zu. Sie zittert vor Angst. Ihr ist längst klar, dass ich sie nicht nach Hause bringe, dafür sind wir schon viel zu weit von ihrem Wohnviertel weg. Außerdem ist sie nicht blöd. Sie spürt, dass das hier eine längere Geschichte wird. Eine sehr viel längere.

»Wohin fahren wir?«, fragt sie mit wackeliger Stimme.

Ich lächle sie an. Letztlich will ich Vertrauen aufbauen. Sonst bringt das ja alles nichts.

»In dein neues Zuhause«, sage ich sanft.

Sie lässt den Kopf sinken und weint heftiger. Ich strecke den Arm aus, lege meine Hand auf ihren Oberschenkel. Spüre, wie sie aufhört zu zittern und stattdessen ganz starr wird.

»Du musst keine Angst haben. Es wird dir dort gefallen. Alles wird gut.«

Sie weint.

Wenn ich geahnt hätte, dass sie damit über Monate nicht aufhören würde … Ich hätte mir nicht so viel Mühe geben müssen.

Ich gehe nicht in den Keller. Es fällt mir nicht ganz leicht. Aber ich gehe da nicht runter. Es ist besser so.

SAMSTAG, 14. OKTOBER

I

Wann hatte ihre Tochter aufgehört, das süße kleine Mädchen zu sein, das Blumen pflückte und Bilder malte?

Deborah Goldsby warf ihrer Tochter verstohlene Blicke zu. Sie selbst saß am Steuer, die vierzehnjährige Amelie auf dem Beifahrersitz. Kopfhörer in den Ohren, Smartphone in der Jeanstasche. Lange blonde Haare, die sie nach vorne geschüttelt hatte, sodass sie ihr Gesicht fast vollständig verbargen. Verschränkte Arme, gesenkter Kopf. Ihre ganze Haltung, ihre gesamte Ausstrahlung sagte: *Lass. Mich. In. Ruhe.*

Es gab nichts Schöneres, als mit einem jungen Menschen, der genauso drauf war wie Amelie in diesem Moment, an einem Samstagvormittag einkaufen zu gehen. Natürlich war Deborah versucht gewesen, Amelie im Bett zu lassen und die Einkäufe alleine zu erledigen. Am Montag begann die Klassenfahrt, und es gab eine lange Liste, die noch abgearbeitet werden musste.

»Ich kann das doch eigentlich schnell selbst besorgen«, hatte sie beim Frühstück gesagt, aber Jason, ihr Mann, war strikt dagegen gewesen.

»Es ist *ihre* Klassenfahrt. Es sind die Dinge, die *sie*

braucht. Sie soll sich, verdammt noch mal, darum kümmern!«

»Das kann sie alleine doch gar nicht…«

»Deshalb fährst du sie ja auch. Und begleitest sie. Und bezahlst das Zeug am Ende. Aber mich regt die Vorstellung auf, dass du stundenlang durch die Stadt hetzt, während sie bis zum frühen Nachmittag nur im Bett liegt. Es geht um sie, also wird sie auch einen Funken Einsatz bringen. Anders lernt sie doch nie, Verantwortung für sich selbst zu übernehmen.«

Natürlich hatte Jason recht. Aber er musste auch nicht Amelies schlechte Laune und ihre Aggressivität während der nächsten Stunden ertragen.

»Okay«, hatte Deborah gesagt. »Aber du weckst sie!«

Sie selbst hatte währenddessen den Frühstückstisch für den einzigen Gast im Esszimmer gedeckt. Die Goldsbys selbst nahmen ihre Mahlzeiten in der Küche ein, der schöne helle Raum mit der Glasfront zum Meer hin blieb den Gästen vorbehalten. Genau genommen sah man nur einen schmalen Streifen Meer in der Ferne, davor aber eine Hochebene mit wehendem Gras und vom Wind flachgedrückten Büschen, die Deborah wundervoll fand und die der Grund gewesen war, weshalb sie fünfzehn Jahre zuvor dieses Haus am Ende der Straße unbedingt hatte kaufen wollen – obwohl es zu groß und zu teuer war und sie es »bis ins Rentenalter abzahlen« mussten, wie Jason düster vermerkt hatte. Deborah hatte sich durchgesetzt (»Wie immer«, sagte Jason, und es klang nur bedingt belustigt), aber dann war Amelie geboren worden, ein Frühchen und ein jahrelang kränkelndes, schwaches Kind, das ununterbrochene Fürsorge brauchte. Deborah hatte ihre Stelle als Lehrerin in einer Oberschule aufgegeben, um nur noch für ihre Tochter da zu sein, und Jason, der als Allgemeinmediziner in einer großen Gemeinschaftspraxis arbeitete, geriet ins Schleudern mit den Hypothekenzinsen. Eine Zeit, in der ihre Ehe sehr gelitten hatte, wie sich Deborah nur zu gut erinnerte. Jason warf ihr vor, ihn zum Kauf des zu teuren Hauses überredet zu haben, und er fand, dass sie sich um Amelie zu große und weitgehend unberechtigte Sorgen machte. Um die Situation zu entschärfen, war Deborah auf die Idee mit dem *Bed & Breakfast* gekommen. Sie richteten drei Gästezimmer ein und machten aus einem Abstellraum im ersten Stock ein Gemeinschaftsbad für die Gäste. Noch mehr Schulden, um den Umbau zu finanzieren, aber Deborah hatte argumentiert, dieses Geld würde schnell wieder einverdient werden.

»Ich habe endlich wieder einen Beruf. Und zwar einen, den ich von zu Hause aus betreiben kann, also kann ich mich gleichzeitig um Amelie kümmern!«

»Und wir haben ständig Fremde im Haus und im Garten, und statt eines normalen Esszimmers haben wir einen Speisesaal«, hatte Jason gemurrt.

Aber er hatte nachgegeben. Von irgendwoher musste dringend Geld kommen.

Das Projekt lief nicht schlecht. In den Sommermonaten von Anfang Mai bis Ende September waren sie häufig komplett ausgebucht. Deborah stellte ein Mädchen ein, das ihr beim Saubermachen der Zimmer half, und kümmerte sich selbst mit großem Schwung um das Einkaufen der Lebensmittel, um das Frühstücksbuffet und das Abendessen. Sie lernte neue Menschen kennen, hatte nicht länger das Gefühl, als Mutter mit einem schwierigen Kind langsam zu vereinsamen. Aber es blieb ihr nicht verborgen, dass Jason nach wie vor nicht sonderlich begeistert davon war, sein Zuhause mit Fremden teilen zu müssen. Im Herbst und Winter, so tröstete sich Deborah, waren sie ja dann meist wieder allein – wer reiste schon in der kalten und nassen Jahreszeit an die Nordostküste Englands? Natürlich kam in diesen Monaten dann auch kein Geld rein, sodass insgesamt die finanziellen Sorgen nur geringfügig weniger geworden waren. Und Deborah schlug sich mit depressiven Stimmungen herum: Ihr Mann war den ganzen Tag weg, ihre Tochter den dreiviertel Tag, und sie saß alleine in dem großen Haus und starrte aus dem Küchenfenster über die Wiese, in die sie sich so verliebt hatte, über die die Oststürme gejagt kamen und an den Fensterläden rüttelten. Sie machte lange Spaziergänge am Meer, dick eingemummelt, eine Sonnenbrille vor den Augen, die im Wind heftig tränten. Sie sagte sich, dass alles gut werden würde, dass der Frühling wiederkehrte, dass Menschen kamen, dass die Zeit dazwischen Teil ihres Lebens war, eine Phase der Entspannung, etwas, das einfach dazugehörte und das sie genießen sollte. Sie redete in diesen *Phasen der Entspannung* tagelang praktisch ununterbrochen auf sich ein. Sie entspannte nicht, wenn sie ehrlich war. Sie führte einen harten Abwehrkampf gegen ihre düsteren Stimmungen. Am Ende eines jeden Winters war sie jedes Mal tief erschöpft.

Immerhin, jetzt, obwohl schon Oktober, hatten sie einen Gast. Ein seltenes Ereignis, und es hatte Deborahs Stimmung sofort gehoben. Eine Frau mit einer Katze. Die sich um ihr Haus in Scalby kümmern musste, das von ihren chaotischen Mietern, die sich aus dem Staub gemacht hatten, völlig verwüstet hinterlassen worden war. Die Frau war am Vortag eingezogen, hatte deprimiert und sorgenvoll gewirkt. Das Haus ihres verstorbenen Vaters ... Deborah konnte sich vorstellen, wie schlimm diese Situation für sie sein musste.

Sie hatten die ganze Liste für Amelies Klassenfahrt abgehakt: Isomatte, Turnschuhe, Taschenlampe, Klemmbrett und Papier für die Exkursionen, neuer Schlafsack. Nicht, dass Amelie nicht bereits einen besaß, aber sein Stoff war mit Rehen und Feen bedruckt, und Deborah hatte eingesehen, dass sich ihre Tochter damit zum Gespött der Mitschüler gemacht hätte. Wanderschuhe, Regenjacke, zwei dicke Sweatshirts… Eine Woche schottische Highlands in einer spartanischen Hütte… Nichts, wofür Amelies bauchfreie Tops und kurze Röcke geeignet gewesen wären. Amelie war mit einer Miene hinter ihrer Mutter hergeschlichen, als wäre sie eigentlich auf dem Weg zum Schafott, und dank ihrer Ohrstöpsel und der sie ständig berieselnden Musik war sie kaum ansprechbar gewesen.

»Ich will da nicht hin«, sagte sie ein paar Mal. »Ich will nicht zu dieser scheiß Klassenfahrt! Warum muss ich das?«

Deborah seufzte. Sie führten dieses Gespräch schon seit Wochen.

»Weil das Pflicht ist. Genau wie der Unterricht.«

»Aber das ist die totale Scheiße! Es wird die ganze Zeit regnen, und da ist nichts los, absolut nichts! Wir haben nicht mal fließendes Wasser in der Hütte, und keinen Strom! Kannst du mir mal sagen, wo ich mein Glätteisen anschließen soll?«

Deborah lachte. »Gar nicht. Du trägst deine Haare einfach mal lockig.«

»Das geht nicht. Das sieht so voll scheiße aus…«

»Sag doch nicht ständig dieses Wort!«

»Welches?«

»Scheiße.«

»Scheiße, Scheiße, Scheiße«, sagte Amelie. Dann ließ sie die Haare wieder nach vorne fallen und versenkte sich in ihre Musik und in ihre trübe Stimmung.

Deborah überlegte kurz, ob sie Amelie zu Hause absetzen und dann noch einmal losfahren und die Lebensmittel für das Wochenende kaufen sollte, aber das würde wieder

Zeit kosten, und sie wollte endlich fertig werden. Amelie würde sauer reagieren. Deborah sagte sich, dass das für sie kein Grund sein durfte. Sie musste aufhören, Angst vor den Launen und den Ausbrüchen ihrer Tochter zu haben. Jason predigte ihr das immer wieder. Aber er hatte leicht reden. Er war nie da.

»Du hättest nie deinen eigentlichen Beruf aufgeben sollen«, sagte er, wenn sie ihm seine Abwesenheit vorhielt. »Dann wärst du auch viel seltener daheim. Und ihr würdet nicht ständig aneinandergeraten.«

Vielleicht hatte er recht. Vielleicht hatte sie einen Fehler gemacht. Manchmal hatte sie es so satt. Ihr sogenanntes Familienleben. Der Gedanke erschreckte sie.

»Wir fahren noch schnell beim *Tesco* vorbei«, sagte sie bemüht munter.

Amelie seufzte theatralisch.

»Ich will nicht mit zu der Klassenfahrt«, sagte sie.

»Ich weiß. Du hast es oft genug gesagt. Aber es geht nun mal nicht anders.«

»Du könntest mir eine Entschuldigung schreiben, dass ich krank bin.«

»Die würden ein ärztliches Attest haben wollen. Und du bist kerngesund!«

Amelie gab einen knurrenden Laut von sich.

Deborah schaltete das Radio ein. Ein auch nur halbwegs konstruktives Gespräch mit Amelie kam ja ohnehin nicht zustande.

»…verlautete, dass es sich bei der Leiche um die vor knapp einem Jahr als vermisst gemeldete Saskia Morris aus Scarborough handeln könnte«, sagte der Sprecher gerade.

»Oh nein!«, sagte Deborah erschrocken.

»Die damals vierzehnjährige Saskia war in den Abendstunden des achten Dezembers 2016 von einem Treffen mit einer Freundin nicht nach Hause zurückgekehrt. Ihre Eltern erstatteten noch in der Nacht eine Vermisstenanzeige bei der Polizei. Trotz intensiver Suche und trotz zahlreicher Hinweise aus der Bevölkerung, die jedoch alle ins Leere liefen, wurde sie bislang nicht gefunden. Jetzt entdeckten Wanderer die Leiche der Schülerin in den Hochmooren. Wie Detective Chief Inspector Hale vom CID Scarborough …«

Deborah schaltete das Radio aus. Sie konnte das nicht hören. Ein vermisstes Mädchen. Eltern, die monatelang keine Gewissheit bekommen hatten, was mit ihrer Tochter geschehen war. Die zwischen abgrundtiefer Verzweiflung und vermutlich immer neu aufflammender Hoffnung schwanken mussten. Und jetzt das: Eine Leiche in den Hochmooren … ihre Tochter Saskia.

»Siehst du«, sagte Amelie, die sich aufgrund der schrecklichen Nachricht tatsächlich kurzfristig von ihren eigenen Gedanken gelöst hatte und Anteil an der Welt nahm. »Das passiert einem, wenn man wandert. Man findet Leichen.«

»Also wirklich, Amelie, das passiert schon eher selten. Bestimmt nicht dir in Schottland.«

»Diese Saskia hat es gut. Die muss nie wieder auf Klassenfahrten.«

»Amelie!«

Amelie gab wiederum nur ein knurrendes Geräusch von sich und versteckte sich hinter ihren Haaren und ihren Kopfhörern.

Sie meint es nicht so, dachte Deborah, sie ist im Grunde einfach ängstlich.

Amelie tat immer sehr forsch und cool, aber in Wahrheit entfernte sie sich nicht gerne von ihrem vertrauten Umfeld. Der Gedanke an eine Woche unter kargen Bedingungen in einer abgelegenen Hütte in Schottland, auf engem Raum mit ihren Klassenkameraden, von denen sie viele nicht ausstehen konnte, machte ihr sichtlich zu schaffen.

Aber es war nun einmal nicht zu ändern. Am Ende würde es viel mehr Spaß machen, als sie jetzt ahnte.

Deborah bog auf den Parkplatz vor dem *Tesco* ein, suchte mit einiger Mühe eine Parklücke. Samstagvormittag, jeder kaufte für das Wochenende ein. Sie seufzte. Es würde sehr voll sein drinnen, und sie würde endlos an der Kasse stehen.

»Ich nehme an, du willst nicht mit reinkommen?«, wandte sie sich an Amelie.

Ihre Tochter schüttelte den Kopf.

»Okay. Gibt es etwas, das ich dir noch für die Reise am Montag kaufen soll? Etwas, das du gerne isst?«

»Nein«, sagte Amelie, riss sich dann aber zusammen und fügte hinzu: »Nein, danke.«

Danke war das letzte Wort, das Deborah an diesem sonnigen Oktobervormittag von Amelie hörte. Als sie eine knappe halbe Stunde später mit ihrem beladenen Einkaufswagen zum Auto zurückkehrte, war ihre Tochter verschwunden.

2

»Ganz ruhig«, sagte Jason beschwörend, »jetzt reg dich nicht so furchtbar auf. Bitte. Wahrscheinlich ist gar nichts passiert.«

Deborah war nach Hause gerast, nachdem sie Jason trotz mehrfacher Versuche weder auf dem Handy noch auf dem Festnetz hatte erreichen können. Er traf, von einem Spaziergang kommend, gleichzeitig mit ihr ein und zuckte zurück, als sie ihn anbrüllte: »Wieso, verdammt noch mal, besitzt du eigentlich ein Handy, wenn du es nie mitnimmst? Nie? Nie? Nie?«

Sie war völlig außer sich und schien nicht aufhören zu können, das Wort *Nie* zu schreien.

Kurzentschlossen packte Jason sie am Arm und zog sie ins Haus, schloss die Tür. So wie Deborah schrie, musste man es über die ganze Stadt hören können. Sie war kreideweiß im Gesicht und hatte weit aufgerissene Augen.

»Sie ist weg! Amelie ist weg!«

Jason sah sich um, ihm ging jetzt erst auf, dass Amelie nicht mit ihrer Mutter zurückgekehrt war. »Was heißt das, sie ist weg?«

»Wir waren beim *Tesco*. Sie ist im Auto geblieben, während ich einkaufen ging. Und als ich zurückkam, war sie weg!«

»Vielleicht ist sie ein bisschen herumgelaufen. Vielleicht musste sie auf die Toilette. Vielleicht kam eine Freundin vorbei. Hundert Möglichkeiten. Mach dich nicht verrückt, Deborah! Es ist heller Tag, und ich nehme an, es wimmelte auf dem Parkplatz von Menschen. Was soll denn da passieren?«

Deborah fing an zu weinen. »Ich habe alles abgesucht. Alles! Den Parkplatz, den Supermarkt, die Straßen ringsum. Ich habe jeden angesprochen … Niemand hat sie gesehen. Niemand!«

»Was ist los?«, fragte eine Stimme über ihnen. Deborah schaute hinauf. Die Frau, die gestern bei ihnen eingezogen war, stand auf der Treppe. Natürlich, sie hatte die lauten, erregten Stimmen auch gehört.

»Amelie ist verschwunden«, sagte Deborah, »unsere Tochter.« Sie wiederholte die Geschichte:

Sie war etwa eine halbe Stunde lang im Supermarkt gewesen. Es war so voll, dass man nur schwer durch die Gänge und nur mühsam an die Produkte in den Regalen kam. Dann noch eine schier endlose Schlange an der Kasse. Sie hatte versucht, sich zu beeilen, wollte endlich mit allem fertig werden an diesem Vormittag, aber es wurden doch fast fünfundzwanzig Minuten, ehe sie es geschafft hatte.

»Ich kam zum Auto zurück, und es war leer. Offen natürlich, also nicht abgeschlossen, denn Amelie hatte ja keinen Schlüssel. Sie war nicht zu sehen.«

»Und vorher?«

»Sie saß auf dem Beifahrersitz. Hörte Musik mit ihrem Smartphone. Hatte keine Lust, mit reinzukommen.«

Deborah war nicht sofort in Panik geraten. Sie vermutete, dass Amelie sich die Beine hatte vertreten wollen, obwohl sie ein dummes Gefühl hatte: Wann hatte sich ihre Tochter je *die Beine vertreten wollen?* Vor allem, wenn sie in einer Stimmung war wie an diesem Tag. Dann erstarrte sie für gewöhnlich zur vollkommenen Bewegungslosigkeit und ließ sich einfach nur von ihrer Musik berieseln, ohne auch nur irgendetwas oder irgendjemanden um sich herum wahrzunehmen.

Deborah hatte die Einkäufe im Kofferraum verstaut, aber als sie fertig war, war Amelie noch immer nicht zurückgekehrt. Ihr kam der Gedanke, dass ihrer Tochter doch noch etwas eingefallen war, was sie für die Klassenfahrt brauchte, und dass sie vielleicht im Supermarkt nach ihr suchte.

»Also bin ich auch zurückgelaufen. Durch alle Gänge, ich war überall. Ich fing an, nach ihr zu rufen, obwohl mich die Leute anschauten, als ob ich den Verstand verloren hätte. Irgendwann sprach mich der Filialleiter an. Ich habe ihm gesagt, dass meine Tochter verschwunden ist, aber er wirkte nicht richtig interessiert. Ich bin wieder rausgerannt...«

»Wenn eine Vierzehnjährige verschwindet, gehen bei den

Menschen nicht sofort sämtliche Alarmlichter an«, sagte die Frau, deren Namen Deborah sich erst wieder ins Gedächtnis rufen musste: Kate. Kate Linville. »Anders als bei einem kleinen Kind.«

Sie kam die Treppe hinunter und berührte in einer kurzen, tröstenden Geste Deborahs Arm. »Und das ist deshalb so, weil häufig wirklich nichts Schlimmes passiert ist. Schon gar nicht in einer so alltäglichen Situation wie dieser, auf einem belebten Parkplatz vor einem Supermarkt.«

Deborah starrte sie an. »Sie haben die Leiche gefunden. Von Saskia Morris.«

Kate und Jason blickten beide gleichermaßen verständnislos drein.

»Wen hat wer gefunden?«, fragte Jason.

»Saskia Morris. Das Mädchen, das im Dezember letzten Jahres verschwunden ist. Es kam vorhin im Radio. Wanderer haben ihre Leiche in den Mooren gefunden.«

»Das hat nichts, *absolut nichts* mit Ihrer Tochter zu tun«, sagte Kate.

»Woher wollen Sie das wissen?«

»Das ist einfach eine Frage der Wahrscheinlichkeit.«

»Kennen Sie Wahrscheinlichkeiten bei Vermisstenfällen?«, fragte Deborah. Sie merkte selbst, dass sie aggressiv klang. Sie war kurz vor dem völligen Durchdrehen, wollte beruhigt werden und hatte gleichzeitig das Gefühl, dass die anderen etwas nicht ernst nahmen, das dringend ernst genommen werden musste.

Kate nickte. »Ich bin Detective Sergeant bei der Metropolitan Police.«

»Ach, du liebe Güte«, sagte Jason beeindruckt, »das ist doch Scotland Yard!«

»Scotland Yard?«, wiederholte Deborah schrill. »Können Sie dann bitte sofort ...«

Kate unterbrach sie. »Hier kann ich gar nichts, weil ich nicht zuständig bin. Aber ich begleite Sie zur Polizei, wenn Sie mögen. Wir werden Anzeige erstatten. Man wird jedoch nicht sofort Himmel und Hölle in Bewegung setzen, weil es zu viele andere Erklärungen gibt, weshalb Ihre Tochter das Auto und offenbar auch den Parkplatz verlassen haben kann.«

»Welche Erklärungen?«, fragte Deborah.

Kate überlegte. »Hat Amelie einen Freund?«

»Nein.«

»Zumindest nicht, dass Sie es wüssten.«

»Natürlich wüsste ich es, wenn ...«

»Nein, wüsstest du nicht«, unterbrach Jason. »Ihr habt kein besonders inniges Verhältnis zurzeit.« Er sah, wie Deborah zu einer Gegenrede ansetzte, und fügte beschwichtigend hinzu: »Was ganz normal ist für Amelies Alter.«

»Wie war Amelies Verhalten heute früh? Ging es ihr gut?«, fragte Kate.

»Nein«, sagten Deborah und Jason wie aus einem Mund.

Jason präzisierte: »Sie ist morgens selten gut gelaunt. Schon gar nicht am Wochenende, wenn sie am liebsten bis zum Mittag schlafen würde. Stattdessen aber aufstehen und mit ihrer Mutter einkaufen gehen muss.«

»Du hast doch darauf bestanden, dass ich sie mitnehme!«, sagte Deborah schrill. »Ich habe noch vorgeschlagen, dass ich alleine gehe, aber du meintest, dass sie ...«

»Hör doch mal auf, dich immer angegriffen zu fühlen. Ja, ich habe gesagt, dass du sie mitnehmen sollst, und nach wie vor finde ich das richtig.« Er wandte sich an Kate: »Amelie bricht am Montag mit ihrer Schulklasse zu einer einwöchigen Exkursion in die schottischen Highlands auf. Dafür mussten noch ziemlich viele Dinge besorgt werden, und ich sah nicht ein, dass Deborah das alles alleine macht, während Amelie bis in die Puppen schläft.«

»Ich wünschte, sie würde jetzt einfach noch in ihrem Bett liegen«, sagte Deborah. Sie hatte die Tränen zurückgedrängt, aber nun schossen sie schon wieder nach oben. Diese idiotische Erziehungsmaßnahme von Jason, der ganze Quatsch mit Eigenverantwortung und Initiative... Was hatte es gebracht? Für Deborah einen sehr anstrengenden Vormittag in Gesellschaft ihrer schlecht gelaunten Tochter, und nun war Amelie auch noch verschwunden. Hoffentlich nur aus Ärger über die Klassenfahrt.

»Sie wollte auf keinen Fall zu der Klassenfahrt«, sagte sie und wischte sich über das Gesicht. »Als die Nachricht im Radio kam, dass Saskia Morris tot aufgefunden wurde, da meinte sie sogar...«

»Was meinte sie?«, fragte Kate.

»Sie meinte, Saskia habe es gut, weil sie nun nie wieder auf eine Klassenfahrt muss.«

»Das ist aber wirklich kindisch«, sagte Jason verärgert.

»Es zeigt, wie sehr ihr diese Reise im Magen liegt«, meinte Kate. »Und das ist ein gutes Zeichen, Deborah. Sie will einfach irgendwie dieser Situation entkommen und hat sich deshalb abgeseilt. Haben Sie die Telefonnummern ihrer Freundinnen und Freunde? Sie sollten jetzt erst einmal jeden anrufen. Ich würde fast wetten, dass sie mit irgendeiner Freundin zusammensteckt. Vielleicht kam ja eine zufällig vorbei.«

»Sie kann uns doch nicht in solche Sorgen stürzen!«, rief Jason.

»So weit denkt sie vermutlich gar nicht. Sie sieht nur sich und den gefährlich nahe gerückten Abreisetag. Dass es ihr letztlich gar nichts bringt, einfach abzutauchen, dass sie ihre Eltern tief erschreckt und am Ende natürlich auch gegen sich aufbringt – das überlegt sie nicht.«

Deborah atmete tief durch. Sie merkte, dass Kate Linvilles ruhige Stimme und die Überzeugung, mit der sie ihre Ansichten hervorbrachte, auch auf sie besänftigend wirkten. Was sollte tatsächlich auf diesem belebten Parkplatz passiert sein? Amelie wollte nicht nach Schottland, und sie war wütend gewesen, weil ihre Mutter sich nicht bereiterklärt hatte, ihr eine Entschuldigung zu schreiben.

Leider passt ein solches Verhalten durchaus zu ihr, dachte sie. Wahrscheinlich sitzt sie mit einer Freundin in einem Café und sagt sich, dass es uns ganz recht geschieht, wenn wir uns Sorgen machen.

»Ich rufe jetzt überall an«, sagte sie.

»Haben Sie es eigentlich bei Ihrer Tochter schon auf dem Handy versucht?«, fragte Kate.

Deborah nickte. »Hundertmal, glaube ich. Mailbox. Sie meldet sich nicht.«

3

Bis zum Abend hatte sich Deborahs zwischenzeitlich aufgeflammte Zuversicht wieder in Hoffnungslosigkeit gewandelt. Kate konnte zuschauen, wie sie in sich zerfiel. Sie hatte jede Freundin oder Bekannte von Amelie angerufen, entweder mit den jungen Leuten direkt oder mit deren Eltern gesprochen. Niemand hatte Amelie gesehen oder gesprochen, und alle klangen sie glaubhaft und aufrichtig besorgt. Am alarmierendsten fand Deborah das Gespräch mit Amelies bester Freundin Leonie.

»Ich habe mich schon gewundert«, hatte sie gesagt, »um elf Uhr heute Morgen hat sie mir zum letzten Mal eine

WhatsApp geschickt. Dass sie auf einem Parkplatz auf Sie wartet, dass ihr total langweilig ist und dass sie nicht mit auf die Klassenfahrt möchte. Auf meine Antwort hat sie dann nicht mehr reagiert, und sie ist seitdem überhaupt nicht mehr online gewesen. Das ist total untypisch, weil sie ja sonst praktisch ständig chattet.«

Am frühen Nachmittag hatte Kate Deborah und Jason zur Polizei begleitet, um Amelie dort als vermisst zu melden. Deborah hatte sie gebeten mitzukommen, weil sie sich von Kates Zugehörigkeit zu Scotland Yard eine größere Bereitschaft bei der Polizei in Scarborough erhoffte, die Geschichte ernst zu nehmen und schnell eine Großfahndung einzuleiten. Der Beamte, der sich um sie kümmerte, wirkte nicht desinteressiert, machte aber deutlich, dass auch er es für das Wahrscheinlichste hielt, dass Amelie untergetaucht war und sich vermutlich im Laufe des Abends wieder blicken lassen würde. Die Tatsache, dass Amelie so wild entschlossen gewesen war, der Klassenfahrt zu entkommen, wurde nun zum Problem, wenn es darum ging, anderen Menschen, einschließlich der Polizei, die Dringlichkeit der Situation klarzumachen. Deborah hatte wahrheitsgemäß davon berichtet, und man hatte auf der Stirn des Beamten buchstäblich ein *Ach so!* aufleuchten sehen können.

Und mit einiger Sicherheit hat er ja auch recht, dachte Kate. Es spricht etliches dafür, dass sie sich irgendwo versteckt hält.

Es sprach natürlich auch manches dagegen. Am deutlichsten die Tatsache, dass Amelie offenbar zu niemandem Kontakt hielt. Es hatte seit elf Uhr am Vormittag kein Lebenszeichen mehr von ihr gegeben, das hatten ihre Freunde übereinstimmend erklärt. Normalerweise war Amelie nahezu rund um die Uhr online und informierte jeden über jeden Schritt, den sie tat. Postete Selfies, versandte komische Bilder von anderen Menschen oder von Tieren, beschrieb das Essen auf ihrem Teller und verkündete häufig sogar, wenn sie zur Toilette ging. Kate wusste, dass das üblich war unter den Teenagern, aber sie fand diese Bereitschaft, das eigene Leben wie in einem Glaskasten zur Schau zu stellen, irgendwie unheimlich.

Außerdem wurde es jetzt dunkel, um diese Jahreszeit vergleichsweise früh. Wo war sie, dass nicht wenigstens die einbrechende Nacht sie nach Hause scheuchte? Der Tag war mild gewesen, nun wurde es empfindlich kühl.

»Sie ist viel zu dünn angezogen«, sagte Deborah weinend. »Sie muss frieren. Warum kommt sie nicht heim? Ihr ist etwas zugestoßen, ich weiß es. Ich weiß es einfach!«

Immerhin begann die Polizei noch am Abend eine Suche, ausgehend vom *Tesco*-Parkplatz, dem letzten Ort, an dem sich Amelie mit Sicherheit aufgehalten hatte. Beamte durchkämmten die Straßen, sprachen mit Passanten, klapperten auch noch einmal Freunde und Klassenkameraden von Amelie ab. Man würde das Handy zu orten versuchen. Jason und Deborah hielt es nicht zu Hause, sie wollten ebenfalls suchen, Plätze abfahren, die Amelie kannte und liebte.

»Bleiben Sie hier?«, fragte Deborah weinend. »Falls sie nach Hause kommt…«

»Ich bleibe hier«, versicherte Kate. »Und ich rufe Sie sofort an, wenn sie hier auftaucht oder wenn ich irgendetwas höre.«

»Sie gehen auch ans Telefon?«

»Natürlich. Keine Sorge, ich halte die Stellung.«

Jason wirkte inzwischen auch sehr besorgt. Er war die ganze Zeit über vergleichsweise gelassen geblieben, hatte eher leicht verärgert gewirkt, weil er davon ausging, dass Amelie ihnen allen einen bösen Streich spielte. Doch nun wurde auch er immer unruhiger. Allmählich musste Amelie tatsächlich frieren. Müde und hungrig sein. Sie bekam augenscheinlich von niemandem Unterstützung. Wie konnte sie das durchhalten?

Er und Deborah machten sich auf den Weg, begleitet von einigen Nachbarn, die sich der Suche spontan anschlossen. Kate setzte sich ins Wohnzimmer, sie hatte von dort den beleuchteten Plattenweg, der zur Haustür führte, im Auge und das Telefon in Reichweite. Die Katze, die ihr im Haus auf Schritt und Tritt folgte, sprang aufs Sofa und rollte sich dort zusammen. Kate hatte den Tag eigentlich nutzen wollen, sich um eine Entrümpelungsfirma zu kümmern, eine Liste der Schäden in ihrem Haus zu erstellen und Anzeige zu erstatten. Stattdessen war sie nun in einen Vermisstenfall geraten und den ganzen Tag zu nichts in ihrer eigenen Sache gekommen. Aber natürlich, sie hatte die verstörten Goldsbys nicht einfach sich selbst überlassen können. Genau genommen war der Vater zunächst gar nicht besonders aufgeregt gewesen. Auch Kate fand es durchaus plausibel, dass Amelie ihren Eltern einfach eins hatte auswischen wollen. Doch langsam wurde sie unsicher. Es war schwer erklärbar, weshalb Amelie zu absolut niemandem Kontakt aufnahm.

Sie klappte ihren Laptop auf und googelte den Namen, den Deborah heute genannt hatte: *Saskia Morris.*

Nicht, dass das eine mit dem anderen zu tun hatte … Hoffentlich nicht … Aber es schadete nichts, sich zu informieren.

Der Fall Saskia Morris war in allen Online-Schlagzeilen der regionalen Blätter. Auch die *Daily Mail* berichtete, der *Observer* brachte eine kurze Notiz. Kate konzentrierte sich auf die ausführlichen Berichte.

Saskia Morris hatte sich gegen sechs Uhr am Abend des

achten Dezember 2016 von ihrer Mutter verabschiedet, um noch bei ihrer Freundin Melanie, die nur ein paar Straßen weiter wohnte, vorbeizuschauen. Sie machten sich beide Sorgen wegen einer bevorstehenden Französischarbeit am nächsten Tag und hatten beschlossen, zusammen noch einmal Vokabeln und Grammatik zu wiederholen.

Saskia war bis neun Uhr bei Melanie geblieben, die Mädchen hatten für die Arbeit geübt, sich aber auch unterhalten und viel gelacht. Laut Melanies Aussage war Saskia fröhlich und unbeschwert gewesen, als sie sich auf den Heimweg machte.

Sie war nicht zu Hause angekommen.

Die Eltern hatten nach einem Anruf bei Melanie die Polizei verständigt, die sofort eine Suche eingeleitet hatte. Die Umstände waren prekärer als nun bei Amelie: Dunkelheit, leere Straßen. Es gab nichts, was darauf hingedeutet hätte, dass Saskia nicht vorgehabt hatte, auf direktem Weg nach Hause zu gehen. Irgendetwas war auf der kurzen Strecke passiert. Irgendjemandem, das war die furchtbare Vermutung, war sie begegnet.

Zwei Tage später hatten Spaziergänger Saskias Handy am Rande einer Landstraße außerhalb Scarboroughs gefunden.

Von diesem Punkt an fehlte jede Spur. Es hatte immer wieder Meldungen und Hinweise gegeben, aber jede Hoffnung, bei einer der gesichteten Personen könnte es sich wirklich um die verschwundene Vierzehnjährige handeln, hatte sich schnell wieder zerschlagen. Und nun war sie gefunden worden. Ein knappes Jahr später.

Es hieß, die Leiche sei in einem Zustand, der eine Identifizierung zunächst schwer gemacht habe. Das bedeutete, Saskia musste bereits eine Zeitlang dort in den Hochmooren gelegen haben. Die Frage war, ob es sich bei dieser Zeit um die vollen zehn Monate handelte. War es realistisch, dass man sie dann jetzt erst fand? In einer der Zeitungen gab es eine Lageskizze, und danach sah es so aus, als hätte Saskia nahe einem Wanderweg, dürftig mit Zweigen zugedeckt, im Unterholz gelegen. Es erschien Kate ziemlich unwahrscheinlich, dass monatelang niemand sie fand, und sei es ein Hund, der dort spazieren geführt wurde. Mit Sicherheit waren in der Zeit Wanderer vorbeigekommen, die Hunde dabeihatten... Und keiner war aufmerksam geworden?

»Sie ist erst später dorthin gebracht worden«, murmelte Kate, »und zwar vor höchstens ein paar Wochen.« Das sprach nicht gegen einen fortgeschrittenen Verwesungsprozess. Das milde Wetter hatte seinen Teil dazu beigetragen.

»Irgendwo war sie vorher. Tot oder lebendig, aber wahrscheinlich lebendig...«

Sie las weiter. *Ein Zusammenhang mit dem Fall der im November 2013 verschwundenen Hannah Caswell aus Staintondale könne nicht ausgeschlossen werden, es gebe allerdings bislang keine Hinweise auf eine Verbindung, so der Chefermittler Detective Chief Inspector Caleb Hale vom CID Scarborough.*

Kate zuckte zusammen. Caleb Hale. Es gab ihn also noch. Und er war immer noch in seiner hohen Position. Das war nicht selbstverständlich, wie Kate wusste. Sie kannte sein Alkoholproblem. Sie kannte überhaupt einige seiner Probleme. Gemeinsam hatten sie damals den Mord an ihrem, Kates, Vater aufgeklärt. Genau genommen: Kate hatte ihn aufgeklärt. Caleb Hale hatte sich in eine völlig falsche Theorie verstrickt, war entsprechend einer falschen Fährte gefolgt und über der Erkenntnis, einen Fehler nach dem anderen gemacht zu haben, seiner gerade besiegt geglaubten Alkoholsucht erneut verfallen. Kate wusste, dass er gut war in seinem Fach, auch wenn ihm damals alles aus dem Ruder gelaufen war. Die Frage war, ob er wieder an sich selbst hatte glauben können. Zumindest war er offenbar fähig gewesen, sich in seinem Beruf zu halten.

Es tat immer noch etwas weh, seinen Namen zu lesen. Nach drei Jahren. Sie war verliebt in ihn gewesen, ein Gefühl, das er keine Sekunde lang erwidert hatte. Was Kate nicht einmal gewundert hatte: Männer erwiderten ihre Gefühle nie. Das war schon immer so gewesen, ihr ganzes Leben lang, und sie war vollkommen daran gewöhnt. Und es war trotzdem schmerzhaft.

Sie zwang sich, den Gedanken an Caleb Hale zunächst beiseitezuschieben und sich auf die eigentliche Information zu konzentrieren, die der Satz enthielt. Es hatte, zwar einige Jahre zuvor, aber doch noch in einem überschaubaren Zeitraum, bereits ein anderes verschwundenes Mädchen gegeben. Hannah Caswell.

Sie googelte den Namen. Irgendwie begann sich ein etwas beklommenes Gefühl in ihr auszubreiten. Sie war tatsächlich ziemlich sicher gewesen, dass Amelie sich aus Trotz und Ärger irgendwo versteckt hielt und dass die Tatsache, dass am selben Tag die Leiche eines anderen Mädchens gefunden wurde, eine grausame Koinzidenz war, schlimm und erschreckend für die Eltern, aber ohne tatsächlichen Zusammenhang. Nun begann irgendetwas in ihr zu nagen. Nicht so, dass sie wirklich elektrisiert gewesen wäre. Aber so gelassen wie zu Beginn war sie definitiv auch nicht mehr.

Über Hannah Caswell gab es massenhaft Einträge. Der Fall hatte die Region in Atem gehalten. Ganz dunkel entsann sich Kate, davon gehört zu haben, in der Presse, aber auch in den Kreisen ihrer eigenen Polizeibehörde. Im Unterschied zu Saskia Morris war Hannah nie wieder aufgetaucht, weder tot noch lebendig. Es hatte zwei Verdächtige gegeben: Einen jungen Mann, der die damals Vierzehnjährige an einem Novemberabend von Kingston-upon-Hull nach Scarborough mitgenommen und nach eigenen Angaben am dortigen Bahnhof abgesetzt hatte. Und Ryan Caswell, Hannahs alleinerziehenden Vater. Hannahs Mutter hatte die Familie Jahre zuvor verlassen und war nach Australien ausgewandert.

Dass man den Vater verdächtigt hatte, war nichts Außergewöhnliches. Die Eltern wurden in solchen Fällen *immer auch* verdächtigt.

Die Polizei war bei Ryan Caswell nicht weitergekommen. Es hieß, dass er für die entscheidenden Stunden, in denen Hannah verschwunden war, kein Alibi hatte. Nach eigenen Angaben hatte er in seinem parkenden Auto in der Nähe des Strands gesessen. Es gab dafür keine Zeugen. In der Vernehmung hatte er zugegeben, wütend auf seine Tochter gewesen zu sein. Sie hatte den Zug in Hull versäumt, und er musste nun fast zwei Stunden warten, ehe er sie von dem nächsten eintreffenden Zug abholen konnte. Mit dem war sie dann jedoch nicht gekommen. Weil sie in Hull von einem Nachbarn aus Staintondale im Auto mitgenommen worden war, dem neunzehnjährigen Kevin Bent.

Kevin Bent war sogar festgenommen worden und in Untersuchungshaft gekommen, aber letzten Endes war ihm nichts nachzuweisen gewesen. Seine Aussage, dass er Hannah am Bahnhof in Scarborough abgesetzt hatte, war von Hannahs Freundin Sheila Lewis bestätigt worden. Hannah hatte Sheila vom Bahnhof aus angerufen und von der Fahrt mit Kevin berichtet und davon, dass er sie zu einer Party eingeladen habe. Dann hatte sie ihren Vater mehrfach zu erreichen versucht. Diese Anrufe konnten auf Ryan Caswells Handy und auf seinem Festnetzanschluss zu Hause nachgewiesen werden. Caswell hatte zu diesem Zeitpunkt keinen Empfang gehabt. Die ins Leere gelaufenen Anrufe waren das letzte Lebenszeichen, das es von Hannah Caswell gab.

Was Kevin Bent betraf, so hatte er einen großen Fehler begangen, er hatte die Polizei zunächst belogen, und das auch noch so ungeschickt, dass es sofort aufflog. Er hatte behauptet, zu seinen Freunden nach Cropton weitergefahren zu sein und dort den Rest des Abends verbracht zu haben. Seine Freunde jedoch, die zum selben Zeitpunkt wie er vernommen wurden und mit denen er sich zuvor nicht mehr hatte absprechen können, erklärten, Kevin habe angerufen und abgesagt. Er sei müde, er werde jetzt doch direkt nach Hause fahren.

Damit konfrontiert, gab Kevin zu, dass er umgekehrt war. Er war zum Bahnhof zurückgefahren. Hatte Ausschau gehalten nach Hannah, um sie mit nach Staintondale zu nehmen.

»Ich hatte irgendwie ein dummes Gefühl«, wurde er zitiert. »Sie stand so verloren vor dem Gebäude… Ich wusste ja nicht, ob sie ihren Vater erreicht oder wirklich zu ihm geht… Ich habe mir Sorgen gemacht. Und da ich tatsächlich müde war und nach Hause wollte, dachte ich, ich fahre am Bahnhof vorbei und nehme sie mit.«

Hannah habe dort jedoch nicht mehr gestanden. Er habe kurz angehalten, sich umgeschaut, sie jedoch nicht entdeckt. Dann sei er nach Hause gefahren.

Seine Lüge erklärte er mit einem Moment der Panik. »Sie war in meinem Auto. Ich bin der Letzte, der sie gesehen hat. Ich wusste, dass man mich sowieso verdächtigen würde. Ich wollte nicht zugeben, dass ich noch einmal zurückgefahren bin, weil ich dachte, das macht es noch schlimmer. War natürlich blöd von mir…«

Kate seufzte. Das war in der Tat extrem blöd von ihm gewesen. Manche Menschen hatten ein großes Talent, ihre ohnehin heikle Situation noch verfahrener zu gestalten, und Kevin Bent schien dazuzugehören.

Sie stand auf, ging zum Fenster, blickte hinaus. Rechts und links des beleuchteten Plattenweges vor der Haustür wippten ein paar Zweige, noch dicht behangen vom Herbstlaub. Im künstlichen Licht waren sie von grau-gelber Farbe, aber Kate wusste, dass sie in Wahrheit flammend rot und tiefgolden waren. Ein schönes Haus, das die Goldsbys bewohnten, wunderbar gelegen am Rande dieser Hochebene. Deborah hatte ihr erzählt, dass es ihr großer Wunsch gewesen war, dieses Haus zu kaufen. Kate konnte das nachvollziehen.

»Und dann kam ich auf die Idee, dieses *Bed & Breakfast* einzurichten, und damit habe ich gefunden, wonach ich immer gesucht habe«, hatte sie strahlend hinzugefügt.

Kate, die es gewohnt war, alles, was Menschen ihr erzählten, zunächst einmal *nicht* für bare Münze zu nehmen, sondern im Gegenteil eher anzuzweifeln, hatte selten einen Menschen so forciert und aufgesetzt sprechen gehört.

Deborah Goldsby war eine unglückliche Frau, das spürte sie einfach. Worin ihr Unglück genau begründet lag, konnte sie nicht sagen, noch nicht, dafür hatte sie viel zu wenig Informationen. Ganz sicher war ihr Beruf keineswegs eine Berufung, eher eine Notlösung. Das große Haus in dieser Lage... Kate konnte eins und eins zusammenzählen: Sie hätte gewettet, dass sich die Goldsbys finanziell übernommen hatten. Dass Jasons Einkommen nicht reichte, Zinsen, Tilgung und Lebensunterhalt zu bestreiten. Dass Deborah daher auf die Idee gekommen war, drei Räume an Feriengäste zu vermieten. Und dass Jason davon alles andere als begeistert war. Kate hatte das gewusst, gleich im ersten Moment ihrer gestrigen Ankunft. Jason hatte sie gefragt, ob sie Gepäck habe und er ihr damit helfen könne, er hatte höflich geklungen, aber sein Mund war ein angespannter Strich gewesen, völlig verkrampft. Er hatte absolut nicht begeistert gewirkt, dass ein unerwarteter Gast in der Nachsaison hereingeschneit kam. Wahrscheinlich herrschte von Mai bis September ein reges Kommen und Gehen in den Räumen, und wenn er abends nach Hause kam, fand er nicht die Ruhe, nach der er sich nach einem anstrengenden Tag sehnte. Ständig waren fremde Menschen um ihn herum, sicher fand er auch nicht jeden von ihnen sympathisch. Musste ihnen aber in der Küche und im Wohnzimmer und immer wieder im Treppenhaus begegnen. Für Deborah bedeuteten die Gäste einen Lichtblick in ihrer Einsamkeit. Jason waren sie wahrscheinlich einfach nur lästig.

Dr. Jason Goldsby. Vater eines verschwundenen Mädchens. Reflexhaft geradezu überprüfte Kate in Gedanken die Möglichkeit, dass die Eltern etwas mit dem Verschwinden ihrer Tochter zu tun hatten. Obwohl sie sich zwei Dinge zugleich ins Gedächtnis rief: Amelie war vermutlich nichts zugestoßen. Sie war untergetaucht, um ihre Eltern zu zwingen, sie nicht auf die Klassenfahrt zu schicken.

Und zum Zweiten: Das hier war nicht ihr Fall. Überhaupt nicht. Und sie hatte anderes zu tun. Sie musste ihr Haus in Ordnung bringen und dann sehen, was weiter damit werden sollte, und für all das blieb ihr ohnehin viel zu wenig Zeit.

Trotzdem überlegte sie kurz: Deborah war mit ihrer Tochter zusammen unterwegs gewesen, hatte sie bei der Rückkehr zum Auto nicht mehr angetroffen. Dafür gab es nur ihre Aussage, die allerdings gestützt wurde durch die Nachricht, die Amelie ihrer Freundin vom Parkplatz aus geschrieben hatte. Und es würden sich im *Tesco* Zeugen finden – zumindest der Filialleiter –, die Deborahs verzweifelte Suche bestätigen konnten. Jason hingegen war zum entscheidenden Zeitpunkt nicht zu Hause gewesen. Kate hatte nicht mitbekommen, dass er weggegangen war, aber er selbst hatte von einem Strandspaziergang gesprochen, von dem er genau zeitgleich mit Deborah zurückgekehrt war. Wahrscheinlich gab es keine Zeugen dafür. Er konnte genauso gut in die andere Richtung gelaufen sein.

Trotz des Risikos, dabei von Nachbarn gesehen zu werden?

Und dann? Natürlich wäre Amelie mit ihm mitgegangen, wenn er plötzlich neben dem Auto aufgetaucht wäre. Aber konnte er wissen, dass sich seine Frau und seine Tochter zu diesem Zeitpunkt dort aufhielten? Amelie könnte auch ihm eine Nachricht geschickt haben. Doch warum sollte er sie entführen? Wohin hatte er sie gebracht – innerhalb einer dafür dann doch sehr kurzen Zeitspanne? Und vor allem – warum?

Jede Menge Ungereimtheiten. Aber Kate hatte eine Erfahrung gemacht in den langen Jahren ihrer Arbeit bei der Polizei, besonders bei den Mordermittlungen: Es gab nichts, was es nicht gab. Es gab die verrücktesten Motive, die seltsamsten Konstellationen, die unglaublichsten Zufälle. Menschen, von denen man geglaubt hätte, dass sie keiner Fliege etwas zuleide taten, verübten plötzlich einen bestialischen Mord. Menschen, die einander in Liebe zugetan schienen, hassten einander in Wahrheit aus tiefstem Herzen. Menschen legten lückenlose Alibiketten vor, und am Ende stellte sich heraus, dass ein winziger Teil daran nicht stimmte, und der kippte dann das ganze Bild. Kate hatte die banalsten und die irrsten Dinge erlebt. Sie würde niemals irgendeine noch so absurde Variante von vornherein ausschließen.

Sie hoffte jedoch, dass all diese Überlegungen im Fall Amelie Goldsby sowieso überflüssig waren. Weil gar nichts Schlimmes passiert war. Weil Amelie jeden Moment wohlbehalten vor ihnen stehen würde.

Die Nacht jenseits des Vorgartens war so dunkel. So tiefschwarz. Wo hielt sich Amelie auf – und wie hielt sie es *aus*? Kate hätte sich mit vierzehn Jahren zu Tode gefürchtet, in solcher Finsternis alleine in irgendeinem Versteck, fort von ihrem Zuhause. Amelie musste einen Helfer haben. Alle infrage kommenden Freunde waren von ihren Eltern befragt worden. Sie mussten natürlich nicht die Wahrheit gesagt haben. Aber Amelies Freunde lebten alle daheim bei ihren Familien. Sie wären nicht in der Lage, jemanden bei sich zu verstecken, ohne dass ihre Eltern etwas mitbekamen. Und die würden sicher nicht helfen, eine solche Geschichte zu vertuschen.

Kate wandte sich vom Fenster ab, ging unruhig im Zimmer hin und her.

Mit jeder Minute, die verstrich, wurde der Fall prekärer.

SONNTAG, 15. OKTOBER

1

Ein sonniger Tag, die Luft erwärmte sich nach den ersten kalten Morgenstunden rasch. Ein Tag, den man ausnutzen musste: Für die beginnende Woche sagten die Meteorologen Regen und Nebel und einen empfindlichen Temperatursturz voraus.

Megan Turner fand es nett, dass das Wetter noch ein wenig wartete, ehe es umschlug, ehe der ungewöhnlich lang andauernde Spätsommer endgültig zum Herbst wurde. So blieb das Wochenende schön. Schon am Vorabend hatte sie ihrem Mann Edward mit der Frage in den Ohren gelegen, was man denn am Sonntag unternehmen wollte. »Es wird noch einmal richtig sonnig. Und warm. Es wäre einfach zu schade, daheim zu bleiben. Komm, lass uns irgendwohin fahren!«

Edward war weit weniger unternehmungslustig als seine Frau. »Immer musst du irgendetwas machen. Können wir nicht einfach daheim bleiben, lange schlafen, fernsehen, essen, es gemütlich haben?«

»Nächstes Wochenende. Da soll es so kalt und nass werden, dass man sowieso keine Lust haben wird, einen Fuß vor die Tür zu setzen. Jetzt komm schon. Raff dich auf!«

Letzten Endes hatte sich Edward bereiterklärt, mit Megan ins Blaue zu fahren. Auf ein Ziel mochte er sich nicht festlegen, das hätte ihn überfordert, wie er erklärte. Sie würden Scarborough verlassen und ein wenig im Gebiet der Hochmoore herumfahren. Es gab dort idyllische kleine Täler, sonnenbeschienene Hochebenen und lichte Wälder, die in wundervollem Herbstlaub standen. Sie würden irgendwo ein wenig laufen und dann ein Picknick veranstalten. Megan war in aller Frühe aufgestanden und hatte die Kühlbox gepackt. Hart gekochte Eier, Sandwiches, Blätterteigpasteten, ein Schokoladenkuchen, Mineralwasser. Für Edward ein paar Flaschen Bier, das würde seine Laune heben. Megan würde dann eben auf dem Rückweg fahren.

Sie waren etwa eine Dreiviertelstunde unterwegs, als sie an einen einsam gelegenen Parkplatz kamen, der ihnen als Ausgangspunkt für ihren Spaziergang und als Ort des Picknicks geeignet schien. Außerdem hatte Megan keine Lust mehr, noch länger im Auto zu sitzen. Sie verließen die Landstraße, auf der ihnen seit einer guten Viertelstunde kein einziges anderes Auto mehr begegnet war. Sie befanden sich tief in den Hochmooren. Obwohl die Moore ein beliebtes Ausflugsziel darstellten, dehnten sie sich so weit und umfassten ein so großes Gebiet, dass sich Wanderer und andere Naturliebhaber dort verliefen. Man konnte lange unterwegs sein und niemanden treffen.

Weshalb Edward es hier auch ziemlich langweilig fand. Nach wie vor würde er lieber daheim sitzen und fernsehen. Okay, die Sonne schien, aber sonst? Wiesen, Wiesen, Wiesen. In der Ferne ein Waldstück.

Na ja, dann hatte wenigstens Megan einen schönen Sonntag. Beziehungen verlangten Opfer. Immerhin hatte sie tolle Sachen zum Essen eingepackt.

Der Parkplatz war eigentlich nur eine kleine Parkbucht,

zur Straße hin durch eine schmale Zeile zerrupfter Büsche abgetrennt. Mehr als höchstens drei Autos hätten hier gleichzeitig keinen Platz. Ein paar Baumstümpfe standen am Rand, deren Oberfläche so geglättet worden war, dass man darauf sitzen konnte. Daneben eine Tafel, die über Flora und Fauna der Gegend Auskunft gab. Sonst nichts. Nur Einsamkeit.

»Ich würde sagen, wir wandern eine Weile, dann kehren wir um und essen die herrlichen Dinge, die ich eingepackt habe«, schlug Megan vor.

Edward seufzte. Er hätte es lieber andersherum gemacht. Genau genommen hätte er lieber nur gegessen und wäre gar nicht gewandert. Aber seinem trotz seines jungen Alters schon ziemlich üppigen Bauch würden ein paar Schritte sicher ganz guttun.

Sie liefen und liefen, Megan leichtfüßig vorneweg, Edward etwas schwerfälliger und ziemlich kurzatmig hinterher. Der Tag war wunderschön, das musste er zugeben. Warm, sonnig und trocken. Die Vegetation hier oben war eher karg, dennoch flammten immer wieder plötzlich sonnendurchglühte Farben auf, feuerrotes Laub in kleinen Büschen, warmes Gold in den Blättern der wenigen Bäume. Leuchtend rote Beeren in dornigen Hecken.

»Schön hier«, meinte er nach einer Weile versöhnlich.

Megan blieb stehen, wandte sich strahlend um. »Nicht wahr? Besser als zu Hause, oder?«

»Ja, irgendwie schon. Aber«, er blieb auch stehen und wischte sich den Schweiß von der Stirn. Er hatte wirklich eine lausige Kondition. »Aber können wir jetzt trotzdem umkehren? Ich bin total erledigt. Und Hunger habe ich auch.«

Sie hätte noch ewig laufen können, aber sie willigte ein. Immerhin war er ihr schon mit dem ganzen Ausflug entgegengekommen. In einträchtigem Schweigen machten sie sich auf den Rückweg. Am Parkplatz angekommen, fing Megan an, das Essen aufzubauen, während Edward nach einem Ort suchte, um einigermaßen diskret pinkeln zu können. Er trat hinter einen Busch und sah im selben Moment im hohen Gras etwas glitzern. Er bückte sich. Ein Schminktäschchen. Er hob es auf.

»Das ist ja seltsam«, sagte er. »Wer verliert denn hier so etwas?«

»Was ist denn?«, fragte Megan.

»Hier liegt eine kleine Tasche im Gras«, sagte Edward und kam hinter dem Busch hervor. Er öffnete die Tasche und schaute hinein. »Lippenstift, Wimperntusche, glaube ich …«

Megan betrachtete das grelle Rosa der eher billigen Tasche. »Gehört wahrscheinlich einem jungen Mädchen.«

»Wie kommt denn ein junges Mädchen hier in diese Gegend?«

Megan zuckte mit den Schultern. »Ein Ausflug. Mit den Eltern wahrscheinlich.«

»Und da verliert sie ihre ganzen Schminksachen hinter einem Gebüsch?«

»Wahrscheinlich hat sie dort dasselbe getan, was du tun wolltest. Dabei ist es ihr aus dem Rucksack oder so rausgefallen. Wir werden es mitnehmen und im Fundbüro abgeben.«

»Hm«, machte Edward, »ich schau mal, ob ich da noch etwas finde.«

In kleinen Schritten, die Augen fest auf das Gras zu seinen Füßen gerichtet, umkreiste er den einsamen Busch. Im Grunde hatte er nicht erwartet, noch etwas zu finden, denn es war unwahrscheinlich, dass jemand gleich mehrere Dinge verlor und es nicht merkte, aber dann gewahrte er in einiger Entfernung etwas, das zunächst wie ein Stein aussah, aber

Steine waren selten pinkfarben, und so trat er näher. Eine weitere Tasche. Eine pinkfarbene Handtasche. Er öffnete sie. Ein Geldbeutel mit ein paar Pfundnoten darin. Papiertaschentücher. Eine Dauerkarte zum Busfahren. Und ein Schülerausweis.

»Amelie Goldsby«, las er. Es folgten ein Geburtsdatum, 2. Juli 2003, und der Name einer Schule in Scarborough. Eine vierzehnjährige Schülerin also. Das Foto zeigte ein junges Mädchen mit großen blauen Augen und hellblonden Haaren. Das Mädchen schaute mürrisch drein, war aber unverkennbar sehr attraktiv.

»Das ist jetzt wirklich merkwürdig«, sagte Edward. »Komm doch mal, Megan!«

Sie trat heran. »Was gibt es?«

Er zeigte ihr die Tasche. »Die gehört laut Schülerausweis einer vierzehnjährigen Schülerin. Lag hier im Gras. Die Schminksachen da vorne. Wieso verliert jemand zwei Gegenstände im Abstand von mindestens zwei Metern?«

Auch Megan wirkte nun irritiert. »Das ist in der Tat eigenartig.«

»Ich finde, es sieht so aus, als seien die Sachen dorthin geworfen worden. Bewusst. Das eine hierhin, das andere dorthin. Hauptsache weg damit.«

»Wer wirft denn seine Kosmetiktasche weg? Und seine ganze Handtasche?«

»Mit Geld und einer gültigen Busfahrkarte darin. Das ist...« Edward suchte nach dem richtigen Ausdruck. »Das ist fast unheimlich.«

Megan fröstelte plötzlich. »Ja, das ist es. Welcher Name steht in dem Ausweis?«

»Amelie Goldsby.«

»Sagt mir nichts.«

»Mir auch nicht, aber so wie die Sachen aussehen, können sie noch nicht lange hier gelegen haben, höchstens seit gestern, und falls dieser Amelie etwas zugestoßen ist, ist das vermutlich noch nicht in den Medien.«

»Warum soll ihr denn gleich etwas zugestoßen sein?«, fragte Megan.

»Keine Ahnung. Aber ich könnte es mir vorstellen.«

»Wir nehmen die Sachen mit. Und wir müssen uns diesen Parkplatz merken.«

»Natürlich nehmen wir die Sachen mit«, sagte Edward. »Aber wir gehen damit nicht zum Fundbüro. Sondern direkt zur Polizei.«

2

Detective Chief Inspector Caleb Hale erschien am Nachmittag bei der Familie Goldsby, und er wirkte angespannt, sosehr er sich um Ruhe und Unaufgeregtheit bemühte. Die Goldsbys waren bereits informiert worden, dass ein junges Paar beim Picknicken an einem einsamen Parkplatz in den Hochmooren des Nationalparks Gegenstände gefunden hatte, die ihrer Tochter gehörten. Der Fall hatte eine ganz neue Brisanz erlangt. Hatte man bislang von einem genervten, wütenden Teenager ausgehen können, der einer unangenehmen Situation zu entkommen versuchte und sich keine Gedanken um die Konsequenzen machte, so musste nun damit gerechnet werden, dass es sich um Schlimmeres handelte. Um deutlich Schlimmeres.

Amelie Goldsby konnte nicht alleine an den Ort, an dem ihre Sachen gefunden worden waren, gelangt sein. Jemand musste sie im Auto mitgenommen haben. Jemand hatte dort im völligen Niemandsland ihre Kosmetik und ihre Handtasche entsorgt. Caleb fror bei dem Gedanken an Saskia Morris' Handy, das damals kurz nach ihrem Verschwinden am Rande einer Landstraße gefunden worden war.

Jetzt durchkämmten Einsatzkräfte der Polizei das Gebiet um den Rastplatz im Nationalpark. Und in Calebs Kopf geisterte ein weiterer Gedanke, der geeignet war, ihm den Schlaf zu rauben: Die Fundstelle von Amelies Sachen lag nicht allzu weit entfernt von dem Ort, an dem man Saskias Leiche gefunden hatte. Gute fünfzehn Meilen zwar, aber das war innerhalb des riesigen Geländes der Hochmoore keine wirkliche Distanz.

Das sah alles überhaupt nicht gut aus.

Im Haus der Goldsbys, wunderschön am Ende einer Straße mit Blick auf das Meer gelegen, herrschte Panikstimmung. Dr. Jason Goldsby saß im Wohnzimmer, seinen Laptop auf den Knien, surfte im Internet, wahrscheinlich auf der Suche nach Informationen zum Fall Saskia Morris. Auch er konnte eins und eins zusammenzählen und sah die Parallelen. Deborah saß auf dem Sofa, sie war leichenblass im Gesicht, hatte zerwühlte Haare und atmete stoßweise ein und aus. Sie schien Panikattacken zu durchleiden, denn ihre Hände zitterten und ihre Stirn war nass von Schweiß. Eine Polizeibeamtin, die sich um die Betreuung von Verbrechensopfern kümmerte, saß neben ihr, hielt ihre Hand und sprach beruhigend auf sie ein. Zwei weitere Frauen waren im Raum, die sich Caleb als Nachbarinnen vorstellten, die in der Nacht geholfen hatten zu suchen und nun hier waren, um weitere Hilfe anzubieten. Sie sahen erschöpft und verstört aus, nicht sensationslüstern.

»Ich würde gerne kurz alleine mit den Eltern sprechen«, bat Caleb.

Die Beamtin und die beiden Nachbarinnen verließen das Zimmer. Sie wurden von Calebs Mitarbeiter Detective Sergeant Robert Stewart in Empfang genommen. Robert würde die Gelegenheit nutzen, um mit den Nachbarinnen über die Goldsbys zu sprechen. Wie wirkte die Familie auf andere? Welches Verhältnis schienen die Eltern zueinander zu haben? Welches zu ihrer Tochter? Hatte irgendjemand am gestrigen Vormittag, dem Zeitpunkt von Amelies Verschwinden, irgendetwas Seltsames bemerkt?

Caleb schloss die Tür. Jason stellte seinen Laptop zur Seite, stand auf und trat auf ihn zu. »Saskia Morris«, sagte er ohne Umschweife. »Denken Sie, was ich denke?«

»Was denken Sie denn?«, fragte Caleb zurück, obwohl er es wusste.

»Nun ja...« Jason warf einen unsicheren Blick auf seine Frau. Aber Deborah erhob sich nun ebenfalls und stellte sich neben ihn. Caleb hatte den Eindruck, nie einen bleicheren Menschen gesehen zu haben.

»Du kannst es aussprechen«, sagte sie. »Wir haben große Angst, dass Amelie demselben Menschen in die Hände gefallen ist wie Saskia Morris.«

»Saskias Handy wurde kurz nach ihrem Verschwinden gefunden«, sagte Jason. »Und Saskia selbst... Ich habe mir das auf Google Maps angeschaut. Der Fundort ihrer... Sie wurde nicht weit entfernt von der Stelle gefunden, an der die Sachen unserer Tochter lagen.«

»Das ist richtig«, sagte Caleb. »Daraus aber weitergehende Schlüsse zu ziehen halte ich für verfrüht.«

»Irgendwelche Schlüsse müssen wir aber ziehen«, sagte Jason. »Welche ziehen Sie denn?«

»Können wir uns setzen?«, fragte Caleb. »Ich möchte noch einmal alles in Ruhe durchgehen.«

Sie setzten sich in die Sofaecke. Caleb war über alle

Angaben aus der gestrigen Vermisstenmeldung informiert. Der Parkplatz vor dem *Tesco*. Amelies schlechte Laune. Ihre Abneigung gegen die Klassenfahrt. *Saskia Morris hat es gut, sie muss nie wieder auf eine Klassenfahrt gehen.*

Es war dieser Satz von ihr, der Hoffnung gab. Hoffnung darauf, dass sie einfach nur ausgerissen war. Verschwunden. So wie Saskia. Nur dass Saskia unfreiwillig verschwunden war, Amelie aber freiwillig. Vielleicht. Es gab noch den Schatten dieser Hoffnung. Aber er war äußerst klein.

»Es gibt doch kaum noch eine harmlose Erklärung dafür, wie die Handtasche meiner Tochter in die Hochmoore gekommen sein soll«, sagte Jason. »Amelie kann sie kaum selbst dorthin gebracht haben.«

»Sicher nicht. Aber es gibt die Möglichkeit, dass sie ihr gestohlen wurde. Dann hat der Täter die Tasche entsorgt, weil er nichts damit anfangen konnte.«

»Halten Sie das für wahrscheinlich?«, fragte Deborah.

Caleb seufzte. Eltern reagierten verschieden in solchen Situationen. Manche wollten beruhigt werden, klammerten sich an die absurdesten Theorien und wollten von den Ermittlern hören, dass sie zwar alles tun würden, die vermisste Person zu finden, dass sie aber nicht wirklich eine Gefahr sahen. Und manche wollten die Wahrheit in ihrer ganzen Grausamkeit hören, weil sie ohnehin durch nichts zu beruhigen waren. Diese Eltern gehörten zur letzteren Gruppe. Selbst Deborah in ihrer Panik und mit ihren zitternden Händen und diesem kalkweißen Gesicht. Sie wollte wissen, was Caleb Hale wirklich dachte.

Von allen Unannehmlichkeiten, die sein Beruf bereithielt, fand Caleb diese Situation am schlimmsten. Mit den Eltern verschwundener Kinder sprechen zu müssen. Ihnen zu sagen, dass sie notfalls auch mit dem Schrecklichsten rechnen mussten.

»Ich gebe zu, dass ich diese Wahrscheinlichkeit für gering halte«, erwiderte Caleb auf Deborahs Frage. »Und ich muss Ihnen leider sagen, dass die Situation nicht gut aussieht. Anfangs sprach einiges dafür, dass Ihre Tochter einfach nur ausgerissen ist. Dass ihre Sachen nun dort, gute fünfundvierzig Minuten Fahrzeit von Scarborough entfernt, in der Wildnis gefunden wurden, macht diese Annahme sehr zweifelhaft.«

»Jemand hat Amelie im Auto mitgenommen«, sagte Deborah.

Caleb warf ihr einen aufmunternden Blick zu. »Das könnte sein, und da liegt ein vielversprechender Ermittlungsansatz. Es war heller Tag, der Parkplatz, aber auch die Straßen rund um den Supermarkt waren sehr belebt. Es spricht daher manches dafür, dass Amelie nicht überfallen wurde, sondern freiwillig in ein Auto gestiegen ist. Was bedeuten könnte: Sie kannte die Person hinter dem Steuer.«

»Sie kann auch getrampt sein«, meinte Deborah.

»Tat sie das öfter?«

Die Eltern sahen einander an, schüttelten beide den Kopf. »Eigentlich nie«, sagte Jason. »Wir haben sie immer vor den Gefahren gewarnt, und sie schien da auch eher ängstlich. Ich würde es natürlich nicht völlig ausschließen, aber …« Er sprach den Satz nicht zu Ende. Nichts konnte man in einer Situation wie dieser ausschließen. Das war ja das Schlimme.

»Wir behalten diese Möglichkeit im Auge«, sagte Caleb, »aber wir sollten von der wahrscheinlicheren Variante ausgehen. Ein Bekannter. Welcher ihrer Freunde hat einen Führerschein?«

»Ihre engsten Freundinnen und Freunde sind alle vierzehn wie sie«, sagte Deborah. »Oder höchstens fünfzehn. Von denen fährt niemand Auto.«

»Hat sie näheren Kontakt zu älteren Schülern in ihrer

Schule? Über eine Theatergruppe vielleicht? Eine AG? Irgendeinen Sport? Vielleicht auch außerhalb der Schule?«

»Sie war zweimal die Woche beim Schwimmen. In einer Gruppe. Die waren aber alle auch gleichaltrig. Bis auf den Leiter, aber der ist auch erst sechzehn.«

»Wir sprechen trotzdem mit ihm. Fällt Ihnen sonst noch jemand ein?«

»Nicht konkret«, sagte Jason. »Es gab natürlich Schulfeste. Veranstaltungen. Da nahmen auch höhere Jahrgänge teil. Natürlich entstanden da auch Kontakte.«

»Namen? Gab es jemanden, den sie öfter erwähnte?«

»Nein. Leider … war sie uns gegenüber immer sehr verschlossen.«

»Wir werden mit allen ihren Freunden reden«, sagte Caleb. »Manchmal wissen die mehr als die Eltern. Was ganz normal ist in diesem Alter. Würden Sie uns außerdem Amelies Computer überlassen? Es gibt ja leider auch die Möglichkeit, dass …«

»Dass sie jemanden in einem Chatroom kennengelernt hat«, unterbrach Jason. »Ja, das habe ich auch schon überlegt. Natürlich können Sie den Computer mitnehmen.«

»Er ist in ihrem Zimmer, nehme ich an? Kann ich das Zimmer sehen?«

»Selbstverständlich.« Deborah sprang auf. Sie schien ein wenig stabiler als noch wenige Minuten zuvor. Es geschah endlich etwas. Die Brisanz des Falles wurde begriffen. Jemand stellte Fragen, sprach von der Auswertung des Computers. Die Situation blieb entsetzlich, aber *die Polizei tat etwas.*

»Kate meinte heute früh auch schon, wir sollten ihren Computer ansehen. Aber er ist passwortgeschützt. Wir kamen an die Programme nicht ran.«

»Unsere Experten werden das machen«, versicherte Caleb.

Er erhob sich ebenfalls. »Wer ist Kate? Sie haben doch nur die eine Tochter, oder?«

»Kate ist als Gast hier. Seit Freitag. Kate Linville aus London. Stellen Sie sich vor, sie ist bei Scotland Yard. Sie kann uns bestimmt helfen!«

»Kate Linville«, sagte Caleb perplex. »Das ist ja unglaublich!«

»Kennen Sie sie?«, fragte Jason.

»Und ob«, sagte Caleb. »Und ob!«

3

Sie standen in Amelies Zimmer, und Caleb dachte, dass sie sich in den drei Jahren, die seit ihrer letzten Begegnung vergangen waren, praktisch gar nicht verändert hatte. In ihrem absolut unscheinbaren Aussehen blieb sie sich immer treu, alterslos in gewisser Weise, aber nicht auf eine Art, die sich eine Frau gewünscht hätte. Es war eher eine Alterslosigkeit, die mit ihrer Unscheinbarkeit zusammenhing: Man wurde ihrer als Person nicht wirklich gewahr, daher auch nicht eines möglichen Alterungsprozesses. Oder einer Veränderung in ihren Zügen. Sie war so verschlossen, dass sie sich nicht veränderte, nicht einmal unter den schlimmsten Umständen und in den dramatischsten Situationen. Was immer sich in ihrem Inneren abspielen mochte – und Caleb wusste, dass sie nicht stumpf, kalt, empathielos war –, es drang nicht nach außen, prägte nicht ihre Züge, grub sich nicht ein, veränderte nicht ihren Ausdruck. Ein Mensch, der gelernt hat, alles in sich zu verschließen. Weil er mit Kritik rechnet für jede Preisgabe. Kate Linville war voller Misstrauen. Sie kapselte sich ab, um niemandem die Gelegenheit zu geben, sie zu verletzen. Sie gab dadurch niemandem auch nur die kleinste Chance, sie zu lieben. Und darauf gründete sich wiederum ihr Gefühl, ständig abgewiesen zu werden.

Gefangen in sich selbst. Wenn Caleb je einen Menschen kennengelernt hatte, auf den diese Beschreibung zutraf, dann war es Kate Linville.

»Wenn ich jeden hier erwartet hätte ...«, sagte er.

Sie zuckte mit den Schultern. »So seltsam ist es auch wieder nicht. Ich habe ja noch das Haus hier. Ich bin gekommen, weil ich extremes Pech mit meinen Mietern habe.«

»Zahlungsunfähig?«

»Verschwunden. Spurlos. Und im Haus haben sie ein Schlachtfeld hinterlassen. Alles verdreckt und kaputt. Die müssen gestört sein. Wenigstens haben sie noch gekündigt. Mir bleibt jetzt nichts, als alles zu entrümpeln und dann zu sanieren.«

»Verdammt«, sagte Caleb. Er wusste, was das Haus, ihre Eltern, vor allem der Vater, Kate bedeutet hatten. »Die Möbel Ihrer Eltern ... Da ist nichts mehr zu verwenden?«

Sie schüttelte den Kopf. »Man kann immer alles reparieren und reinigen, mit viel Aufwand, ja. Aber ... irgendwie wäre es trotzdem zerstört. Es wäre nie mehr dasselbe. Ich werde die Gelegenheit nutzen, mich endgültig zu verabschieden. Ich werde das Haus instand setzen lassen und dann verkaufen.«

Drei Jahre zuvor hatte sie den Entschluss auch schon gehabt. Und es dann doch nicht geschafft, ihn umzusetzen. Er war gespannt, ob es ihr diesmal gelingen würde.

»Und wieso sind Sie gerade hier?«, fragte er. »Bei den Goldsbys, deren Tochter verschwunden ist?«

»Zufall. Na ja, nicht nur. Es ist das nächstgelegene geöffnete *Bed & Breakfast* zum Haus meiner Eltern. Ich brauchte am Freitag schnell eine Unterkunft, und zwar eine, bei der ich es nicht weit hinüber zum Church Close habe. Ich habe es gegoogelt, und… ein Volltreffer, könnte man sagen. Dabei wollte ich absolut nicht in einer solchen Geschichte landen.«

»Es ist ja auch…«, setzte Caleb an, aber sie unterbrach ihn gleich: »Es ist auch nicht meine Geschichte, ganz klar. Ich komme Ihnen nicht in die Quere, Caleb. Das sind ganz andere Umstände als damals.«

Sie spielte auf die scharfen Auseinandersetzungen an, die sie gehabt hatten. Kate hatte im Fall ihres ermordeten Vaters auf eigene Faust ermittelt, weil sie überzeugt gewesen war, dass Caleb einem falschen Ansatz folgte. Sie hatte ohne Legitimierung gehandelt und war immer wieder mit Caleb aneinandergeraten, aber am Ende war sie es gewesen, die den Fall gelöst hatte. Sie und Caleb hatten sich trotzdem im Einvernehmen voneinander verabschiedet, Caleb hatte die Größe gehabt anzuerkennen, dass Kate die Bessere gewesen war. Er hatte allerdings einen Rückfall in sein Alkoholproblem gehabt, einen schlimmen Rückfall, nach Entzugsklinik und monatelanger Abstinenz. Er ahnte, dass Kate sich gerade fragte, ob er das Problem im Griff hatte. Ob er an diesem Sonntag getrunken hatte oder ob er nüchtern war.

»Es ist schlimm«, sagte Caleb. »Diese Sache hier ist ganz schlimm.«

Er hatte um ein Gespräch mit Kate gebeten, nachdem Jason ihm von ihrer Anwesenheit im Haus berichtet hatte, und es war ihm gelungen, sie mit in Amelies Zimmer zu schleusen, während die Goldsbys unten bei Sergeant Stewart geblieben waren. Kate war wichtig. Sie kannte die Familie nicht näher, aber sie hatte alle drei zumindest am

Freitag noch erlebt. Sie war Polizistin, er konnte offen mit ihr reden. Er hatte Achtung vor ihrer Menschenkenntnis und ihren ermittlerischen Fähigkeiten. Anders als sie selbst. Sie traute sich viel zu wenig zu.

»Wie sehen Sie die Situation?«, fragte er.

Sie seufzte. »Nicht mehr gut, seit die Sachen gefunden wurden. Ich war ziemlich sicher zunächst, dass sie einfach abgehauen ist, aber jetzt… Natürlich gibt es immer noch die Möglichkeit, dass sie einen Freund hat, von dem die Eltern nichts wissen und der sie mitgenommen hat. Aber warum entsorgen die beiden dann Amelies Handtasche, ihre Kosmetiksachen? Unverständlich und verworren.«

»Was glauben Sie, was passiert ist? Gestern Vormittag. Auf diesem Parkplatz?«

»Ich glaube, dass entweder jemand zum Auto kam, den Amelie kannte und der sie überreden konnte, mit ihm oder ihr zu kommen. Im günstigsten Fall in guter Absicht.«

»Im ungünstigeren Fall geschah es nicht in guter Absicht.«

»Nein. Aber sie ging trotzdem mit, weil sie denjenigen kannte und weil sie unbedingt dieser Klassenfahrt entgehen wollte.«

»Andere Variante?«

»Ich habe mir überlegt, dass sie vielleicht ausgestiegen und einfach losgegangen ist«, sagte Kate. »Ohne sich zu überlegen, wie sehr das ihre Mutter erschrecken würde. Oder sogar gezielt, um ihre Mutter zu erschrecken. Sie war wütend, weil Deborah sich weigerte, ihr ein ärztliches Attest für die Klassenfahrt zu besorgen. Kann sein, dass sie sich sogar auf den Heimweg machte, also gar nicht die Absicht hatte wegzulaufen. Sie brauchte nur ein Ventil für ihren Frust.«

»Und Sie meinen, auf dem Weg könnte sie …«

»Sie könnte gekidnappt worden sein, ja. Ich kenne die

Gegend hier ja gut. Es gibt zwei Möglichkeiten, wie sie nach Hause hätte gehen können – immer vorausgesetzt, dass sie das überhaupt wollte.«

»Direkt an der Burniston Road entlang.«

»Ja. Es gibt ja einen Fuß- und Fahrradweg rechts und links. Die Straße führt ein gutes Stück durch unbebautes Weide- und Ackerland, ehe die ersten Straßen der Siedlung beginnen, in der Amelie lebt. Hier könnte jemand gehalten und sie in sein Auto gezerrt haben.«

»Sehr riskant«, meinte Caleb. »Die Straße ist ja doch recht befahren.«

»Aber manchmal ist eben auch gar kein Auto da. Der Täter hat in dieser Variante ja keinen Plan gehabt. Er fährt die Straße entlang, sieht das junge blonde Mädchen den Fußweg entlanglaufen. Stellt fest, dass tatsächlich gerade niemand vor oder hinter ihm ist. Hält an und schnappt sie sich. Das dauert keine halbe Minute. Und niemand hat etwas gesehen.«

»Sie hätte sich heftig gewehrt.«

»Sollte es um ein sexuelles Motiv gehen, haben wir es höchstwahrscheinlich mit einem Mann zu tun. Sicher deutlich größer und stärker als die kleine, sehr dünne Amelie. Außerdem hatte er das Überraschungsmoment auf seiner Seite. Wir dürfen davon ausgehen, dass sie ihre Kopfhörer mit lauter Musik im Ohr hatte. Sie hat ihn nicht kommen, nicht anhalten hören. Sie bemerkte ihn erst, als er sie bereits gepackt hatte.«

»Der andere Weg…«

»Die North Cliff Avenue entlang Richtung Meer. Die schönere Strecke, falls sie dafür in ihrer augenblicklichen Lage einen Sinn hatte.«

»Da steht aber ein Haus am anderen«, meinte Caleb. »Ich glaube, da hätte es niemand riskiert, sie zu überfallen.«

»Ganz am Ende ist ein großer Parkplatz. Da könnte sie dem Täter begegnet sein. Wiederum müsste man dann davon ausgehen, dass der Täter einfach Glück hatte: Außer ihm und Amelie war gerade niemand da. Oder dort passierte noch nichts, und sie ging weiter. Entweder den Pfad oben auf den Hügeln entlang. Oder den Cleveland Way unten direkt am Wasser.«

»In beiden Fällen kann ihr auf diesen Abschnitten niemand mit einem Auto begegnen.«

»Es kann sie aber jemand ansprechen. Mit ihr zusammen bis zum *Sea Life* gehen. Dort gibt es dann wieder einen Parkplatz.«

Das *Scarborough Sea Life Sanctuary*, ein großer Gebäudekomplex am Ende der Nordbucht gelegen. Ein beliebtes Ausflugsziel, weil man in riesigen Aquarien die exotischsten Wassertiere bestaunen konnte. Kindergeburtstage wurden gerne dort veranstaltet, und es gab immer wieder Aktionen, an denen man sich beteiligen konnte, etwa am gemeinsamen Säubern des Strandes.

»Auf dem Parkplatz war sicher viel los«, meinte Caleb.

»Samstagvormittag eher noch nicht so sehr. Die Leute sind doch hauptsächlich beim Einkaufen. Wir gehen immer noch von einem Zufallsmoment aus. Es kann sich immer, überall für einen kriminellen Menschen unerwartet eine Gelegenheit ergeben zuzuschlagen. Manchmal ist es ein winziges Zeitfenster. Er muss nur entschlossen zugreifen.«

»Cleveland Way«, sagte Caleb nachdenklich. »Unten am Strand. Da war, nach eigenen Angaben, Dr. Goldsby zur fraglichen Zeit unterwegs. Er könnte seiner Tochter begegnet sein.«

»Und dann?«

»Welchen Eindruck haben Sie von der Familie? Von den Eltern?«

»Na ja, ich bin Freitagnachmittag hier eingezogen. Ich kenne die Goldsbys in dem Sinne nicht. Auf den ersten Blick würde ich sagen: eine ziemlich normale Familie. Die Tochter im Trotzalter und auf Konfrontationskurs zur Mutter, was absolut nicht ungewöhnlich ist. Der Umgang mit ihrem Vater ist wesentlich entspannter, auch das ist typisch. Jason arbeitet als Arzt in einer großen Gemeinschaftspraxis. Er wirkt gestresst, überarbeitet. Deborah hat hier diese Pension eröffnet und dürfte manchmal mit dem umgekehrten Problem zu tun haben: Vor allem im Herbst und Winter ist sie sicher oft allein. Sie war ungeheuer froh, als ich mich angemeldet habe.«

»Und auf den zweiten Blick?«, fragte Caleb. »Was ist Ihnen da aufgefallen?«

Kate zögerte. »Unter dem Vorbehalt, dass ich kaum Zeit hatte, mir wirklich ein Bild zu machen … Deborah ist unglücklich. Einsam. Nicht im Einklang mit ihrer Familie. Jason arbeitet viel, weil die Schulden drücken. Behaupte ich einfach, es muss nicht stimmen. Die Lage des Hauses ist teuer. Möglicherweise müssen sie einen hohen Kredit abzahlen. Deborahs Idee, hier ein *Bed & Breakfast* zu eröffnen, findet Jason überhaupt nicht gut. Sie hat ihm damit, zumindest im Sommer, den Hafen zum Ausruhen, zum Alleinsein genommen. Ich würde sagen, die Ehe ist Belastungen ausgesetzt, steht aber nicht kurz vor der Eskalation.«

»Einer Eskalation, die die Tochter in Mitleidenschaft zieht? Familienväter, die mit ihren Schulden nicht mehr klarkommen, haben schon manchmal Schlimmstes angerichtet.«

»Aber anders. Sie veranstalten ein Blutbad. Metzeln im Affekt Frau und Kinder nieder. Sitzen hinterher schockstarr inmitten ihrer Tat, die sie selbst nicht fassen können. Das ist hier nicht der Fall.«

»Ich werde Dr. Goldsby trotzdem gründlich überprüfen«, sagte Caleb. »Er hat kein Alibi für die Tatzeit.«

»Sehen Sie einen Zusammenhang mit Saskia Morris? Und mit Hannah Caswell?«

Überrascht blickte er sie an. »Hannah Caswell? Das war vor vier Jahren. Drei Jahre, bevor Saskia Morris verschwand.«

»Sie passt altersmäßig zu Saskia Morris und Amelie Goldsby.«

»Sie haben zu dem Fall recherchiert?«

»Im Internet. Ja.«

»Dann wissen Sie, dass es nie wieder eine Spur von ihr gab. Kein Handy, keine Tasche, nichts. Geschweige denn eine Leiche. Ich habe die Ermittlungen damals geleitet. Wir standen vor dem kompletten Nichts.«

»Aber das sagt nichts. Dass Saskias und Amelies Sachen gefunden wurden, war jedes Mal Zufall.«

»Das stimmt. Schwieriger ist es aber, eine Tote zu verstecken. So, dass jahrelang niemand sie findet? Die Hochmoore sind wild und einsam, das stimmt, und doch werden sie natürlich besonders im Sommer von Ausflüglern und Wanderern durchstreift. Von Leuten mit Hunden… Was ich meine, ist: Wenn Hannah Caswell tot ist, hat sich der Täter die Mühe gemacht, sie auf eine Art zu verbergen, die es offenbar tatsächlich unmöglich macht, sie zu finden. Während Saskia Morris ziemlich sicher gefunden werden konnte, direkt neben einem Wanderweg liegend, nur mit ein paar Zweigen zugedeckt. Sehr unterschiedliche Vorgehensweisen.«

»Auch nicht ganz ungewöhnlich. Gerade Wiederholungstäter werden oft leichtfertiger von Mal zu Mal. Ein Verbrechen ist einmal gut gegangen, schon sehen sie jede mögliche Gefahr für sich als gering an. Das ist ja mit ein

Grund, warum man sie irgendwann schnappt und sich wundert, weshalb sie so unvorsichtig sein konnten.«

Caleb wiegte den Kopf hin und her. »Hannah Caswell verschwindet vor vier Jahren. Saskia Morris vor knapp einem Jahr. Drei Jahre nach Caswell. Amelie Goldsby verschwindet, kaum dass Saskias Leiche entdeckt wurde... Der Abstand zwischen Caswell und Morris kommt mir sehr groß vor.«

»Der Abstand, den wir kennen«, sagte Kate. »Es kann in den drei Jahren Opfer gegeben haben, von denen niemand etwas weiß. Aus anderen Gegenden, die nicht in einen Zusammenhang zu diesem Fall gebracht werden. Oder Mädchen von der Straße, aus der Drogenszene. Heimatlose, die niemand vermisst.«

»Unser Täter – wenn es ihn gibt – hat ein klares Beuteschema, von dem ich glaube, dass er es nicht verlässt. Es sind unerfahrene, naive Mädchen, sehr behütet, aus bürgerlichen Verhältnissen. Ich denke nicht, dass er sich plötzlich eine Fixerin vom Straßenstrich schnappt.«

»Okay. Aber er kann auch geschockt gewesen sein nach der ersten Tat. Dafür spricht, dass er offenbar extrem sorgfältig alles getan hat, um keinerlei Spuren zu hinterlassen. Jahre später, als ihm klar wird, er kommt wirklich ungeschoren davon, niemand hat etwas bemerkt, niemand verdächtigt ihn, riskiert er es erneut. Und geht jetzt schon leichtfertiger vor. Auch keineswegs untypisch.«

Caleb wusste, dass sie recht hatte. Er seufzte tief. Womöglich wirklich ein Serientäter. Dessen Taten von jetzt an immer schneller aufeinanderfolgen würden.

Er sah sich in dem Zimmer um. Ein sehr hübscher Raum, direkt unter dem Dach gelegen, mit schrägen Wänden und einer Dachgaube, aus deren Fenster man über das Meer blicken konnte. Dem Zimmer sah man deutlich die

Übergangsphase vom Kind zum Teenager an, in der sich Amelie befand. Rosa geblümte Tapeten an den Wänden, ein pinkfarbener Flauschteppich auf dem Boden, ein pinkfarbener Schrank, dessen Türgriffe die Form von Blüten hatten. Kleinmädchenträume... Aber auf der Tapete klebten Poster von Popgruppen, die Caleb nicht kannte, deren Mitglieder jedoch alle schwarz gekleidet waren und weiß geschminkte Gesichter mit dämonisch schwarz umrandeten Augen hatten. Es gab einen Schminktisch mit Unmengen von Make-up, Nagellackflaschen, verschiedenen Lippenstiften, Spraydosen. Auf dem Bett lagen ein Paar Jeans im Destroyed-Look und ein schwarzer Netzpullover. Amelie war definitiv dabei, sich von der rosaroten Welt ihrer Kindheit zu verabschieden. Ihre Eltern waren sicher, dass sie keinen Freund hatte. Caleb war sich nur in einem sicher: dass die Eltern bestimmt nicht alles über ihre Tochter wussten.

Er hoffte, dass die Auswertung des Computers einen Hinweis ergeben würde. Der Computer würde gleich abgeholt werden, Sergeant Stewart und zwei Kollegen würden das Zimmer akribisch durchstöbern. Caleb öffnete vorläufig nur den Schrank, dann ein paar Schubladen. Auf den ersten Blick nichts, was weiterhelfen konnte. Ein normales Zimmer eines normalen Teenagers.

Er wandte sich wieder an Kate, die abwartend stehen geblieben war. »Und wie geht es jetzt bei Ihnen weiter?«

»Ich bringe mein Haus in Ordnung. Oder leite zumindest alles dafür in die Wege, dass es in Ordnung gebracht wird. Dann werde ich es einem Makler übergeben. Ich selbst muss schnell nach London zurück, die paar Tage Urlaub habe ich nur zähneknirschend bewilligt bekommen.« Sie lächelte. »Ich mische mich diesmal wirklich nicht ein. Es ist alleine Ihr Fall. Es gibt ja keine persönliche Verstrickung.«

»Sie sind eine sehr gute Ermittlerin, Kate. Ich habe Ihnen

ja schon damals gesagt, dass ich mich freuen würde, wenn Sie sich um eine Stelle bei uns bewerben würden. Vielleicht sollten Sie das doch noch mal überlegen?« Er wusste, wie unglücklich sie bei Scotland Yard war. Wie wenig wertgeschätzt sie sich und ihre Arbeit empfand. Dass sie sich von ihren Kollegen abgelehnt fühlte. Er konnte nicht beurteilen, wieweit ihre Gefühle berechtigt waren oder wieweit sie auf Einbildung beruhten. Sie hatte ein großes Talent, sich selbst im Weg zu stehen, und manchmal witterte sie Angriffe, wo gar keine waren. Es hing mit ihrem geringen Selbstwertgefühl zusammen. Sie betrachtete sich selbst durch eine Brille voller Zweifel, und sie konnte sich nicht vorstellen, dass irgendjemand auf der Welt sie mit anderen Augen sehen könnte. Das machte sie misstrauisch, ließ sie manchmal nach außen sogar fast feindselig wirken.

Sie schüttelte den Kopf. »Ich bleibe in London. Das ist besser.« Sie ließ offen, warum das besser war, und er fragte nicht. Sie standen einander nicht so nah, dass er gewagt hätte, persönliche Themen anzuschneiden – zumal sie offenbar keine nähere Erklärung abgeben mochte.

»Ich lasse Sie jetzt Ihre Arbeit machen«, sagte Kate. »Ich bin in meinem Zimmer, wenn Sie noch irgendeine Frage haben.«

»In Ordnung. Danke.« Er sah ihr nach, als sie das Zimmer verließ, dann blickte er sich wieder zwischen geblümten Wänden um, hoffend, dass aus irgendeiner Ecke eine Antwort käme. Ein Hinweis. Ein Anhaltspunkt. Irgendetwas.

Lass mich eine Spur finden, dachte er, ohne zu wissen, an wen und wohin er diese Bitte richtete, eine Spur, die dieses Mädchen zurückbringt. Die den Eltern ihr Kind wiedergibt. Die den Albtraum dieser Familie beendet!

Das Zimmer blieb stumm.

I

Die Schreinerei, in der Lynn Allard ihre Ausbildung absolvierte, lag in der Westwood Road, nahe dem *Tesco Superstore,* dem riesigen Einkaufsmarkt. Lynn konnte vom Haus ihrer Eltern zu Fuß hierher gehen. Es war eine kleine Werkstatt, verborgen in einem Hinterhof gelegen. Man musste eine Pforte zwischen zwei Häusern aufstoßen, dann stand man schon im Hof. Es roch intensiv nach Holz, nach frisch ausgetretenem Harz. Aus einem Schuppen klang das Geräusch einer elektrischen Säge.

Es war kalt und neblig an diesem Morgen, der lange Spätsommer hatte sich über Nacht verabschiedet. Carol fröstelte, zog ihren Mantel enger um die Schultern. Sie hatte hier Halt gemacht, noch ehe sie ins Büro fuhr. Vielleicht war Lynn schon da.

Tatsächlich entdeckte sie das Mädchen sofort. Lynn lehnte an der weißgekalkten Schuppenwand und rauchte eine Zigarette. Ein mageres Geschöpf in hautengen Jeans, darüber ein schwarzer Pullover und eine Lederjacke. Sie trug an jedem einzelnen Finger ihrer rechten Hand einen silbernen Ring, die leicht gelblich verfärbten Fingerkuppen verrieten, dass sie schon lange und sehr häufig rauchte. Sie hatte dunkle Schatten unter den Augen, wirkte verfroren, übernächtigt und hungrig.

Raucht zu viel, isst und schläft zu wenig, dachte Carol.

Sie trat auf das Mädchen zu. »Hallo, Lynn.«

Lynn hatte sie zuvor nicht bemerkt und zuckte zusammen. »Oh. Carol. Ich habe Sie gar nicht gesehen.« Die Hand, die die Zigarette hielt, zitterte leicht. »Ich rauche nur schnell eine Zigarette vor Arbeitsbeginn. Für den Chef ist das okay. Ich gehe gleich rein.«

»Du musst dich nicht rechtfertigen, Lynn.« Es tat Carol leid zu bemerken, wie sehr sich das Mädchen sofort kontrolliert fühlte. »Ich bin nur da, weil ich eine Frage habe.«

»Okay?«

Carol hätte einen Ort jenseits dieses neblig-feuchten Hofes für das Gespräch bevorzugt, aber in der Werkstatt befanden sich der Schreinermeister und sein Gehilfe, und sie brauchte keine Zuhörer.

»Ich bin von der Schule verständigt worden wegen Mandy. Sie fehlt seit acht Tagen unentschuldigt. Ich hoffe, es geht ihr nicht allzu schlecht?«

Lynns Augenlider begannen nervös zu zucken. »Waren Sie bei meinen Eltern?«

»Ja, am Freitag. Deine Mutter sagte etwas von einer Grippe.«

Lynn schwieg. Sie rauchte nur hastig weiter.

»Leider wollte mich deine Mutter nicht zu Mandy lassen«, fuhr Carol fort. »Und ... nun ja, ich dachte, ich frage dich einfach mal. Wie ernst ist denn diese Grippe?«

Lynn erwiderte nichts.

»Lynn?«

Lynn warf ihre fast aufgerauchte Zigarette auf die Erde, trat sie mit dem Stiefelabsatz aus. »Das ist Sache meiner Eltern«, sagte sie.

»Du weißt ja, dass deine Mutter uns gegenüber nie allzu kooperativ ist«, sagte Carol.

Lynn zuckte mit den Schultern. »Ich muss jetzt eigentlich anfangen zu arbeiten.«

»Eine Minute hast du bestimmt noch für mich.« Hatte Carol schon am Freitag im Haus der Familie Allard das Gefühl gehabt, dass etwas nicht stimmte, so verstärkte sich dieser Eindruck jetzt noch. Warum sagte Lynn nicht einfach etwas wie *Ja, Mandy hat's ganz schön erwischt, Husten, Halsweh, Fieber, es geht ihr echt dreckig*? Warum dieses Ausweichen, Herumdrucksen, Wegducken?

»Was ist wirklich los, Lynn?«, fragte Carol sanft.

Lynn hatte plötzlich Tränen in den Augen. »Mensch, können Sie nicht mal aufhören, in unserem Leben herumzustochern?«, fauchte sie. »Zum ersten Mal läuft es gut bei mir. Zum allererstes Mal! Ich hab das Gefühl, dass ich meinen Weg gefunden habe. Und vielleicht funktioniert er sogar. Ich will nicht… Scheiße, ich will nicht, dass das wieder nichts wird!«

Carol verstand sie, aber mehr denn je musste sie hart bleiben. »Niemand will dir diese Chance nehmen, Lynn. Am wenigsten ich. Wir beide waren es doch, die zusammen den Weg für dich gefunden haben. Mir liegt sehr viel daran, dass du ihn weitergehst.«

Schwarze Wimperntusche floss über Lynns bleiche Wangen. »Dann lassen Sie meine Familie in Ruhe!«

»Was ist mit Mandy? Bitte, Lynn. Sie ist deine Schwester. Sie kann dir nicht egal sein.«

»Sie ist mir auch nicht egal. Aber sie macht immer alles kaputt. Legt sich ständig mit meiner Mutter an. Kapiert nicht, wann es besser ist, einfach mal den Mund zu halten. Sie provoziert, sie streitet… Sie ist einfach selbst schuld…«

»Woran ist sie schuld?«

Lynn wischte sich mit einer heftigen Handbewegung die Tränen vom Gesicht. »Daran, dass meine Mutter ständig ausflippt!«

Carol bekam eine Gänsehaut auf den Armen. »Hat es Streit zwischen Mandy und deiner Mutter gegeben?«

»*Hat es Streit gegeben?*«, äffte Lynn sie in übertriebenem Tonfall nach. »Es gibt jeden Tag Streit zwischen den beiden, jeden einzelnen Tag! Und es liegt an Mandy!«

Carol wusste, dass Mandy provozierend und aggressiv sein konnte. Genauso wie ihre Mutter. Da rasten regelmäßig zwei Feuerwalzen aufeinander zu.

»Okay, Streit. Lassen wir mal beiseite, wer den begonnen hat: Aber warum kommt Mandy seit acht Tagen nicht zur Schule? Was ist passiert?«

Lynn blickte zur Seite. »Sie ist weg.«

»Sie ist weg? Was heißt das?«

»Es heißt, dass sie weg ist. Sie hatten Streit, da hat sie ihre Sachen gepackt und gesagt, es reicht ihr, sie geht.«

»Deine Mutter und Mandy hatten also den Streit?«

»Ja.«

»Wann?«

»Sonntag vor einer Woche.«

»Wohin wollte Mandy gehen?«

»Keine Ahnung. Zu irgendeiner Freundin vielleicht.«

»Haben deine Eltern versucht herauszufinden, wo sie ist?«

»Glaube nicht.«

»Hast du es versucht?«

»Nein.«

»Du liebe Güte, Lynn, deine Schwester ist seit acht Tagen verschwunden, und keinen von euch interessiert, wo sie steckt?«

»Sie kennt ja ein paar Leute. Sie wird schon bei irgendjemandem sein.«

»Sie muss zur Schule gehen!«

»Ich bin nicht für sie verantwortlich.«

»Was war das für ein Streit?«, fragte Carol. »Er war schlimmer als sonst, oder? Sonst wäre Mandy nicht weggelaufen.«

Der Schreinermeister steckte den Kopf zur Tür hinaus. »Fängst du heute noch mal an, Lynn?« Er entdeckte Carol, nickte ihr zu. »Ach, hallo, Mrs. Jones.« Er kannte Carol. Sie hatte ihn damals gebeten, Lynn die Lehrstelle zu geben.

»Da sehen Sie es«, sagte Lynn. »Ich muss arbeiten!«

»Ich brauche noch ein paar Minuten«, sagte Carol.

Lynns Chef nickte. »Alles klar!« Er verschwand wieder. Lynn starrte Carol wütend an. »Sie machen mir alles kaputt. Sie und Mandy. Alles! Wenn es einmal läuft in meinem Leben, dann …«

»Ich mache dir nichts kaputt. Und Mandy auch nicht.« Carols Ton wurde schärfer. Sie hätte Lynn schütteln mögen. »Verdammt noch mal, Lynn, du bist mir wichtig, aber für deine Schwester bin ich genauso verantwortlich. Du sagst mir jetzt, was passiert ist, oder wir stehen heute Abend noch hier. Ich gehe nicht, ehe ich nicht Bescheid weiß!«

Lynn funkelte sie böse an, begegnete aber einem solch harten Blick eiserner Entschlossenheit, dass sie begriff: Carol meinte, was sie sagte. Sie würde nicht weggehen. Sie würde sich nicht abwimmeln lassen.

»Ich weiß gar nicht mehr genau, womit es anfing. Wir saßen am Küchentisch, und Mandy stichelte herum wegen diesem und jenem, und dann meckerte sie über das Essen. Mum hasst es ja zu kochen. Sie hatte irgendwelche fertigen Burger in die Mikrowelle gestellt, und dazu gab es eine mit Wasser angerührte Kartoffelpampe aus der Tüte. Nicht gerade gesund, aber … na ja, es war immerhin ein Essen, und Mandy nörgelte herum und meinte, von solchem Zeug würde man fett werden, was ja nun gar kein Argument ist in unserer Familie, wir sind ja alle so dünn...«

»Und deine Mutter wurde wütend?«, folgerte Carol.

»Ja, richtig wütend. Schließlich haben sie und Mandy sich angebrüllt. Dad hat wie immer kein Wort gesagt und nur auf seinen Teller gestarrt. Und ich habe gedacht...« Lynns Augen liefen schon wieder über. »Ich habe gedacht, warum macht sie das immer? Warum? Können wir nicht einmal einen friedlichen Abend haben? Ich meine, wenn Mum schon einmal ganz gut drauf ist, warum kann Mandy dann nicht mal Ruhe geben?«

Carol seufzte. Patsy war als Mutter äußerst schwierig. Mandy als Tochter aber auch. Carol hätte mit keiner von beiden unter einem Dach leben mögen.

»Mum sprang schließlich auf und sagte, sie mache sich jetzt einen Tee, und den trinke sie alleine, und ihre Scheiß-Familie solle sie endlich in Ruhe lassen... Sie setzte Wasser auf, und Dad und ich verließen die Küche. Ich zischte Mandy noch zu, sie soll mitkommen und endlich aufhören, an Mum herumzustichteln, aber sie blieb. Sie wollte Krach. Richtigen Krach. Sie ist einfach manchmal so.«

»Ich weiß«, sagte Carol.

»Und als Nächstes hörte ich Schreien und Scheppern aus der Küche... Ich rannte die Treppe hinunter. Dad kam aus dem Wohnzimmer. Mandy und Mum standen einander in der Küche gegenüber und schrien beide. Überall war Wasser. Mandy hielt sich den linken Arm. Sie weinte und brüllte...«

»Was?«

»Mandy schrie, dass Mum den offenen Kessel nach ihr geworfen habe. Mit dem kochenden Wasser. Sie hat sie am Arm getroffen. Der Arm sah schlimm aus.«

»Du lieber Gott«, sagte Carol entsetzt.

Lynn weinte jetzt heftiger. Sie machte keinen Versuch mehr, die Tränen zurückzuhalten. »Sie hat Mum wirklich provoziert. Wirklich. Ich möchte nicht … ich will nicht, dass irgendetwas passiert, verstehen Sie? Wenn Mum jetzt ins Gefängnis muss … Dad geht dann völlig unter, und ich verliere meine Familie, und genau jetzt, wo ich es vielleicht schaffe, dass mein Leben gut wird …«

Carol legte ihr die Hand auf den Arm. Sie verstand das Mädchen, verstand, weshalb es geschwiegen hatte. »Was deine Mum getan hat, war schlimm, aber sie muss deswegen nicht ins Gefängnis.« Carol war sich da in Wahrheit nicht ganz sicher, aber jetzt galt es, Lynn zu beruhigen. Einen Kessel mit kochendem Wasser nach einem Menschen zu werfen war keine Bagatelle. Sie hätte Mandy auch im Gesicht treffen können. Der Arm war schon schlimm genug.

»Und dann hat Mandy das Haus verlassen?«

»Ja. Sie hat einen Rucksack gepackt. Sie hat sich ein nasses Handtuch um den Arm gewickelt. Sie hat geweint und war wütend. Ich übrigens auch. Es war so unnötig. So überflüssig. Sie hätte einfach an irgendeiner Stelle aufhören können.«

»Hat sie irgendetwas gesagt, wohin sie geht?«

»Nein.«

Carol überlegte. »Es kann sein, dass sie medizinische Hilfe braucht. Mit solchen Verbrennungen ist nicht zu spaßen.«

Lynn wischte sich die Tränen ab und schniefte geräuschvoll. »Es sah auf den ersten Blick nicht gut aus, aber dann war es ja immer bedeckt … Ich weiß nicht, wie schlimm es wirklich ist …«

»Ich muss mit deinen Eltern sprechen«, sagte Carol behutsam.

»Ja. Toll. Mum wird es großartig finden, dass ich sie verraten habe.«

»Du hattest gar keine Wahl. Das wird sie verstehen.« Auch in diesem Punkt war sich Carol nicht so sicher. Patsy Allard war grundsätzlich kein besonders verständnisvoller Mensch.

»Kann ich jetzt arbeiten?«, fragte Lynn. Sie wartete die Antwort nicht ab, sondern verschwand in der Werkstatt.

Carol stand im Nebel und überlegte. Verdammt noch mal. Mandy, ein vierzehnjähriges Mädchen, war seit über einer Woche verschwunden. Sie war verletzt. Sie war im besten Fall bei Freunden. Im schlimmsten irrte sie irgendwo herum.

Jetzt musste sehr schnell gehandelt werden.

2

»Du liebe Güte«, sagte der Mann. Er schaute sich um, verzog immer wieder angewidert das Gesicht. »Was, um Himmels willen, haben die denn hier veranstaltet?«

»Die haben hier einfach gelebt«, sagte Kate.

»Ziemlich exzessiv, würde ich sagen.«

Sie standen in Kates Elternhaus, der Mann von dem Entrümpelungsunternehmen und Kate. Sie hatte mit ihm einen Rundgang durch alle Räume gemacht, hatte ihr eigenes Entsetzen auf seiner ungläubigen Miene widergespiegelt gesehen. Sie selbst hatte es noch einmal schlimmer gefunden als am Freitag. Das hier schien jeglichen Gewöhnungseffekt außer Kraft zu setzen: Man stumpfte nicht ab, sondern wurde empfindsamer. Vielleicht, weil sie beim zweiten Mal mehr Details sah. Die Kommode im Schlafzimmer ihrer Eltern mit den jetzt abgeschlagenen Ecken und einer heruntergekrachten Schublade. Den Schrank mit den Gläsern im Esszimmer, den ihre Mutter geerbt und den sie so geliebt hatte: Seine Glastüren waren kaputt, die Zwischenböden verschwunden.

Was haben sie daraus gemacht, fragte sich Kate, Kaminholz? Aber der Kamin in diesem Haus war elektrisch. Vielleicht war es nur Zerstörungswut gewesen.

Stücke, die über Jahrzehnte gehegt und gepflegt und sorgfältig behandelt worden waren, waren in kurzer Zeit zerstört worden. Unfassbar. Sie fand es unfassbar.

»Und Sie wollen das alles entrümpeln?«, fragte der Mann. Bolton hieß er, entsann sich Kate. Mr. Bolton. Der Name stand auch in großen blauen Buchstaben auf dem weißen Lieferwagen, mit dem er gekommen war. »Etliches könnte man durchaus wieder richten lassen.«

»Nein. Es soll weg.« Was sollte sie damit machen? In ihre winzige Wohnung in Bexley, im Osten Londons, passten die Stücke nicht. Verkaufen? Einlagern? Wozu?

Lass endlich dein altes Leben los. Trenn dich von der Vergangenheit! Es wird Zeit!

Obwohl sie sich zwischendurch fragte, ob dann wirklich etwas anders werden würde. Ob sich an ihrer Einsamkeit, an ihren Selbstzweifeln etwas ändern würde. Vielleicht traf sie jetzt eine dramatische Entscheidung, und es geschah… nichts. Frauenzeitschriften und psychologische Ratgeber schworen auf die lebensverändernde Wirkung mutiger Schritte; Schritte, die vor allem mit Loslösung und Trennung zu tun hatten. Kate zweifelte an der Zwangsläufigkeit solcher Abläufe. Vielleicht blieb der Lohn für einen mutigen Schritt aus. Vielleicht bereute man ihn stattdessen.

Sie versuchte, die destruktiven Gedanken zu verdrängen, bei ihrem Vorhaben zu bleiben und sich auf seine Umsetzung zu konzentrieren. Der Nebel draußen war einfach bedrückend. Über Nacht war er aus dem Meer gekrochen, lag jetzt über der ganzen Stadt, verschluckte ihre Geräusche. Ein schneller, erschreckender Herbsteinbruch nach der Verwöhnung durch Wärme und goldfarbenes Oktoberlicht.

»Okay«, sagte Mr. Bolton. »Wie Sie wollen. Ich räume Ihnen das ganze Haus leer. Ist ja mein Job.«

»Ja.«

»Die nächsten Mieter müssen Sie sich aber genauer anschauen. Sie wollen ja nicht, dass Ihnen so etwas noch mal passiert.«

»Ich werde das Haus verkaufen«, sagte Kate.

Mr. Bolton nickte. »Würde ich an Ihrer Stelle auch machen.«

Kate hatte beschlossen, am selben Tag noch jemanden mit der Renovierung zu beauftragen und ihre Nachbarin zu bitten, die Handwerker dann ins Haus zu lassen, sobald Mr. Bolton es leer geräumt hatte. Diese Dinge konnten auch in ihrer Abwesenheit erledigt werden. Ihr Chef würde froh sein, wenn sie rasch zurückkehrte, und sie wollte sowieso möglichst schnell weg. Die schreckliche Atmosphäre im Haus der Goldsbys… Die Leute taten Kate von Herzen leid, aber sie konnte ihnen nicht helfen. Sie spürte, dass vor allem Deborah nach ihrer Hilfe lechzte; für sie war sie die Verkörperung von Scotland Yard, der weltberühmten Polizeibehörde. Und damit die Person, die ihnen die geliebte Tochter zurückbringen konnte. Sie setzte viel mehr Hoffnung in sie als in DCI Caleb Hale, den eigentlichen Ermittler. Dienstgrade sagten Deborah nichts.

Sonst, dachte Kate, würde sie merken, dass ich als Detective Sergeant nicht allzu weit oben auf der Karriereleiter stehe. Schon gar nicht für mein Alter.

Sie war zweiundvierzig. Sie hätte erfolgreicher sein können. Vielleicht sogar müssen. Aber schon den Sergeant hatte sie nur mit Ach und Krach und vergleichsweise spät geschafft. Es gab eigentlich nur einen einzigen Menschen weit und breit, der in ihr eine großartige Polizistin sah, und das war Caleb Hale. Leider hatten sie im Alltag nichts miteinander zu tun. Und für ihre Beförderungen war er schon gar nicht zuständig.

Vielleicht sollte ich doch zum CID Scarborough wechseln, dachte sie.

Nein. Sie hatte gerade begonnen, einen Schlussstrich unter ihre nordenglische Vergangenheit zu ziehen.

»Billig wird das alles nicht«, meinte Mr. Bolton in seiner aufbauenden Art.

»Gewiss nicht«, pflichtete ihm Kate bei. Sie würde wahrscheinlich sogar einen Kredit von der Bank brauchen. Den sie allerdings nach dem Verkauf des Hauses problemlos tilgen konnte. Das Haus war schuldenfrei. Zum ersten Mal im Leben würde Kate eine nennenswerte Summe Geld auf dem Konto haben. Sie konnte sich dafür selbst irgendetwas Schönes schenken, eine Kreuzfahrt zum Beispiel. Vielleicht lernte sie dabei endlich den Mann ihres Lebens kennen.

Sie seufzte leise. Ob sich *diese* Hoffnung wohl irgendwann mit fortschreitendem Alter wenigstens erledigen würde? Oder blieb diese Sehnsucht, bis man tot war? Dann musste sie vielleicht noch weitere vierzig Jahre vergeblich hoffen. Ein schöner roter Faden in ihrem Leben.

Sie riss sich zusammen. Es gab Schlimmeres. Kaum vorstellbar, was die Eltern der ermordeten Saskia Morris jetzt durchmachten. Zehn Monate lang hatten sie gehofft. Ganz zu schweigen von Deborah und Jason Goldsby. Die Zeitungen hatten an diesem Morgen von Amelies Verschwinden berichtet, einige in höchst reißerischer Form. Natürlich stellten sie den Bezug zu Saskia Morris her. Der Täter hatte bereits einen Namen: der *Hochmoor-Killer.*

Er kidnappte junge Mädchen von der Straße weg. Verschleppte sie, hielt sie gefangen, folterte und missbrauchte sie. Tötete sie am Ende auf bestialische Weise.

Alles unbewiesene Behauptungen.

Kate hatte sich die Zeitungen auf dem Weg hierher gekauft, die Texte angewidert gelesen, die Blätter dann im nächsten Müllcontainer entsorgt. Leider änderte das nichts daran, dass Deborah und Jason diese Dinge auch lesen würden. Warum dachte niemand daran, was solche drastischen Schilderungen mit den Angehörigen von Verbrechensopfern machten?

Mr. Bolton versprach, dass er bis zum Ende der Woche das Haus leer geräumt haben würde. Kate zog die Tür hinter ihm und sich zu. Sie sah ihm nach, wie er davonfuhr.

Der erste Schritt war getan. Jetzt brauchte sie eine Firma, die das Haus sanierte.

Als Kate mittags zum Haus der Goldsbys zurückkehrte, lagerten Journalisten vor der Haustür. Sogar der Übertragungswagen eines Fernsehsenders war angerückt. Normalerweise lösten verschwundene Teenager keineswegs ein solches Medieninteresse aus. Aber seitdem der Begriff *Hochmoor-Killer* in den Medien herumgeisterte, witterte man eine Story. Serientäter hatten ihre eigene Magie. Sie waren immer gut für die Auflage.

Kate bahnte sich ihren Weg, schloss die Haustür auf und lehnte sich innen aufatmend gegen die Wand im Flur. Auch das noch. Es wurde wirklich höchste Zeit, dass sie verschwand. Kein wochenlanger Belagerungszustand zusammen mit den Goldsbys. Es war eine tragische Geschichte, aber es war nicht ihre Geschichte. Sie wollte sich nicht noch weiter darin verstricken, als ihr das durch den Zufall, genau jetzt hier zu wohnen, ohnehin schon passiert war.

Im Wohnzimmer traf sie auf Caleb Hale, der gerade telefonierte. Er beendete das Gespräch, als sie hereinkam, steckte sein Handy weg. Er sah müde und gestresst aus, wie sie feststellte.

»Ach, Kate.« Er strich sich mit der Hand über das Gesicht. Seine Augen waren leicht gerötet. »Scheußliche Geschichte.«

»Wo sind Jason und Deborah?«

»Oben. Es geht Deborah ziemlich schlecht. Jason ist bei ihr.«

»Sie hat die Zeitungen von heute gelesen«, mutmaßte Kate.

»Nein, aber eine besonders nette Freundin hat sie angerufen und ihr daraus vorgelesen.« Caleb schüttelte den Kopf. »Man begreift, weshalb sich nach solchen Geschichten häufig die Freundeskreise der Betroffenen völlig neu sortieren.«

»Irgendwelche neuen Erkenntnisse?« Kaum hatte Kate die Frage gestellt, fiel ihr ein, dass sie gerade eben noch beschlossen hatte, sich auf keinen Fall weiter einzumischen. »Entschuldigen Sie. Ich bin ja gar nicht …«

»Sie sind eine Kollegin«, unterbrach Caleb sie. »Ja, in gewisser Weise gibt es Erkenntnisse, die … unseren Zeitdruck erhöhen.«

Sie sah ihn fragend an.

»Die Ergebnisse aus der Pathologie sind da«, erklärte Caleb. »Danach ist Saskia Morris seit ungefähr sechs Wochen tot. Ich hatte vermutet, dass sie nicht sehr viel länger dort in den Hochmooren gelegen haben kann, denn sie wäre sonst zweifellos früher gefunden worden. Und warum sollte ihr Mörder sie erst später dorthin gelegt haben? Die schreckliche Vorstellung dabei ist allerdings...«

»...dass sie also ungefähr neun Monate nach ihrem Verschwinden noch gelebt hat«, vollendete Kate den Satz, als Caleb kurz stockte. »Ja. So etwas habe ich auch schon vermutet.«

»Sie wurde wahrscheinlich gefangen gehalten. Ein Martyrium.«

»Wie wurde sie getötet?«

»Es scheint, dass sie verhungert und verdurstet ist.«

»Oh Gott«, sagte Kate entsetzt. »Das bedeutet, ihr Entführer hat sie lange Zeit am Leben gehalten, hat sie mit Essen und Trinken versorgt und dann plötzlich aufgehört, sich um sie zu kümmern?«

»Es muss so gewesen sein.«

»Oder ihm ist etwas zugestoßen, weshalb er nicht mehr zu ihr konnte?«

»Er konnte sie aber dann noch an den Ablageort bringen«, meinte Caleb. »Also scheint er nicht völlig aus dem Verkehr gezogen zu sein. Es kann sich natürlich auch um mehrere Täter handeln.«

Beide schwiegen einen Moment lang.

»Das bedeutet«, nahm Kate den Faden dann wieder auf, »dass Amelie, falls wir es mit demselben Täter wie bei Saskia zu tun haben, möglicherweise noch am Leben ist?«

»Ja. Wir wissen allerdings nicht, ob es sich um denselben Täter handelt. Wir kennen das Motiv nicht. Saskia Morris ist nicht sexuell missbraucht worden, jedenfalls nicht so, dass es körperlich nachweisbar wäre. Er kann sie natürlich für Fotos oder Filme benutzt haben. Das ist alles vorläufig ziemlich unklar. Was Amelie betrifft: Ihr Handy ist nicht zu orten. Ihr möglicher Entführer dürfte es aus genau diesem

Grund außer Betrieb gesetzt haben. Natürlich können wir auch nach wie vor nicht ausschließen, dass Amelie einfach nur durchgebrannt ist, um ihren Problemen zu entfliehen. Wir wissen verdammt wenig zum gegenwärtigen Zeitpunkt. Aber falls Saskias Mörder Amelies Kidnapper ist, dann besteht die große Chance, dass sie wirklich am Leben ist, im Gegensatz zu dem, was in neunzig Prozent solcher Fälle geschieht: dass nämlich das Opfer die ersten vierundzwanzig Stunden nach der Entführung nicht überlebt. Es sei denn, es handelt sich um ein Erpressungsmotiv. Lösegeld. Das ist aber hier nicht zu erwarten.«

»Ihr müsst sie finden«, sagte Kate. »Sie geht durch die Hölle.«

Caleb seufzte. Sie wusste, was er dachte: Kein Ansatzpunkt. Zu viel Zeit, die bereits verstrichen war. Ein Mädchen, das möglicherweise noch lebte, das aber Gott weiß wo sein konnte. Sehr weit weg. In irgendeiner Einöde. Irgendjemand hatte Saskia Morris über Monate gefangen gehalten, und niemand hatte etwas bemerkt.

Und das alles ruhte auf seinen, Calebs, Schultern. Kate konnte sehen, wie sehr ihn diese Bürde niederdrückte.

»Es ist jetzt in allen Medien«, sagte sie. »Ich würde mich wundern, wenn sich jetzt nicht sehr bald Zeugen meldeten, die irgendetwas gesehen haben. Saskia Morris wurde am späten Abend, in tiefster Dunkelheit in irgendeiner stillen Wohngegend entführt. Bei Amelie war es mitten am Tag, eine belebte Gegend, und viele Menschen waren wegen der Samstagseinkäufe unterwegs. Irgendjemand *hat* irgendetwas bemerkt, da bin ich sicher.«

»Leider werden auch jede Menge Leute anrufen, die sich nur wichtigmachen. Und die Spinner. Und solche, die etwas gesehen haben, was sich dann als irrelevant herausstellt«, murmelte Caleb düster.

Sie wusste, wie mühselig es war. Und wie frustrierend. Und was es bedeutete, die Presse im Nacken zu haben. Es würde empörte Artikel geben. *Was tut unsere Polizei eigentlich?* und *Wie lange kann der Hochmoor-Killer ungestört weiter töten?*

Dazu die verzweifelten Eltern, für die jede Sekunde, die verstrich, eine endlose Qual darstellte.

Sie konnte Caleb nicht helfen. Es war auch nicht ihre Aufgabe. Sie hatte anderes zu tun.

Als ahnte er ihre Gedanken, fragte er: »Was tun Sie als Nächstes, Kate? Hat sich irgendeine Spur zu Ihren Mietern ergeben?«

Sie schüttelte den Kopf. »Nein. Ich werde jetzt Anzeige erstatten. Ohne viel Hoffnung, dass mir das etwas bringt, aber natürlich möchte ich versuchen zu verhindern, dass sie einfach so davonkommen. Das Ganze ist ein ungeheurer Stress für mich und kostet richtig viel Geld.«

»Es tut mir sehr leid für Sie«, sagte Caleb. »Ich weiß, was Ihnen das Haus bedeutet.«

»Andererseits ist es nur ein Haus. Die Goldsbys fürchten um ihr einziges Kind. Das ist natürlich eine völlig andere Dimension.«

»Sie haben trotzdem das Recht, wütend und traurig zu sein, Kate. Auch wenn es *nur* um ein Haus geht.«

»Ich habe einen Entrümpelungsdienst beauftragt. Und danach habe ich jemanden gefunden, der sich um die Renovierung kümmert. Meine Nachbarin hat einen Schlüssel und hält ein Auge auf alles. Ich kann morgen nach London zurück.«

»Wie läuft es in der Arbeit?«

»Gut.« Das war übertrieben, aber Kate mochte das Thema nicht vertiefen. Sie fühlte sich noch immer nicht wirklich anerkannt und litt unter der Ausgrenzung durch die Kollegen. Es war nicht so, dass sie von Mobbing hätte sprechen können. Es gab niemanden, der sie angegriffen, beschimpft oder in irgendeiner Weise unflätig oder herabsetzend behandelt hätte. Aber es ließ sie auch niemand an sich heran. Man hielt Abstand zu ihr. Keiner riss sich darum, eng mit ihr zusammenzuarbeiten, und schon gar nicht wäre es irgendjemandem eingefallen, sich mit ihr jenseits des beruflichen Umfelds zu verabreden, mit ihr am Abend noch etwas trinken zu gehen oder sie sogar einmal zu fragen, ob sie am Wochenende schon etwas vorhatte. Natürlich überlegte Kate oft, ob es die Kollegen waren, die den Abstand hielten, oder ob die Distanz eigentlich von ihr ausging, und wann das alles in eine nicht mehr zu durchbrechende Spirale gemündet war. Sie hatte sich bemüht, auf die anderen zuzugehen, aber es hatte nicht funktioniert. Vielleicht hatte sie es vollkommen falsch angefangen. Vielleicht hatten sich die Dinge auch zu sehr verfestigt. Vielleicht hätte sie einen klaren Wechsel gebraucht: Neuer Wohnort. Neuer Job. Neue Menschen.

Es gab Leute, die behaupteten, ein Neuanfang könne Wunder wirken.

Es gab andere, die der Ansicht waren, dass man seine Probleme mitnahm. Dass es immer und überall dasselbe war.

Irgendwie fürchtete Kate, dass Letzteres zutraf.

»Ich habe im November Urlaub«, fügte sie hinzu. »Dann komme ich her und kümmere mich um den Verkauf des Hauses.«

»Offensichtlich kann ich Sie nicht überzeugen, das Haus zu behalten und sich beim CID Scarborough zu bewerben«, sagte Caleb.

Es war erstaunlich, wie oft er etwas sagte, das mit ihren innersten Gedanken zu tun hatte, dachte Kate. Kaum dachte sie über einen Neuanfang nach, kam von ihm eine Art Jobangebot.

Aber eigentlich war es wiederum auch nicht überraschend, dass er so oft in ihr Innerstes zu blicken schien. Drei Jahre zuvor hatte sie sich heftig in diesen Mann verliebt. Das hatte natürlich einen Grund gehabt – jenseits der Tatsache, dass er sehr attraktiv war, wie sie fand. Sie hatte Gemeinsamkeiten mit ihm gespürt, die sie so nie bei irgendeinem Menschen empfunden hatte. Es verband sie etwas, und es hatte mit den Niederlagen in ihrer beider Leben zu tun. Mit dem Schmerz. Mit den Enttäuschungen. Mit der Angst, Erwartungen nicht gerecht zu werden.

Mit den furchtbaren Selbstzweifeln.

Die man bei Caleb Hale nie vermutet hätte, wenn man ihn sah und erlebte. Aber Kate sah tiefer, weil sie die entsprechenden Sensoren hatte. Caleb zerbrach fast unter dem Druck seines Berufes. Unter der Tatsache, dass es so oft um Leben und Tod ging. Dass Fehler, die er machte, in große Katastrophen münden konnten. Er hielt das nicht aus, deshalb trank er. Und wenn er gerade einmal nicht trank, ging es ihm schlecht. Und dann machte er Fehler. Er machte sie dann *wirklich*.

Sie hatte gehofft, er würde für sie dasselbe empfinden wie sie für ihn. Tatsächlich war er der einzige Mensch, der sie für eine großartige Ermittlerin hielt. Das bedeutete, dass auch er bei ihr tiefer sah, tiefer als all die anderen Menschen ringsum.

Aber er sah sie nicht als Frau. Und sosehr Kate wusste, sie müsste sich darüber freuen, von wenigstens diesem einen Mann in ihrem Beruf anerkannt zu werden, so inbrünstig wünschte sie, er möge die Frau sehen. Zum Teufel mit der Polizistin.

Ein absolut vergeblicher Wunsch. Caleb Hale konnte ganz andere Frauen haben als die unscheinbare Kate Linville. Und hatte sie wahrscheinlich auch. Sie wusste, dass er seit vielen Jahren geschieden war und dass es keine offizielle neue Lebensgefährtin gab, aber sie nahm nicht an, dass er wie ein Mönch lebte. Vermutlich hatte er zahlreiche schnelle Affären.

»Es ist gut so, wie es ist«, sagte sie und bezog sich damit auf seine Frage nach einem beruflichen Wechsel. Und natürlich stimmte diese Antwort überhaupt nicht. Aber mit ihm zusammenarbeiten? Caleb jeden Tag sehen und sich wünschen, es möge mehr sein zwischen ihnen als ein freundschaftlich kollegialer Umgang? Kate ging bestimmt nicht immer nett mit sich selbst um, aber sie war keine Masochistin.

Sie verabschiedeten sich voneinander, Caleb musste hinaus und an den Presseleuten vorbei. Eine Situation, von der Kate wusste, dass er sie hasste. Sie selbst ging in ihr Zimmer. Vor der Tür, hinter der sie Deborah und Jason vermutete, verharrte sie kurz, ging dann aber weiter. Was konnte sie ihnen schon sagen?

Für den Moment gab es nichts, womit sie ihnen helfen konnte.

3

Noch am Nachmittag desselben Tages suchte Carol in Begleitung ihrer Chefin Irene Karimian die Familie Allard auf. Sie würden mit den Eltern sprechen, dann sofort die Polizei verständigen. Mandy war seit mehr als einer Woche verschwunden. Sollte sich herausstellen, dass Patsy Allard keine Ahnung hatte, wo sich ihre Tochter aufhielt, war dies ein klarer Fall für die Polizei.

Sie saßen in der Küche, und Patsy hielt mit fuchtelnden Armen eine weitschweifige Rede, deren Quintessenz dahingehend lautete, dass sie sich eigentlich nichts hatte zuschulden kommen lassen. Marlon sprach kein Wort. Mit hängenden Schultern saß er am Küchentisch, rieb sich ab und zu die roten Augen oder wischte sich den Schweiß von der Stirn. Es war fast unerträglich heiß in der Küche, das Thermostat der Heizung musste bis zum äußersten Anschlag aufgedreht sein. Carol wünschte, sie könnte ihren warmen Wollpullover einfach ausziehen. Sie fragte sich, wie es Patsy in einem so überheizten Haus aushielt. Vielleicht lag das an ihrer Magerkeit. Man fror schnell, wenn man nur aus Haut und Knochen bestand.

»Ja, ich habe den Kessel geworfen. Aber natürlich so, dass ich Mandy nicht treffen konnte. Du liebe Güte! Ich überschütte doch nicht mein Kind mit kochendem Wasser, auch wenn ihr vom Jugendamt das jetzt natürlich gerne so darstellen möchtet. Ihr seid ja immer froh, wenn ihr etwas findet, das ihr gegen mich verwenden könnt!«

»Nach allem, was wir wissen, war Mandys Arm ziemlich schwer verletzt«, sagte Carol. Sie versuchte das unangenehme Gefühl zu ignorieren, dass sie gerade einen tiefen Graben zwischen Patsy und ihrer Tochter Lynn aufriss. So wie sie den Schweiß zu ignorieren versuchte, der von ihrem Nacken aus zwischen den Schulterblättern hindurch ihren Rücken hinunterlief.

Patsy funkelte sie an. »Lynn hat richtig schön gegen mich gehetzt, was?«

»Das hat sie nicht. Ich habe sie in der Werkstatt aufgesucht und so lange unter Druck gesetzt, bis ihr gar nichts anderes übrig blieb, als mit mir zu reden. Und, Patsy, lieber

Himmel, es war gut, dass sie es getan hat. Mandy ist seit mehr als einer Woche verschwunden, und niemand weiß, wo sie ist! Das können wir doch nicht alle ignorieren.«

»Mandy hat viele Freunde. Bei einem von ihnen wird sie sein.«

»Können wir eine Liste der Namen ihrer Freunde haben?«, schaltete sich Irene ein. Wie immer wirkte sie kühl und beherrscht. Carol fragte sich, ob sie gar nicht schwitzte. Zumindest sah man es ihr nicht an.

»Ich kenne ihre Freunde nicht alle«, sagte Patsy.

»Aber sicher einige?«

»Da müssen Sie Lynn fragen. Die kann Ihnen da besser helfen.«

Carol betreute die Familie Allard seit einigen Jahren. Sie wusste, dass Mandy kaum Freunde hatte, und bei den wenigen, die sie vielleicht als solche bezeichnen mochte, handelte es sich eher um Klassenkameraden, die Angst vor ihrer scharfen Zunge und ihren Gehässigkeiten hatten und sich daher gut mit ihr zu stellen versuchten. Mandy war alles andere als beliebt. Carol hatte manchmal mit ihr darüber gesprochen. »Du solltest ein bisschen netter mit anderen Menschen umgehen. Sie werden dann auch nett zu dir sein. Es funktioniert. Wirklich.«

»Zu mir ist niemand nett.«

»Du hast es nie ausprobiert.«

»Was?«

»Der Welt ein freundliches Gesicht zu zeigen.«

Mandy hatte sie verächtlich angestarrt. »Ach, scheiß doch drauf«, hatte sie gesagt.

»Was vermuten Sie denn, wo sich Ihre Tochter aufhält?«, fragte Irene. »Irgendwelche Gedanken werden Sie sich ja gemacht haben in der letzten Woche.«

Patsy zuckte mit den Schultern. »Irgendwo.«

Irene sah Marlon an. »Mr. Allard, können Sie uns helfen? Haben Sie eine Vorstellung, wo Mandy sein könnte?«

Marlon sah hilfesuchend zu seiner Frau. Diese wich seinem Blick aus.

»Ich weiß es nicht«, murmelte er.

»Und es interessiert Sie auch nicht?« Irenes Ton wurde deutlich schärfer. Carol wusste, dass sie sehr klar und bestimmt sein konnte. Und dass sie keine Lust hatte, sich von den Allards an der Nase herumführen zu lassen. Hier in der stickigen Küche zu sitzen und auf alle Fragen nur ein *Ich weiß nicht* zu hören.

»Ich muss Ihnen sagen, dass wir die Situation so nicht auf sich beruhen lassen werden«, sagte sie. »Wir werden die Polizei verständigen. Nach Mandy muss gesucht werden. Sie ist verschwunden, und wir wissen, dass sie erheblich verletzt ist. Es ist kalt draußen, und sie hat vermutlich kein oder nur wenig Geld dabei. Sie ist in Gefahr.«

»Mandy nicht«, sagte Patsy. »Mandy weiß sich zu helfen.«

Irene stand auf. »Sie bleiben dabei, dass Sie keine Ahnung haben, wo sich Ihre Tochter aufhält?«

Patsy hielt dem eisigen Blick stand. Sie war eine Frau, die sich nicht so schnell einschüchtern ließ. »Ich bleibe dabei, dass ihr bestimmt nichts zugestoßen ist. Jemandem wie Mandy stößt nichts zu.«

Auch Carol erhob sich. »Ich wäre da nicht so sicher«, sagte sie. »Hier passieren leider gerade furchtbare Dinge in und um Scarborough, und an Ihrer Stelle würde ich mir große Sorgen machen, Patsy.«

Patsy sah sie höhnisch an. »Der Hochmoor-Killer?«

»Das mag ein sehr reißerischer Begriff sein, den Sie übertrieben finden. Aber an der Leiche von Saskia Morris ist leider nichts Übertriebenes. Und am spurlosen Verschwinden der vierzehnjährigen Amelie Goldsby auch nicht.«

»Das sind doch ganz andere Umstände«, meinte Patsy. »Meine Tochter ist abgehauen, weil sie einen Streit mit mir hatte. Den sie übrigens provoziert hat. Sie ist beleidigt und will mir richtig eins auswischen, deshalb taucht sie nicht wieder auf. Das können Sie doch nicht vergleichen!«

»Bleibt die Tatsache, dass sie da draußen unterwegs ist. Schutzlos. Und dass da möglicherweise ein ziemlich perverser Typ sein Unwesen treibt. Wir müssen zusehen, dass wir sie finden und nach Hause bringen.«

Plötzlich mischte sich Marlon ein. Er hatte nur vor sich hingestarrt, aber nun sah er Irene an. »Finden Sie sie. Bitte. Ich habe Angst. Ihr Arm hat schlimm ausgesehen...« Er wagte nicht zu Patsy hinzusehen. Sie warf ihm Blicke zu, in denen Hass und Verachtung miteinander rangen.

»Wir brauchen den Namen Ihres Hausarztes«, sagte Irene. »Vielleicht hat sie sich an ihn gewandt.« Sie bezweifelte es. Bei dieser Art von Verletzung hätte der Arzt vermutlich das Jugendamt verständigt.

»Können Sie haben«, sagte Patsy wütend.

»Und jetzt gehen wir zur Polizei«, sagte Carol.

Nichts wie raus aus dieser Küche. Nichts wie weg von diesen Leuten.

An manchen Tagen hasste sie ihren Beruf.

Es ist nicht so, dass ich ausgeprägte Schuldgefühle habe, aber ich weiß, dass Saskia einen schweren Tod gestorben ist.

Ich habe ihr jede Chance gegeben, sich mit mir zu arrangieren, aber sie hat mich ständig zurückgewiesen, und je mehr Wochen und Monate vergingen, umso schlimmer wurde es. Am Anfang dachte ich, es ist normal, dass sie Heimweh hat, nach ihren Eltern verlangt, weint, nicht annehmen möchte, was ich ihr biete. Aber irgendwann hätte es einfach besser werden müssen. Sie wusste, dass sie nicht nach Hause zurückkehren würde, ich hatte es ihr klar und deutlich gesagt. Von Anfang an hatte sie diese Frage ja immer wieder gestellt, wann immer ich sie in unserem Versteck aufsuchte. Wann kann ich nach Hause, wann kann ich nach Hause, wann kann ich nach Hause …? Es fiel mir von Mal zu Mal schwerer, mich zu beherrschen und ihr nicht zu erklären, dass sie ein undankbares Miststück ist, aber ich wollte ja, dass sie mich liebt, also blieb ich einigermaßen freundlich und lavierte um die Antwort herum.

»Man wird sehen«, entgegnete ich etwa oder: »Wenn du dich gut benimmst, besuchen wir deine Mum vielleicht einmal.«

Aber irgendwann, nach acht oder zehn Wochen, reichte es mir, und ich erwiderte: »Dein Zuhause ist jetzt hier. Bei mir. Du wirst deine alte Familie nie wiedersehen, also gewöhne dich an mich.«

Danach war überhaupt nichts mehr zu wollen. Sie hatte schon davor die meiste Zeit über geheult, aber nun hörte sie gar nicht mehr damit auf. Sie schluchzte und wimmerte, wann immer ich auch nur in ihre Nähe kam, und sie bettelte mich regelrecht an, sie gehen zu lassen.

Bitte, bitte, bitte, bitte … an manchen Tagen stieß sie nur dieses eine Wort hervor, stundenlang, bis ich die Tür hinter mir zuschlug und ging, weil ich es einfach nicht mehr ertrug. Ich fing an zu begreifen, dass es nichts werden würde – schon wieder nicht. Sie wollte mich nicht.

Sie wollte unsere Liebe nicht.

Ich besuchte sie seltener. Ich meine, das ist verständlich, oder? Was hatte ich denn noch von den Begegnungen mit ihr? Kein Mensch erträgt ständige Zurückweisung. Es machte keinen Spaß mehr, mit ihr zusammen zu sein – im Prinzip hatte es nie Spaß gemacht, aber am Anfang war da noch die Hoffnung gewesen –, also ließ ich es bleiben.

Wenn ich ab und zu, in großen Abständen, bei ihr hereinschaute, bemerkte ich eine Veränderung, aber nicht zum Guten. Sie weinte und bettelte nicht mehr so viel. Sie sagte fast gar nichts mehr. Ihre Augen blickten leer. Sie magerte ab. Manchmal stellte ich fest, dass sie tagelang nichts gegessen hatte. Was auch damit zusammenhing, dass sie nichts dagehabt hatte, was sie hätte essen können. Dann befiel mich ein Gefühl von … Scham. Jemanden einsperren und hungern und dursten lassen … Es war nicht das erste Mal, dass ich das machte, aber eine innere Stimme sagte mir, dass es nicht in Ordnung war. Aber warum, verdammt, kooperierte sie nicht? Sie tat mir so weh mit ihrer Weigerung, mich zu lieben, dass ich manchmal tagelang die Vorstellung nicht ertrug, dort hinzugehen und in diese leeren Augen zu schauen. Also schob ich es vor mir her.

Ich gehe morgen, sagte ich mir, und am nächsten Tag: Ach was, morgen reicht auch noch. Und übermorgen. Und überübermorgen …

Ich mochte nicht mehr zusehen, wie sie dünner und dünner wurde und stiller und stiller und wie sie zerbrach.

Irgendwann ging ich gar nicht mehr hin.

Sie hat das Wasser aus der Toilettenschüssel getrunken, wie ich heute weiß, und aus dem Spülkasten, und sie hat Tapete von den Wänden gekratzt und gegessen. Ich möchte darüber gar nicht allzu genau nachdenken. Der Rahmen der Haustür ist völlig zerkratzt, und es sind Blutspuren zu sehen. Sie hat die Fingernägel in das Holz geschlagen, bis sie bluteten.

Sie war verzweifelt.

Aber ich bin es auch.

Ich bin es auch!

Ich habe mir doch auch einen anderen Ausgang der Geschichte gewünscht. Ich riskiere so viel. Ich riskiere mein Leben, meine Freiheit. Meinen Seelenfrieden. Alles.

Ich riskiere alles. Und jedes Mal ...

Aber noch immer ist die Hoffnung in mir lebendig.

Ich war nicht im Keller. Manchmal überkommt es mich, ich möchte hinuntergehen und nachsehen. Aber ich tue es nicht.

Vielleicht ist ja auch schon alles vorbei.

Sie saßen in einem Kellerlokal in Camden, und Kate fand die Situation anstrengend und frustrierend. Sie mochte Camden nicht besonders, weil das Leben in den Straßen, besonders rund um den Camden Market, so bunt, so bewegt, so laut und so lustig war. Nicht, dass sie es anderen Menschen nicht gegönnt hätte, wenn sie sich amüsierten und fröhlich waren, aber sie war einfach nicht in der Lage, es ihnen gleichzutun, und ihr Gefühl, ausgegrenzt zu sein, nicht dazuzugehören, verstärkte sich, wenn sie mit der Lebenslust der anderen allzu unvermittelt konfrontiert wurde. Aber Colin Blair hatte diese Kneipe in der Camden High Street vorgeschlagen, und sie hatte keine Alternative gewusst. Was hätte sie sagen sollen? »Ach, weißt du, dort fühle ich mich gar nicht wohl, ich bin eine kleine graue Maus und vollkommen unfähig, mich zu amüsieren, und deshalb halte ich mich am liebsten an düsteren Orten auf, da spüre ich dann nicht so sehr den Kontrast zwischen mir und dem Leben.«

Höchstwahrscheinlich hätte Colin dann das Treffen abgesagt. Oder sich einfach gar nicht mehr gemeldet und Kate in seinen Kontakten geblockt.

Also hatte sie den umständlichen Weg von Bexley bis hierher auf sich genommen. Immerhin, der Abend war regnerisch, und vom üblichen Leben und Treiben in den Straßen war nichts zu spüren. Dafür waren die Lokale gefüllt mit Menschen, mit Lachen, Reden, Gläserklirren. Kate war ungefähr zwanzig Stufen nach unten in eine Art gemauertes Kellergewölbe gestiegen, um nun hier auf einem mit rotem Samt bezogenen Stuhl gleich neben der Bar zu sitzen und zu versuchen, den Mann, der ihr gegenübersaß, trotz des Stimmengewirrs zu verstehen. Direkt neben ihrem rechten Ohr mixte der Barkeeper lautstark Getränke und ließ die Eiswürfel klirren. Über ihm hing ein Fernseher, in dem gerade eine Musikshow lief.

Warum mache ich das?, fragte sich Kate.

Colin Blair, der Mann, der ihr gegenübersaß, schien sich in all dem Lärm sehr wohl zu fühlen, aber Kate vermutete, dass er sich einfach überall wohl fühlte, weil er mit sich selbst wunderbar zurechtkam. Genauer gesagt, er fand sich toll. Er war mit sich und seinem Leben hochzufrieden. Ihm fehlte nur noch, wie er erklärt hatte, die perfekte Partnerin.

Kate hatte ihn über uk.parship.com kennengelernt. Seit einem halben Jahr war sie dort registriert, hatte einen langwierigen Fragebogen ausgefüllt und dafür eine Analyse ihrer Persönlichkeit zurückbekommen, die ihr nicht viel Neues enthüllte. Sie hatte Angst vor Nähe, war introvertiert und mit einem schwachen Selbstwertgefühl ausgestattet. *Schwaches Selbstwertgefühl* war nicht die Wortwahl des Computers, der sie analysiert hatte, es wurde schmeichelhafter ausgedrückt, aber es lief darauf hinaus. Sie stellte ein Bild von sich online, auf dem sie sich halbwegs gefiel – die Aufnahme war ein wenig unscharf und ihr Gesicht im Schatten. Eigentlich konnte man sie kaum darauf erkennen. Kate hatte sich schon gefragt, ob sich aufgrund des Fotos überhaupt jemand melden würde. Eine Frau, die sich so undeutlich zeigte, sagte natürlich etwas über sich aus. Dass sie sich selbst nicht wirklich attraktiv fand. Dass sie es möglicherweise auch nicht war.

Seit einem halben Jahr würfelte das *Parship*-System sie nun mit Männern zusammen, nach sogenannten *Matching Points*, nach Übereinstimmungen, die sie mit den vielen tausend anderen suchenden Seelen da draußen verband. Kate hatte ein paar Dates gehabt, war immer halb krank gewesen vor Nervosität. Sie fand diese Treffen, bei denen beide schon im Vorfeld genau voneinander wussten, was sie wollten, furchtbar. Andererseits war es vielleicht der einzige Weg, auf dem sie erfolgreich sein konnte. Vorsichtshalber hatte sie in ihrem Profil nicht ihren Beruf angegeben, weil sie Angst hatte, er könnte potenzielle Bewerber abschrecken. *Angestellt* hatte sie geschrieben. Das war ungefähr genauso aussagekräftig wie ihr Bild. Wäre Kate ein Mann, hätte sie eine Frau wie sich selbst nie kontaktiert. Jemanden, der sich derart halbherzig aus der Deckung wagte – das konnte nicht gutgehen.

Trotzdem hatte es Anwärter gegeben, aber bei keinem hatte es gefunkt. Weder bei den jeweiligen Männern noch bei Kate. Etliche Mails hin und her, dann ein Treffen, und meist hatten die Männer kaum ihre Enttäuschung verbergen können, wenn Kate aufgetaucht war und sie begriffen, dass das die Frau war, mit der sie nun den Abend verbringen mussten. Manche hatten sich schon nach dem Aperitif verabschiedet. *Tut mir furchtbar leid, mir fällt gerade ein, dass ich morgen diese schwierige Präsentation halten muss, und ich bin immer noch nicht fertig damit. War aber echt toll, dich kennenzulernen!*

Einer war auf die Toilette gegangen und nicht wiedergekommen, hatte vermutlich den Hinterausgang benutzt und Kate auch noch alleine mit der Rechnung sitzengelassen. Ein anderer war gar nicht erst erschienen. Kate hatte eine Stunde lang bei dem Italiener in Kensington gesessen und die Fragen der Kellner abgewehrt. *Möchten Sie jetzt bestellen? Nein danke, ich warte noch auf meinen Begleiter.*

Der Begleiter kam nicht, Kate wurde zur Zielscheibe der mitleidigen Blicke der gesamten Belegschaft, und um sich nicht ganz unmöglich zu machen, bestellte sie schließlich Spaghetti, die sie lustlos hinunterwürgte. Es war schrecklich. Dieser Versuch, auf einem Datingportal jemanden zu finden, der zu ihr gehörte, machte alles nur noch schlimmer, zeigte ihr noch deutlicher, wie schlecht es um ihren Marktwert bestellt war. Sie war gezwungen, ihre Defizite noch stärker zu fokussieren als sonst. Sie würde das nicht mehr machen. Nie mehr wieder.

Sie tat es dann doch. Weil die Sehnsucht so groß war. Und weil sie es aufgegeben hatte, auf das Schicksal zu hoffen. Von dem ihr Vater immer gesprochen hatte, wenn er sie trösten wollte. *Irgendwann begegnet er dir. Der Mensch, der für dich vorgesehen ist. Du wirst es sofort spüren. Und dann hast du jemanden an deiner Seite, der zu dir gehört.*

Jahrelang hatte sie sich an diesen Worten festgehalten. Aber irgendwann hatte sie gedacht: Es stimmt nicht. Ein schöner Gedanke, dass ein Mensch irgendwo auf dieser großen Welt für mich bestimmt ist und ich für ihn. Aber so ist das Leben nicht. Es ist reiner Zufall, ob sich zwei Menschen finden, die zueinander passen, und auch dann weiß man nicht, wie lange es zwischen den beiden funktioniert.

Sie hatte beschlossen, dem Zufall nachzuhelfen. Daher *Parship*. War wahrscheinlich eine Schnapsidee gewesen.

»Und was machst du so?«, fragte Colin. Er hatte jetzt eine gute halbe Stunde lang nur von sich erzählt, ohne Punkt und Komma. Er arbeitete in der Software-Entwicklung, hatte mit Begriffen um sich geworfen, die Kate noch nie gehört hatte, und den Eindruck vermittelt, dass die Firma, für die er tätig war, ohne ihn kaum existieren könnte.

Ich. Bin. Wichtig. Das war die Quintessenz seiner langen Rede.

Sie holte Luft, um seine Frage zu beantworten – sie würde jetzt gestehen, dass sie bei der Polizei war –, aber ehe sie etwas sagen konnte, winkte er dem Kellner. »Noch ein Bier für mich!« Dann fiel ihm auf, dass auch Kates Glas leer war. »Du auch?«

»Ja. Auch ein Bier, bitte.«

»Die Rechnung teilen wir nachher, ist das okay?«, stellte Colin klar. »Das Bier ist toll hier. Ich mag den Laden total gerne. Ich mache alle Treffen hier.«

Die Frage nach ihrem Beruf hatte er schon wieder vergessen. Vielleicht besser so. Kate wusste nicht, weshalb sie ein Problem hatte, klar zu sagen, dass sie für die Metropolitan Police arbeitete. Vielleicht war es vor allem die Angst vor der Reaktion, die sie üblicherweise darauf bekam – von nahezu jedem Menschen, seitdem sie dort arbeitete. *Sie? Du liebe Güte. Ehrlich, eine Polizistin hätte ich mir ganz anders vorgestellt!*

Sie empfand das jedes Mal wie einen Tritt in den Magen.

»Wie viele Treffen hattest du denn schon?«, fragte sie.

Colin winkte ab. »Habe ich nicht gezählt. Viele. Ich halte nichts davon, sich ewig lange nur hin- und herzuschreiben. Ob sich etwas entwickeln könnte, merkt man erst, wenn man sich im echten Leben sieht.«

Da hatte er recht, fand Kate. Aber es war frustrierend. Solange sie mit den Männern einfach nur E-Mails tauschte, lief alles ganz gut. Dann kam es zur ersten Begegnung, und die Sache war verloren. Auch Colin würde wahrscheinlich nicht zu einem zweiten Treffen mit ihr kommen. Aber wenigstens hatte er bislang noch nicht das Weite gesucht.

»Ich habe großen Zulauf«, setzte Colin selbstgefällig hinzu.

Er sah nicht schlecht aus, fand Kate. Und er war mit seinen Angaben offenbar ehrlich gewesen: Er entsprach im

Aussehen den Bildern, die er von sich postete, und er schien, was sein Gewicht (zweiundachtzig Kilo) und sein Alter (fünfundvierzig) anging, wahre Angaben gemacht zu haben. Er war sowieso wohl zu selbstbewusst, um zu schwindeln. Jemand wie er hatte das nicht nötig.

»Wieso stellst du so ein unscharfes Bild von dir ins Netz?«, fragte er. »Ich konnte mir überhaupt keine Vorstellung von dir machen. Außer dass du…«

Sie wappnete sich. Jetzt kam garantiert wieder etwas, das wehtat.

»Du hast eine ziemlich gute Figur«, sagte er. »Ich stehe auf sehr schlanke Frauen. Du bist sehr dünn. Du könntest dich ruhig viel figurbetonter anziehen.«

Kate merkte, wie ihre Wangen heiß wurden. Kurz überlegte sie, wann sie zuletzt ein Kompliment von einem Mann gehört hatte. Eigentlich noch nie, wenn sie es richtig bedachte, außer von ihrem Vater, aber das war etwas anderes. Er hatte sie immer mit den Augen tiefer väterlicher Liebe betrachtet. Er hatte sie in ihren schlimmsten Momenten schön gefunden.

Auf einmal fand sie den angeberischen Colin gar nicht mehr so unsympathisch. Er war laut und selbstgefällig, aber er hatte bestimmt auch seine guten Seiten.

»Meinst du?«, fragte sie.

»Klar. Du bist…?«

»Zweiundvierzig.« Sie hatte das in ihrem Profil sowieso angegeben.

»Ja, richtig, zweiundvierzig. Da fangen viele Frauen schon an, ganz schön in die Breite zu gehen.«

»Viele Männer auch.«

»Man muss etwas dagegen tun. Ich gehe jede Woche mindestens viermal ins Fitnessstudio. Machst du Sport?«

»Ich jogge ziemlich viel.«

»Cool. Ich esse gerne, weißt du, und wenn ich gut essen will, muss ich auf der anderen Seite ...«

Es folgte ein längerer Redeschwall, in dem Colin seine sportlichen Aktivitäten beschrieb und natürlich durchblicken ließ, dass er im Grunde auch im Fitnessstudio durch besondere Muskelkraft, Energie und Leistungsfähigkeit auffiel. Kates für einen Moment aufgeflackerte Euphorie fiel schon wieder in sich zusammen. Okay, dieser Typ fand sie nicht komplett schrecklich, und er schien auch den Abend nicht vorzeitig beenden zu wollen. Aber es war ein Zeichen für ihre Hoffnungslosigkeit in der Partnerschaftsfrage, dass diese Kriterien für sie bereits ausreichten, um ihn in die engere Wahl zu ziehen. Eigentlich erbärmlich.

Sie sollte mit dem ganzen Thema aufhören und sich endgültig mit dem Leben als Single abfinden. Es hatte auch seine guten Seiten. Besser die nächsten vierzig Jahre weiterhin alleine frühstücken, als jeden Morgen dem Gelaber eines Mannes wie Colin Blair lauschen zu müssen.

»Apropos Essen«, sagte Colin plötzlich, »ich habe Hunger.« Er bat gestikulierend um die Speisekarte. »Hier gibt es tolle Steaks!«

Auch das noch.

»Ich würde lieber nur einen Salat essen«, sagte Kate.

»Immer figurbewusst, was? Na ja, du hast recht.« Nach einem kurzen Blick in die Karte winkte er den Kellner heran, bestellte sein Steak und Kates Salat.

»Die Rechnung teilen wir?«, vergewisserte er sich noch einmal.

Er ging Kate zunehmend auf die Nerven. »Wenn du dir da solche Sorgen machst, kann ich auch alles zahlen«, sagte sie patzig.

Colin wäre nicht Colin, würde er sich ein solches Angebot entgehen lassen. Den Sarkasmus in ihrer Stimme überhörte er geflissentlich. »Super. Danke. Ist ja auch normal im Zeitalter der Emanzipation. Man kann nicht nur die Schokoladenseite für sich beanspruchen.«

»Klar. Dafür, dass wir das Wahlrecht haben, müssen wir auch ein bisschen Einsatz bringen.«

Er lachte, als hätte sie einen umwerfenden Witz gemacht. »Ich sehe, du hast die richtige Einstellung. Du gefällst mir irgendwie, Kate. Mit dir kann man sich super unterhalten.«

Von einer Unterhaltung hatte Kate noch nicht viel mitbekommen. Bislang hatte im Wesentlichen Colin geredet. Sie hatte zugehört. Männer wie Colin hielten das für ein lebhaftes Gespräch.

Das Essen wurde gebracht. Kate versuchte gerade vergeblich, ein riesiges Salatblatt auf ihre Gabel zu spießen, als sie einen Namen aufschnappte. Er kam aus dem Fernseher.

Detective Chief Inspector Caleb Hale.

Sie blickte auf. Die Musiksendung war vorbei, die Nachrichten hatten begonnen. Kate erkannte die Bilder: Aufnahmen aus Scarborough wurden gezeigt.

Colin setzte gerade wieder zu einer Rede an, aber sie fiel ihm scharf ins Wort. »Sei mal still!«

Er war so perplex, dass er tatsächlich den Mund zuklappte. Kate stand auf und trat dicht an die Theke heran. Sie befand sich jetzt fast direkt unterhalb des Fernsehers. Trotz des Stimmengewirrs im Raum konnte sie verstehen, was die Stimme im Off sagte.

»…ist wohl kaum mit einem so schnellen glücklichen Ausgang gerechnet worden. DCI Hale betonte, dass es derzeit noch keine genauen Anhaltspunkte gibt, was genau geschehen ist. Amelie Goldsby konnte noch nicht vernommen werden, sie befindet sich seit gestern Nacht in einem Krankenhaus.«

Das Foto der lächelnden Amelie wurde eingeblendet. Es war dasselbe Bild, mit dem man nach ihr gefahndet hatte.

»Ich fasse es nicht«, sagte Kate. »Sie ist zurück!«

Der Barkeeper nickte. »Unglaubliche Geschichte. Jemand hat sie aus dem Wasser gefischt.« Er hatte offenbar den Anfang der Meldung schon mitbekommen.

»Aus dem Wasser gefischt?«, fragte Kate ungläubig.

»…ein Zusammenhang mit dem Fall der letzte Woche ermordet aufgefundenen Saskia Morris ist trotz allem nicht auszuschließen«, sagte die Nachrichtensprecherin. Wieder Aufnahmen, die die charakteristischen zwei großen Buchten der Stadt Scarborough aus der Luft zeigten. »Ob es den von der Presse als *Hochmoor-Killer* bezeichneten Serientäter gibt und ob er mit dem Verschwinden Amelie Goldsbys zu tun hatte, wird sich erst herausstellen müssen.«

»Sie war wohl über eine Hafenmauer ins Meer gefallen«, sagte der Barkeeper. »Bei Flut.«

Kate nickte. Bei Flut verwandelte sich der schöne, weite Sandstrand in ein Stück Meer, das manchmal mit hohen Wellen sehr bedrohlich an das Ufer schlug. Streckenweise schützten hohe Steinmauern die Küste.

»War gerade ein Unwetter«, erklärte der Barkeeper. »Schlimmer Wellengang. Sie wäre wohl fast ertrunken, aber irgendein Typ hat sie rausgefischt.«

»Wie konnte sie denn ins Wasser fallen?«, fragte Kate. Das war gar nicht so leicht, es sei denn, man trat an den äußersten Rand der Mauer, deren Steine bei Regen glitschig sein mochten. Das hieß jedoch, das Schicksal förmlich herauszufordern. Amelie war in Scarborough aufgewachsen, sie würde so etwas nicht tun.

Andererseits wusste man nicht, was sie erlebt hatte.

Vielleicht war sie völlig verstört und durcheinander gewesen.

»Keine Ahnung, wie sie das angestellt hat«, meinte der Barkeeper mit einem Schulterzucken.

Kate sah Caleb Hale im Fernsehen, der von Reportern umlagert auf der Treppe des Polizeigebäudes stand und in die Mikrofone sprach, die ihm vor sein Gesicht gehalten wurden. Man konnte jedoch nicht hören, was er sagte – vermutlich erklärte er, vorläufig gar nichts sagen zu können –, stattdessen erklang noch immer die Stimme der Sprecherin aus dem Off.

»Vieles wird von der Befragung Amelie Goldsbys während der nächsten Tage abhängen.«

Schlauer Kommentar, dachte Kate. Es tat ihr so weh, Caleb zu sehen. Ausgerechnet jetzt, da sie mit diesem schrecklichen Colin Blair…

»Kommst du noch mal irgendwann an den Tisch zurück?«, klang Colins Stimme in beleidigtem Tonfall. Er war neben sie getreten, starrte zum Fernseher hoch. »Was interessiert dich denn so an dieser Geschichte?«

Wenn du mir auch mal die Gelegenheit gegeben hättest, von mir zu erzählen, wüsstest du vielleicht schon, dass ich aus Scarborough stamme, dachte Kate. Und vielleicht hätte ich dir sogar von den Goldsbys erzählt und davon, was ich dort erlebt habe.

Sie war plötzlich beides gleichzeitig: erschöpft von Colin und seinen Monologen und seiner eingebildeten Art. Und zugleich wie elektrisiert, hellwach. Amelie war zurück. Fast genau eine Woche nach ihrem Verschwinden.

»Gott sei Dank!«, sagte sie inbrünstig.

»Hä?«, fragte Colin.

Kate winkte dem Kellner. »Bringen Sie mir bitte die Rechnung.«

»Moment mal«, rief Colin. »Wir haben ja noch kaum angefangen mit dem Essen!«

»Ich habe keinen Hunger. Aber ich zahle natürlich, wie ich es versprochen habe.« Sie legte ein paar Pfundnoten auf den Tisch.

Colin war so empört, dass er nach Luft schnappte »Das gibt's doch nicht! Also, Kate, das ist wirklich überhaupt kein Benehmen, das ist...«

»Du hast ein Essen und mehrere Getränke umsonst bekommen, also kannst du den Abend als Erfolg verbuchen«, erklärte Kate. Sie zog ihren Mantel an, hängte ihre Tasche über die Schulter. Sie wollte nach Hause. Vielleicht Caleb anrufen. Deborah Goldsby anrufen. Nachrichten sehen und im Internet forschen. Sie wollte wissen, ob sie mehr Informationen bekommen konnte. Sie hatte nicht vor, den restlichen Abend mit Colins Selbstbeweihräucherungen zu verbringen.

»Ich glaub das nicht«, sagte Colin und fasste sich an den Kopf. »Ich glaub das nicht.«

Sie ließ ihn stehen und drängte sich zwischen den dicht stehenden Tischen hindurch zu der Treppe, die nach oben führte. Als sie ins Freie trat, atmete sie tief durch. Feuchtigkeit. Kälte. Sie merkte, dass ihr überall der Schweiß ausgebrochen war. In der stickigen Luft dort unten. Aber auch, weil sie so aufgeregt war.

Vielleicht hatte sich Amelie wirklich nur versteckt gehalten.

Vielleicht war aber auch etwas viel Schlimmeres passiert, und dann war ihre Rückkehr ein Wunder.

Eine total verrückte Geschichte, dachte Kate.

SONNTAG, 22. OKTOBER

I

Alex Barnes, der Mann, den die lokale Presse nun als Helden feierte, war der Lebensretter von Amelie Goldsby. Er hatte sie unten am Cleveland Way aus dem tobenden Meer gefischt, das an dieser Stelle gegen eine hohe Kaimauer anbrandete. Die Mauer wurde zusätzlich von einem Metallzaun geschützt.

Deborah fragte sich die ganze Zeit über beklommen, wie ihre Tochter an dieser Stelle ins Wasser hatte fallen können.

Eigentlich war das nicht möglich. Was den Verdacht nahelegte, dass sie nicht gefallen war.

Von jemandem gestoßen. Oder selbst gesprungen.

Letzteres erschien Deborah als die unangenehmste Variante.

Es war sehr spät gewesen, der Abend kalt, verregnet und stürmisch, entsprechend hatten sich kaum Menschen draußen aufgehalten, schon gar nicht unten am Cleveland Way, der zwar von Laternen beleuchtet wurde, bei dieser Witterung aber nicht die geringste Anziehungskraft besaß. Man wurde durchnässt vom Regen und von der hochspritzenden Gischt. Man hatte auf der einen Seite das schwarze, bedrohliche Meer, auf der anderen die Anhöhe, die zur

Stadt hinaufführte. Die Seilbahn, mit der man nach oben zur Stadt fahren konnte, war um diese Zeit nicht in Betrieb. Nach menschlichem Ermessen wäre niemand vorbeigekommen, der Amelie gesehen oder ihre Hilferufe über die donnernde Brandung hinweg gehört hätte. Tatsächlich aber waren sogar zwei Menschen aufgetaucht. Amelie hatte mehr Glück gehabt, als vorstellbar gewesen war.

Alex Barnes war die wichtigste und die entscheidende Person gewesen.

»Ich habe die Rufe gehört«, hatte er der Polizei berichtet, als er nass und frierend und mit einer Decke um die Schultern im Rettungswagen der Sanitäter saß und einen heißen Tee mit viel Zucker trank. »Hilferufe. Kaum zu verstehen, das Meer war ja so laut. Aber ein- oder zweimal war mir so, als riefe da ein Mensch … Ich dachte erst, es ist irgendwo vor mir, aber ich konnte niemanden sehen, hinter mir auch nicht. Also bin ich an die Mauer heran. Und da habe ich die Hände entdeckt. Sie hing an der Mauer. Sie hielt sich fest. Aber sie war dicht davor abzurutschen.«

Ein junges Mädchen. Er hatte keine Ahnung gehabt, dass es sich um die gesuchte Amelie Goldsby handelte. Er hatte ihre nassen, eiskalten Hände ergriffen, mit denen sie sich unter fast übermenschlicher Anstrengung an den glitschigen Steinen festkrallte. Immer wieder brachen Wellen über ihr zusammen, drohten sie mitzureißen. Alex lag flach auf dem Bauch, griff unter dem Metallzaun hindurch. Der Zaun verhinderte, dass er das Mädchen nach oben ziehen konnte, allerdings war sie so schwer, dass er es vermutlich auch sonst nicht geschafft hätte. Eigentlich handelte es sich um eine kleine, dünne Person, aber ihre Kleidung war vollgesogen mit Meerwasser, und das schien ihr Gewicht – so fühlte es sich für Alex jedenfalls an – zu verdreifachen. Er fragte sich, wie lange seine Kräfte ausreichen würden, sie festzuhalten. Einmal zog er eine Hand von ihr weg – sie schrie entsetzt auf – und angelte sein Handy aus der Jeanstasche, aber er konnte es mit seinen klammen Fingern nicht richtig greifen und es rutschte über die Mauer ins Wasser.

»Wir müssen nur noch ein bisschen durchhalten!«, rief er ihr durch den Lärm der Brandung zu. »Es kommt bestimmt bald jemand vorbei!«

Er war sich dessen keineswegs sicher, aber er konnte hören, dass sie weinte, und er wollte sie beruhigen. In Wahrheit, so berichtete er, begannen erste Anflüge von Panik in ihm aufzusteigen. Wer sollte an diesem furchtbaren Abend hier vorbeikommen? Wie lange würde er sie festhalten können? Er war nass vom stetigen Regen und von einigen Brechern, die so hoch geschwappt waren, dass sie ihn vollständig erwischt hatten. Er fror erbärmlich. Seine klammen, eisigen Hände schmerzten, die Muskeln in seinen Armen fühlten sich an wie Federn, die zum Zerreißen gespannt waren.

Eine innere Stimme sagte ihm, dass er keinesfalls die ganze Nacht durchstehen konnte. Und wenn er aufgeben musste, wäre das Mädchen verloren.

Das Wunder geschah eine knappe halbe Stunde später: Es kam ein anderer Mann vorbei. Er war auf dem Heimweg vom Hafen, wo er wegen des Sturmes die Vertäuung seiner Segelboote noch einmal überprüft hatte. Er hatte zuvor bereits Alkohol getrunken und daher das Auto daheim gelassen. Er erkannte die bizarre Situation, kam herbei und löste Alex ab, hielt Amelie fest, damit Alex seine völlig verkrampften, halb erfrorenen Finger lockern konnte. Dann übernahm Alex wieder, während der Fremde mit seinem Handy Polizei und Rettungswagen herbeirief. Bis die Helfer eintrafen, schafften es die beiden Männer tatsächlich, die vor Kälte fast besinnungslose Amelie endlich die Mauer hinaufzuziehen und sogar über den Zaun zu heben.

Jetzt stand Alex Barnes im Wohnzimmer der Familie Goldsby, und Deborah hätte ihm die Füße küssen mögen. Auch Jason war voller Rührung und Dankbarkeit. Sie verdankten diesem Mann das Leben ihres einzigen Kindes.

»Nein, nein«, wehrte er ab. »Der andere, der auftauchte, hat uns beide gerettet.«

»Sie sind der, der so lange durchgehalten hat«, sagte Deborah mit Tränen in den Augen. »Sie haben Übermenschliches geleistet. Wir sind Ihnen so dankbar!«

»Wir werden Ihnen das nie vergessen«, sagte Jason. »Unser ganzes Leben lang nicht.«

Alex war einunddreißig Jahre alt und arbeitslos. Auf Deborah machte er den Eindruck, ein gescheiter junger Mann zu sein, der mit dem Leben nicht richtig zurechtkam. Er hatte verschiedene Studien und Ausbildungen begonnen, nichts jedoch zu Ende geführt. Er lebte in Scarborough in einer kleinen Wohnung; in einer Gegend, von der Deborah wusste, dass sie aus ziemlich heruntergekommenen Häusern bestand. Er hatte ganz offenkundig kaum Geld zur Verfügung, das verrieten seine Kleidung, seine Schuhe, seine viel zu langen Haare, die seit ewigen Zeiten keinen Friseur gesehen haben konnten. Die Polizei hatte wissen wollen, was er um diese Zeit, bei diesem Wetter, an diesem Ort zu suchen gehabt hatte. Deborah war bei der Befragung natürlich nicht dabei gewesen, aber Inspector Hale hatte ihr berichtet, dass man diesen Punkt habe klären müssen, und etwas in seinem Tonfall hatte Deborah verraten, dass man von polizeilicher Seite aus Alex Barnes zwar mit der gebotenen Höflichkeit und Anerkennung seiner Heldentat behandelte, dass man aber nähere Informationen über seine Rolle in dem Stück haben wollte. Es konnte alles so gewesen sein, wie er es sagte. Aber auch ganz anders.

»Was unterstellen die ihm denn?«, hatte Deborah empört

zu Jason gesagt, aber der hatte Verständnis für die Polizisten gehabt.

»Die müssen das alles überprüfen. Alles andere wäre fahrlässig. Es gibt ja nur seine Aussage, solange Amelie nicht redet. Und sie *kann* an dieser Stelle nicht ins Wasser gestürzt sein. Da ist der Zaun. Es geht nicht.«

Solange Amelie nicht redet... Das war der springende Punkt. Amelie sagte vorläufig kein Wort. Sie lag mit schweren Unterkühlungen und einem Schock im Krankenhaus und schwieg. Drehte den Kopf zur Seite, wenn man sie ansprach. Sie hatte um Hilfe geschrien, als sie im Wasser hing. Jetzt war sie verstummt. Sie reagierte nicht einmal auf ihre Mutter. Deborah hatte Stunde um Stunde an ihrem Bett gesessen, ohne auch nur einen Blick von ihrer Tochter zu bekommen. Sie war jetzt nur nach Hause gegangen, um zu duschen, sich umzuziehen und um vor allem Alex Barnes kennenzulernen und ihm zu danken.

Laut Aussage der Ärzte war Amelie insgesamt in einem guten körperlichen Zustand. Sie konnte nicht auf der Straße gelebt haben, sie war auch nicht ausgehungert. Jedoch gab es die für Deborah verstörende Information, dass ihre Tochter Geschlechtsverkehr gehabt hatte, ohne dass man allerdings den Zeitpunkt hätte genau benennen können.

»Das kann nicht sein«, sagte Deborah. »Amelie hatte noch nie Geschlechtsverkehr. Sie hat keinen Freund. Das wüsste ich.«

An den Gesichtern des Arztes und des Polizisten, der bei dem Gespräch anwesend war, sah sie, was beide Männer dachten: *Das wissen die Eltern manchmal als Letzte...*

»Vielleicht gibt es doch jemanden«, sagte Jason beschwörend, als sie wieder allein waren. Es war die Variante, die er haben wollte. Alles andere wäre unerträglich gewesen. »Und das ist auch der Grund für ihr Verschwinden. Kein Hochmoor-Killer oder etwas Ähnliches. Sie ist zu einem Freund geflüchtet, um nicht nach Schottland fahren zu müssen.«

»Und springt am Ende ins Meer?«

»Liebeskummer? Vielleicht ist es schiefgelaufen zwischen den beiden. In dem Alter stürzt der Himmel ein, wenn eine Liebe endet.«

Es wäre am besten, dachte auch Deborah. Aber irgendwie glaubte sie es nicht.

Alex Barnes konnte sie sich jedenfalls nicht als Täter vorstellen – egal, welcher Tat er schuldig hätte sein können. Er schien ihr ein wenig undurchsichtig, aber keinesfalls kriminell. Nach einigem Herumgestottere hatte er angegeben, auf dem Rückweg von einer Pizzeria gewesen zu sein, in der er regelmäßig kellnerte. Das Problem war, dass er das schwarz tat, trotzdem außerdem sein Arbeitslosengeld kassierte. In der Pizzeria hatte man seine Angabe bestätigt, auch nach einigem Hin und Her, weil man ihn dort schwarz beschäftigte.

Warum er den Weg unten am Meer gewählt hatte, bei diesem Wetter? Weil er dort gerne war. Er nahm ihn immer.

Das konnte man glauben oder auch nicht. Es war ein Umweg. Nachvollziehbar bei Sonnenschein oder an einem klaren, kühlen Abend. Nachts, bei diesem Unwetter …

Immerhin, der andere Mann, der schließlich vorbeigekommen war, hatte die von ihm geschilderte Situation bestätigt. Alex hatte am Rand der Mauer gelegen und Amelie festgehalten. Er war völlig am Ende seiner Kräfte gewesen, das wiederum konnten die Sanitäter bezeugen.

»Warum sollte er sie retten, wenn er ihr vorher etwas angetan hätte?«, fragte Deborah. Sie war ihm tief dankbar, und sie wollte sich ihre Dankbarkeit nicht erschüttern lassen.

Auch Jason schüttelte Alex wieder und wieder die Hand.

»Danke. Von ganzem Herzen. Es gibt nichts, womit wir aufwiegen könnten, was Sie getan haben, aber können wir trotzdem irgendwie ...?«

Alex wehrte ab. »Nein. Wirklich. Und Sie müssen mir auch nicht dankbar sein. Ich meine ... Jeder hätte so gehandelt wie ich. Man hört ein junges Mädchen um Hilfe rufen und entdeckt, in welcher Situation es sich befindet ... Niemand hätte anders gehandelt als ich.«

»Sie haben einen Albtraum für uns beendet«, sagte Deborah mit Tränen in den Augen.

So fühlte es sich für sie an: Sie waren durch einen entsetzlichen Albtraum gegangen, und plötzlich hatte er sich aufgelöst, hatte sich wie durch ein Wunder der Schrecken zum Guten gewendet. Noch war sie wie betäubt, konnte noch nicht wirklich erfassen, dass es vorbei war. Konnte auch nur in einem kleinen verborgenen Winkel ihres Gehirns ahnen, dass es vielleicht nie ganz vorbei sein würde, weil diese eine Woche ihr Leben und das von Jason und Amelie verändert hatte, weil danach nie wieder alles ganz genauso sein konnte wie früher. Es war ein zu einschneidendes Erlebnis gewesen, zu traumatisch. Es hatte das Gefühl der Sicherheit, das ihr Leben bislang begleitet hatte, zerstört. Sie würden die Sicherheit wiederherzustellen versuchen, aber auf einer untergründigen Ebene ihres Bewusstseins begriff Deborah bereits, dass es eine andere Sicherheit sein würde, eine, die schwer beschädigt war und beschädigt bleiben würde.

»Unser Haus ist Ihr Haus«, sagte Jason. »Sie werden uns immer willkommen sein. Sie können sich immer an uns wenden, wenn Sie Hilfe oder Unterstützung brauchen, in welcher Angelegenheit auch immer. Es ist uns wichtig, Ihnen unsere Dankbarkeit zu beweisen.«

Alex wirkte ein wenig verlegen. »Ich habe das gerne getan. Es war selbstverständlich. Ich hoffe ...«

»Was?«, fragte Deborah.

»Ich hoffe, dass Sie herausfinden, was geschehen ist«, sagte Alex. »Man braucht Klarheit, um etwas abschließen zu können.«

2

»Was halten Sie von Alex Barnes?«, fragte Caleb Hale. Er stand in seinem Büro am Fenster, Detective Sergeant Robert Stewart war gerade hereingekommen. Caleb war müde von all dem, was während der letzten Tage geschehen war, aber er war auch zutiefst erleichtert: Nicht noch eine Tote. Was immer Amelie Goldsby erlebt haben mochte, sie war immerhin zu ihren Eltern zurückgekehrt. Wobei er wusste, dass er sich diese Rückkehr keineswegs an seine Fahne heften konnte. Er konnte nicht sagen: *Ich habe dieses Kind zu seinen Eltern zurückgebracht.* Amelie war entweder nie entführt worden, oder sie war freigelassen worden, oder sie hatte fliehen können, oder es war sonst irgendetwas geschehen; man würde es erst wissen, wenn sie eine Aussage gemacht hatte. Vorläufig redete sie kein Wort. Es ging ihr nicht gut, sie war vollkommen entkräftet und mit schweren Unterkühlungen in das Krankenhaus gebracht worden. Aber sie würde es überstehen. Körperlich auf jeden Fall. Was mit ihrer Seele los war, musste die Zeit zeigen.

Caleb schlug sich das gesamte Wochenende um die Ohren, vor allem mit den Befragungen der beiden Männer, die in Amelies Rettung aus dem Wasser unten am Cleveland Way verwickelt waren. Alex Barnes, den die Online-Ausgaben der lokalen Presse bereits frenetisch als unerschrockenen Helden feierten, an vorderster Stelle natürlich, aber auch den anderen, der unvermutet zu so später Stunde an diesem stürmischen Abend des Weges gekommen war. Die Gründe der beiden Personen, zufällig im richtigen Moment am richtigen Ort gewesen zu sein, hatten ersten Überprüfungen standgehalten. Zumindest was den Umstand anging, dass sie überhaupt draußen unterwegs gewesen waren. Weshalb sie den Weg direkt am Wasser gewählt hatten, schien Caleb in beiden Fällen nicht ganz verständlich.

Sergeant Stewart, der ebenfalls jeden Gedanken an einen entspannten Sonntag aufgegeben hatte und ins Büro gekommen war, schloss die Tür hinter sich. »Barnes? Unser Held? Was meinen Sie mit der Frage, was ich von ihm halte?«

»Finden Sie es nachvollziehbar, dass er auf dem Rückweg von dieser Pizzeria da unten entlanglief? Durch die Stadt wäre es deutlich kürzer gewesen. Und es war nicht gerade eine milde Sommernacht.«

Robert überlegte. »Er sagte, dass er immer da unten langgeht. Gerade weil er ein Stück laufen möchte. Er sieht das als Sport. Das kann doch sein, oder?«

»Bei diesem Wetter?«

»Ich jogge auch bei jedem Wetter. Wenn meine Zeit es zulässt.«

»Hm. Der andere, der dazukam, David Chapland, hat ihn auf dem Bauch liegend vorgefunden. Er hielt Amelies Hände. Wollte er sie festhalten? Oder versuchte er gerade, sich ihrer zu entledigen? Und wurde dabei gestört?«

»Was ist mit Chapland selbst?«, fragte Robert. »Der war ja dann ebenfalls zu einem merkwürdigen Zeitpunkt da unten unterwegs.«

»Ja, das beschäftigt mich auch.« Caleb malte mit einem

Bleistift einen Kreis um den Namen, den er sich auf einem Stück Papier notiert hatte. »David Chapland. Er betreibt eine Agentur, die europaweit Segeltouren vermittelt und organisiert. Nach eigener Aussage war er am Hafen und hat sich vergewissert, dass seine Boote richtig befestigt waren. Er war nervös wegen des Sturms. Die Boote gibt es, das wurde überprüft. Gesehen hat ihn dort niemand, aber das ist angesichts der Umstände nicht verwunderlich. Er ist zu Fuß zum Hafen gegangen. Von der Sea Cliff Road aus, wo er wohnt. Mit dem Auto ein Katzensprung, aber so ...«

»Er hatte nicht damit gerechnet, dass er noch einmal aus dem Haus gehen würde und hatte Alkohol getrunken. Deshalb ließ er das Auto stehen.«

»Sehr vorbildlich«, meinte Caleb. »Zu vorbildlich?«

»Wie meinen Sie das?«

»Na ja, sturzbetrunken war er jedenfalls nicht, so die Aussage der Kollegen, die noch vor Ort mit ihm gesprochen hatten. Zwei Bier hat er angegeben, und das scheint zu stimmen ... Die meisten würden da das Auto nehmen. Für diese kurze Strecke durch die Stadt, bei starkem Regen.«

»Zwei Bier sind eben auch Alkohol. Und mit einer Verkehrskontrolle muss man immer rechnen. Er wollte kein Risiko eingehen.«

»Und warum der Rückweg da unten? Anstatt durch die Parkanlagen nach oben?«

»So viel Unterschied macht das in der Strecke nicht. Und er fand den unteren Weg schöner, sagte er. Manche lieben das Meer gerade in diesem Zustand – dunkel, aufgewühlt, mit hohen Wellen. Er ist Segler. Ich finde das nicht allzu merkwürdig.«

Caleb überlegte. Vielleicht hatte Robert recht. Vielleicht bauschte er harmlose Gewohnheiten anderer Menschen zu verdächtigem Verhalten auf, nur weil er sich nicht vorstellen konnte, selbst so zu handeln. Und natürlich, weil der Fall so undurchdringlich schien. Wenn es einen Fall gab.

»Sie wurde gestoßen, oder sie ist gesprungen«, sagte er. »Sie kann nicht stürzen an dieser Stelle. Es sei denn, sie klettert über das Geländer und balanciert auf der Brüstung entlang, aber das würde niemand machen.«

Robert Stewart hatte schon die ganze Zeit über für sich die Theorie entwickelt, dass es sich um eine unglückliche Liebesgeschichte handelte. »Sie hat die Woche über definitiv nicht auf der Straße gelebt. Das heißt, sie war bei irgendjemandem. Irgendeinem Typen, darauf würde ich wetten. Klar haben die Eltern keine Ahnung, wann haben sie die schon je? Am Ende gab es Streit, oder sie merkte, dass er nicht so verliebt war wie sie oder irgendetwas in dieser Art… Sie rennt heulend weg und beschließt, ihrem Leben ein Ende zu setzen. Springt ins Meer…«

»…und hält sich gleich darauf verzweifelt an der Kaimauer fest?«

»Das ist nicht ungewöhnlich bei Selbstmordversuchen«, meinte Robert. »Es gehört verdammt viel Entschlossenheit dazu, den Überlebensinstinkt auszuschalten. Das Wasser war eiskalt, schwarz und bedrohlich. Ertrinken ist keine einfache Sache. Natürlich wollte sie wieder raus.«

»Kann sein«, stimmte Caleb zu. Vieles sprach dafür, dass Robert recht hatte. Dann gäbe es keine Verbindung zwischen Amelie Goldsby und der ermordeten Saskia Morris, was die Sache erheblich vereinfachte. Kein Serienkiller, der sein Unwesen trieb. Trotzdem, irgendwie… Ihm gefiel Alex Barnes nicht. Menschlich. Er fand, dass etwas Berechnendes von diesem Mann ausging.

Es hing einfach alles davon ab, dass Amelie Goldsby endlich redete.

I

Ein feuchter, unwirtlicher Morgen. Wieso war dieser Oktober plötzlich so dunkel, so nass, so herbstlich geworden? Es hätte schon November sein können. Als Mandy losgezogen war, hatte sich der Oktober wie ein Spätsommer angefühlt. Sonnig, trocken, warm. Wieso war das plötzlich gekippt? Und dann gleich so radikal?

Zuerst hatte sie bei Cat gewohnt. Sie wusste nicht, wie Cat wirklich hieß, er wurde Cat genannt, weil er so viele Katzen hatte. Er lebte im Keller eines abbruchreifen Hauses mitten in der Stadt, sie wusste nicht, wovon er lebte, vom Arbeiten jedenfalls nicht. Sie hatte ihn einmal danach gefragt, da hatte er gelacht und gesagt, sie solle nicht so viele Fragen stellen. Vielleicht klaute er. Er verkaufte wahrscheinlich auch Hasch. Jedenfalls rauchte er das Zeug, und experimentierte darüber hinaus auch mit härteren Drogen.

Mandy hatte ihn über Bekannte bei einem Straßenfest kennengelernt und war über WhatsApp in lockerem Kontakt geblieben. Manchmal hatten sie sich am Strand verabredet. Cat war nicht ausgesprochen verlässlich. Ein Treffen mit ihm klappte dann und wann, oft auch nicht.

Häufig hatte Mandy bei ihm über ihre Familie gejammert. Weil es einfach unerträglich war. Ihre Mutter hochaggressiv, eine wandelnde Atombombe, und ihre Schwester ordnete sich ihr unter und gab in allem nach, um sie bloß nicht zu provozieren. Lynn war schrecklich harmoniebedürftig, und Mandy konnte dafür manchmal nur noch Verachtung empfinden.

Und ihr Vater erst... Was hätte sie über ihn sagen sollen? Weichei wäre noch ein netter Begriff für ihn gewesen. Er konnte sich kein bisschen durchsetzen, hielt immer den Mund, senkte den Kopf. Wenn seine Frau ihn anbrüllte und als Versager und Schlappschwanz beschimpfte, schwieg er. Mandy hatte es noch nie erlebt, dass er sich gewehrt hätte. Er konnte das einfach nicht. Er konnte nur zu Boden blicken, die Schultern zusammenziehen und warten, dass der Sturm über ihn hinwegzog.

Die Sache mit dem Wasserkessel war schlimm gewesen. Mandy wusste, sie hatte ihre Mutter provoziert. Ihr war irgendwie danach gewesen. Manchmal hatte sie so einen Teufel in sich... Sie musste sich dann mit jemandem anlegen, und ihre Mutter eignete sich hervorragend. Weil sie hochging wie eine Rakete und weil Mandy sowieso immer wütend auf sie war. Mit Lynn und mit Dad konnte man nicht streiten, weil sie allem auswichen. Aber mit Mum konnte man sich fetzen bis aufs Blut. Mandy fand sie unausstehlich, aber von allen hatte sie die meiste Achtung vor ihr.

Das mit dem Wasserkessel ging allerdings eindeutig zu weit. Sie war nie zimperlich gewesen, Mandy hatte schon als Kind blaue Flecken und Quetschungen davongetragen. Ihre Mutter hatte ihr Haarbüschel ausgerissen und einmal den Arm gebrochen. Aber kochendes Wasser... das war eine andere Qualität. Das hätte ins Auge gehen können, buchstäblich. Wenn Mandy sich vorstellte, was aus ihrem Gesicht hätte werden können, wenn das Wasser dorthin geschwappt wäre ... Der Arm sah schon schlimm genug aus. Rot und offen, und das rohe Fleisch nässte dauernd. Es würden mit Sicherheit dicke Narben zurückbleiben. Das ging noch am Arm. Im Gesicht wäre es eine Katastrophe gewesen.

Deshalb war sie auch weggelaufen. Sie war so entsetzt gewesen. Und wütend. Und sie wollte, dass ihre Mutter sich um sie sorgte. Und dass sie merkte, dass sie diesmal zu weit gegangen war. Sie sollte sich richtig, richtig Gedanken machen. Und Ärger bekommen. Denn natürlich würden sie in der Schule merken, dass Mandy fehlte, und weil es sich bei den Allards ja um eine Problemfamilie handelte, würden sie gleich das Jugendamt verständigen. Carol Jones würde Nachforschungen anstellen. Die gute Carol! So engagiert und idealistisch. Zu ihr war Mandy auch manchmal ziemlich gemein, aber Carol blieb immer nett. Mandy verstand Menschen nicht, die immer eine gute Miene machten, egal wie kräftig man ihnen gegen das Schienbein trat. Okay, bei Carol war das vielleicht Professionalität. Sie hatte das in ihrer Ausbildung gelernt. Sich nicht provozieren zu lassen und immer gleichmütig zu bleiben.

Mandy war durch die halbe Stadt gelaufen, den Arm in einem provisorischen Verband, der aus einem Handtuch bestand. Er schmerzte furchtbar, was sie immer wütender werden ließ. Relativ spät erst fing sie an zu überlegen, wohin sie am besten gehen könnte. Sie hatte eigentlich keine Freunde, niemand mochte sie.

»Sei doch einfach nett zu den Menschen, dann sind sie auch nett zu dir«, sagte Carol immer. Sie liebte solche platten Weisheiten, die sich immer gut anhörten, aber haarscharf an der Realität vorbeigingen. Oder sich zumindest nicht so einfach umsetzen ließen. Sei nett zu den Menschen! Wo war denn der Anfang der Spirale? Zu Mandy war nie jemand nett gewesen, also war sie nicht nett, also waren die anderen nicht nett… Irgendwann konnte man die Entwicklung einfach nicht mehr anhalten. Oder rückgängig machen. Dann lief ein Leben eben so wie ihres.

Mit Cat hatte sie sich noch am Morgen per WhatsApp ausgetauscht, nichts Großes, sie hatten nur ein paar Herzen hin und her geschickt. Zwischen ihnen lief nichts, deshalb konnten sie problemlos Herzen und Rosen und Kussmünder verschicken. Es war ein Spiel, es bestand keine Gefahr, dass einer von beiden irgendwann verletzt wurde.

Cat saß auf einer Matratze im Keller, rauchte einen Joint und sah Mandy freundlich an. Um ihn herum lagen an die zwanzig Katzen. Jeder Streuner kam zu ihm, fand einen warmen Platz und etwas zu essen. Cat sah mit seinen langen schwarzen Haaren, die ihm weit über die Schultern reichten, und mit seinen grünen Augen selbst wie ein Kater aus. Mandy fragte ihn unumwunden, ob sie vorübergehend bei ihm bleiben könne, und er sagte, klar, das könne sie.

Sie war acht Tage dort, rauchte ein paar Mal Hasch, was in ihr nichts Besonderes auslöste, kuschelte nachts mit den Katzen und kümmerte sich um ihren Arm. Es gab einige Stellen, da war er nur noch rohes, rotes Fleisch.

»Du musst aufpassen, dass sich das nicht infiziert«, sagte Cat. Es gelang ihm, ein Gel aufzutreiben, das man auf Brandblasen auftragen konnte. Sie ahnte, dass sie etwas Stärkeres gebraucht hätte, aber es bedeutete eine Erleichterung, wenigstens etwas zu haben; es linderte den Schmerz und ihre Angst, es könnte sich Schlimmeres aus alldem entwickeln. Sie verband den Arm jeden Tag neu, um ihn sauber zu halten. Die Wunde roch nicht gut, was ihr Sorgen machte.

»Du brauchst eigentlich einen Arzt«, meinte Cat.

»Ich bin vierzehn«, sagte sie. »Du glaubst doch nicht, dass

ein Arzt keine Fragen stellt! Und nicht mit meinen Eltern sprechen will.«

»Ja, und? Geschieht deiner Mutter doch ganz recht, wenn sie dann Ärger bekommt.«

»Wie viel Ärger bekomme denn ich? Am Ende meinen die vom Jugendamt, dass sie mich dort nicht lassen können. Dann lande ich im Heim oder in einer beschissenen Pflege-familie.«

Eigentlich gefiel es ihr bei Cat ganz gut, obwohl nicht ganz klar war, wohin das Leben mit ihm führte. Sie gammelten den ganzen Tag auf den Matratzen im Keller herum. Zwischendurch gingen sie auch an den Strand, aber das war kein echtes Vergnügen für Mandy, weil sie immer Angst hatte, gesehen zu werden. Sie wusste nicht, ob und in welchem Umfang schon nach ihr gesucht wurde. Es stand nicht zu erwarten, dass sie ihren Eltern oder Lynn am Strand begegnete, keiner von ihnen ging dort je hin, aber sie hätte Carol in die Arme laufen können oder einem ihrer Lehrer oder Mitschüler. Im Keller fühlte sie sich sicher. Aber es war manchmal auch etwas trostlos und langweilig.

Am achten Tag erklärte Cat, dass eine Freundin von ihm zu Besuch kommen und ein oder zwei oder drei Wochen bleiben wollte und dass es besser sei, wenn sich Mandy in der Zwischenzeit etwas anderes suchte.

»Sie ist ein bisschen eifersüchtig«, meinte er grinsend.

»Hast du was mit ihr?«, fragte Mandy alarmiert. Cat war nicht ihr Freund im Sinne eines Liebesverhältnisses, aber irgendwie mochte sie nicht, dass es neben ihr eine andere Frau gab.

Wie sich herausstellte, handelte es sich aber tatsächlich um eine Art feste Beziehung, nur dass diese Frau in der Welt herumtrampte und bloß ab und an nach Scarborough kam. Ausgerechnet jetzt hatte sie sich wieder angekündigt.

Cat konnte nicht genau sagen, wie lange sie bleiben würde. »Zwei Wochen. Vier Wochen. Vielleicht länger. Keine Ahnung.«

Es war ausgerechnet zu der Zeit, als das Wetter kippte und schlagartig der Herbst ausbrach. Mandy durfte das Brandwundengel und fünf Rollen Verband mitnehmen, und Cat gab ihr hundert Pfund. Sie wusste, dass das sehr großzügig von ihm war, denn er hatte selbst kaum Geld.

Aber dann stand Mandy auf der Straße und hätte heulen mögen. Sie wusste, sie hätte nach Hause gehen sollen. Sie hatte ihre Eltern genug erschreckt, und sie brauchte endlich medizinische Hilfe für ihren Arm. Aber irgendwie kam ihr das vor wie Kleinbeigeben. So, als ob sie die Verliererin wäre.

Die zweite Woche verbrachte sie in einer Gartenhütte am Rande der Stadt. Die Hütte stand ganz am Ende eines großen Gartens, der zu einem großen Haus gehörte, dessen Bewohner offenbar verreist waren. Jedenfalls waren überall die Läden geschlossen, und nichts rührte und bewegte sich. Die Hütte war nicht verschlossen. Sie stand voller Gartengeräte, aber es gab auch ein paar zusammengeklappte Liegestühle, die sie aufstellen und auf denen sie schlafen konnte. Es war kalt, aber sie fand einige Wolldecken. Und einen Spirituskocher. Sie kaufte Spiritus, Streichhölzer und etliche Konservendosen und war dadurch in der Lage, sich etwas Essen warm zu machen. Sie versorgte ihren Arm. Er tat weh. Sie wusste, sie würde nicht mehr lange durchhalten.

Am Vorabend nun waren die Bewohner des Hauses wiedergekommen. Mandy lag zusammengerollt unter ihren Decken auf einem Liegestuhl und dämmerte vor sich hin, als sie das Auto hörte. Stimmen. Türen gingen auf und zu. Sie setzte sich ruckartig auf und spähte zum Haus hinüber. Einige Fensterläden waren geöffnet worden, Licht schien in die Nacht hinaus. Kein Zweifel, sie – wer immer sie waren – waren wieder da.

Mandy ging nicht davon aus, dass sie noch in der Nacht ihre Gartenhütte inspizieren würden, deshalb blieb sie, wo sie war, verzichtete aber darauf, das Essen warm zu machen. Der Spirituskocher hätte sie verraten können. Sie schlang den Inhalt einer Konservendose kalt hinunter. Sie fühlte sich am völligen Tiefpunkt angekommen.

Jetzt, an diesem kalten Montagmorgen, an dem wieder der Nebel aus dem Meer gekrochen war und sich über alle Häuser und Straßen gelegt hatte und Mandy zudem ihre Hütte, ihr Dach über dem Kopf verloren hatte, wusste sie, dass der gestrige Abend nicht der Tiefpunkt gewesen war.

Am Tiefpunkt war sie erst jetzt. Wobei sie nicht ausschließen konnte, dass es noch tiefer ging.

Sie hatte den Spirituskocher und die Streichhölzer eingepackt und eine Wolldecke mitgenommen, die sie zusammengerollt über der Schulter trug. Ihr Arm schmerzte. Sie besaß noch zwei Konservendosen mit Ravioli und sechzig Pfund. Sie schleppte sich am Rande einer Straße entlang, ohne jede Vorstellung davon, wohin sie gehen wollte. Die Straße war nicht besonders dicht befahren, dennoch wusste sie, dass sie dort nicht zu lange bleiben sollte. Wenn eine Polizeistreife vorbeikam, würde sie sofort aufgegriffen werden. Sie war eindeutig minderjährig, gehörte in die Schule, und sah mit ihrem Rucksack, der Decke, ihren verfilzten Haaren und ungewaschenen Klamotten inzwischen wie ein Clochard aus. Sie würde Aufmerksamkeit erregen.

Und vielleicht, flüsterte ihr eine innere Stimme zu, *wäre das gut. Du brauchst Hilfe. Du hältst sowieso nicht mehr lange durch.*

Gib auf!

Aber Aufgeben passte nicht zu ihr. Mandy hatte das noch

nie gut gekonnt. Einmal war sie bei einem Sportfest gerannt bis zur völligen Erschöpfung. Sie hatte die ganze Zeit über bemerkt, dass ihr Kreislauf gleich schlappmachen würde, und sie hatte gewusst, dass es besser wäre, stehen zu bleiben, aber sie hatte es einfach nicht gekonnt. Es ging nicht. Schließlich war ihr schwarz vor den Augen geworden, und sie war bewusstlos zusammengebrochen. Als sie wieder zu sich kam, blickte sie in das besorgte Gesicht ihrer Sportlehrerin, die sich über sie beugte.

»Warum bist du immer weitergelaufen?«, fragte sie. »Ich habe gesehen, dass du taumelst. Ich habe dir zugerufen, du sollst anhalten. Aber du hast es nicht getan!«

»Ich kann das nicht«, hatte sie geantwortet.

Und so war es auch jetzt. Sie konnte nicht. Sie hatte es zwei harte Wochen lang schon durchgezogen, und diese durchlittene Zeit wäre völlig umsonst, wenn sie jetzt nach Hause ging. Das höhnische Grinsen ihrer Mutter… Patsy würde den Triumph auskosten. Und natürlich hätte sie Carol am Hals, und man würde sie fragen, ob sie nicht doch lieber in einer anderen Familie leben wollte… Aber das wollte sie auf keinen Fall. Ihre Familie war schrecklich, aber zumindest wurde sie dort nicht reglementiert. Sie konnte kommen und gehen, wann sie wollte, niemand interessierte sich für das, was sie tat. Mandy stellte sich vor, dass das in einer Pflegefamilie anders wäre. Dort würde Ordnung herrschen, feste Essenszeiten, zu denen man antanzen musste, es würde um Ordnung gehen, um Disziplin… Begriffe, bei denen sie sich nur schütteln konnte. Darauf hatte sie nicht die geringste Lust.

Natürlich machte sie die Situation nicht besser, indem sie den Moment der Umkehr immer weiter verzögerte. Maßnahmen durch das Jugendamt wurden wahrscheinlicher, je länger sie wegblieb. Oder auch nicht, wenn sie später –

irgendwann, viel später, wenn sich die Situation *irgendwie* gelöst haben würde – erklärte, genau die Angst vor dem Jugendamt habe sie daran gehindert, nach Hause zu gehen. Vielleicht ließe Carol sie dann endlich in Ruhe.

Sie war so tief in Gedanken versunken, dass sie das hinter ihr herannahende Auto nicht bemerkte. Später dachte sie, dass der Nebel wohl auch die Motorengeräusche verschluckt hatte. Sie schrak zusammen, als der dunkelblaue Wagen neben ihr bremste. Eine Scheibe wurde hinuntergelassen. Mandy blickte in das Gesicht eines Mannes. Anfang dreißig, schätzte sie. Er hatte dunkelblonde Haare und sah sympathisch aus. Auf jeden Fall nicht wie jemand, der Böses im Schilde führte.

»Hast du Probleme?«, fragte er.

»Wieso sollte ich Probleme haben?«, gab Mandy schnippisch zurück. Das war kein Polizeiauto, aber es gab auch Polizisten, die Zivilfahrzeuge fuhren. Sie war auf der Hut.

»Na ja, du siehst mir so aus, als solltest du an einem normalen Montagmorgen eigentlich in der Schule sein. Und nicht eine Straße am Stadtrand entlangschleichen. Du siehst ziemlich … na ja … verwahrlost aus.«

»Geht Sie das irgendetwas an?«

Er lachte. »Du bist ganz schön kratzbürstig. Ich dränge mich dir nicht auf. Ich dachte nur, du könntest vielleicht Hilfe brauchen.«

Mandy wollte ihm die nächste abweisende Antwort geben, zögerte jedoch. In einem Punkt hatte er recht: Sie brauchte Hilfe. Ihr Geld würde nicht mehr lange reichen, und sie brauchte Nahrung und Verbandsmaterial für ihren Arm.

Sie hatte kein Dach über dem Kopf und keinen Plan.

»Und wenn?«, entgegnete sie daher.

Er lachte wieder. Mandy fragte sich, was er eigentlich andauernd so komisch fand.

»Ich könnte dich mitnehmen«, sagte er. »Wir könnten irgendwo zusammen einen Kaffee trinken, und du erzählst mir, was los ist.«

Kaffee klang gut. In ihrer Lage klang *Kaffee* buchstäblich nach Paradies.

Dennoch blieb sie misstrauisch. Zu einem Fremden ins Auto zu steigen konnte böse ausgehen, das wusste sie. Der Typ sah wirklich nett und harmlos aus, aber taten das die schlimmsten Menschen nicht fast immer?

»Wo wollen wir denn Kaffee trinken?«

Er zuckte mit den Schultern. »Wo möchtest du?«

»Ich weiß nicht …« Es war auch gefährlich für sie, sich irgendwo in ein Café zu setzen. Wie intensiv wurde nach ihr bereits gesucht?

»Ich schätze, du bist von daheim weggelaufen«, sagte der Mann. »Und deshalb drückst du dich hier am äußersten Stadtrand herum. Und ein Café ist auch nicht so günstig, stimmt's?«

Sie erwiderte nichts.

»Ich mache dir einen Vorschlag. Kannst du annehmen, musst du aber nicht. Du kommst mit zu mir. Du bekommst etwas zu essen. Du kannst duschen. Dich aufwärmen. Und wir reden. Darüber, was passiert ist und wie es weitergehen soll. Was hältst du davon?«

»Sind Sie vom Jugendamt?«

»Nein. Ich bin nur jemand, der gerne hilft.«

Gibt's so was?, fragte sich Mandy.

»Ich heiße Brendan.« Er sah sie abwartend an.

»Aha«, sagte sie.

Er seufzte. »Was ist nun?«

Sie ging um das Auto herum, öffnete eine der hinteren Türen und legte ihren Rucksack auf den Rücksitz. Inzwischen hatte Brendan die Beifahrertür aufgestoßen. Dankbar glitt Mandy auf den Sitz. Wunderbare Wärme umfing sie. Trockenheit. Es tat so gut, sich hinzusetzen. Von dem Kaffee zu träumen.

Sie fuhren los.

2

Am Montagabend kam Kate von der Arbeit zurück in ihre Wohnung in Bexley und fand zu ihrer Überraschung drei Nachrichten auf ihrem Anrufbeantworter vor. Es kam so selten vor, dass jemand sie privat anrief, dass sie das Blinken des roten Lichtes zunächst für einen Defekt des Gerätes hielt. Als sie misstrauisch die Abspieltaste drückte, verkündete ihr die Ansagestimme, dass sie drei neue Nachrichten habe.

»Das gibt's doch gar nicht«, sagte Kate laut.

Die erste Nachricht kam von ihrer Nachbarin in Scalby. Die Entrümpelung sei bestens über die Bühne gegangen, teilte sie ihr mit, das Haus sei leer, und an diesem Montag habe die mit der Renovierung beauftragte Firma bereits mit den Instandsetzungsarbeiten begonnen.

»Machen Sie sich keine Sorgen. Ich habe alles im Griff«, beendete sie ihren Text.

Das war's. Die Möbel ihrer Eltern waren weg, das Haus, so wie es Kate aus ihrer Kindheit und Jugend kannte, gab es nicht mehr. Kate horchte in sich hinein, fragte sich, was sie bei dieser Vorstellung empfand. Sie spürte, wie sich ein Gefühl kalter Traurigkeit in ihr regte, und drückte rasch erneut die Abspieltaste.

Keine gute Idee, jetzt nachzudenken.

Die nächste Nachricht kam von Colin Blair, Kates unglücklich verlaufenem Date vom Samstagabend, und das machte sie völlig perplex. Es war das allererste Mal in ihrem Leben, dass ein Mann nach einem Treffen mit ihr erneut anrief.

»Hi, Kate, ich bin es. Colin. Ich dachte, ich hake doch noch mal nach. War ja komisch, dein plötzlicher Abgang vorgestern.« Er machte eine Pause. »Ich habe mich schon gefragt, ob dich irgendetwas an mir gestört hat.«

Ein vermutlich ungewöhnlicher Gedanke für Colin, dachte Kate. Sie nahm an, dass es nicht oft vorkam, dass Colin sich und sein Verhalten infrage stellte.

Im nächsten Augenblick war er auch schon wieder der Alte. »Aber das kann ja nicht sein.«

Kate musste unwillkürlich grinsen.

»Es hing irgendwie mit diesem Bericht im Fernsehen zusammen. Über dieses verschwundene Mädchen, das wieder aufgetaucht ist. Keine Ahnung, was du damit zu tun hast, aber du hast irgendwie total stark darauf reagiert.« Er machte erneut eine Pause. »Blöd, dass ich keine Handynummer von dir habe. Sonst hätte ich dich tagsüber erreichen und das gleich klären können.«

Kate gab kaum jemals anderen Menschen, die nichts mit ihrem Beruf zu tun hatten, ihre Handynummer. Es war zu problematisch für sie, während des Dienstes zu telefonieren. Genauer gesagt: *Es wäre problematisch gewesen*. Es rief ja eigentlich niemand an.

Außer heute.

»Also«, fuhr Colin fort, »ruf mich doch mal zurück. Ich finde, wir sollten uns treffen und reden. Okay? Gut. Bis dann.«

Er legte auf.

Das ist wirklich erstaunlich, dachte Kate.

Der dritte Anruf kam von Deborah Goldsby. Sie weinte. Sie bat dringend um Rückruf.

Amelie hatte begonnen zu reden.

Kate hatte sich ein Glas Wein eingeschenkt und sich mit hochgezogenen Beinen auf ihr Sofa gesetzt. Die Katze ihrer entschwundenen Mieter, die noch immer bei ihr lebte, lag an ihre Seite gekuschelt und schnurrte leise. Eigentlich war es schön, zu Hause von etwas Lebendigem erwartet zu werden, fand Kate.

Sie dachte nach. Sie hatte eine gute halbe Stunde lang mit Deborah telefoniert, und nun versuchte sie, zu sortieren, was sie gehört hatte.

Amelie hatte sich nicht ihrer Mutter anvertraut, sondern einer psychologisch geschulten Kriminalbeamtin, die sie nach ihrer Entlassung aus dem Krankenhaus am Montag früh daheim bei ihren Eltern besucht und vorsichtig befragt hatte. Amelie hatte eine ganze Weile geschwiegen, dann war sie plötzlich in Tränen ausgebrochen. Dann hatte sie von dem Mann erzählt.

Sie hatte nicht viel erzählt, keineswegs die ganze Geschichte, und nicht in Zusammenhängen, die bahnbrechende Rückschlüsse erlaubt hätten. Aber dass da ein Mann gewesen sei. Auf der Burniston Road. Er habe sie verschleppt. Er habe sie gefangen gehalten. Sie habe fliehen können. Sie sei ins Meer gesprungen, weil sie ihn dicht hinter sich glaubte und gehofft habe, sich entweder hinter der Kaimauer verstecken oder schwimmend fliehen zu können.

Sie sei beinahe ertrunken. Sie habe sich dem Tod ganz nahe geglaubt.

Sie redete über diese Situation immer wieder: Die hohen Wellen. Das eiskalte Wasser. Der Sog. Die glitschigen Mauersteine, an denen sie sich festzukrallen versuchte. Ihre Hände, die sich wie erfroren anfühlten. In denen sie irgendwann keine Kraft mehr gehabt hatte.

»Ich dachte, ich sterbe«, sagte sie. Ihre Augen waren dabei weit aufgerissen. »Ich dachte, ich sterbe. Ich dachte, ich sterbe.«

Sie erinnerte sich, dass ein Mann aufgetaucht war und sie festgehalten hatte, aber es war ihm nicht gelungen, sie nach oben zu ziehen. Sie hingen nun gemeinsam in dieser unglücklichen Lage unter strömendem Regen und sich überschlagenden Wellen fest. Aber. er war wenigstens da gewesen. Dann war der andere gekommen. Amelie war gerettet worden, als sie schon jede Hoffnung aufgegeben hatte. Irgendwie glaubte sie es aber immer noch nicht.

»Ich müsste eigentlich tot sein«, erklärte sie ein ums andere Mal.

Sosehr sich die ermittelnden Beamten um nähere Angaben bemühten, blieben sie doch weitgehend erfolglos. Amelie redete und redete, aber immer nur über die Stunde im Meer. Sie konnte nicht aufhören zu schildern, wie die Wogen an der Mauer hochgeschlagen und ihr wieder und wieder in Mund, Nase und Augen geschwappt waren. Oft hatte sie sich minutenlang unter Wasser gefühlt. Und dann kam immer wieder der Satz: »Ich dachte, dass ich sterbe.«

»Die Psychologin von der Polizei meint, dass das andere noch schlimmer war«, sagte Deborah unter Tränen. »Und dass sie darüber gar nicht reden kann und deshalb immer wieder vom Wasser anfängt. Sie dreht sich im Kreis. Sie erzählt ständig dasselbe.«

Man hatte ihr noch einmal ein Bild ihres Retters, Alex Barnes, gezeigt, aber sie hatte erklärt, diesen Mann nie vorher in ihrem Leben gesehen zu haben. Er sei definitiv nicht der Mann, der sie mitgenommen hatte. Dasselbe sagte sie über David Chapland. Nie gesehen.

Kate war darüber nicht erstaunt. Sie hatte nicht geglaubt, dass es so einfach sein würde.

Nach stundenlangem vorsichtigem Insistieren hatte Amelie eine Beschreibung des Täters abgegeben. Somit hatte die Polizei nun ein Phantombild, von dem sie allerdings nicht wussten, wie nah es der Wirklichkeit kam. Amelie hatte während der Beschreibung immer wieder auszuweichen und das Thema zu wechseln versucht. Kate wusste genau, was Caleb Hale dachte: Wie weit stimmten die Angaben, und wie weit hatte das völlig traumatisierte Mädchen nur irgendwelche Dinge gesagt, um der ganzen Situation möglichst schnell wieder zu entgehen?

Setzte man die Beschreibung als stimmig voraus – und vorläufig hatte die Polizei einfach nichts anderes in der Hand –, so handelte es sich bei dem Entführer um einen Mann, circa fünfzig Jahre alt, groß, schlank, mit etwas verschwommenen, weichen Gesichtszügen.

»Ein fast kindlicher Gesichtsausdruck«, sagte Deborah. Man hatte ihr und Jason das Bild gezeigt, aber sie hatten nie jemanden gesehen, der so aussah, noch konnten sie eine Ähnlichkeit zu irgendjemandem entdecken, den sie kannten.

»Vielleicht aus Ihrer Nachbarschaft?«, hatte Inspector Hale gefragt. »Oder aus dem Umfeld von Dr. Goldsbys Arbeit? Ein ehemaliger Patient? Ein ehemaliger Gast? Jemand, der Ihnen in der letzten Zeit irgendwie aufgefallen ist? Irgendwo? Auf dem Parkplatz vor dem *Tesco*?«

Nein, nein, nein. Sosehr sie sich das Gehirn zermarterten, sie entsannen sich nicht, jemanden zu kennen oder auch nur entfernt wahrgenommen zu haben, der so aussah.

Auf die Frage, ob sie ihn denn wiedererkennen würde,

sollte sie ihm plötzlich gegenüberstehen, hatte Amelie zunächst ausweichend reagiert, schließlich aber genickt. Ja. Würde sie.

»Wir haben jetzt Polizei vor dem Haus«, berichtete Deborah. »Zwei Beamte in einem Auto. Sie passen auf. Falls ...«

Kate wusste warum. Natürlich. Amelie war dem Täter entkommen. Sie kannte sein Gesicht. Sie konnte ihn beschreiben. Der Mann lebte möglicherweise in Scarborough oder in der näheren Umgebung. Ein Albtraum für ihn. Auf der Straße, im Supermarkt, im Bus, am Strand, er konnte ihr jederzeit begegnen. Überall. Es war nicht auszuschließen, dass er erneut versuchen würde, ihrer habhaft zu werden und sie zum Schweigen zu bringen. Falls er die Gegend nicht verlassen konnte – und Kate wusste aus Erfahrung, dass es sich durchaus um einen ganz bieder vor sich hin lebenden Menschen handeln mochte, der einer geregelten Arbeit nachging, eine feste Beziehung hatte und die Hypothek für seine Eigentumswohnung abbezahlte –, dann hatte er jetzt ein gewaltiges Problem. Er schwebte jeden Tag in der Gefahr, erkannt und verhaftet zu werden.

»Das Schlimme ist, es ist überhaupt nichts weiter aus ihr herauszubekommen«, hatte Deborah mit zitternder Stimme gesagt. »Nichts Konkretes über ihre Flucht oder über den Ort, an dem sie gefangen gehalten wurde. Oder über ... über ihren Entführer. Egal, was sie gefragt wird, sie erzählt, wie sie über den Zaun geklettert und ins Meer gesprungen ist und wie furchtbar die nächste Stunde war. Es ist, als habe sich ihr ganzes Leben momentan auf diese Stunde im Wasser reduziert. Als könne sie einfach nicht aufhören, davon zu sprechen.«

Es ist beides, dachte Kate. Die Verarbeitung der echten Todesangst, die sie erlebt hat. Und das Verdrängen des

Rests. An den zu denken ist wahrscheinlich einfach nicht aushaltbar.

Deborah hatte schließlich nur noch hemmungslos geweint.

»Es ist ein solcher Albtraum. Ich war zuerst so erleichtert und glücklich, dass sie wieder da ist. Lebendig. Äußerlich zumindest unverletzt. Ich dachte … Ich hoffte, dass es etwas mit einem Jungen zu tun gehabt hätte, in den sie verliebt war und der sie zum Ausreißen angestachelt hatte. Dass es im Wesentlichen für sie darum ging, dieser Klassenfahrt zu entkommen. Oder darum, bei ihrem Freund zu sein. Dass es dann irgendwie schieflief zwischen den beiden und sie deshalb von dort wieder weglief … Verstehen Sie, ich habe so sehr gehofft, dass es für das ganze Drama eine harmlose Erklärung gibt. Wie es bei jungen Menschen nun einmal passieren kann. Da eskalieren Dinge ja schnell, weil alles irgendwie hormonell gesteuert wird. Aber so etwas … es ist entsetzlich. Unvorstellbar.«

Kate hatte sich während des ganzen Gesprächs darum bemüht, sehr sachlich und ruhig zu bleiben. Wie sie es in ihrer Ausbildung gelernt hatte. Gerade verzweifelten Angehörigen gegenüber, die glaubten, dass ihnen der Boden unter den Füßen wegbrach.

»Was tun die Ermittler jetzt?«, hatte sie gefragt. »Wissen Sie das?«

»Sie haben den ganzen Tag über erneut das Gebiet rund um die Stelle durchkämmt, wo Alex Barnes und der andere Mann Amelie aus dem Wasser gezogen haben. Sie hoffen, Hinweise auf ihre Flucht zu finden – woher sie kam, wie weit sie gelaufen ist. Sie versuchen, die Entfernung einzugrenzen, die sie zu Fuß bewältigt haben kann, wobei niemand weiß, wie lange ihre Flucht gedauert hat, wie lange sie unterwegs war. Mysteriös ist ja auch, dass man ihre Sachen

so weit weg gefunden hat, die Tasche da draußen im Hoch-
moor. Sie muss aber näher an der Stadt gewesen sein, wenn
sie es zu Fuß bis zum Cleveland Way geschafft hat. Inspector Hale war heute Nachmittag noch einmal bei uns und hat
mit ihr zu sprechen versucht, hat aber nur die einmillionste
Schilderung der Situation im Wasser zu hören bekommen.
Morgen früh kommt die Polizeipsychologin wieder vorbei.
Inspector Hale sagt, jedes Detail, das wir aus ihr herausbringen, ist unglaublich wichtig.«

Ja, dachte Kate auf ihrem Sofa, das ist es. Sie sind dicht
dran, einen Kerl zu schnappen, der Amelie wahrscheinlich
über kurz oder lang umgebracht hätte – er hätte sie schließlich
nie wieder laufen lassen können, nachdem sie sein Gesicht
gesehen hatte. Einen Kerl, der möglicherweise Saskia Morris auf dem Gewissen hat. Vielleicht auch Hannah Caswell.
Vielleicht noch mehr Mädchen, die man bislang noch nicht
in einen Zusammenhang mit den anderen gebracht hatte. Es
muss Caleb verrückt machen, dass Amelie nicht redet.

Immerhin, es gab ein Phantombild. Es gab eine Täterbeschreibung. Ein ungefähr fünfzigjähriger Mann. Irgendwo
musste er sein. Und vielleicht kam er selbst aus der Deckung.
Weil die vierzehnjährige Amelie Goldsby eine unglaublich
große Gefahr für ihn darstellte.

Aber er auch für sie, dachte Kate.

Sie verstand, dass Caleb nervös war. Zwei Beamte rund
um die Uhr vor dem Haus der Goldsbys. Er schätzte die
Gefahr als sehr hoch ein. Sie war es vermutlich auch.

»Können Sie nicht bitte herkommen?«, hatte Deborah
schließlich gefragt. »Bitte! Sie haben... doch ganz andere
Möglichkeiten als DCI Hale!«

Caleb wäre begeistert, das zu hören, dachte Kate. Behutsam hatte sie Deborah auseinanderzusetzen versucht, dass
das nicht möglich war.

»Ihr Fall gehört nicht in meinen Zuständigkeitsbereich. Ich kann dort nicht einfach ermitteln. Mein Bereich ist London. Natürlich, wir werden manchmal angefordert, und dann werden wir auch in ganz anderen Gegenden tätig. Bislang hat es aber ein solches Gesuch nicht gegeben. Und, Deborah, Sie können mir glauben, DCI Hale ist ein ungeheuer fähiger Polizist mit großer Berufserfahrung. Es gibt nichts, was ich besser machen könnte als er.«

Sie hatte Deborah versprochen, sich wieder zu melden, aber sie wusste, sie konnte im Grunde nichts tun, was Caleb nicht als übergriffig und anmaßend hätte empfinden müssen. Damals im Fall ihres ermordeten Vaters hatte sich Kate ständig eingemischt und Caleb damit gründlich verärgert, aber es war um ihren Vater gegangen, und Caleb hatte bei allem Ärger irgendwo auch verstanden, dass sie einfach nicht ruhig bleiben konnte. Diesmal gab es keine Entschuldigung. Dass sie zufällig ein paar Tage lang bei den Goldsbys gewohnt hatte, zählte nicht. Sie konnte sie nicht als Freunde, im Grunde nicht einmal als nähere Bekannte bezeichnen.

Sie hatte in diesem Fall nichts verloren. Dennoch konnte sie schließlich ganz für sich ein wenig recherchieren.

Sie fuhr ihren Laptop hoch und googelte noch einmal den Fall Hannah Caswell. Erneut las sie die alten Pressemeldungen durch, diesmal gründlicher als an jenem Abend von Amelies Verschwinden. Kevin Bent wurde überall genannt. Armer Kerl, wenn er unschuldig war, dürfte das sein weiteres Leben nicht erleichtert haben. Ob er noch in Staintondale oder sonst irgendwo in der Region Scarborough lebte? Kate konnte nichts dazu finden, aber offensichtlich hatten die Journalisten irgendwann das Interesse an ihm verloren, als die Polizei von ihm abgelassen hatte. Aber über etwas anderes stolperte Kate: Kevin Bent hatte einen Bruder. Fünf Jahre älter, jetzt achtundzwanzig Jahre alt.

Der Bruder war als Jugendlicher in ein Sexualverbrechen verwickelt gewesen.

Die Medien hatten diesen Umstand nicht breitgetreten, vermutlich aus einem Gefühl der *political correctness* heraus, wonach man nicht das Verhalten eines Verwandten heranzog, um den Verdacht gegen einen Menschen zu untermauern, was einer Art Sippenhaft gleichgekommen wäre. Aber irgendjemand hatte es natürlich doch nicht unerwähnt lassen können. Kevin Bents Bruder Marvin hatte zu einer Clique halbwüchsiger Jungen gehört, die ein fünfzehnjähriges Mädchen in ein stillgelegtes Fabrikgelände gelockt und dort über mehrere Stunden hinweg sexuell missbraucht hatten. Marvin Bent hatte geschworen, an diesem Tag nicht mit den anderen unterwegs gewesen zu sein, und tatsächlich hatten zwei seiner Freunde für ihn ausgesagt: Nein, er sei wirklich nicht dabei gewesen. Marvin Bent hatte damals gerade die Schule abgebrochen und einen Job als Aushilfskellner in einem Café am Hafen angenommen. Er war auch an jenem Tag dort gewesen, jedoch nur vormittags. Zum Zeitpunkt der Tat, am Nachmittag, schon nicht mehr. Die Sache blieb unklar, das Opfer hatte ihn nicht als Tatbeteiligten identifiziert, es hatte aber auch andere nicht erkannt, die ihre Teilnahme bereits gestanden hatten. Das Mädchen war dermaßen traumatisiert, dass man seinen verworrenen Angaben nur bedingt Glauben schenken konnte. Marvin Bent konnte nichts nachgewiesen werden, die Ermittlung gegen ihn wurde eingestellt. Dennoch blieb der Hauch eines Verdachtes an ihm hängen: Ein scheußliches Verbrechen, die Täter waren seine besten Freunde. Er hatte kein Alibi für die Tatzeit. Letztlich retteten ihn die Aussage der beiden anderen, er sei nicht dabei gewesen, und die Tatsache, dass das Opfer ihn nicht erkannte.

Ein wackeliges Gerüst, auf das sich seine Unschuld baute.

Seltsam, dachte Kate. Zwei Brüder, die jeweils mit einem Verbrechen in Verbindung gebracht wurden. Bei beiden kann sich der Verdacht nicht wirklich erhärten, er kann aber auch nicht klar aus der Welt geschafft werden. Aus Mangel an Beweisen unschuldig… das alte, unbefriedigende Lied. Unbefriedigend für den Ermittler. Unbefriedigend auch für den Verdächtigen.

Das Alter stimmte natürlich überhaupt nicht, was den Täter im Fall Amelie Goldsby anging. Dennoch, Kate wurde das Gefühl nicht los, dass es nichts schaden konnte, den Fall Hannah Caswell in die Ermittlungen mit einzubeziehen. Sie konnte keinen konkreten Anhaltspunkt dafür nennen, weshalb ihr das wichtig erschien. Vielleicht gab es auch keinen. Vielleicht ging es nur darum, Hannah Caswell nicht wegen eines größeren zeitlichen Abstandes zu den anderen Fällen einfach zu ignorieren. Sollte Hannah der Anfang der Geschichte sein, wäre das ein fataler Fehler.

Es juckte sie in den Fingern, Caleb wegen dieser Überlegung anzurufen, aber sie wagte es nicht. Es war anmaßend. Sie hatte in seinem Fall nichts verloren. Umgekehrt würde sie sich extrem ärgern, wenn jemand so etwas mit ihr machen würde. Vielleicht hatte er längst dieselben Gedanken wie sie. Er war gut. Sie wusste, dass es ein Fehler gewesen wäre, ihn zu unterschätzen.

Seufzend klappte sie ihren Laptop zu. Es tat ihr leid, aber sie konnte Deborah nicht helfen. Und sowieso, Deborah war in guten Händen. Es gab keinen Grund, sich Sorgen zu machen.

Sie überlegte, ob sie Colin Blair anrufen sollte. Immerhin, er wollte sich noch einmal mit ihr treffen. Aber wollte sie das? Er war ein Großmaul, und sie fand ihn ziemlich unsympathisch. Andererseits war es nicht so, dass es eine gigantische Auswahl an Männern in ihrem Leben gegeben hätte. Vielleicht sollte sie Blair – und sich – noch eine Chance einräumen. Womöglich wäre es ein Fehler, jemanden nicht wiederzusehen, nur weil beim ersten Treffen kein Funke übergesprungen war. Kate hatte schon manchmal überlegt, wie es andere Menschen schafften, zu Paaren zu werden und dies häufig über einen beachtlich langen Zeitraum auch zu bleiben. Da ihr das noch nie gelungen war, hielt sie den Vorgang für eine äußerst komplizierte Angelegenheit, bei der sie offenkundig immer alles falsch machte. Sie wusste, dass sie nicht gerade attraktiv war und in den wenigsten Männern einen akuten Jagdinstinkt auslöste, aber sie sah Frauen, die schlechter aussahen und unbeholfener waren als sie und trotzdem einen hingebungsvollen Ehemann an ihrer Seite und dazu vier Kinder hatten. Es ging ja schließlich nicht darum, eine Beute für jemanden zu sein. Es ging darum, andere Menschen aktiv von den eigenen Qualitäten zu überzeugen. Vielleicht war ein wesentlicher Punkt, die Flinte nicht sofort ins Korn zu werfen. Colin Blair hatte nur von sich geredet und schrecklich geprahlt, aber dahinter konnte sich auch eine große Portion Unsicherheit verbergen. Vielleicht wurde er netter, wenn er sich sicherer fühlte.

Und vielleicht redete sie sich auch gerade nur etwas schön.

Egal. Sie fand das nur heraus, indem sie ihn wiedersah.

Sie griff nach ihrem Handy – die Nummer war unterdrückt, er brauchte sie noch nicht zu kennen – und rief ihn an. Er meldete sich beim dritten Klingeln.

»Hallo«, sagte sie. »Ich bin es. Kate. Du wolltest mich sprechen?«

MONTAG, 30. OKTOBER

I

Sie war jetzt seit einer Woche bei Brendan, und die Frage war, wie es weitergehen sollte.

Inzwischen kannte er ihren Namen. Am Abend des zweiten Tages hatte sie ihn ihm gesagt: Mandy. Es wäre albern gewesen, ihm den Namen nicht zu nennen, ihm aber ansonsten zu vertrauen. Er versorgte sie mit Essen und Trinken, gab ihr ein Dach über dem Kopf und stand ihr als Gesprächspartner zur Verfügung. Er sei Schriftsteller von Beruf, hatte er gesagt, deshalb immer zu Hause.

»Müssen Sie dann nicht mal etwas schreiben?«, hatte sie gefragt.

Brendan hatte lächelnd abgewinkt. »Nicht jetzt. Ich mache gerade eine kreative Pause.«

Er wohnte in einer kleinen Dachwohnung mitten in Scarborough, in einem Haus, das es an Schäbigkeit fast mit Mandys Elternhaus aufnehmen konnte. Die Wohnung war winzig. Küche, Bad, zwei Zimmer. Die Fenster gingen nach Norden. Bei dem grauen Herbstwetter draußen musste den ganzen Tag das Licht brennen. Mandy vermutete allerdings, dass das selbst bei strahlendem Sonnenschein nicht anders war. Hier wurde es sicher niemals wirklich hell.

Das Einzige, was schön war: die vielen Blumen. Brendan hatte überall Topfpflanzen stehen, die er offenbar liebevoll pflegte. Aber sonst: Alles sehr ärmlich.

Offenbar verdiente man als Schriftsteller nicht allzu viel Geld.

Selbst das große Auto war nur eine Täuschung gewesen; es gehörte einem Bekannten Brendans, und er hatte es für ihn nur von der Werkstatt abgeholt. Er selbst besaß keinen Wagen. Er hatte ihn verkaufen müssen, als er zwei Jahre zuvor seine Arbeit als Redakteur einer Tageszeitung verloren hatte. Seitdem schlug er sich offenbar mehr schlecht als recht als Schriftsteller durchs Leben und zehrte von einer Erbschaft seiner Großmutter. Mandy erkannte schnell, dass er einsam und gelangweilt war und dass er sie deshalb mitgenommen hatte. Er sehnte sich nach Gesellschaft. Er wusste einfach nicht, was er den ganzen Tag über in seiner kleinen, trostlosen Wohnung tun sollte.

Die ersten Tage über genoss Mandy die komfortable Situation, es warm und trocken zu haben, duschen zu können und genug zu essen zu bekommen. Außerdem versorgte Brendan ihren Arm, kaufte eine neue schmerzstillende Salbe und wechselte zweimal täglich den Verband. Der Arm sah noch immer nicht besonders gut aus, aber nicht mehr so furchterregend wie zuletzt in der Gartenhütte, als Mandy schon gefürchtet hatte, das Ende vom Lied werde eine schwere Blutvergiftung sein. Nun schien es, als setzte doch ein langsamer Heilungsprozess ein. Es war gut, wieder zu Kräften zu kommen.

Nach ein paar Tagen fühlte sie sich wieder stark, und nun begann sie sich zu langweilen, und ihr Gastgeber ging ihr zunehmend auf die Nerven. Brendan hatte eindeutig Redebedarf. Er laberte von morgens bis abends, unterbrochen nur von den Zeiten, in denen er neuen Tee kochte oder das

Mittagessen zubereitete. Zweimal ging er einkaufen. Die Phasen nutzte Mandy, um sich in der Wohnung gründlich umzusehen, aber sie fand nichts, was von Interesse gewesen wäre. In einer Schublade entdeckte sie eine Zehn-Pfund-Note und steckte sie ein. Wer wusste, wann sie sie brauchen konnte?

Es gab Berge von Büchern in der Wohnung, aber Mandy hatte sich noch nie für Bücher interessiert. Hauptsächlich besaß Brendan Nachschlagewerke zu allen möglichen psychologischen Themen. Er hatte Mandy gegenüber auch schon erklärt, dass er eigentlich Psychologie studieren wollte, aber das habe »nicht funktioniert«. Taktvollerweise hakte Mandy nicht nach, warum es nicht funktioniert hatte. Wahrscheinlich waren Brendans Noten zu schlecht gewesen, oder er besaß nicht den erforderlichen Schulabschluss.

Seinen psychologischen Auftrag, den »ich spüre, seit ich ungefähr siebzehn Jahre alt war«, wie er sagte, tobte Brendan nun an ihr aus. Stundenlang saß er ihr gegenüber und wollte alles wissen – wie sie lebe, wie das Verhältnis zu ihren Eltern sei, zu ihrer Schwester, zu Lehrern und Mitschülern. Warum sie keine Freunde habe, warum sie ständig Streit mit ihrer Mutter suche, weshalb sie ihren Vater so sehr verachte. Er war nicht ganz ungeschickt, wie Mandy feststellte. Sie deutete irgendetwas an, und an seiner nächsten Frage erkannte sie, dass er das Problem genau erfasst hatte und den Finger exakt auf den wunden Punkt legte. So hatte sie etwa nur erwähnt, dass sich ihr Vater nie gegen seine Frau zur Wehr setze, und schon fragte Brendan nach der Verachtung, die sie für Dad empfinde. Sie hatte von Verachtung nichts gesagt, aber als er es aussprach, wusste sie, dass es genau das war, was sie empfand. Tiefe Verachtung. Und dass sie deshalb eine so schlechte Einstellung gegenüber Männern hatte. *Versager*, dachte sie reflexartig bei jedem Mann, dem sie begegnete. Andere Mädchen ihres Alters hatten schon einen festen Freund, aber bei ihr biss niemand an. Selbst Jungen, die deutlich älter waren als sie, fürchteten ihre scharfe Zunge und ihre vernichtenden Bemerkungen. Niemand wollte sich das über einen längeren Zeitraum hinweg antun.

Noch nie hatte jemand so viel Interesse an Mandys Innenleben gezeigt, daher genoss sie Brendans intensives Fragen und konzentriertes Zuhören während der ersten Tage, aber irgendwann wurde es ihr zu viel. Langweilig und anstrengend. Zunehmend fiel ihr auf, dass er in Stereotypen sprach. »Was fühlst du, während du das sagst?«, »Kommst du jetzt im Moment an deine Aggression heran?«, »Was löst es aus, wenn ich dich das frage?«

Es war im Grunde ständig dasselbe. Total ermüdend.

An diesem Montag begehrte sie auf. Sie saßen einander in Brendans Wohnzimmer gegenüber, zwischen sich eine große Kanne Ingwertee, Mandy noch mit nassen Haaren vom Duschen und äußerst schlecht gelaunt.

»Ich spüre ganz viel Aggression, die von dir ausgeht...«, begann Brendan, was als Erkenntnis diesmal allerdings wirklich kein Kunststück war angesichts Mandys missmutigem, gereiztem Gesichtsausdruck.

»Ach was?«, gab sie patzig zurück.

Brendan nickte bekümmert. »Ja. Möchtest du ...?«

»Zum Teufel, Brendan, ich möchte gar nichts. Außer herausfinden, wie es weitergehen soll. Ich meine, ich kann ja nicht dauernd hier in dieser bescheuerten Wohnung sitzen und deine dämlichen Fragen beantworten!«

Brendan zuckte zusammen. »Ich merke, wie sich bei mir ...«, begann er, aber sie unterbrach ihn erneut: »Kannst du eigentlich auch normal reden? Ich meine, wie ein halbwegs normaler Mensch?«

»Verschafft es dir Erleichterung, mich so anzugehen, wie du es jetzt gerade tust?«

»Hast du nicht Angst, irgendwann zu verblöden, wenn du immer so redest wie jetzt?«, fauchte sie.

»Mandy…«

»Ich kann doch nicht für den Rest meines Lebens hier sitzen und mit dir reden! Und du solltest irgendwann auch mal wieder ans Arbeiten denken!«

»Ich empfinde die Gespräche mit dir durchaus als Arbeit«, sagte Brendan. »Ich versuche…«

»Ich meine, *bezahlte* Arbeit! Wir essen, wir trinken, du zahlst Miete. Wie soll das gehen?«

»Ich habe noch Rücklagen.«

»Aber die sind irgendwann weg.«

»Mein Problem.«

»Ich muss einfach weiter«, sagte Mandy erschöpft und brach unvermittelt in Tränen aus.

Brendan nickte gewichtig. »Wohin?«

Das war die große Frage. Mittlerweile waren drei Wochen vergangen, seitdem sie überstürzt das Haus ihrer Eltern verlassen hatte. Bald ein ganzer Monat. Nicht mehr lange, und der Winter stand direkt vor der Tür.

Zeit, nach Hause zu gehen?

»Ich kann nicht nach Hause«, sagte sie schluchzend. »Meine Mutter wird nur lachen. Einfach nur lachen. Sie wird sagen, dass ich ein ebensolches Weichei bin wie mein Vater.«

»Was empfindest du, wenn du dir vorstellst, dass deine Mutter so etwas sagt?«

Selten hatte sie solche Lust gehabt, einen Menschen zu ohrfeigen wie in diesem Moment Brendan.

»Schmerz!«, brüllte sie. »Ich empfinde Schmerz, verdammt noch mal!«

Sie sprang auf, stieß dabei die Teekanne um. Sie zerbrach in tausend Scherben. Der Tee floss über den Tisch, tropfte von dort auf den Teppich.

Auch Brendan sprang auf. »Mandy…«

»Lass mich in Ruhe! Lasst mich alle in Ruhe! Vor allem du, mit deinem dämlichen Geschwätz! Wie konnte ich nur so dumm sein und in dein Auto steigen?«

Er hatte auf einmal einen kalten Ausdruck im Gesicht. »Du hattest keine andere Wahl«, sagte er. »Du warst in einem erbärmlichen Zustand. Und du wusstest nicht, wohin.«

»Genau wie du. Du bist auch in einem erbärmlichen Zustand. Und es kräht absolut kein Hahn nach dir, und das macht dich völlig fertig. Schriftsteller, kreative Pause, dass ich nicht lache!« Sie funkelte ihn böse an. »Es gibt auf der ganzen Welt niemanden, der den Scheiß lesen will, den du schreibst, und das weißt du auch, und deshalb sitzt du hier herum und machst nicht weiter. Du brauchst mich, weil es dir hilft, jemanden zu haben, dem es schlechter geht als dir, weil du dich dann überlegen fühlen kannst und meinst, ein winziges Stück größer zu werden. Aber weißt du was, es ist ein riesiger Irrtum. Ich stecke in einer Scheißsituation, aber ich bin nicht so mies dran wie du, bei weitem nicht. Mein ganzes Leben liegt noch vor mir, und ich werde es schlauer anfangen als du und nicht irgendwann in einer solchen Bruchbude leben und andere Menschen belästigen.«

Bei jedem ihrer Worte war Brendan zusammengezuckt. »Du wirst es schlauer anfangen?«, gab er zurück. »Das möchte ich ja gerne sehen. So schlau, wie du es jetzt bereits angefangen hast? Rennst von zu Hause weg und hast nicht die geringste Vorstellung, wie es weitergehen soll. Kein Geld, nichts. Keine Freunde, bei denen du unterschlüpfen kannst – außer diesem Drogensüchtigen, bei dem du eine Woche lang gehaust hast, aber er hat dich auch weggeschickt, als eine andere kam. Komisch, dass es nirgendwo jemanden gibt, der dich mit offenen Armen aufnimmt. Du tust mir leid, Mandy. Aus tiefster Seele.«

»Du Arsch«, sagte sie. »Du verdammter Wichser!«

»Nur weiter. Dir fällt offenbar nicht viel ein, wenn du nur noch mit Kraftausdrücken um dich werfen kannst.«

»Ich gehe. Ich bleibe keine Sekunde länger.«

»Nur zu«, sagte er.

Sie starrte ihn einen Moment lang an. Dann lief sie ins Bad, knallte die Tür hinter sich zu, drehte den Schlüssel um.

Alleine. Wenigstens für ein paar Momente.

Im Spiegel sah sie ihr blasses Gesicht mit den geröteten Augen. Ihre halbtrockenen Haare schienen in alle Himmelsrichtungen zu stehen. In ihrem verletzten Arm pochte es.

Was jetzt?

Sie wollte hier nicht bleiben, weil sie diesen Typ einfach nicht mehr aushielt. Ihr ging erst jetzt auf, wie übergriffig er sich die ganze Zeit verhalten hatte. Unter dem Deckmantel des Interesses und der Fürsorge war er in ihr Innerstes gedrungen und hatte mit seinen scheinbar hilfreichen Fragen ihr eigenes Gefühl der Unzulänglichkeit und Hilflosigkeit nur verstärkt. Er hatte sie immer weiter pathologisiert, anstatt es einfach auf das zu reduzieren, was es war: Ein Mädchen in einem schwierigen Alter, aus einer schwierigen Familie, das sich in eine schwierige Lage gebracht hatte.

In eine extrem schwierige Lage allerdings.

»Ich sollte erst gehen, wenn ich mir überlegt habe, wohin ich gehe«, sagte sie zu ihrem Spiegelbild und versuchte zu lächeln. Das Lächeln missglückte vollständig.

Vorsichtig öffnete sie die Badezimmertür. Da sie nicht sofort verschwinden konnte, war es an der Zeit, bei Brendan wieder ein Stück weit einzulenken. Egal, wie sehr sie die

Zähne zusammenbeißen musste. Er würde sich überzeugen lassen. Er hatte vor dem Alleinsein ebenso viel Angst wie sie vor der Ungewissheit da draußen in der Kälte.

Sie hörte seine Stimme. Er war noch im Wohnzimmer. Er wisperte.

»Ja, sag ich doch. Sie ist hier. Ja. Gleich? Ja, okay.«

Sie erstarrte.

Mit wem redete er?

Offenbar war er am Telefon. Da sie es nicht hatte klingeln hören, musste er jemanden angerufen haben.

Die Polizei. Anders waren seine Worte *Sie ist hier* und seine vergewissernde Rückfrage *Gleich?* nicht zu interpretieren. Dieser verfluchte Typ rief tatsächlich die Polizei an und meldete die jugendliche Ausreißerin in seiner Wohnung, nur weil er sauer war. Weil sie seine blöden Psychospiele nicht mehr mitspielte. Und weil sie ihm das in … na ja, in ziemlich schonungslosen Worten gesagt hatte.

Mandy stand ein paar Sekunden starr und stumm und überlegte, was sie tun sollte. Sie musste weg, schleunigst, denn die Polizei würde gleich da sein. Wenn es etwas gab, was noch schlimmer war als die Vorstellung, freiwillig nach Hause zurückzukehren, dann war es der Gedanke, von der Polizei daheim abgeliefert zu werden. Unter Einbeziehung all dessen, was sie fürchtete: Carol, das Jugendamt, das ganze Theater …

Ihr Rucksack befand sich in Brendans Schlafzimmer, denn er hatte ihr während ihres Aufenthaltes in seiner Wohnung großzügig sein Bett überlassen. Um in das Schlafzimmer zu kommen, hätte sie das Wohnzimmer durchqueren müssen, was wegen Brendan unmöglich war. Sie zweifelte nicht daran, dass er sie gewaltsam am Verlassen der Wohnung hindern würde. Er wollte jetzt seinen Auftritt bei der Polizei, und er würde alles daransetzen, ihn zu bekommen.

Ihr brach der Schweiß aus. In dem Rucksack befanden sich nahezu alle ihre spärlichen Besitztümer. Der Spirituskocher und eine letzte Konservendose. Die Unterwäsche, die sie von daheim mitgenommen hatte, ein Pullover zum Wechseln. Strümpfe. Ihr Geld und ihr Ausweis. Wenigstens steckten die zehn Pfund, die sie Brendan geklaut hatte, in der Tasche der Jeans, die sie gerade trug. Und ihre Streichhölzer. Ihre Jacke hing an der Garderobe gleich neben der Wohnungstür. Ihr Handy war gerade am Ladegerät und ebenfalls im Schlafzimmer. Sie würde die Flucht mit nahezu nichts antreten müssen – um einiges schlechter gestellt als je zuvor.

Aber es half nichts. Sie hatte keine Wahl.

Auf Zehenspitzen schlich sie durch die kleine Diele. Zum Glück musste man in dieser Wohnung keine langen Strecken zurücklegen. Sie lauschte in Richtung Wohnzimmer, hörte aber nichts mehr. Brendan hatte das Gespräch beendet. Wahrscheinlich stand er am Fenster und hielt Ausschau nach dem Polizeiauto. Er würde sie unten auf der Straße erblicken, aber bis er durch das Treppenhaus hinter ihr herkam, wäre sie längst um die nächsten Ecken verschwunden. Mandy wusste, dass sie schnell war. Und klein und behände. Sie konnte sich gut verstecken und sich an Stellen durchschlängeln, die für andere ein unüberwindliches Hindernis darstellten.

Sie nahm ihre Jacke vom Haken, schlüpfte in ihre Turnschuhe, die an der Wand standen. Zog mit angehaltenem Atem die Wohnungstür auf. Zog sie ebenso lautlos hinter sich zu. Mit einem kaum hörbaren Klicken schnappte das Schloss ein. Sie war draußen. Sie rannte die Treppen hinunter, immer zwei Stufen auf einmal nehmend. Sie registrierte, dass sich die Tür der Wohnung unterhalb der von Brendan einen Spalt weit öffnete, aber das kümmerte sie nicht. Sie stürzte auf die Straße. Schauderte vor der Feuchtigkeit, die ihr entgegenschlug.

Sie schaute sich nicht noch einmal um. Sie rannte um die Ecke und verschwand im Gewirr der vielen kleinen Straßen ringsum. Die Polizei würde die Gegend absuchen.

Sie brauchte so schnell wie möglich ein Versteck.

2

Seit dem *Ereignis* weinte Deborah eigentlich ständig. Sie nannte die Entführung ihrer Tochter bewusst nur *das Ereignis,* während Jason von *Entführung* oder *Verschleppung* sprach. Sie konnte diese Worte nicht benutzen, sonst schossen schon wieder die Tränen hervor. Und irgendwie musste sie einfach Pausen zwischen ihren vielen Heulattacken einlegen. Sie hatte schon chronisch verschwollene Augen, eine vom Salz angegriffene, gerötete Gesichtshaut.

Amelie ging nicht zur Schule, Amelie blieb den ganzen Tag über in ihrem Zimmer. Redete nur das Notwendigste. Jeden Tag kam die Polizeipsychologin zu ihr, die versuchen sollte, ihr bei der Verarbeitung des Traumas zu helfen und weitere Informationen zu entlocken. Auch ihr gegenüber schwieg sie meist. Amelie hatte nur ein paar Details mehr preisgegeben, was die unmittelbare Entführung anging: Danach hatte ein Auto neben ihr auf der Burniston Road gehalten, der Fahrer hatte sie nach dem Weg zu einer bestimmten Straße gefragt, sie hatte ihm nicht helfen können, weil sie die Straße nicht kannte. Daraufhin hatte er gebeten, sie solle sich das für ihn nicht entwirrbare Bild auf seinem Navigationsgerät anschauen, vielleicht würde sie erkennen, in welche Richtung er musste. Sie hatte sich über den Beifahrersitz in sein Auto gelehnt. Im nächsten Moment einen stechenden Geruch wahrgenommen, dann war sie weg gewesen.

»Chloroform«, hatte Inspector Hale zu Deborah und Jason gesagt. »Er hat ihr vermutlich ein in Chloroform getränktes Tuch auf das Gesicht gepresst und sie dann schnell ganz ins Auto gezogen. Wir gehen mit fast völliger Sicherheit davon aus, dass Amelie ein zufälliges Opfer war. Er fuhr in der Gegend herum und hielt Ausschau. Nach einem Mädchen, nach einer günstigen Gelegenheit. Chloroform hat man nicht einfach so dabei, er war definitiv auf der Suche. Er sah Amelie die Straße entlanglaufen, und zufällig war tatsächlich gerade kein anderes Auto da. Vor ihm nicht, hinter ihm nicht. Er nutzte das sehr kleine Zeitfenster, das sich ihm bot. Es war einfach... Pech. Sie war einfach im falschen Moment am falschen Ort.«

Deborah hatte bei diesen Worten schon wieder zu weinen begonnen.

Die Straße, nach der der Mann gefragt hatte, gab es nicht. Weder in Scarborough noch in der näheren oder weiteren Umgebung. Befragt nach dem Auto, hatte Amelie nur die Farbe nennen können: Dunkel. Schwarz oder ein sehr dunkles Blau. Und befragt nach dem, was danach passiert war – »Als du aufgewacht bist, Amelie, wo warst du da? Und was geschah als Nächstes?« –, hatte sie den Kopf abgewendet und die Lippen aufeinandergepresst.

Jason ging inzwischen wieder in die Praxis. Deborah war alleine mit Amelie. Immer wieder ging sie zu ihr nach oben, immer wieder wurde sie schroff zurückgewiesen. Sie fragte sie, ob sie einen Spaziergang machen wollte. Oder einen Tee trinken. Was sie sich zum Mittagessen wünschte. Ob sie zusammen einen Film sehen wollten. Jedes Mal hieß die Antwort: »Nein. Lass mich in Ruhe.«

Dann ging Deborah nach unten und weinte.

Ihr Verhältnis zu Amelie war schon vor dem *Ereignis* schlecht gewesen. Mehr als schlecht. Geprägt von Aggression, Sprachlosigkeit, Unverständnis. Auf Amelies Seite. Deborah hatte ihrer Tochter gegenüber weder Aggressionen empfunden noch Unverständnis. Und sie hatte wieder und wieder das Gespräch gesucht. Und war gescheitert. Mehrfach hatte sie nachgehakt. »Warum, Amelie? Was lehnst du so sehr ab an mir? Was habe ich dir getan?«

»Keine Ahnung«, hatte die Antwort stets gelautet.

Nur heute nicht.

Deborah blickte zum Wohnzimmerfenster hinaus. Vor der Einfahrt stand das Auto mit den zwei Polizisten. Wie eintönig und trostlos musste es sein, Stunde um Stunde in diesem Auto zu sitzen und ein Haus zu bewachen, ohne dass irgendetwas passierte? Nicht, dass Deborah sich gewünscht hätte, dass etwas geschah. Um Gottes willen. Und sie war sehr dankbar, dass die beiden Beamten, ein Mann und eine Frau, da waren. Aber sie taten ihr leid. Es war bestimmt kalt in dem Auto. Sie trugen warme Jacken und schienen trotzdem zu frieren. Deborahs mehrfach geäußerte Einladung, ins Haus zu kommen, lehnten sie jedes Mal ab. Vielleicht durften sie das nicht.

Sie wandte sich wieder ab vom Fenster, wischte sich mit dem Ärmel ihres Pullovers über das Gesicht, das schon wieder nass war von Tränen.

Heute hatte Amelie ihr eine andere Antwort gegeben. Nicht das übliche *Keine Ahnung*.

Heute hatte sie ihre Mutter plötzlich mit einem Ausdruck kalter Verachtung im Gesicht angesehen und gesagt: »Warum ich dich ablehne? Weil ich vor nichts solche Angst habe wie davor, dass ich einmal so werden könnte wie du. Dass mein Leben so sein könnte wie deines. Darum. Ich muss aufpassen.«

»Aufpassen?«, hatte Deborah gefragt, mechanisch, betäubt vor Schreck.

»Ja, eben darauf achten. Dass ich nicht so werde wie du.«

»Warum? Was an mir …?«

Amelie drehte sich zur Seite. »Lass mich einfach. Lass mich in Ruhe.«

Deborah schaffte es wenigstens noch aus dem Zimmer, ehe sie zu weinen begann. In den Ratgebern, die sie las, hieß es immer, dass die Kritik am meisten verletze, die vom Opfer unterschwellig oder auch sehr bewusst geteilt werde. Man könne dagegen problemlos über einem Angriff stehen, wenn man ihn für völlig absurd halte.

»Unsinn«, hatte Jason gesagt, als Deborah einmal mit ihm darüber gesprochen hatte, »gerade die völlig ungerechtfertigte, an den Haaren herbeigezogene Kritik macht besonders wütend. Weil sie haltlos ist und weil trotzdem jemand unreflektiert und borniert genug ist, sie zu äußern. Mich ärgert das besonders. Wenn etwas dran ist an dem, was mir unterstellt wird, kann ich eher denken: Na ja, eigentlich hat der gar nicht so unrecht.«

Offenbar war sie anders gestrickt. Amelies Worte taten ihr deshalb so weh, weil sie in eine Wunde trafen, die bereits da war. Weil sie selbst ihr Leben und das, was sie daraus gemacht hatte, ständig, jeden Tag, infrage stellte. Weil sie schon oft gedacht hatte: Ich habe es vermasselt. An irgendeiner Stelle habe ich die falsche Abbiegung genommen. Habe etwas getan, was ich nicht hätte tun sollen. Oder habe etwas nicht getan, was ich hätte tun sollen. Die falsche Entscheidung. Aus Bequemlichkeit. Aus Angst. Aus Feigheit. Aus Unentschlossenheit. Menschen wie ich ergreifen Gelegenheiten nicht, wenn sie sich bieten. Sie bleiben im vertrauten Fahrwasser, selbst wenn dieses Wasser kalt und trüb ist und in eine Richtung fließt, die sie gar nicht wollen.

Sie trat vor den Spiegel, der neben dem Torbogen hing, durch den man vom Wohnzimmer ins Esszimmer gelangen konnte. Sie sah sich an, ihr verweintes Gesicht, die strähnigen Haare. Sie hätte längst wieder einmal zum Friseur gemusst. Es sollte ihr nicht so egal sein, wie sie aussah.

Es klingelte an der Tür.

Wahrscheinlich die Polizistin. Sie bat manchmal, die Toilette benutzen zu dürfen. Ihr Kollege schien das irgendwo auf der Wiese hinter dem Haus zu erledigen.

Deborah rubbelte an ihren Augen, machte es damit aber schlimmer. Na ja, und wenn schon, die Polizistin kannte sie sowieso nur verheult.

Sie ging zur Tür, öffnete sie. Vor ihr stand Alex Barnes. Er hatte eine Reisetasche in der Hand.

»Hallo«, sagte er.

Vom Auto her näherte sich der Polizist.

»Mr. Barnes. Sie wollen Mrs. Goldsby besuchen?«

Alex schien sogleich verunsichert. »Ich... also, es ist so...«

»Das ist schon in Ordnung«, sagte Deborah hastig. Sie griff Alex' Hand und zog ihn ins Haus. »Alex Barnes kann uns jederzeit besuchen.«

»Ich habe aber die Anweisung...«, begann der Polizist.

Sie lächelte ihn müde an und schloss die Haustür. Er wusste nicht, wie es war. Er wusste nicht, wie einsam sie war. Endlich ein Mensch, mit dem sie reden konnte. Sie würde sich das nicht von irgendwelchen *Anweisungen* kaputt machen lassen.

»Was heißt das, er wohnt jetzt hier?«, fragte Jason mit gedämpfter Stimme.

Deborah stand auf, schloss die Wohnzimmertür. Sie hatte auf Jason gewartet, nachdem Alex in einem der Gästezimmer verschwunden war.

»Vorübergehend. Ihm ist die Wohnung gekündigt worden.«

»So einfach kann keiner aus seiner Wohnung gekündigt werden!«

»Er hat wohl schon länger keine Miete bezahlt, und die Kündigung wurde auch schon vor einiger Zeit ausgesprochen. Jetzt wäre er zwangsgeräumt worden.«

Jason seufzte.

»Ich konnte ihn doch nicht wegschicken«, sagte Deborah. »Er hat unserem Kind das Leben gerettet.«

Jason seufzte erneut. Er war erschöpft, hatte den ganzen Tag gearbeitet und abends noch an einer Abschiedsfeier für einen scheidenden Kollegen teilnehmen müssen. Er hatte gehofft, daheim keine Probleme vorzufinden – jedenfalls nicht noch mehr Probleme als die ohnehin vorhandenen: seine traumatisierte Tochter, seine ständig weinende Frau, die Polizei vor der Haustür. Stattdessen erfuhr er, dass Alex Barnes bei ihnen eingezogen war und dass überdies die Polizistin im Haus vor Amelies Zimmertür Wache hielt, weil eigentlich Barnes nicht anwesend sein dürfte.

»Wieso hat Inspector Hale letztlich doch zugestimmt?«, fragte er.

»Weil ich es unbedingt wollte«, sagte Deborah. »Ich meine, was erwartet er? Wir verdanken diesem Mann und seinem Einsatz Amelies Leben. Er ist in einer Notlage. Hätte ich ihm sagen sollen, dass hier kein Platz für ihn ist?«

»Er ist bei der Polizei noch immer nicht endgültig von der Liste der Verdächtigen gestrichen.«

»Ich bitte dich, Jason! Amelie hat klipp und klar gesagt, dass sie ihn nie zuvor im Leben gesehen hat. Er ähnelt nicht im Geringsten dem Phantombild. Inspector Hale sieht die Wahrscheinlichkeit selbst als äußerst gering an, sonst hätte er gar nicht zugestimmt, dass er hier übernachtet.«

»Er hat uns zur Sicherheit immerhin eine Polizistin ins Haus gesetzt.«

»Ja und? Die bemerken wir doch gar nicht. Wir sind schließlich ein Gästehaus, wir haben ja die Unterbringungsmöglichkeiten.«

»Leider«, sagte Jason.

Das alte Thema. Sie starrten einander an, beide hilflos, beide gewillt, das Ganze nicht zu einem Streit werden zu lassen, aber doch wissend, dass sie sich in gefährlichem Fahrwasser bewegten.

»Was hast du gegen Barnes?«

»Nichts. Ich bin ihm sehr dankbar. Ich finde nur nicht, dass er hier wohnen muss.«

»Du hast ihm am Tag nach Amelies Rettung selbst gesagt, dass er hier immer willkommen ist.«

»Ja, habe ich. Ich habe das auch so gemeint. Aber ich dachte natürlich, er besucht uns. Wir laden ihn mal zum Essen ein … zum Grillen im Sommer oder zu einem Glas Wein an Weihnachten. Solche Dinge. Ich hatte nicht daran gedacht, dass er hier einzieht.«

»Wir müssen morgen sowieso eine andere Lösung finden«, sagte Deborah. »Hale möchte nicht, dass er länger bleibt.«

»Ich finde auch, dass …«

»Wir müssen ihm aber helfen. Wir können ihn jetzt nicht hängen lassen.«

»Wie willst du ihm denn helfen?«

»Wir müssen ihm Geld geben. Damit er sich eine Wohnung mieten kann.«

»Lieber Himmel!« Jason stand auf, nahm ein Glas und eine noch halbvolle Whiskyflasche aus dem Schrank. Er brauchte jetzt eine Stärkung. »Geld? Deborah, wir kommen selbst gerade so über die Runden!«

»Ich finde, so schlecht geht es uns nicht.«

»Nein, aber die Kreditraten sind schon belastend. Für ein einziges Einkommen sind sie...«

»Wieso einziges Einkommen? Ich verdiene schließlich auch.«

Er kippte den Whisky hinunter. »Du? Entschuldige, aber du kannst diese wenigen Einnahmen, die du während der Sommermonate verzeichnest, kaum *Verdienst* nennen!«

»Was ist es dann?«

»Die Umbauten, die wir machen mussten, damit du wenigstens ein Hobby hast, sind auch noch nicht abbezahlt!« Er war grausam, er wusste es. Aber er war so müde. Und er hatte alles so satt.

Ihre Lippen begannen schon wieder zu zittern. Er fragte sich, ob es in der näheren Zukunft irgendwann einen Tag geben würde, an dem sie nicht weinte. »Hobby? *Hobby?*«

»Entschuldige, aber sehr viel mehr ist es nicht. Es füllt dich nicht aus, bedeutet aber in jedem Sommer, dass hier wildfremde Menschen durch das Haus wandern und uns jede Privatsphäre rauben. Und das Geld ist auch nur...«

»Ich habe einiges zurücklegen können.«

»Ja, aber das brauchen wir für den Kredit, den wir für die Umbauten aufgenommen haben. Das ist doch kein *Gewinn!*«

»Ach so. Für dich ist ein Beruf nur etwas, das man zur Gewinnmaximierung macht? Dass er einem Freude macht und...«

Er unterbrach sie mit kalter Stimme. »Tut mir leid, wenn ich deine romantischen Vorstellungen zerstöre, aber in unserer Situation, mit einer Menge Schulden am Hals, spielt das Geld, das man mit einem Beruf verdient, durchaus eine Rolle. Ganz abgesehen davon habe ich aber auch nicht das Gefühl, dass dein sogenannter Beruf dir besonderen Spaß macht. Auf mich wirkst du jedenfalls absolut nicht wie eine glückliche Frau!«

»Wie wirke ich denn dann?«

»Schau dich doch an! Du siehst unzufrieden, zurzeit fast verbittert aus. Du nimmst Antidepressiva – glaube nicht, ich hätte die Schachtel im Badezimmerschrank nicht gesehen. Du weißt kaum noch, wie das geht: Lächeln. Lachen. Du brichst permanent in Tränen aus.«

»Das ist ja wohl kein Wunder nach allem, was …«

»Es war vor der Entführung dasselbe. Das weißt du auch genau. Die Geschichte mit Amelie hat sicher alles verschärft, aber sehr viel anders war es davor auch nicht.«

Deborah merkte, dass sie Kopfschmerzen bekam. Böse, stechende Schmerzen.

»Nur weil Alex Barnes hier für eine Nacht schläft, musst du …«

»Darum geht es doch gar nicht.«

»Damit hat es aber angefangen.«

Ja. Damit hatte es angefangen. Jason fragte sich, ob sein dummes Gefühl in dieser Sache objektive Gründe hatte. Oder war er einfach genervt – von den Gästen, die kamen und gingen, von dem Empfinden, kein Zuhause mehr zu haben, das nur ihm gehörte. Natürlich, sie mussten Barnes dankbar sein. Diesem arbeitslosen, nicht mehr ganz jungen Mann, der mit seinen Gelegenheitsjobs das Sozialamt betrog. Oder war das pharisäerhaft? Machten das heutzutage einfach alle, und nur bei Barnes bauschte er es auf?

»Wir sollten einfach etwas vorsichtiger sein.« Er bemühte sich um einen ausgeglichenen, unaufgeregten Tonfall. »Natürlich werden wir Alex Barnes in alle Ewigkeit dankbar sein. Aber... er ist in einer Lebenssituation, in der er auch zu einem Problem werden kann.«

»Weil er unsere Hilfe braucht?«

»Weil wir nicht wissen, wie viel Hilfe es am Ende sein wird und ob er irgendwann auf eigene Füße kommt.« Jetzt senkte Jason die Stimme. Man wusste schließlich nicht, ob Barnes irgendwo im Treppenhaus herumgeisterte. »Deborah, ich will ihn ja nicht schlechtmachen, aber...«

»Aber du tust es die ganze Zeit.«

»Ich benenne Fakten. Er ist arbeitslos. Seinen Job in der Pizzeria hat er nun auch verloren.«

»Dank der Tatsache, dass er unsere Tochter gerettet hat und dadurch plötzlich erklärungspflichtig gegenüber der Polizei wurde.«

»Ja. Aber es ist nun mal so. Nun wurde ihm auch noch die Wohnung gekündigt. Wenn ich seine etwas wirren Angaben richtig verstanden habe, verfügt er über keine abgeschlossene Berufsausbildung. Er hat dies und das angefangen, aber nie einen Abschluss gemacht. Er ist über dreißig und kann absolut nichts vorweisen, das bedeutet, es wird für ihn nicht einfach, irgendwann doch noch mal eine Arbeit zu finden. Seine Situation ist alles andere als rosig. Bis auf einen Lichtblick.«

»Welchen?«, fragte Deborah.

»Wir«, sagte Jason, »wir sind sein Lichtblick. Wir sind fast ein Sechser im Lotto für ihn.«

»Wir sind doch kein...«

»Doch. Überleg doch mal. Er ist arbeitslos, lebt von der mickrigen Sozialhilfe. Hat schon lange keine Miete mehr gezahlt, sitzt jetzt auf der Straße. Ich könnte mir vorstellen, dass er ziemlich verzweifelt ist, wenn er an seine Zukunft denkt. Und da kommen wir ins Spiel. Wir sind alles andere als reich, aber in seinen Augen äußerst gut situiert und wohlhabend. Er hat unserer Tochter das Leben gerettet, wir schulden ihm ewige Dankbarkeit. Er schätzt uns sicher als Menschen ein, die so etwas nie vergessen werden oder sich ihrer Verpflichtung irgendwann nicht mehr bewusst sein könnten, und damit liegt er ja auch richtig. Und schon... hat er hier ein neues Zuhause.«

»Das hat er gar nicht. Nur weil er heute...«

»Aber du sprichst doch schon davon, ihn nun zu unterstützen. Ihm zu helfen, eine Wohnung zu finden. Ihm Geld zu geben. Deborah, so wohlmeinend deine Hilfsbereitschaft ist, aber wie lange willst du das machen? Die nächsten Monate? Die nächsten Jahre? Die nächsten Jahrzehnte?«

»Er wird das nicht ausnutzen.«

»Kennst du ihn so gut, um das mit Sicherheit sagen zu können?«, fragte Jason.

Deborah schwieg. Schließlich sagte sie: »Nach allem, was er getan hat, können wir nicht einfach sagen, dass er uns nichts angeht. Wären wir reich, dann hätte er eine hohe Belohnung bekommen. Aber auch so... Wir können uns doch nicht einfach abwenden und ihn seinem Schicksal überlassen.«

»Ich bin ihm auch dankbar. Er hat Amelie aus dem Wasser gezogen. Das war großartig von ihm. Aber, ganz ehrlich, kannst du dir irgendjemanden vorstellen, der in dieser Situation *nicht* geholfen hätte? Der sie dort verzweifelt ums Überleben hätte kämpfen sehen und einfach weitergegangen wäre und gedacht hätte, was soll's, ist nicht meine Sache? Ich will nicht kleinreden, was Alex Barnes getan hat, aber es war auf der anderen Seite natürlich auch selbstverständlich, das zu tun.«

»Indem du das sagst, redest du es klein.«

»Nein. Ich sehe nur keinen Heiligen in ihm.«

Sie wandte sich ab. »Ich werde ihm trotzdem helfen. Mit meinem Geld.«

»Aha. Und ich darf dann den Kredit für die Umbauten übernehmen?«

Sie zuckte mit den Schultern.

»Du machst es dir leicht«, sagte Jason.

»Du dir auch«, gab sie zurück.

Er knallte sein Glas und die Flasche auf den Tisch und verließ das Zimmer.

Für heute reichte es ihm.

MITTWOCH, 1. NOVEMBER

1

Die Beamtin hieß Helen Bennett und war geschult in Psychologie. Sie war nett, fand Amelie. Sie hatte ihr angeboten, *Helen* zu ihr zu sagen, und falls sie einen beeindruckenden Dienstgrad hatte, so prahlte sie nicht damit, sondern hatte ihn im Gegenteil nicht einmal erwähnt. Sie erschien jeden Tag, setzte sich zu Amelie ins Zimmer, trank den Tee, den Deborah hinaufbrachte, und plauderte, als wäre sie eine nette Freundin, die sich nach den ganz normalen Geschehnissen des Alltags erkundigt. Irgendwann lenkte sie dann jedoch immer das Gespräch auf die Entführung.

Das war jedes Mal der Moment, in dem Amelie ausstieg.

Heute jedoch trank Helen keinen Tee. Weil Deborah keinen gebracht hatte. Sie war überhaupt nicht zu Hause, seltsamerweise. Seit Amelies Rückkehr hatte sie sich keinen Schritt weit mehr aus dem Haus bewegt, hatte wie ein Wachhund unten im Haus gesessen und war zwischendurch immer wieder nach oben gekommen. Hatte Amelie genervt mit ihren ewigen Angeboten. Ob sie einen Tee wollte? Einen Kakao? Ein Stück Kuchen? Ob sie einen Spaziergang machen wollte? Oder irgendein Kartenspiel spielen? Ob sie, ob sie, ob sie … Amelie hatte immer schroffer reagiert. Sie wusste, dass sie ihrer Mutter mit ihrer harschen Zurückweisung wehtat, aber sie wusste einfach nicht, wie sie sie ertragen sollte.

Jetzt war sie plötzlich weg. Eigentümlich. Ein wenig verstörend. Für Helen ganz bestimmt. Sie hatte sich immer so über den Tee gefreut und ganz viel Zucker in ihren Becher geschaufelt.

»Ich mag es gerne süß«, sagte sie dann immer.

Das sah man ihr allerdings auch an.

Zehn Kilo weniger würden ihr gut stehen, dachte Amelie, sie wäre dann richtig attraktiv.

»Deine Mutter ist gerade gegangen, als ich kam«, sagte Helen. »Wo wollte sie denn hin?«

Amelie zuckte die Schultern. »Keine Ahnung. Vielleicht einkaufen.«

Helen nickte. Sie zog sich den Schreibtischstuhl heran, setzte sich. Amelie kauerte auf der Bank, die unter dem Fenstergiebel stand. Sie hatte die Füße hochgezogen und hielt beide Arme um ihre Beine geschlungen. So saß sie die meiste Zeit über da. Auf dieser Bank unter dem Fenster. Über Stunden nahezu unbeweglich. Wenn sie den Kopf reckte, konnte sie hinausblicken, konnte allerdings nur den Himmel sehen. Ein Meer aus dicht geballten, dunkelgrauen Wolken. Seit Tagen kein Sonnenstrahl.

Helen plauderte eine Weile genau darüber, über das schreckliche Wetter und wie schwer es ihr fiel, am Morgen aufzustehen, und zwischendurch spielte sie mit den Ringen an ihren Fingern herum. Sonst hatte sie immer den Becher mit dem Tee gehalten und dadurch viel ruhiger gewirkt. Amelie erkannte erstmals, dass Helen nervös war.

Ein fehlender Becher Tee konnte manches verändern. Eine Kleinigkeit konnte bedeutsam sein.

»Jede Kleinigkeit könnte bedeutsam sein«, sagte Helen

lustigerweise gerade. »Alles, woran du dich erinnerst. Auch das, was dir unerheblich erscheint.«

Wie so häufig antwortete Amelie nicht. Sie fand das eigentlich ganz angenehm. Sie war traumatisiert, und das schien zu bedeuten, dass die normalen Regeln für sie nicht mehr galten. Sie konnte grob unhöflich sein, indem sie etwa über Stunden keine Antwort gab, und niemand wies sie deswegen zurecht. Alle blieben bemüht und freundlich.

Auch die arme Helen, die auf ihrem Stuhl hin und her rutschte und nicht wusste, wohin mit ihren Händen.

Schon seltsam, dass ihre Mutter nicht da war.

»Es ist eigenartig, dass meine Mutter fortgegangen ist«, sagte sie.

Helen reagierte erfreut. Wenigstens hatte Amelie etwas gesagt, auch wenn es für den Moment nicht zielführend war.

»Sie kommt bestimmt bald zurück.«

»Ist Alex eigentlich noch da?«

»Alex?«, fragte Helen.

»Alex Barnes. Der Mann, der mich gerettet hat. Er ist am Montag hier eingezogen.«

»Ach?« Helen wirkte überrascht. »Weiß DCI Hale darüber Bescheid?«

»Ja. Er war nicht begeistert. Deshalb sollte Mr. Barnes auch nur eine Nacht bleiben. Er war dann aber bis jetzt zwei Nächte da.«

»Hast du mit ihm gesprochen?«

»Nein.«

»Was empfindest du, wenn du an ihn denkst?«

»Was soll ich empfinden?«

»Er hat dir dein Leben gerettet.«

»Ich will daran nicht denken.« Die Wellen, die über ihr zusammenbrachen. Das Gefühl, sterben zu müssen. Die schmerzenden Hände …

Sie stöhnte leise.

»Amelie?«, fragte Helen alarmiert.

»Ich will einfach nicht daran denken. Ich will nicht. Es war zu schlimm. Dieser Abend war zu schlimm. Das furchtbare Wasser. Es war so kalt. Und meine Hände taten so schrecklich weh. Und ich hatte solche Angst. Ich dachte, ich müsste sterben.«

»Ich weiß, Amelie. Ich weiß.«

»Ich bin gesprungen«, sagte Amelie. »Ich bin ja selbst hineingesprungen. Ich wusste nicht, wohin. Ich dachte, er holt mich ein. Ich dachte, er ist direkt hinter mir. Ich konnte nicht mehr laufen, und ich wusste, er hat mich gleich. Jeden Moment.«

»Wer, Amelie? Wer genau war hinter dir her?«

»Der Mann aus dem Auto.«

»Der Mann, der dich in sein Auto gelockt hatte?«

Amelie schüttelte den Kopf. »Der andere Mann.«

Helen neigte sich vor. Sie hörte auf, ihre Finger zu kneten. »Da war ein zweiter Mann?«

Amelie fing an zu weinen. »Der mit dem Auto.«

»Der zweite Mann hatte auch ein Auto?«

»Das Auto, mit dem ich geflohen bin. Ich hatte mich darin versteckt. Ich bin damit geflohen.« Sie schlug die Hände vor das Gesicht. Die Tränen brachen in Strömen hervor. »Ich habe mich in dem Auto versteckt. Ich bin raus, als er anhielt. Und dann bin ich gerannt und gerannt ... um mein Leben. Um mein Scheißleben.«

Der Vermieter war nicht besonders angetan von Alex Barnes, das sah Deborah sofort. Alex' ganzer Aufzug war einfach zu schmuddelig – die abgetragenen Jeans, das nicht besonders saubere Sweatshirt, die ausgelatschten Turnschuhe. Die zu langen Haare. Und natürlich die Tatsache, dass er keinen Anstellungsvertrag vorweisen konnte, keine Bankauszüge, die ein regelmäßiges Einkommen nachwiesen. Er war nicht der Typ, auf den sich ein Vermieter mit einem Freudenschrei gestürzt hätte. Nicht einmal dann, wenn es um eine so schäbige Wohnung ging wie die, in der Deborah und Alex standen. Klein und dunkel.

»Nein«, sagte er. »Nein, nein. Das kommt nicht infrage. Da sehe ich ja nie auch nur das geringste bisschen Geld. Tut mir leid. Darauf kann ich mich nicht einlassen.«

Sie standen im Handumdrehen wieder auf der Straße. Der Vermieter entfernte sich eilig, wobei er Unverständliches vor sich hin murmelte. Dem Tonfall nach war er empört.

Deborah und Alex suchten das nächste Café auf, bestellten sich erst einmal jeder einen Kaffee, und Deborah versicherte, sie werde bezahlen, denn sie bemerkte Alex' unsicheren Blick.

»Das kann ich doch nicht annehmen«, sagte er unglücklich.

»Natürlich können Sie das«, sagte Deborah. »Eine Tasse Kaffee ist nun wirklich das Mindeste, was wir …«

»Wegen Amelie? Ich bitte Sie! Ich habe getan, was jeder getan hätte, der gerade vorbeigekommen wäre.«

Genauso hatte sich Jason geäußert. In Deborahs Augen schmälerte das Alex' Tat zwar nicht, aber sie verstand, was Jason meinte.

»Trotzdem. Sie haben Amelie gerettet. Und unser Leben wäre ohne Ihr mutiges Eingreifen vollkommen zerstört. Wir werden Ihnen das nie vergessen, Alex.«

»Für die Polizei bin ich noch nicht ganz reingewaschen.«

»Die Polizei verdächtigt immer erst einmal jeden, der, egal auf welche Weise, mit dem Opfer zu tun hatte«, erklärte Deborah. So hatte es ihr Kate schließlich gesagt, und sie musste es wissen. »Die haben am Anfang auch mich und Jason verdächtigt. Jason ganz besonders, weil er kein Alibi für die Tatzeit hatte. Das muss man sich einmal vorstellen: Der eigene Vater soll plötzlich ein Alibi vorweisen, weil seine Tochter verschwunden ist!«

»Es kommt wohl nicht so selten vor, dass Eltern ihren Kindern etwas antun«, meinte Alex. Er rührte in seiner Kaffeetasse, schob sich einen Löffel mit Milchschaum in den Mund. »Aber das ist ja in Ihrem Fall nun geklärt. Ihren eigenen Vater hätte Amelie erkannt, und ihre Täterbeschreibung ist nun wirklich eine andere.«

»Sie hätte auch Sie erkannt. Ich finde Inspector Hales Misstrauen etwas unangebracht«, sagte Deborah.

Alex zuckte mit den Schultern. »Egal. Ich weiß, dass ich nichts damit zu tun habe, und deshalb bin ich ziemlich gelassen. Was das betrifft jedenfalls«, fügte er hinzu.

Sie wusste, was er meinte. »Sie müssen eine neue Wohnung finden.«

Er nickte düster. »Es ist meine Schuld. Die Kündigung kam schon vor Monaten. Ich hätte mich früher kümmern müssen. Jetzt sitze ich auf der Straße.«

»Sie haben immer noch uns.«

»Hale hat gerade noch mal ein Auge zugedrückt. Für die nächste Nacht brauche ich etwas anderes.«

»Notfalls mieten wir ein Hotelzimmer.«

»Wir?«

Deborah merkte, dass ihre Bemerkung seltsam geklungen hatte. »Ich meine, Sie ziehen dort ein und ich bezahle.«

»Das kann ich nicht...«

»Sie können das annehmen, Alex. Ich möchte das für Sie tun. Bitte. Lassen Sie mich Ihnen doch zeigen, wie dankbar ich bin.«

»Ich komme mir vor wie ein Schmarotzer.«

»Nein. Das müssen Sie nicht. Das ist selbstverständlich.«

Deborah wusste, dass Jason das anders sah. Und sie konnte sich vorstellen, wie er reagieren würde, wenn Alex die nächsten Tage auf ihre Kosten in einem Hotel logieren würde. Egal. Es war ihre Entscheidung, und zunächst einmal auch ihr Geld.

Dennoch mussten sie schnell eine Wohnung finden.

»Wir werden das mit der Wohnung anders machen«, sagte sie. »Ich trete als Mieterin auf. Ich unterschreibe den Mietvertrag. Ich werde kein Problem haben.«

Er setzte den Kaffee ab und grinste. »Weil Sie so seriös sind! Im Unterschied zu mir.«

Das Wort *seriös* klang aus seinem Mund wie bitterer Spott, und es traf in eine Wunde, die schmerzte.

»Ich wirke vielleicht sehr seriös«, sagte Deborah, »aber innerlich...« Sie wusste nicht weiter. Er streckte den Arm aus, legte einen Moment lang seine Hand auf ihre.

»Ich wollte Ihnen nicht wehtun. Ich habe das ironisch gemeint, aber die Ironie bezog sich nicht auf Sie. Eher auf die Umwelt, die sich in der Einschätzung einer Person immer mit der Fassade zufriedengibt. Ihre Lebensumstände scheinen seriös zu sein. Verheiratet, eine Tochter. Ein schönes Haus. Ausreichend Geld. Das ist es, was man sieht. Und damit geben sich die meisten zufrieden.«

»Sie sich nicht?«

»Ich finde es interessant herauszufinden, wie die Menschen dahinter sind. Hinter dem, was sie der Welt zeigen. Nicht, dass ich es immer herausfinden würde. Und nicht, dass ich immer richtigläge in meiner Einschätzung. Natürlich nicht. Aber ich zweifle die Fassade zumindest an.«

Sie musste es einfach fragen. »Und was sehen Sie hinter meiner Fassade?«

Er musterte sie abschätzend, so als versuchte er buchstäblich durch ihre Haut und mehrere Schichten Gewebe hindurch in ihr Inneres zu blicken.

»Sie sind nicht besonders glücklich, oder? Mit Ihrem Leben?«

Sofort schossen ihr die Tränen in die Augen. Mist. Sie versuchte mit aller Macht, sie zu unterdrücken. Nur die Tatsache, dass jemand ihr Unglücklichsein ansprach, und dies auch noch in einem mitfühlenden Ton, reichte aus, dass sie mitten in der Stadt in einem Café losheulte.

»Nun ja…«, meinte sie vage.

»Aber ehrlicherweise geht das ja den meisten Menschen so«, sagte Alex. »Wir sind alle nicht ständig glücklich und zufrieden mit unserem Leben.«

»Das stimmt.« Es half nichts, sie musste sich über das Gesicht wischen. Ein paar Tränen liefen ihr über die Wangen. »Du lieber Himmel. Kein Grund zum Weinen. So unglücklich bin ich auch nicht. Es ist nur…«

»Was?«

»Amelie hat einen regelrechten Hass auf mich, und ich weiß nicht, warum. Jason ist von mir nur noch genervt. Und mein Beruf, das *Bed & Breakfast*, war eine idiotische Idee, die mich nicht zufriedenstellt. Das ist es in Kurzform.«

»Ihren Mann und Ihre Tochter ändern Sie nicht auf die Schnelle. Aber vielleicht Ihren Beruf?«

Sie merkte, dass sie Kopfschmerzen bekam.

Du willst jammern, aber du willst keinen Rat hören, sagte Jason oft zu ihr.

Weil Menschen, die einen Rat gaben, oft penetrant wurden. Auf die Umsetzung beharrten. Druck ausübten. *Was, du hast immer noch nichts an dir und deinem Leben geändert? Wo wir dir doch genau gesagt haben, was du tun sollst. Nun tu es doch endlich!*

»Ich ... möchte das ganze Projekt eigentlich nicht aufgeben. Ich käme mir ...« Sie sprach nicht weiter.

»Sie kämen sich wie eine Verliererin vor«, vollendete Alex ihren Satz.

»Ich ...« Die Stiche im Kopf wurden schärfer.

Er merkte es. »Entschuldigen Sie. Irgendwie stresse ich Sie gerade. Ich weiß ...«

»Was?«

»Ich weiß, wie schrecklich Menschen sind, die einem sagen, was man tun soll. Weil sie eben von außen nicht alles sehen.«

Für einen Mann verfügte er über ein ungewöhnlich hohes Maß an Einfühlungsvermögen und Selbstreflexion, fand Deborah. Dennoch fühlte sie sich in seiner Gegenwart nicht recht wohl. Irgendetwas an ihm erschien ihr ... undurchsichtig. Sie hatte das Gefühl, dass er zwar ihre Hilfsangebote immer wieder ablehnte, indem er darauf hinwies, wie selbstverständlich es gewesen war, was er in jener Nacht getan hatte. Aber gleichzeitig glaubte Deborah zu spüren, dass er sehr wohl auf ihre Dankbarkeit und Hilfe spekulierte. Er schien ihr nicht vollkommen aufrichtig, und das verwirrte sie.

»Wir sollten jetzt erst einmal ein Hotel für Sie finden«, schlug sie vor. Ihre Stimme klang wieder fest. »Und morgen gehen wir dann wieder auf Wohnungssuche.«

»Ihr Mann wird nicht sehr begeistert sein, wenn Sie

nun Wohnung und Hotel für mich übernehmen. In Teilen zumindest.«

»Mein Mann möchte Ihnen genauso wie ich unsere Dankbarkeit beweisen.«

Alex schüttelte den Kopf. »Nein. Das habe ich nun wirklich gemerkt. Ihm bin ich viel zu nah gerückt, indem ich bei Ihnen im Haus übernachtet habe.«

Er hatte recht, und sie widersprach nicht noch einmal. Sie legte ein paar Pfundnoten auf den Tisch, erhob sich und griff nach ihrem Mantel. »Kommen Sie. Machen Sie sich keine Gedanken. Sie werden bestimmt nicht unter einer Brücke schlafen müssen.«

Alex lächelte.

3

Der zweite Mann war die Sensation. Und dass sie erstmals einige Anhaltspunkte hatten, was Amelies Flucht anging. Caleb Hale merkte, dass er endlich wieder das Gefühl hatte, elektrisiert zu sein. Das hatte ewig gefehlt. Es hatte sich nichts bewegt, sie hatten gesucht und gestochert, sich bemüht, aus dem wenigen, was sie besaßen, etwas zu machen, und dabei gewusst, dass die vereinzelten kleinen Fragmente sie leicht in die falsche Richtung führen konnten. Weil die eigentlichen Teile fehlten. Jetzt hatten sie endlich einen neuen Ansatz. Und offenbar nun zwei potenzielle Täter.

»Ein zweiter Mann und eine Flucht im Auto«, sagte Caleb. »Das verändert vieles.«

Sie saßen in seinem Büro. Er und Sergeant Robert Stewart sowie die Polizeipsychologin Sergeant Helen Bennett. Helen war die Heldin der Stunde. Mit Engelsgeduld, Ausdauer und Beharrlichkeit hatte sie Amelie die neuen Informationen entlockt. Was vor allem Anlass zu der Hoffnung gab, dass es noch mehr werden würden. Amelie öffnete sich, wenn auch in sehr kleinen Schritten.

Aber immerhin: Sie tat es.

»Es bedeutet natürlich auch, dass wir aufhören können, in fußläufigem Radius rund um die Stelle, an der Amelie gerettet wurde, nach der Wohnung des Täters zu suchen«, sagte Robert. »Amelie war viel weiter weg. Wahrscheinlich war sie überhaupt nicht in Scarborough.«

»Das erklärt, weshalb ihre Sachen draußen in den Hochmooren gefunden wurden«, meinte Helen. »Das hatte uns ja immer gewundert.«

»Wobei ich vermute, dass sich auch dort in der Nähe keineswegs das Versteck des Täters befindet«, sagte Caleb. »So dumm wird er leider nicht sein. Die persönlichen Dinge seines Opfers in der Nähe seines Aufenthaltsortes zu entsorgen.«

»Aber sie sind dort vorbeigekommen«, sagte Robert. »Das sagt uns insgesamt etwas über die Richtung.«

»Leider wirklich nur sehr grob«, meinte Caleb. »Es gibt von dort aus jede nur denkbare Möglichkeit, wohin er dann weiter mit ihr gefahren sein kann.«

»Sie kann nur sehr vage angeben, wie lange sie im Auto war«, erläuterte Helen. Sie hatte natürlich nach der entscheidenden Information versucht, weitere Details von Amelie zu erfahren, aber es war nichts dabei, was auf den großen Durchbruch hoffen ließ. »Direkt nach der Entführung war sie betäubt. Da hat sie gar keine Ahnung. Und bei der Flucht… Sie meint, es könnte eine Dreiviertelstunde gewesen sein. Aber ehrlich gesagt, sie wirkte bei dieser Einschätzung sehr unsicher. Was natürlich auch angesichts der Umstände kein Wunder ist.«

»Dennoch werden wir vorläufig mit dieser Angabe arbeiten müssen«, sagte Caleb. »Und hoffen, dass sie nicht allzu weit danebenliegt.« Er spielte nervös mit einem Kugelschreiber herum. »Also, was haben wir? Helen, können Sie noch einmal zusammenfassen, was Sie bis jetzt aus ihr herausbekommen haben?«

Helen nickte, warf einen kurzen Blick auf ihre Notizen.

»Das Auto. Amelie weiß nicht, um welche Marke es sich handelt. Sie hat sich im Fußraum der Rücksitze zusammengekauert. Ich denke, daraus kann man schließen, dass es kein ganz kleiner Wagen war. Gefahren wurde er von einem Mann, der möglicherweise zuvor schon einmal bei dem Täter zu Besuch gewesen war. Amelie ist sich da nicht sicher, sie hat ihn nicht gesehen, aber meint, die Stimme wiedererkannt zu haben, wobei sie auch da schwankend scheint. Gesehen hat sie ihn übrigens auch beim zweiten Mal nicht, wir werden also leider keine Beschreibung bekommen. Sie hörte an jenem Freitag vor eineinhalb Wochen, dass sich die beiden Männer unterhielten und sah die Chance zur Flucht. Versteckte sich im Auto und wartete.«

»Da wüsste man jetzt gerne mehr«, sagte Robert. »War dieser Mann eingeweiht? Wahrscheinlich handelt es sich um einen Freund des Täters, jedoch nicht zwingend um einen Mittäter. Amelie hat ihn zuvor dort schon einmal wahrgenommen, zumindest hält sie das für möglich. Sein Gesicht hat sie also nie gesehen? Aber hat er sie gesehen? Von ihrer Anwesenheit gewusst? Wie sah es dort in dem Versteck überhaupt aus? Wo und wie genau wurde Amelie festgehalten? Offensichtlich war sie ja nicht in irgendeinem Keller eingesperrt, gefesselt womöglich. Sie hat immerhin mitbekommen, dass ein Besucher da war, und sie konnte sich in dem Auto verstecken. Das Auto wird draußen gestanden haben, sie konnte das Haus, die Hütte, was auch immer, verlassen. Hat das aber nicht genutzt, zu Fuß zu entkommen, sondern geht das größere Risiko ein, sich im Auto eines Fremden zu verstecken. Sie hätte entdeckt werden können.«

»Das könnte darauf hindeuten, dass sich das Versteck in der absoluten Wildnis befindet«, meinte Caleb. »Was ja in den Hochmooren durchaus der Fall sein kann. Sie wusste, dass sie zu Fuß keine Chance hätte und sich verlaufen, tagelang herumirren würde.«

»Hm«, machte Robert. »Und wieso hat der Täter nicht bemerkt, dass sie nicht mehr da ist, bevor der ominöse zweite Mann wieder weggefahren ist?«

Helen schüttelte bedauernd den Kopf. »Dazu sagt sie nichts. Gar nichts. Wann immer ich auf den Täter komme, auf das Versteck, auf die näheren Umstände ihres erzwungenen Aufenthaltes dort, auf diesen zweiten Mann, blockt sie sofort ab. Sie will dort einfach nicht wieder hin.«

»Vielleicht ändert sich das noch«, sagte Caleb. »Es muss sich einfach ändern, wir brauchen jede Menge Informationen. Sie scheinen ja einen sehr guten Zugang zu ihr zu haben, Helen.«

Helen errötete vor Freude. »Sie sagte also, die Fahrt könnte fünfundvierzig Minuten gedauert haben. Seltsamerweise erhielt der Fahrer in all der Zeit keinen Anruf vom Täter, der auf Amelies Flucht hinwies. Hätte der Täter Amelies Flucht entdeckt, hätte er eins und eins zusammengezählt und seinen Freund oder Bekannten angerufen. Hat Amelies Entführer also fast eine Stunde lang überhaupt nicht bemerkt, dass sie entkommen war? Um dies erklären zu können, bräuchten wir eine Beschreibung der örtlichen Gegebenheiten in dem Versteck. Und müssten wissen, wie diese Gefangenschaft aussah. Vielleicht war Amelie oft lange Zeit sich selbst überlassen, und daher blieb ihre Flucht unbemerkt. Jedenfalls hielten sie wohl schließlich an. Der Fahrer stieg aus, verriegelte das Auto aber nicht. Amelie schloss daraus, dass er ziemlich schnell zurückkehren würde. Sie stieß die Tür auf, sprang hinaus und rannte los. In die völlige Dunkelheit hinein. Sie hatte keine Ahnung, wo sie sich befand, nahm sich auch nicht die Zeit, sich umzusehen. Nahm aber aus dem Augenwinkel Straßenlaternen wahr. Ein kurzer steiler Wiesenhang gleich neben dem Auto, dann ein Weg, der steil bergab führte und voller Schotter war. Sie konnte das Meer hören. Sie hatte bis zum Schluss, also bis sie ins Wasser sprang, keine Vorstellung davon, wo sie war, obwohl sie die Gegend gut kennt. Sie war zu panisch. Fast kopflos und nur noch instinktgesteuert.«

»Dafür haben wir eine Vorstellung«, sagte Robert. »Ausgehend von der Stelle, an der Alex Barnes sie entdeckte, zusammen mit der Information, dass sie einen Schotterweg hinunterrannte, kann der Ort, an dem das Auto gehalten hat, nur der Parkplatz oben zwischen Sea Cliff Road und Wheatcroft Avenue gewesen sein. Das deckt sich mit der Beschreibung: Wiese, Schotter, der direkte Weg hinunter zum Strand. Das trifft nur an dieser Stelle zu.«

Caleb nickte. Ihm war das klar, er wohnte in der Wheatcroft Avenue. »Ich habe ein Spurensicherungsteam auf den Parkplatz geschickt. Die durchkämmen dort alles. Reichlich spät natürlich, aber es ist nicht ausgeschlossen, dass sie noch auf irgendetwas stoßen. Ich meine, durchsucht haben wir die gesamte Umgebung ja schon, aber nun lässt sich doch alles deutlicher eingrenzen. Und wir wissen, dass es um ein Auto geht. Wir haben klarere Anhaltspunkte.«

Das klang ein wenig nach Mutmachen, er merkte es selbst. Denn so richtig weiter brachte sie das alles noch nicht.

Helen fuhr in ihrer Schilderung der Abläufe fort. »Sie erreichte den Cleveland Way unten am Wasser. Rannte und rannte. Kurz vor dem Spa Complex meinte sie, einen Verfolger hinter sich zu hören. Oder genauer gesagt, sie ist überzeugt, dass ein Verfolger dicht hinter ihr war. Ich würde das mit Vorsicht beurteilen. Sturm und Regen und die donnernde Brandung…. Konnte sie wirklich jemanden hören? Wir wissen also nicht mit Sicherheit, ob der Fahrer des Autos ihre Flucht bemerkt hat und ihr gefolgt ist. Jedenfalls veränderte sie ihre Richtung, sprang nach rechts die Mauer hinunter und landete auf einer Art Terrasse unterhalb des Weges.«

Caleb und Robert nickten. Sie lebten beide seit Jahrzehnten in Scarborough. Sie wussten, von welcher Stelle Helen sprach.

»Sie blieb einen Moment lang unterhalb der Mauer stehen, zusammengekrümmt und ganz eng an die Steine gepresst. Sie sagt, ihr Verfolger sei oberhalb von ihr weitergerannt. Dann jedoch hörte sie, dass er zurückkam. Sie kletterte über den Zaun und sprang ins Wasser. Wir müssen, wie gesagt, der Information, dass sie verfolgt wurde, mit Zurückhaltung begegnen. Ich bin überzeugt, dass sie glaubt, was sie sagt. Dennoch kann ihr ihre Panik einen Streich gespielt haben.«

»Das ist sehr gut möglich«, stimmte Caleb zu. Er wusste, wie laut das Meer sein konnte, dass es jedes andere Geräusch übertönte. Wenn der Sturm die Brandung gegen die Küstenmauern schleuderte, konnte man sein eigenes Wort nicht mehr verstehen. Dennoch mochte es möglich sein, dass Amelie einen Verfolger wahrgenommen hatte. Vielleicht nicht akustisch, aber intuitiv. So etwas gab es. Es war allerdings genauso möglich, dass sie es sich nur eingebildet hatte, verfolgt zu werden.

Er rieb sich die Augen, eine Geste, mit der er sich und seine Gedanken zu ordnen versuchte.

»Ein paar Fragen tun sich auf.« Das war ziemlich untertrieben. Es tat sich eine Armada an Fragen auf, aber er musste sich jetzt auf die wichtigsten konzentrieren.

»Warum hielt der Fahrer oben auf diesem einsamen Parkplatz? Stieg aus, ohne das Auto zu verriegeln? Was dafür spricht, dass er tatsächlich gleich zurückkommen wollte. Also nicht dort oben irgendwo wohnt.«

»Er kann auch dort wohnen und vergessen haben, das Auto abzuschließen«, gab Robert zu bedenken.

»Aber dieser Parkplatz ist nicht der Ort, an dem die Anwohner parken«, meinte Caleb. »Zwei Straßen liegen direkt dahinter. Reine Wohnstraßen mit ausreichend Parkmöglichkeiten am Straßenrand, abgesehen davon, dass die meisten Häuser Garagen haben. Niemand parkt auf diesem Parkplatz. Er ist für Ausflügler gedacht und wird auch nahezu ausschließlich von solchen benutzt. Wirklich. Ich kriege das ja mit.«

»*Nahezu* ausschließlich«, sagte Robert. »Es gibt ja kein Gesetz, dass es genauso sein muss.«

»Aber eine Wahrscheinlichkeit«, entgegnete Caleb.

»Und wenn er in einer der Straßen geparkt hat?«, fragte Robert. »Amelie ist sich ja in nichts sicher, nicht einmal, was den Parkplatz angeht.«

Helen schüttelte den Kopf. »Sie spricht von dem Wiesenhang, der sich unmittelbar vor ihren Füßen auftat und von dem aus sie auf den Schotterweg stieß. Von Dunkelheit und nur einigen entfernten Laternen. Da war sie ziemlich präzise.«

»Wir sollten trotzdem nicht ausschließen, dass der Fahrer dort irgendwo wohnt«, beharrte Robert. »Oder jemanden dort besucht hat. Und in der Eile vergessen hat, den Wagen abzuschließen. Er wusste ja nicht, dass er einen blinden Passagier mit sich führte.«

»Wir werden natürlich eine Anwohnerbefragung durchführen«, sagte Caleb. »Und die Autos von allen, die dort wohnen, überprüfen. David Chapland, der zweite Mann, der auftauchte und half, Amelie an Land zu ziehen, wohnt übrigens in der Sea Cliff Road. Kann ein Zufall sein. Trotzdem werde ich ihn auch noch einmal sehr genau unter die Lupe nehmen.«

»Der Fahrer könnte auch einfach ausgestiegen sein, um zu pinkeln«, meinte Robert. »Da schließt man dann auch nicht extra ab.«

Caleb runzelte die Stirn. »Komische Stelle dafür. Am Ende zweier Wohnstraßen. Man kommt dort nicht einfach vorbei, man fährt dort gezielt hin.«

»Er hatte sich verfahren, irrte herum, musste dringend pinkeln und sah den Parkplatz«, sagte Robert.

»Hm.« Caleb war nicht überzeugt, ließ das aber vorläufig so stehen.

»In diesem Fall«, führte Helen aus, »ist er schnell zum Auto zurückgekommen und hat gesehen, dass die hintere Tür offen stand. Beziehungsweise, er stand wahrscheinlich so nah am Auto, dass er gleich bemerkte, als Amelie floh. Das spricht für Amelies Behauptung, ihren Verfolger dicht hinter sich gehört zu haben.«

»Erstaunlich, dass es ihr dann überhaupt gelungen ist zu entkommen«, meinte Caleb.

»Sie hatte das Überraschungsmoment auf ihrer Seite und war wendiger und behänder als er, vermute ich«, sagte Helen. »Und sie hatte nichts zu verlieren. Sie stürzte los. Er dürfte gezögert haben, ihr in die Finsternis durch Sturm und Regen und ziemlich steil bergab nachzurennen. Selbst wenn er wusste, dass sein Freund oder Bekannter ein Mädchen gekidnappt hatte, wird es einen Moment gedauert haben, ehe ihm klar wurde, dass es sich bei der Person, die da aus seinem Wagen sprang, um ebendieses Mädchen handeln könnte. Aber möglicherweise hatte er auch gar keine Ahnung von ihrer Existenz. Es dürfte ihn sehr überrascht haben, plötzlich jemanden aus seinem Auto springen zu sehen. Er hat dann vielleicht vermutet, beklaut worden zu sein, und lief deswegen hinterher. Trotzdem gibt es an dieser Stelle, um diese Uhrzeit, bei diesem Wetter eine Hemmschwelle, die man überwinden muss. Diesen Weg hinunterzujagen ist wirklich gefährlich.«

»Mir ist zudem immer noch unklar, wie und wo wir den heldenhaften Retter einzuordnen haben«, sagte Caleb. »Alex Barnes. Er kommt kurz darauf aus der Stadt den Cleveland Way entlang. Was wirklich sehr, sehr eigentümlich ist. Es ist sehr spät, es regnet und stürmt. Und zu seiner Wohnung ist es auch noch ein ziemlicher Umweg. Warum macht jemand das?«

»Das hatten wir doch schon«, sagte Robert müde. Er fand es manchmal anstrengend, dass sich der Chef so unermüdlich in immer dieselben Fragen verbeißen konnte, obwohl sich hier nun wirklich gerade ganz neue Ermittlungsansätze ergeben hatten. Andererseits: Es *war* merkwürdig. Alex Barnes war merkwürdig. Sein Verhalten war merkwürdig. Das machte ihn jedoch nicht zum Verbrecher. Menschen benahmen sich einfach dann und wann seltsam.

»Eigentlich müsste Barnes doch Amelies Verfolger begegnet sein«, sagte Caleb. »Ohne zu wissen, dass es sich um einen Verfolger handelt. Aber er müsste irgendjemandem begegnet sein, was um diese Zeit an diesem Ort doch in Erinnerung bleibt.«

»Wenn Amelie tatsächlich verfolgt wurde und sich das nicht nur eingebildet hat«, wandte Helen ein. »Und wenn der

Verfolger tatsächlich rasch wieder umgekehrt und zurückgelaufen ist, muss er Barnes keineswegs begegnet sein.«

»Oder Alex Barnes kam ohnehin viel später. Als der andere längst weg war«, meinte Robert.

»Keinesfalls kann sich Amelie lange dort im Wasser gehalten haben«, sagte Caleb. »Sie spricht von *einer Ewigkeit*, aber in dieser Situation dehnen sich schon fünf Minuten ins Unendliche. Ich glaube, dass alles ziemlich dicht hintereinander passierte: Sie rennt den Berg hinunter, glaubt den Verfolger hinter sich, duckt sich unter die Mauer. Hört den Verfolger vorbeilaufen und meint Sekunden später zu hören, dass er zurückkommt. Laut ihrer Schilderung kletterte sie daraufhin über den Zaun und sprang ins Wasser. Hält sich dann an den glitschigen Steinen fest. Die Wellen schlagen immer wieder über ihr zusammen. Alex Barnes *muss* sehr schnell aufgetaucht sein.«

»Sie hatte eine Kerbe in den Steinen erwischt, daher konnte sie sich einigermaßen gut festhalten«, sagte Robert. »Und die Brandung, so furchtbar sie war, hat sie auch immer wieder gegen die Mauer gedrückt. Ich glaube schon, dass sie sich eine ganze Weile halten konnte.«

»Man müsste das unter ähnlichen Umständen direkt einmal testen«, schlug Caleb vor, sah aber wenig Begeisterung auf den Gesichtern seiner Mitarbeiter. Unwahrscheinlich, dass er einen Freiwilligen finden würde.

»Ich möchte auch Barnes noch einmal sehr gründlich überprüfen«, fuhr er fort. »Am liebsten hätte ich einen Durchsuchungsbeschluss für seine Wohnung, aber das ist zum gegenwärtigen Zeitpunkt sicher reines Wunschdenken. Aber ich will ihn durchleuchten, so weit es geht. Und so lange vernehmen, bis er mir einen vernünftigen Grund für seine Anwesenheit zu jenem Zeitpunkt an jenem Ort nennen kann.«

»Was vermuten Sie denn, Sir?«, fragte Helen beunruhigt.

»Gesetzt den Fall, Alex Barnes ist der Fahrer des Wagens. Und der Verfolger. Amelie hat angegeben, diesen Mann nie gesehen zu haben, insofern könnte sie ihn nicht identifizieren. Sie kennt nur die Stimme, und auch da ist sie unsicher. Nehmen wir an, alles, was sie sagt, ist real und nicht nur auf Einbildung, Panik und völlig überreizte Nerven zurückzuführen: Der Fahrer ist *tatsächlich* dicht hinter ihr. Er läuft *tatsächlich* an ihr vorbei, als sie unterhalb der Mauer steht. Er dreht *tatsächlich* um und kommt zurück. Sie springt ins Wasser.«

»Sie hat um Hilfe geschrien«, erinnerte Robert.

»Das ist absolut kein Widerspruch«, warf Helen ein. »Sie hatte Todesangst da im Wasser. Sie schrie instinktiv, trotz ihrer Angst, dass ihr Verfolger sie hört. In solchen Situationen laufen die Dinge nicht rational ab.«

»Er entdeckt sie. Und greift nach ihren Händen.«

»Und hält sie fest?«, fragte Robert ungläubig.

»Was, wenn sie als Festhalten interpretiert hat, was in Wahrheit der Versuch war, ihre Hände von der Mauer zu lösen und sie ins Wasser zu werfen?«

»Ich weiß nicht, das klingt …«

»Sie einfach ins Wasser zurückzustoßen ist viel zu riskant«, sagte Helen, und ihre Stimme klang, als beginne sie sich für Calebs Sicht der Dinge zu erwärmen. »Denn es ist keineswegs gesagt, dass sie dann ertrinkt. Sie kann sich schwimmend immer noch retten. Hat dann aber auch begriffen, dass Barnes der Mann ist, in dessen Auto sie sich versteckt hat. Sie kann dann beide identifizieren: Ihren Entführer und seinen Freund. Von dem wir nicht sicher wissen, ob es sich bei ihm um einen Komplizen handelt. Aber wir können es mit einiger Wahrscheinlichkeit annehmen – wenn er Amelie tatsächlich so ausdauernd verfolgt hat. Das tut jemand, der weiß, dass sie eine Gefahr darstellt, wenn sie entkommt.«

Caleb warf ihr einen dankbaren Blick zu.

»Warum ziehen wir nicht in Betracht, dass er sie wirklich aus dem Wasser holen wollte?«, fuhr Helen fort. »Um kein Risiko einzugehen. Um sie zu seinem Komplizen in das Versteck zurückzubringen. Auch wenn wir bisher völlig im Dunkeln tappen, was das Motiv für Amelie Goldsbys Entführung sein könnte, so war sie ja ihre Beute, die sich diese beiden Männer vielleicht nicht so einfach wieder entgehen lassen wollten. Und sie war inzwischen eine Gefahr. Er wollte sichergehen. Dazu musste er sie an Land holen. Was sich unerwartet schwierig gestaltete. Er kämpft. Amelie sieht ihn als Retter. Was er danach mit ihr vorhat, weiß sie ja nicht. Und dann hat sie einfach riesiges Glück. Und Barnes richtig Pech: Ein anderer Mann taucht auf. David Chapland. Er eilt sofort zu Hilfe, verständigt Polizei und Notarzt. Die Situation ist entglitten. Barnes kann jetzt nur noch so tun, als sei er zufällig vorbeigekommen und habe Amelie retten wollen.«

»Das Ganze hat zwei Haken«, sagte Robert.

»Welche?«, fragte Caleb gereizt.

»Erstens: Alex Barnes war wirklich in der Pizzeria und hat dort bedient, als Amelie flüchtete. Und zweitens: Er hat überhaupt kein Auto.«

Alle schwiegen.

»Stimmt«, gab Helen zu.

»Verdammt«, sagte Caleb.

»Und noch etwas«, sagte Robert. »Er hat ja seine Wohnung verloren. Deshalb ist er ja bei den Goldsbys aufgekreuzt. Ich meine, falls wir irgendwann einen Durchsuchungsbeschluss ...«

»Ich bin ein Idiot!« Caleb sprang auf. »Natürlich, die

Kündigung. Wenn die in der Wohnung alles renovieren, sind mögliche Spuren komplett vernichtet. Wir haben noch keinen Beschluss, aber wir müssen den Vermieter stoppen. Vielleicht lässt er sich darauf ein. Vielleicht lässt er uns sogar ohne Beschluss in die Wohnung.«

»Sir, wir müssen im Auge haben, dass alles, was wir möglicherweise herausfinden, am Ende auch vor Gericht Bestand hat«, warnte Robert. »Keine Formfehler.«

»Das wäre keiner. Aber klar, wir müssen Ruhe bewahren. Aber wenn Alex Barnes etwas mit der ganzen Sache zu tun hat, dann führt er uns nicht nur zu dem Mann, der Amelie Goldsby entführt hat. Er führt uns möglicherweise auch zu dem Mörder von Saskia Morris.«

»Sie meinen, dass der Fall Goldsby und der Fall Morris zusammenhängen?«, fragte Helen.

Caleb zuckte die Schultern. »Ich halte es für nicht ganz ausgeschlossen.«

Robert Stewart seufzte leise. Es war ein Problem mit Caleb Hale, so genial er sein konnte, dass er sich manchmal zu sehr fokussierte. Auf den einen infrage kommenden Täter. Auf den einen dem Fall zugrundeliegenden Ablauf. Manchmal war er dadurch schnell und zupackend und entscheidungsfreudig gewesen, hatte im richtigen Moment das Richtige getan und den Fall zu einem Zeitpunkt bereits gelöst, zu dem Robert, der ewige Zweifler, noch in seinen eigenen verschiedenen Theorien festhing. Aber manchmal hatte er sich auch verbissen, hatte andere Varianten nicht mehr gesehen, hatte die Möglichkeit, dass er sich irren könnte, aus den Augen verloren.

Jetzt schoss er sich auf Alex Barnes ein. Robert fand, dass eine Menge gegen diese Theorie sprach, vor allem, dass Barnes tatsächlich den ganzen Abend über gekellnert hatte, was sowohl von seinem Arbeitgeber als auch von jeder Menge

Gäste bezeugt werden konnte. Robert wusste, dass es trotzdem richtig war, jeder Idee nachzugehen, und sei es nur, um sie endgültig ausschließen zu können. Das war nicht das Problem. Das Problem war, dass Caleb sich manchmal weigerte auszuschließen, was offenkundig auszuschließen war. Er bog dann die Dinge so lange zurecht, bis sie irgendwie passten. In sein Bild. In Wahrheit passten sie dann natürlich trotzdem nicht.

»Machen Sie den Vermieter von Alex Barnes' Wohnung ausfindig«, sagte Caleb, »und ersuchen Sie ihn, alles in der Wohnung unangetastet zu lassen. Wir brauchen auch dort eine Nachbarschaftsbefragung. Hat jemand dort Barnes mit einem Auto gesehen? Woher könnte er ein Auto gehabt haben? Egal, ob er an jenem Abend in der Pizzeria war, ich will das trotzdem wissen. Und dann will ich Barnes selbst noch einmal sprechen. Weiß jemand, wo er sich aufhält?«

Robert und Helen schüttelten beide den Kopf.

»Finden Sie ihn«, befahl Caleb.

»In Ordnung«, sagte Robert.

FREITAG, 3. NOVEMBER

I

Es war nicht so, dass sich Carol bemüßigt gesehen hätte, die Arbeit zu tun, die eigentlich die Polizei hätte tun sollen, aber es machte sie fast wahnsinnig, dass einfach gar nichts passierte. Mandys Verschwinden war längst angezeigt worden, auch die Umstände des Verschwindens, und irgendwie geschah... nichts. Zumindest nichts, wovon man in der Öffentlichkeit irgendetwas mitbekommen hätte. Wenn sie daran dachte, welchen Wirbel das Verschwinden Amelie Goldsbys vor fast drei Wochen ausgelöst hatte. Die Presse hatte sich mit Meldungen überschlagen, und überall hatte man Polizei gesehen, Suchtrupps waren losgezogen... Nichts von alldem geschah jetzt. Natürlich lag das daran, dass Mandy ganz offensichtlich und eindeutig von zu Hause ausgerissen war. Bei Amelie war man von einem Verbrechen ausgegangen, zumindest hatte man das in Erwägung gezogen. Mandy hingegen reihte sich nahtlos in die Masse jugendlicher Ausreißer ein, die es in jedem Jahr in Großbritannien gab, die aus irgendwelchen Gründen ihr Zuhause verließen und untertauchten – manchmal kreuzten sie nach kurzer Zeit wieder auf, manchmal nach längerer Zeit, und manchmal hörte man nie wieder von ihnen.

Schrecklich für die Familien, aber die Polizei hätte ein Tausendfaches an Ressourcen gebraucht, in jedem einzelnen dieser Fälle intensive Nachforschungen anzustellen. Carol wusste das, aber dennoch ... Lag nicht dieser Fall anders? Da draußen trieb sich jemand herum, der Teenager entführte und ermordete. Junge Mädchen, genau in Mandys Alter. Saskia Morris war brutal ermordet worden, Amelie Goldsby hatte entkommen können. Carol konnte sich vorstellen, dass der Täter nun nach einem neuen Opfer Ausschau hielt. Mandy war schutzlos da draußen unterwegs. Ein leichtes Opfer für böse Menschen.

An diesem Freitagnachmittag suchte sie die Familie Allard noch einmal auf, in der vagen Hoffnung, man hätte dort vielleicht irgendetwas gehört. Carol konnte sich gut vorstellen, dass Patsy Allard nicht von sich aus zur Polizei gehen würde, selbst wenn ihr einfiel, wo ihre Tochter sein könnte, oder wenn sie ein Lebenszeichen bekam. Der Vorwurf der Körperverletzung stand im Raum. Bislang war nichts zu ahnden, weil keine der Aussagen überprüft werden konnte. Mandys Schwester Lynn hatte von einer erheblichen Verbrennung berichtet, Patsy Allard hingegen sprach von einem Spritzer, den Mandy abbekommen hatte. War Mandy erst zurück, würde sich die Geschichte überprüfen lassen, und möglicherweise würde das unangenehme Konsequenzen für ihre Mutter haben. Das reichte für eine Frau wie Patsy aus, die Dinge lieber auf sich beruhen zu lassen, als aktiv dazu beizutragen, dass ihre Tochter gefunden wurde.

Ein eisiger Wind wehte an diesem Tag aus nordöstlicher Richtung vom Meer her, und selbst die Heizung im Haus der Allards schien an Kraft verloren zu haben. Wahrscheinlich kam sie gegen die klapprigen, schlecht schließenden Fenster nicht mehr an. Oder war ausgeschaltet. Es war jedenfalls fröstelig in der Küche, fand Carol. Wie üblich hatte Patsy ihr nichts angeboten, hatte bei ihrem Anblick genervt die Augen verdreht. Marlon saß am Tisch und starrte vor sich hin.

»Wir wissen nichts«, sagte Patsy. Sie lehnte am Herd. Auch das war wie immer. Sie setzte sich nicht. Es war ihre Art zu sagen, dass Carol bitte nicht zu lange bleiben möge.

»Ich kenne ja einige Bekannte von Mandy«, sagte Carol. Das Wort *Freunde* war tatsächlich leider unangebracht. »Aus meinen Gesprächen mit ihr. Ich bin bei allen gewesen. Niemand weiß etwas. Niemand hat etwas gehört.«

»Tja«, sagte Patsy.

»Patsy, sie muss bei jemandem sein. Sie kann da draußen nicht alleine seit Wochen überleben. Es ist kalt. Sie hat kein Geld. Sie ist verletzt. Sie …«

»Diesen Spritzer am Oberarm kann man nun wirklich nicht als Verletzung bezeichnen«, sagte Patsy sofort.

Carol seufzte. »Wie auch immer. Machen Sie sich denn gar keine Sorgen?«

»Mandy ist clever. Und was soll ich schon tun? Es war ihre Entscheidung, uns zu verlassen. Unsere Tür steht ihr immer offen. Sie kann jederzeit zurückkehren«, sagte Patsy.

Carol wusste, dass sich Mandy wahrscheinlich eher die Zunge abbeißen würde, als das zu tun.

»Ein Mädchen ist ermordet worden«, sagte sie. »Saskia Morris. Eine andere wurde entführt, konnte entkommen. Der Täter ist noch nicht gefasst. Er treibt sich weiterhin da draußen rum.«

»Mandy ist clever«, wiederholte Patsy. »Die geht nicht mit irgendeinem Kerl mit. Dafür ist sie zu schlau.«

»Sie könnte in eine Situation kommen, in der sie mit jedem mitgeht, weil sie dringend etwas zu essen braucht oder sich aufwärmen muss. Ich weiß, dass Mandy weder naiv noch dumm ist, aber dem Leben auf der Straße zu dieser Jahreszeit ist sie nicht gewachsen. Definitiv nicht.«

»Ich weiß nicht, wo sie ist«, wiederholte Patsy. »Aber ich bin sicher, dass sie einen Unterschlupf hat. Sonst wäre sie längst wieder hier aufgekreuzt.«

»Und wenn es ihr schlecht geht? Wenn sie in Gefahr ist?«

»Ist sie nicht. Ich spüre das«, behauptete Patsy. »Eine Mutter spürt so etwas immer.«

»Nun, ich bin nicht sicher, ob man das …«, begann Carol, aber Patsy unterbrach sie mit scharfer Stimme. »Ob Sie sicher sind oder nicht, interessiert mich nicht. Sie können überhaupt nicht sicher oder unsicher sein, weil Sie keine Ahnung haben. Nicht die geringste. Sie haben schließlich keine Kinder, woher sollten Sie also die Gefühle oder Instinkte einer Mutter kennen? Vielleicht heiraten Sie mal endlich und werden schwanger.«

Carol war nicht gewillt, das Thema zu wechseln.

»Um mich geht es jetzt nicht«, erwiderte sie so kühl wie möglich. »Sondern um Ihre Tochter. Sie sollten sich ein wenig mehr engagieren, Patsy. Irgendwann taucht Mandy wieder auf, und der Streit zwischen Ihnen, dessentwegen sie weggelaufen ist, kommt zur Sprache. Es kann sich für Sie nützlich auswirken, wenn Sie dann nicht auch noch erklären müssen, weshalb es Ihnen über Wochen völlig egal war, wo sich Ihre minderjährige Tochter eigentlich aufhält.«

Patsy bekam schmale Augen. »Sie drohen mir?«

»Ich weise Sie auf Tatsachen hin. Nichts weiter.«

»Sie sollten jetzt gehen. Ich kann Ihnen keine Auskunft geben. Egal, wie lange Sie jetzt noch auf mich einreden!«

Carol erhob sich. »Sollte Ihnen doch noch etwas einfallen – Sie wissen ja, wo und wie Sie mich erreichen.«

Patsy erwiderte nichts. Sie rührte sich nicht von der Stelle. Carol ging alleine zur Haustür. In den letzten Minuten war ihr heiß geworden, trotz der Kälte, die in der Küche herrschte. Sie machte sich entsetzliche Sorgen um Mandy, und sie fühlte sich von aller Welt im Stich gelassen. Von der Polizei, von Mandys Familie. Sogar von Irene, ihrer Chefin.

»Wir können da im Moment nichts tun«, hatte sie gesagt. »So ist das nun mal. Verbrauchen Sie nicht Ihre Energien, Carol, indem Sie sich an etwas aufreiben, auf das Sie keinerlei Einfluss haben.«

Sie zog die Tür hinter sich zu, stand auf der Straße mit den ärmlichen Häuserzeilen rechts und links und blinzelte die Tränen aus den Augen. Sie engagierte sich zu sehr, das war das Problem. Sie lernte es einfach nicht, die Menschen und Geschehnisse, mit denen sie sich beruflich beschäftigte, auf Abstand zu halten. Irgendwann auch einmal eine Zugbrücke hochzuziehen und Carol die Privatperson zu sein.

Sie hatte an diesem Tag nur schwer einen Parkplatz gefunden und musste ein großes Stück laufen. Als sie ihr Auto fast erreicht hatte, vernahm sie plötzlich eilige Schritte hinter sich. Sie drehte sich um und gewahrte zu ihrer Überraschung Marlon Allard, der ihr nachgeeilt kam. Er sah verstört und ängstlich aus.

»Psst«, machte er, als er sie erreichte. Er keuchte. Um seine körperliche Kondition schien es nicht besonders gut bestellt. »Psst!«

Er sah sich vorsichtig um, wahrscheinlich um sicherzugehen, dass Patsy ihm nicht gefolgt war. Hätte Carol die Situation um Mandy nicht als so bedrohlich empfunden, sie hätte lachen müssen. Marlons Angst vor seiner Frau hatte etwas Komisches.

»Patsy denkt, ich bin oben im Haus und habe mich kurz hingelegt«, wisperte er, »sie darf nicht sehen, dass ich mit Ihnen spreche.«

»Sie wissen etwas über Mandy?«, fragte Carol sofort.

Marlon schüttelte den Kopf. »Ich weiß leider gar nichts. Aber mir ist eingefallen, dass sie mal jemanden erwähnt hat... einen Mann... Er könnte so etwas wie ein Freund sein.«

»Wer ist das?«

»Ich kenne seinen richtigen Namen nicht. Er wird nur *Cat* genannt. Weil er so viele Katzen hat. Er wohnt wohl in einem abbruchreifen Haus in der Elm Road. So hat Mandy es mir einmal erzählt. Ich glaube nicht, dass er ihr fester Freund ist im Sinne von... also im Sinne einer Liebesbeziehung. Das nicht. Aber sie chatten wohl viel, und sie vertraut ihm.«

Carol legte ihm ihre Hand auf den Arm. »Danke, Marlon. Danke. Ich fahre sofort dorthin.«

»Ich mache mir Sorgen«, murmelte Marlon. Seine Augen blickten sie düster und traurig an. Die Schwere seines missglückten Lebens lag darin, und die Angst um seine Tochter. »Große Sorgen. Mandy ist nicht so clever, wie Patsy meint. Manchmal ist sie einfach ein kleines Mädchen. Sie kann bestimmt nicht alle Gefahren einschätzen, die da draußen lauern, und ich kann mir vorstellen, dass sie sich von Tag zu Tag immer hilfloser fühlt.«

»Genau das denke ich auch«, sagte Carol sanft. »Es ist gut, dass Sie mir diesen Hinweis gegeben haben, Marlon.«

Er seufzte schwer. Dann drehte er sich um und ging den Weg zurück zu seinem Haus. Langsam, mit schweren, schleppenden Schritten. Und mit tief gesenktem Kopf.

Sie fand das abbruchreife Haus sofort. Es gab in dieser Ecke der Stadt einige Häuser, die nicht mehr bewohnt wurden und ziemlich verfallen aussahen, aber bei nur einem von ihnen strich gerade eine Katze um die Mauern und verschwand dann in der Dunkelheit. Hier musste der ominöse Cat wohnen. Carol schauderte es. Das Haus gehörte längst abgesperrt und mit Warnschildern versehen. Es sah tatsächlich so aus, als könnte es jeden Augenblick in sich zusammenstürzen.

Die Haustür hing schief in den Angeln und war nicht verschlossen, sie gab sofort nach, als Carol dagegendrückte. Es roch intensiv nach Katzenurin, das ganze Haus schien davon durchtränkt. Da es draußen schon ziemlich dunkel war und das Haus nur kleine, teilweise mit Brettern zugenagelte Fenster hatte, konnte Carol nur mühsam etwas erkennen, aber sie sah, dass die Treppe, die nach oben führte, völlig kaputt und nicht mehr begehbar war. Dafür gab es eine steinerne Treppe hinunter in den Keller, und dort unten gewahrte sie einen Lichtschein. Sie nahm allen Mut zusammen – sie hatte wirklich Angst in dieser Bruchbude – und stieg in den Keller hinunter.

Sie gelangte in einen völlig fensterlosen Raum mit steinernen Wänden, in dem die Luft kalt und feucht war, aber die düstere Atmosphäre erhellte sich durch die vielen Kerzen, die auf Mauervorsprüngen, in Nischen und Winkeln und auf allen Regalen standen und ihren flackernden Schein verbreiteten. Und überall befanden sich Katzen: Zehn, fünfzehn oder gar zwanzig mochten es sein, so schnell konnte Carol das gar nicht zählen. Auf einer fleckigen Matratze lag ein junger Mann mit langen Haaren und in ziemlich verdreckter Kleidung. Er hielt die Augen geschlossen und rauchte hingebungsvoll eine Zigarette – oder einen Joint eher, vermutete Carol. Außer dem Geruch nach Katzen roch sie Hasch. Die Mischung war betäubend.

Neben dem Mann saß eine Frau, und auf den ersten Blick wusste Carol, dass es sich nicht um Mandy handelte. Diese Frau war mindestens zwanzig Jahre alt, hatte hagere Züge und war so abgemagert, dass es schon gefährlich schien. Ihre langen verfilzten Haare hätten ebenso wie ihre Kleidung dringend einer Wäsche bedurft. Ab und zu griff sie nach dem Joint des Mannes, nahm einen tiefen Zug und gab ihn dann zurück. Auch sie hatte die Augen geschlossen. Beide wirkten völlig selbstvergessen und entrückt.

»Hallo«, sagte Carol.

Die Frau öffnete die Augen. Ihr Blick wirkte etwas verschwommen.

»Hallo«, sagte sie.

»Ich suche Mandy«, sagte Carol. »Mandy Allard. Ist sie hier?«

Sie wusste nicht, mit welcher Reaktion sie gerechnet hatte, aber nicht damit, dass die junge Frau wie elektrisiert aufspringen und sie, plötzlich hellwach, anschreien würde: »Die ist weg! Und die kommt nicht wieder! Und jetzt verpiss dich, wenn du mit der Schlampe irgendetwas zu tun hast!«

Der Mann – Cat, wie Carol vermutete – richtete sich auf und blinzelte müde. »Was ist los?«

Die Frau deutete mit ihrem knochigen Zeigefinger auf Carol. »Die sucht nach Mandy! Die sucht tatsächlich *hier* nach Mandy! Hat sich das schon herumgesprochen? Dass Cat was hat mit der verfickten Schlampe?«

»Ich hab nichts mit der«, sagte Cat mit nuschelnder Stimme. Er schien Probleme zu haben, sich auf das, was um ihn herum geschah, zu konzentrieren.

»Ich hab sie rausgeschmissen«, erklärte die Frau. »Hochkant. Ich habe mehrere Tage lang hier mit der gelebt, und wenn ich etwas bemerkt habe, dann das, dass sie total scharf auf Cat ist. Er ist mein Freund. Kapiert?«

»Sie war also hier?«, fragte Carol.

»Die hat versucht, sich hier einzunisten. Hat darauf spekuliert, dass ich bald wieder abreise.« Die junge Frau lachte höhnisch. »Aber mit mir macht man so etwas nicht. Ich wehre mich. Cat sagt ja leider zu allem Ja und Amen, aber ich bin ein anderes Kaliber!«

Cat, das völlig zugekiffte Objekt der Streitigkeiten zweier Frauen, ließ sich auf die Matratze zurücksinken und schloss wieder die Augen. Carol vermutete, dass es ihm im Moment völlig egal war, welche Frau sich in seiner Nähe aufhielt, solange sie ihn einfach in Ruhe ließ.

»Wenn sie schlau ist, lässt sie sich hier nicht mehr blicken«, sagte die Frau mit böser Stimme. »Ich habe überhaupt kein Problem damit, ihr hübsches Gesicht so zuzurichten, dass kein Kerl sie in diesem Leben mehr anschaut!«

Carol mochte sie nicht als Feindin haben. Kein Wunder, dass Mandy, die durchaus hart im Nehmen war, das Weite gesucht hatte.

»Wann war das denn?«, fragte sie. »Bis wann war Mandy hier?«

»Bis eben«, flüsterte Cat. »So vor zehn Minuten.«

Carol starrte ihn an. »Bis eben?« Das konnte nicht sein, oder? Cat warf vermutlich Zeiten und Abläufe durcheinander.

»Bis vor etwa zehn Minuten«, bestätigte seine Lebensgefährtin.

Carol drehte sich auf dem Absatz um und jagte die Treppe hinauf.

»Die soll sich hier bloß nicht wieder blicken lassen!«, schrie Cats Freundin mit sich überschlagender Stimme hinter ihr her.

Sie hatte sie haarscharf verfehlt, das durfte doch nicht wahr sein! Mandy war hier gewesen. Bis vor wenigen Minuten. Sie hätte ihr begegnen können. Sie hätte sie jetzt mitnehmen und in Sicherheit bringen können.

Carol stolperte durch die windschiefe Tür hinaus auf die dunkle Straße.

»Scheiße!«, brüllte sie.

Sie schaute sich um. Niemand zu sehen. Weder Mandy noch irgendwelche Passanten, die man vielleicht hätte fragen können. Bei diesem schneidenden Wind rührten sich die Menschen nicht aus ihren Behausungen.

Carol lief sämtliche umliegenden Straßen hinauf und hinunter, spähte in einige Hinterhöfe, sah aber niemanden. Die Kälte brannte auf ihren Wangen und ließ ihre Augen tränen. Wohin ging Mandy? Bei dieser Kälte? Sie konnte nicht draußen übernachten, sie musste sich ein Dach über dem Kopf suchen. Probeweise rüttelte Carol an den Türen der Häuser, die ganz offenkundig nicht bewohnt waren, aber nirgends kam sie hinein. Alles war hermetisch verriegelt.

Sie rannte zu ihrem Auto zurück. Sie würde jetzt hier herumfahren, vielleicht irrte Mandy noch irgendwo durch die Straßen. Zehn Minuten, hatte Cat gesagt, eine Information, auf die Carol angesichts seines momentanen Zustandes nicht viel gegeben hätte. Aber die Freundin hatte es bestätigt, und sie schien noch einigermaßen bei Verstand zu sein, wenn auch außer sich vor Wut und Eifersucht. Es mochten auch fünfzehn oder zwanzig Minuten sein, man konnte sich da leicht verschätzen.

Trotzdem: Allzu weit konnte Mandy nicht gekommen sein.

Eine gute Dreiviertelstunde später kreuzte Carol noch immer durch die Straßen, blendete die Scheinwerfer auf, wenn sie etwas Verdächtiges bemerkte, und musste jedes Mal enttäuscht feststellen, dass es sich nicht um die Gesuchte handelte. Manchmal war es ein anderer Mensch. Manchmal auch nur ein Schatten. Irgendetwas, das sich im Wind bewegte.

Sie hielt an, schlug mit der geballten Faust auf ihr Lenkrad.

Sie hatte sie verpasst. Haarscharf.

Mandy war über alle Berge.

2

Sie schleppte sich durch die Straßen. Der Wind war so scharf und kalt, dass ihr die Tränen über die Wangen liefen. Oder weinte sie vor Verzweiflung? Weil sie im Grunde wusste, dass sie aufgeben musste. Zurückkehren nach Hause, zu ihrer Familie, wo sie der beißende Spott und die höhnischen Bemerkungen ihrer Mutter erwarteten. Wo sie ihren leidenden, in sich selbst zurückgezogenen Vater täglich würde sehen müssen, seine Mutlosigkeit, seine Angst, seine Feigheit vor dem Leben. Ihre Schwester, die so gerade und diszipliniert ihren Weg ging. Und das Jugendamt würde wieder auftauchen, Carol mit traurigem Blick und eindringlichen Ermahnungen. Und das alles würde ein Nachspiel haben, Konsequenzen, den ganzen Mist, mit dem Erwachsene daherkamen, wenn man aus den Bahnen ausbrach, die sie vorgegeben hatten.

Konsequenzen war das Lieblingswort von Leuten wie Carol. *Du musst die Konsequenzen deines Handelns tragen. Immer. So ist das Leben nun mal.*

Scheißleben.

Sie war zu Cat zurückgegangen, nachdem sie aus Brendans Wohnung geflohen und gerade noch dem Zugriff durch die Polizei entkommen war. Sie hatte einfach nicht gewusst, wohin sie sonst gehen sollte, und so hatte sie es erneut bei ihm versucht, obwohl sie wusste, dass seine Freundin da war und er sie ausdrücklich weggeschickt hatte.

Die Freundin hieß Ella, sah, wie Mandy fand, aus wie eine ausgezehrte Hexe und war alles andere als begeistert von Mandys Auftauchen.

»Nur eine Nacht«, hatte Mandy gebettelt. »Bitte. Ich weiß nicht, wohin ich soll!«

»Heim zu Mum und Dad«, hatte Ella gesagt, »wohin du gehörst.«

Cat, ausnahmsweise einmal nicht komplett stoned, hatte sich auf ihre Seite geschlagen. »Die hat echt ein schlimmes Zuhause, Ella. Da kann sie nicht hin. Schau mal, was die mit ihrem Arm gemacht haben.«

Der Arm sah nicht gut aus und beeindruckte sogar die wenig empathische Ella.

»Großer Gott! Das ist übel! Das waren deine Eltern?«

»Meine Mutter.«

»Du solltest zur Polizei gehen.«

»Um keinen Preis. Nein. Am Ende stecken die mich in ein Heim.«

»Da wärest du zweifellos am besten aufgehoben«, sagte Ella kühl.

Mandy sah ihr direkt in die Augen. »Nein«, wiederholte sie.

Cat, der zu ahnen begann, dass es mit den beiden Frauen in seinem Keller nicht gerade harmonisch zugehen würde, blickte gequält drein. »Du kannst heute Nacht hierbleiben, Mandy. Klar. Aber...«

»Wieso ist das klar?«, fuhr Ella dazwischen.

»Weil es draußen saukalt ist und ich sie schlecht vor die Tür jagen kann«, erwiderte Cat. »Aber du musst eine Lösung finden, Mandy. Das ist zu eng hier für uns alle.

Und… na ja… dein Leben muss doch irgendwie weitergehen…«

Ausgerechnet Cat sagte so etwas. Von einem Leben, das
weitergehen musste. Er selbst jonglierte sich seit Jahren
durch ein völlig strukturloses Dasein, und niemand wusste,
wie es ihm überhaupt gelang, sich halbwegs über Wasser zu
halten. Aber natürlich hatte Mandy das nicht kommentiert.
Sie brauchte ihn dringend. Es war nicht der Moment, ihm
irgendwelche kritischen Fragen zu stellen.

Letztlich blieb sie vier Tage und vier Nächte, und die
Stimmung wurde immer schlimmer. Ella gab sich ab dem
zweiten Tag nicht mehr die geringste Mühe, ihre Abneigung und Feindseligkeit zu verbergen. Cat dröhnte sich
immer mehr zu, um möglichst wenig von den Streitigkeiten
mitzubekommen, und Mandy weinte die ganze Zeit, weil
sie einfach keinen Weg mehr sah. Schließlich, an diesem
Freitagnachmittag, war die Lage eskaliert. Ella war zum
Einkaufen gegangen und mit einer großen Tüte Lebensmittel zurückgekommen, die sie *alleine bezahlt* hatte, wie
sie mehrfach betonte. Cat reagierte darauf nicht, und auch
Mandy wusste nicht, was sie hätte sagen sollen. Schließlich
sprach Ella sie direkt an.

»Findest du das eigentlich richtig, Mandy, dass wir dich
hier durchfüttern? Könntest du vielleicht auch mal etwas
beitragen?«

Mandy besaß noch zehn Pfund, und sie hatte sie als
eiserne Reserve behalten wollen. Nun zog sie sie hervor.
»Hier. Mehr habe ich nicht.«

Ella war außer sich geraten. Mandy vermutete, dass sie
einfach einen Grund gesucht hatte, um einen richtig heftigen Streit vom Zaun zu brechen, denn sie hätte wissen
müssen, dass Mandy praktisch kein Geld mehr besaß, und
es war lächerlich, sich nun derart aufzuregen.

TEIL 2

»Zehn Pfund? Du wagst es, mir *zehn Pfund* anzubieten? Das gibt es ja nicht! Du schnorrst dich hier seit Tagen durch, wohnst hier umsonst, isst und trinkst auf unsere Kosten, gehst uns auf die Nerven, und dann schiebst du mir am Ende großmütig zehn Pfund über den Tisch und meinst, damit wäre es getan?«

Mandy weinte schon wieder. »Ich habe nicht mehr Geld. Woher sollte ich es denn haben? Ich würde es dir ja sonst geben. Ich …«

»Ja, dann kann man eben nicht großspurig von zu Hause weglaufen und meinen, man kann ein neues Leben beginnen, wenn man überhaupt keine Ahnung hat, wie das gehen soll! Und dann frisst man anderen alles weg und …«

Cat hatte sich eingeschaltet und damit alles noch schlimmer gemacht. »Mandy isst wirklich kaum etwas, das kannst du nicht behaupten, Ella. Sie …«

Ella fuhr herum und ging wie eine Furie auf ihn los. »Du verteidigst sie noch? *Du verteidigst sie noch?* Warum gibst du nicht gleich zu, dass du etwas mit ihr hast? Mir ist das doch schon lange klar! Glaubst du, ich bin blöd?« Sie schrie, und ihre Stimme überschlug sich. »*Glaubt ihr beide, dass ich blöd bin?*«

Cat wollte ihr beruhigend die Hand auf den Arm legen, aber sie schüttelte ihn ab, und einen Moment lang glaubte Mandy, sie werde mit den Fäusten auf ihn losgehen, aber stattdessen stellte sie sich mitten in den Raum und brüllte und tobte.

»Du solltest gehen«, flüsterte Cat ihr zu.

Mandy begriff, dass er recht hatte. Sie zog ihre Jacke und ihre Schuhe an und schlich die steile Treppe hinauf, während ihr die Tränen über das Gesicht liefen. Jetzt war alles verloren. Sie würde aufgeben müssen. Es hatte keinen Sinn mehr. Nichts hatte mehr Sinn.

Zurück nach Hause. Jugendamt. Es würde ein riesiges Theater geben. Weil sie weggelaufen war. Weil ihr Arm gar nicht gut aussah. Weil vielleicht alle meinten, dass sie nicht in ihrer Familie bleiben konnte.

Instinktiv mied sie das Stadtzentrum. In einer belebten Gegend würde sie auffallen. Es gab keinen Spiegel in Cats Kellerloch, aber sie ahnte, dass sie abgerissen und verwahrlost aussah. Seit Tagen hatte sie sich nicht mehr gewaschen, ganz sicher roch sie wie ein Landstreicher. Ihre Haare waren fettig und verfilzt, die Kleidung verdreckt und zerdrückt. Und sie war ganz offensichtlich sehr jung. Wenn sie einer Polizeistreife begegnete, würde sie sofort aufgegriffen werden.

Und wenn schon? Sie musste ja sowieso aufgeben.

Es gab noch einen letzten Rest Widerstand in ihr. Die Hoffnung, irgendwie doch noch einen Weg zu finden. Auch wenn es nach menschlichem Ermessen keinen gab.

Diesmal hörte sie das Auto herankommen. Ihr Handy, mit dem sie hätte Musik hören können, war ja in Brendans Wohnung zurückgeblieben. Sie vernahm das Motorengeräusch, das näher kam. Das Auto schien langsamer zu werden. Hielt an.

Ein großer dunkler Wagen, mehr konnte Mandy nicht erkennen. Sah ein bisschen aus wie Brendans Auto oder das seines Bekannten, aber sie war nicht sicher, ob es dasselbe war.

Die Fensterscheibe am Beifahrersitz wurde hinuntergelassen.

Lauf weg, flüsterte eine innere Stimme in Mandy, lauf, so schnell du kannst!

Als sie damals – es war noch gar nicht lange her, aber es kam ihr schon wie ein *Damals* vor – bei Brendan eingestiegen war, hatte sie diese Stimme nicht gehört. Diesmal war da etwas, ein inneres Sträuben, ein Gefühl von Gefahr, als ob ihr von irgendwoher eine Warnung zugerufen würde.

Lauf weg, lauf weg, lauf weg!

Aber ihre Lage war zu hoffnungslos, als dass sie es sich hätte leisten können davonzulaufen.

Sie trat an das Auto heran.

MONTAG, 6. NOVEMBER

I

Es war sehr merkwürdig, in ein völlig leeres Haus einzuziehen. Es war tatsächlich aber weniger schlimm, als Kate es sich vorgestellt hatte. Das Haus ihrer Eltern, aus dem alles, absolut alles entfernt worden war. Und das so völlig anders wirkte: frischgestrichene Wände. In den oberen Stockwerken waren neue helle Teppichböden verlegt worden. Im Wohnzimmer glänzte das abgeschliffene Parkett. Die grauen Fliesen im Gang und in der Küche waren mit einem Sandstrahler gereinigt worden. Die Küche selbst war der einzige Raum, in dem es noch so etwas wie eine Einrichtung gab: Die eingebaute Zeile, die aus Spülbecken, Herd und Kühlschrank bestand, sowie ein paar Hängeschränke waren zurückgeblieben. Ansonsten auch hier: nichts.

Kate hatte eine Isomatte und einen Schlafsack mitgebracht und beides nach oben in ihr ehemaliges Kinder- und Jugendzimmer gebracht. Ein einzelnes, einsames Duschtuch im Bad aufgehängt. Zwei Campingklappstühle im Wohnzimmer vor dem in die Wand eingelassenen elektrischen Kamin aufgestellt. Kochgeschirr sowie Becher, Teller und Besteck aus Plastik in die Küchenschränke geräumt. Die Katzentoilette mit frischem Streu darin in den Flur gestellt. Messy, wie Kate die Katze in Anlehnung an die Lebensweise ihrer früheren Familie inzwischen getauft hatte, schlich durch das ganze Haus und schnupperte irritiert in allen Ecken. Sie hatte sich an Kates Londoner Wohnung gewöhnt und schien mit dem erneuten Ortswechsel nicht einverstanden zu sein.

»Nur vorübergehend«, sagte Kate zu ihr. »Sobald wir einen Käufer für das Haus haben, fahren wir wieder nach Hause.«

Messy maunzte leise. Sie schien nicht ganz sicher, ob sie Kate glauben sollte.

Kate seufzte. Sie wusste auch nicht genau, weshalb sie jetzt unbedingt hatte hierherfahren müssen.

»Übertragen Sie doch alles einem Makler«, hatte ihr die Nachbarin am Telefon geraten. »Und wenn ein Käufer gefunden ist, kommen Sie zur Protokollierung. Was wollen Sie jetzt in Scalby? Ich kann schon ein Auge darauf halten, dass alles ordentlich abläuft.«

Die Nachbarin hatte natürlich recht. Zwei kostbare Urlaubswochen, und Kate würde sie in einem leer geräumten Haus verbringen und auf Interessenten warten. Einen Makler hatte sie noch von London aus kontaktiert, er wollte am Dienstag kommen, Fotos machen und dann ein Exposé erstellen. Für das alles wurde sie nicht gebraucht.

Typisch für dich, Kate, sagte sie zu sich selbst. Sitzt jetzt zwei Wochen lang zusammen mit einer Katze in einem leeren Haus. In Scalby bei Scarborough. Im November. Bei schrecklichem Schmuddelwetter. Vollkommen alleine. Ab und zu kommt der Makler vielleicht mit einem potenziellen Käufer vorbei. *Vielleicht.* Ansonsten siehst du wahrscheinlich niemanden, außer alle paar Tage die Kassiererin im Supermarkt. Toll! Wirklich! Genau der richtige Weg, damit irgendetwas Aufregendes und Schönes in deinem Leben passiert.

Der tiefere Grund allerdings, weshalb sie hier war, so argwöhnte sie, bestand darin, dass es ihr noch immer schwerfiel, das Haus endgültig loszulassen. Der Entschluss, es zu verkaufen, stand fest – *unumstößlich,* wie sie sich selbst mehrfach am Tag streng ermahnte –, aber sie hätte es als unerträglich empfunden, nicht noch einmal hierherzukommen. Als die Noch-Eigentümerin, die sie war. Mit dem Recht, in diesen Räumen zu wohnen. Durch das Gartentor zu gehen. Im Garten heruntergefallenes Laub zusammenzukehren – das musste dringend gemacht werden, wie sie sah – und einfach vor der Wärme des spießigen elektrischen Kamins im Wohnzimmer zu sitzen und in die Flammenattrappe zu blicken, so wie sie es während endloser Winter in ihrer Kindheit und Jugend getan hatte und später, wenn sie ihren Vater über die Weihnachtstage und den Jahreswechsel besuchte. Es gab nichts, was sie so tief in ihrem Inneren wärmte wie dieses Zimmer mit dem künstlichen Feuer. Es schien noch immer die Liebe zu enthalten, mit der ihre Eltern sie umgeben hatten. Wenn das Haus verkauft war, konnte sie nie wieder hierherkommen und diese Wärme in sich aufnehmen, um dann wieder hinaus in die Kälte und Dunkelheit zu gehen und das Fehlen jeglicher Wärme dort eine Weile zu ertragen.

Was sie brauchte, war eine neue Quelle.

Sie hatte eine Menge Ratgeber zu dem Thema Liebe, Wärme und Geborgenheit gelesen, und unisono kamen sie alle zu dem Schluss, dass man diese Dinge unbedingt in sich selbst finden, also selbst die Quelle dafür sein musste. Erst dann werde man wunderbarerweise auch von außen damit belohnt. Den letzten Ratgeber dieser Art hatte Kate erbost in die Ecke geschleudert. Es mochte richtig sein, was die Psychologen sagten und schrieben, aber was tat ein Mensch, der nun einmal nicht in der Lage war, sich selbst genug zu sein und seine Grundbedürfnisse aus sich selbst heraus zu befriedigen? Der litt dann weiterhin an dem Gefühl des Alleinseins und der Verlassenheit, schlug sich aber zusätzlich mit der Erkenntnis herum, auch noch ein erbärmlicher Versager zu sein, weil er die Grundprinzipien eines glücklichen Lebens nicht erfüllen konnte.

Sie würde versuchen, in diesen verbleibenden zwei Wochen so viel Wärme wie möglich zu tanken. Dann das Haus zu verkaufen, wenn sich jemand fand, der es haben wollte. Und von da an musste sie zusehen, wie sie es alleine weiterschaffte.

Sie ging hinaus zu ihrem Auto und holte die Lebensmittel, die sie gerade noch bei dem *Tesco*-Markt an der Ecke Burniston Road gekauft hatte. Dabei waren ihr wieder Amelie Goldsby und ihre Familie eingefallen. Wie ging es ihnen wohl? War Amelie dabei, ihr Trauma langsam zu verarbeiten?

Sie räumte die Sachen in den Kühlschrank, füllte Messys Schüssel mit Katzenfutter und stellte für sich selbst Wasser auf den Herd. Sie würde sich einen Tee machen und ihn vor dem Kamin trinken. Draußen regnete es und war kalt, und schon brach die frühe herbstliche Dunkelheit herein. Im Haus hatte sie in allen Zimmern die Heizung hochgedreht. Es roch ziemlich penetrant nach der frischen Farbe, aber daran würde sie sich schon gewöhnen.

Als sie gerade das kochende Wasser in einen Becher goss und einen Teebeutel hineinhängte, klingelte es an der Haustür. Kate runzelte die Stirn. Wer wusste denn, dass sie hier war? Ihre Kollegen in London, aber von denen würde ihr niemand hinterherreisen. Und Großkotz-Colin wusste es. Aber der war auch nicht derartig in Leidenschaft entbrannt, dass er ihr so weit hinauf in den Norden folgen würde.

Sie öffnete. Vor ihr, im Licht der Hauslaterne, stand Dr. Jason Goldsby.

Das Erste, was Kate dachte, war: Er sieht so bedrückt aus. Und so, als könne er kaum noch eine Nacht schlafen.

»Darf ich reinkommen?«, fragte er.

Sie saßen vor der elektrischen Flamme auf den Campingstühlen, jeder mit einem Teebecher in der Hand. Jason war hereingestolpert, er schien verstört und unglücklich, und zunächst schien er gar nicht zu bemerken, dass er sich in einem völlig leeren Haus befand. Erst als er vor dem Kamin saß und dankbar den ersten Schluck Tee getrunken hatte, sah er sich um.

»Oh«, sagte er.

Kate nickte. »Alles geräumt und renoviert. Morgen kommt der Makler. Ich verkaufe das Haus.«

»Ich verstehe«, sagte Jason. Vorsichtig nahm er den nächsten Schluck von dem heißen Tee.

»Ich verstehe«, wiederholte er.

»Woher wussten Sie, dass ich hier bin?«, fragte Kate.

Er wirkte fast ein wenig schuldbewusst. »Ich war vorhin beim *Tesco*. Bin heute etwas früher in der Praxis los und dachte, ich erledige gleich die Einkäufe. Da habe ich Sie gesehen, als Sie bezahlten und rausgingen. Ich wollte nicht durch den ganzen Laden rufen... Also bin ich nach Hause gefahren, habe meine Sachen eingeräumt und in unserem Gästebuch nachgeschaut, dort hatten Sie sich ja damals mit Ihrer Adresse hier in Scalby eingetragen. Und dann bin ich hierhergefahren.« Er schwieg und sah sie unsicher an. »Ich hoffe, ich störe nicht zu sehr?«

»Nein, nein«, versicherte Kate. Sie wäre eigentlich lieber alleine gewesen, aber Jason schien wirklich etwas Wichtiges auf dem Herzen zu haben. Sie wäre sich fast grausam vorgekommen, wenn sie ihn weggeschickt hätte.

Jason pustete in seinen Tee. Er schien unschlüssig, wie er beginnen sollte.

Kate wartete.

Dann brach es plötzlich aus ihm heraus. »Sieben Tage! Nur sieben Tage können ausreichen, das Leben einer Familie völlig zu verändern. Können Sie sich das vorstellen? Wie kann das gehen?«

»Sie sprechen von den sieben Tagen, in denen Ihre Tochter verschwunden war?«

»Ja. Diese furchtbare Zeit. Die schrecklichste Zeit unseres Lebens. Aber sie ist vorbei. Es ist vorüber, und es ist gut ausgegangen. Es könnte alles so sein wie vorher. Das Ganze könnte zu einem Albtraum werden, der langsam verblasst. Der irgendwann nur noch ein Schatten in unserer Erinnerung ist. Nichts mehr von Bedeutung. Aber...« Er schwieg.

»Es funktioniert so nicht«, ergänzte Kate sanft.

»Nein. Nein. Irgendwie nicht. Es ist alles... anders.«

»Wie geht es Amelie?«

Er zuckte mit den Schultern. »Sie geht immer noch nicht wieder zur Schule. Und sie spricht nicht über... die entscheidenden Passagen. Wo war sie? Wie sah es dort aus? Was hat ihr Entführer... mit ihr gemacht?«

Kate erkannte die Qual auf Jasons Gesicht und konnte sie zutiefst nachvollziehen. Es musste entsetzlich sein, sich das eigene Kind wehrlos in den Händen eines Psychopathen vorzustellen, der es von der offenen Straße weg verschleppt hatte und mit ihm anstellen konnte, was immer er wollte. Immerhin, sie hatten Amelie zurückbekommen.

»Sie kann damit offensichtlich nur umgehen, indem sie verdrängt«, sagte Kate. »Es gibt bislang also nach wie vor nur dieses Phantombild nach ihrer Beschreibung? Der ungefähr fünfzigjährige Mann?«

»Ja. Und es gibt inzwischen die Schilderung ihrer Flucht.«

»Ach?« Davon wusste Kate noch nichts. Jason fasste die Geschehnisse kurz zusammen: Der zweite Fremde, in dessen Auto Amelie hatte fliehen können. Die halsbrecherische Jagd durch die Dunkelheit zum Meer hinab. Dass Amelie überzeugt gewesen war, vom Fahrer des Autos verfolgt zu werden. Dass sie keinen anderen Ausweg gesehen hatte als den, sich an der Hafenmauer hinunter ins Meer gleiten zu lassen.

»Ja, und dann, das wissen Sie ja, tauchte der heldenhafte Retter Alex Barnes auf«, sagte Jason, und die Art, wie er das sagte, verriet Kate, dass Alex Barnes, zumindest was Jason Goldsby anging, nicht länger im goldenen Licht ewiger Dankbarkeit stand. Ganz im Gegenteil. Jasons Stimme klang bitter.

Kate neigte sich vor. »Was ist mit Alex Barnes?«

»Er ist ein Parasit«, brach es aus Jason heraus. »Ein großer, fetter, lästiger Parasit. Der sich an unserer Familie festgesaugt hat. Und nicht mehr loslässt!«

»Inwiefern?«

»Er stand eines Tages vor unserer Tür. Mitsamt einer Reisetasche. Sie haben ihn aus seiner Wohnung geworfen, weil er offenbar seit Monaten schon keine Miete mehr zahlte. Deborah hat ihn natürlich aufgenommen. Was sollte sie auch tun?«

»Er hat Amelies Leben gerettet.«

»Inspector Hale war alles andere als begeistert. In den zwei Nächten, in denen Barnes bei uns war, schlief die Polizistin, die noch immer zusammen mit einem Kollegen bei uns auf der Straße Wache hält, drinnen im Haus. Nach zwei Nächten musste Barnes ausziehen. Hale sah das als zu riskant an.«

»Er verdächtigt Barnes, eventuell nicht nur in seiner Funktion als Retter an der Geschichte beteiligt zu sein?«, folgerte Kate. Das fand sie zunächst einmal keineswegs ungewöhnlich. Barnes war Teil des Geschehens. Selbstverständlich wurde er überprüft.

Jason nickte. »Offenbar. Jedenfalls quartierte Barnes sich dann im Hotel ein. Oben im Crown Spa. Mit Meeresblick. Nicht gerade billig.«

Kate runzelte die Stirn. Jason fuhr fort: »Für immerhin fünf Nächte, auf unsere Kosten. In dieser Zeit gelang es Deborah, für ihn eine kleine Dachwohnung zu organisieren, in die er heute eingezogen ist. Am Nicolas Cliff. Wir sind offiziell die Mieter, denn ihm hätte niemand etwas gegeben. Also zahlen wir das auch. Darüber hinaus hat ihm Deborah schon zweimal ihr Auto geliehen, damit er zu Vorstellungsgesprächen fahren konnte. Es ist ja in unserem Interesse, dass er endlich Arbeit findet. Bislang hat nichts geklappt. Meiner Ansicht nach ist er auch äußerst halbherzig bei der Sache.«

»Sie tun das alles aus Dankbarkeit?«

»Wir haben das Gefühl, ihm das schuldig zu sein. Deborah nimmt ihr eigenes Geld, das sie mit der Zimmervermietung im Sommer verdient hat. Aber das brauchen wir eigentlich, um den Kredit abzuzahlen, den wir für die Umbauten aufgenommen haben. Den muss ich nun tilgen. Dazu die Belastung, die noch auf dem Haus liegt. Es ist… ich schlafe nachts nicht mehr richtig… Wissen Sie, ich verdiene ja wirklich nicht so schlecht, aber dieses Haus…«

Kate sah sich in ihrer Ahnung bestätigt. Irgendwie hatte sie es gleich gespürt: Die Goldsbys hatten sich mit dem Haus übernommen. Sie bekamen alles gerade so hin, aber nur mit Anstrengung und immer unter der Voraussetzung, dass bloß nichts Unvorhergesehenes dazwischenkam.

»Wir machen seit Jahren keinen Urlaub«, sagte Jason. »Weil wir uns einen Hotelaufenthalt überhaupt nicht leisten könnten. Aber diesem verkrachten Typen spendieren wir fast eine Woche lang das *Crown Spa*.«

»Dr. Goldsby ...«

»Jason, bitte.«

»Jason. Mir tut das sehr leid. Das ist eine äußerst schwierige Situation. Ich finde, dass Mr. Barnes diese Form der Unterstützung eigentlich nicht annehmen dürfte, gerade weil ihm klar ist, dass Sie sich ihm verpflichtet fühlen, aber offenbar plagen ihn da keine Skrupel. Sie und Deborah müssen wahrscheinlich einen klaren Schlussstrich ziehen, auch wenn es sehr schwerfällt.«

»Wir haben nächtelang diskutiert«, sagte Jason erschöpft. »Für Deborah ist das ein riesiges Problem. Das Leben unseres Kindes ist natürlich ohnehin nicht in Geld aufzuwiegen, ganz gleich, wie viel Alex Barnes im Laufe der Jahre von uns schnorren würde. Aber für Deborah wäre es fast eine Art Herausforderung des Schicksals, wenn wir Barnes jetzt in seine Grenzen weisen würden. Auf eine völlig irrationale Art scheint sie zu fürchten, dass Amelie dann erneut etwas Schreckliches zustößt. Weil wir uns des Geschenkes, das uns durch ihre Rettung zuteilwurde, nicht würdig erwiesen hätten. Es ist absurd ... aber irgendwie kann ich trotzdem nachvollziehen, was in ihr vorgeht. Wäre ich alleine ... ich hätte Barnes bereits aus meinem Leben befördert.«

Kate seufzte. Sie konnte Jasons Verzweiflung und Ratlosigkeit verstehen. Diese sieben Tage, so überschaubar diese Zeitspanne war, hatten tatsächlich gereicht, alles im Leben der Familie Goldsby zu verändern. Jedes einzelne Familienmitglied war traumatisiert.

»Ich würde Ihnen allen so gerne helfen, Jason«, sagte sie, »aber ich ...«

»Ich versuche täglich, mit Inspector Hale zu telefonieren«, berichtete Jason, »leider erreiche ich ihn nicht immer.«

Armer Caleb, dachte Kate. Sie kannte ihn genug, um zu wissen, dass er sich schwertat, Menschen wie Jason, den er sicherlich als unschuldiges Opfer einer Tragödie empfand, nachhaltig abzuwimmeln. Aber tägliche Anrufe ... Du liebe Güte! Das kostete so viel Zeit und Kraft, und beides war während einer anstrengenden Ermittlung ohnehin nicht gerade im Übermaß vorhanden.

»Ich weiß, dass er Alex Barnes verdächtigt, mit der Sache etwas zu tun zu haben«, fuhr Jason fort. »Sonst hätte er ihn ja bei uns wohnen lassen können. Nicht, dass ich das sehr angenehm fände, aber es wäre zumindest billiger. Hale gibt mir leider keine Auskunft über den Stand der Ermittlungen, aber ... ich kann eins und eins zusammenzählen.«

»Jason ...«

»Meine Tochter flieht also aus dem Versteck, wo sie gefangen gehalten wurde. Im Fußraum der Rücksitze eines Autos versteckt. Oben an der Sea Cliff Road kann sie aus dem Auto springen. Rennt hinunter zum Strand.«

Kate kannte das Wegstück. Bei Sturm, Dunkelheit und Regen ... Sie schauderte.

»Jemand folgt ihr. Vermutlich der Fahrer des Wagens. Sie springt ins Wasser. Kurz darauf taucht Barnes auf und versucht, sie nach oben zu ziehen. Was würden Sie da denken?«

»Ich würde vieles in Erwägung ziehen, unter anderem auch die Möglichkeit, dass Barnes irgendwie involviert ist«, sagte Kate. »Und, Jason, ganz sicher ist dieser Gedanke auch Caleb Hale und seinen Leuten gekommen. Die haben das gründlich geprüft, dafür lege ich meine Hand ins Feuer. Wenn Barnes dennoch nicht festgenommen wurde und es sich leider immer noch auf Ihre Kosten gutgehen lässt, so spricht das dafür, dass nichts zu finden war. Nichts, was den Verdacht untermauert oder gar bewiesen hätte. So leid es mir tut. Die haben nichts gegen ihn gefunden.«

»Was aber nicht heißt, dass da nichts ist!«

»Was es aber unwahrscheinlich macht, dass da etwas ist. Die haben ihn und sein Leben durchleuchtet, glauben Sie mir.«

Er stellte seinen Becher mit dem immer noch heißen Tee auf den Fußboden und sah Kate an.

»Könnten Sie …?«

»Was?«

»Sie sind von Scotland Yard. Können Sie Alex Barnes nicht noch einmal überprüfen?«

Kate kannte das ja schon: Scotland Yard war einfach wie ein Zauberwort. Die Menschen hörten es und glaubten, nun werde jedes Problem gelöst. Wenn sich Scotland Yard einer Sache annahm, war das erfolgreiche Ende garantiert. Kate wusste natürlich nur zu gut, dass das ganz und gar nicht der Fall war.

»Jason, das geht nicht. Ich kann mich nicht einfach in den Fall einer anderen Polizeibehörde einklinken, wenn ich nicht ausdrücklich aufgefordert werde. Das ist einfach … das kann ich nicht machen!«

»Aber Sie sind im Urlaub. Sie könnten doch als Privatperson recherchieren.«

»Das darf ich nicht. Abgesehen davon: Inspector Hale und seine Leute leisten wirklich hervorragende Polizeiarbeit. Sie werden herausfinden, was passiert ist. Ich bin ganz sicher.«

Jason war mit den Nerven am Ende, das konnte Kate deutlich erkennen. Die Entführung seiner Tochter hatte ihn alle Kraft gekostet. Aber anstatt dass nun alles gut wurde, schienen die Dinge einen immer schlimmeren Verlauf zu nehmen. Amelie verharrte in Sprachlosigkeit und in einem tiefen Trauma. Deborah versuchte die Verpflichtung gegenüber dem Retter abzutragen, obwohl sie damit die finanziellen Probleme ihrer Familie ständig vergrößerte. Jason stand hilflos daneben. Er war verzweifelt, weil er kein Ende des Dilemmas sehen konnte.

»Angenommen, Barnes hat tatsächlich nichts mit der Entführung oder dem Entführer zu tun. Er ist wirklich zufällig vorbeigekommen. Dann ist es doch trotzdem nicht in Ordnung, wie er sich jetzt verhält, oder?« Er sah Kate flehend an. »Er nimmt uns nach Kräften aus. Das ist … das macht man doch nicht!«

»Es ist aber nicht strafbar. Jason, vielleicht hat dieser Mensch wirklich keinen besonders guten Charakter und nutzt es hemmungslos aus, dass ihm Ihre Familie zu Dank verpflichtet ist, aber, so leid es mir tut, dafür kommt man nicht ins Gefängnis. Sie müssen Deborah davon überzeugen, dass Barnes Sie auf skrupellose Weise ausnutzt. Das ist der einzige Weg.«

»Oder es gibt etwas, irgendetwas, in Barnes' Leben, was Deborah schockieren würde. Was sie davon abbringen würde, sich ihm dermaßen verpflichtet zu fühlen. Irgendetwas, das beweist, wie kalt, gierig und hemmungslos er ist.«

»Kann sein, dass es das gibt, aber …« Kate brach mitleidig ab. Jason klammerte sich an Vorstellungen, für deren Vorhandensein es keinerlei Indizien gab.

»Könnten Sie dem nicht nachgehen? Als Privatperson? Als … eine Freundin von Deborah? Die sich Sorgen macht?«

»Wie soll ich das denn machen?«

»Indem Sie mit ihm sprechen?«

»Jason …«

»Bitte.«

»Ich würde mich damit verdammt nah an den Ermittlungen von Inspector Hale bewegen. Ich kann mir da riesigen Ärger einhandeln.«

»Aber doch nicht, wenn Sie nicht in Ihrer Eigenschaft als Polizeibeamtin auftreten?«

Erschöpft sah Kate ein, dass er nicht lockerlassen würde.

»Ich kann Ihnen nichts versprechen«, sagte sie. »Ich kann darüber nachdenken, wie man Ihrer Familie und besonders Deborah helfen kann, aber ich kann nicht garantieren, dass mir etwas einfällt. Und dass das überhaupt ein gangbarer Weg ist. Es tut mir leid.«

Jason nickte. Er griff nach seinem Becher, trank in kleinen Schlucken seinen Tee zu Ende. Dann stand er auf.

»Entschuldigen Sie«, sagte er. »Ich glaube, ich war ziemlich lästig. Und bedrängend. Es tut mir leid.«

Er verließ das Zimmer. Kate folgte ihm.

In der Haustür blieb er stehen und wandte sich zu ihr um.

»Notfalls«, sagte er, »stelle ich selbst Nachforschungen an. Ich werde das nicht alles einfach so laufen lassen. Ich werde mir mein Leben nicht kaputtmachen lassen.«

Er verschwand in der Dunkelheit.

Kate sah ihm nach, beunruhigt und traurig. Er tat ihr so leid. Die ganze Familie tat ihr leid.

Ich kann mich trotzdem nicht einmischen, dachte sie.

Sie schloss die Tür.

2

Caleb war früher nach Hause gegangen, etwas, was er manchmal tat, wenn er gründlich nachdenken musste und in dem Bienenstock, dem die Räume des CID Scarborough manchmal glichen, keine Möglichkeit fand, seine Gedanken zu ordnen. In seinem Team regte sich niemand deswegen auf, weil sie wussten, dass der Chef dann oft am nächsten Tag mit einer brillanten Idee zurückkehrte, wie man nun weiter verfahren könnte. Allerdings glaubte er nicht, dass das diesmal der Fall sein würde, er war sogar ziemlich sicher, dass er am nächsten Morgen die Augen aufschlagen und vor derselben Wand stehen würde, vor der er am Abend eingeschlafen war. Falls er überhaupt schlief. Dieser Fall machte ihn fertig. Ein Gestrüpp. Einfach ein undurchdringliches Gestrüpp, und er bekam nichts zu fassen, was als Anhaltspunkt dienen könnte.

Eigentlich hätte er große Lust gehabt, in ein Pub zu gehen. Nicht, dass es dort still gewesen wäre, aber Stille war es auch nicht unbedingt, was er suchte. Er mochte es, Menschen und Stimmen um sich zu haben, aber das Entscheidende an einem öffentlichen Ort wie einem Pub war, dass niemand etwas von ihm wollte und er seinen Gedanken nachhängen konnte. Er hatte dann nicht das Gefühl, einsam zu sein, und konnte doch seine Gedankenfäden spinnen. Daheim fiel ihm schnell die Decke auf den Kopf. Das große, leere Haus, das er seit seiner Scheidung viele Jahre zuvor alleine bewohnte… Zu groß für ihn und manchmal bedrückend. Aus den oberen Räumen konnte man das Meer sehen. Dieser Blick hielt ihn. Sonst hätte er sich längst irgendwo eine kleine Wohnung gesucht.

Er hatte sich gegen das Pub entschieden, wie meistens, weil es zu viele Gefahren barg. Genau genommen nur eine Gefahr: Es gab dort Alkohol, und es roch nach Alkohol. Caleb hätte nie geglaubt, dass man als trockener – nun ja: halbwegs trockener – Alkoholiker Alkohol so intensiv riechen konnte. Er nahm ihn überall sofort wahr, im Atem eines in einiger Entfernung vorübergehenden Menschen, in einem Raum, in dem am Vorabend Sekt getrunken worden war, in einer Pralinenschachtel, die jemand im Büro herumgehen ließ und in der eine einzige Praline eine fingerhutgroße Menge Kirschwasser enthielt. Er roch das wie ein Drogenspürhund die Droge. Und jedesmal trat ihm sofort der Schweiß auf die Stirn, und manchmal fingen seine Hände ganz leicht an zu zittern. Er konnte nichts dagegen tun, sein Körper reagierte mit allen Nerven, Fasern, Sensoren. Er empfand es als beschämend und erniedrigend, in diesen Momenten keine Kontrolle über sich selbst zu haben. Gleichzeitig dachte er, dass das widersinnig war: Er hatte im Vollrausch oft genug *jegliche Kontrolle* über sich selbst verloren, war an den Wochenenden, an denen er sich keinerlei Begrenzung mehr auferlegt hatte, morgens allzu häufig in seinem eigenen Erbrochenen aufgewacht und hatte keine Ahnung gehabt, was er in den Stunden, ehe er umkippte, an peinlichen Dingen gesagt oder getan hatte, aber das alles hatte ihn nicht so gestört, wie es das jetzt kaum merkliche Zittern in den Händen und die feinen Schweißtropfen auf seiner Stirn taten. Vielleicht lag es daran, dass er sich damals immer gesagt hatte, er werde das alles eines Tages überwinden, und diese schöne Fata Morgana hatte ihm seine Selbstsicherheit bewahrt. Jetzt hingegen wusste er, dass er es nie wirklich überwinden würde. Nicht so, dass es tatsächlich vorbei wäre.

Er würde immer ein Alkoholiker bleiben. Das hatten sie ihm schon in der Therapie gesagt, aber das war eine abstrakte Information gewesen. Später erst begriff er, wie es sich tatsächlich anfühlte.

Im Pub, das wusste er, würde er es irgendwann nicht mehr aushalten und ein Bier bestellen, und das Schlimme war, dass es dann nicht bei dem einen bleiben würde. Das gelang ihm einfach nicht, es war hoffnungslos. Und wenn er dann richtig Pech hatte, käme auch noch ein Kollege zufällig vorbei und würde ihn ertappen, wie er sich gerade zulaufen ließe, und das wäre die endgültige Katastrophe.

Zu Hause konnte es ihm auch passieren, dass er trank. Er hatte Vorräte in der Küche. Was eindeutig gegen die Absprache mit seinem Therapeuten war. Keinen Alkohol greifbar daheim zu haben war eine eiserne Grundsatzregel. Caleb brach sie schon lange.

Zumindest aber gab es hier keine Zeugen.

Er saß an seinem Esstisch in dem großen offenen Wohnraum, in den die Küche integriert und mit einer Theke abgetrennt war, vor sich ein Glas Wasser, aber im Kopf das Wissen, dass hinter ihm in einem Schrank mehrere Whiskyflaschen standen. Und einige Flaschen französischer Rotwein. Bier im Kühlschrank.

Er zwang sich, diese Gedanken zu verdrängen. Er hatte Wichtigeres, worüber er nachdenken musste.

Alex Barnes. Sie waren zu spät gekommen, um mögliche Spuren in seiner Wohnung zu sichern. Alex war bereits einige Tage bevor er bei den Goldsbys aufgekreuzt war, ausgezogen und hatte bei einem Freund geschlafen. Sein Vermieter, der ihn wegen ausstehender Mietzahlungen schon lange hatte an die Luft setzen wollen, hatte sofort mit der Renovierung begonnen. Fußböden herausgerissen, Wände gestrichen. Eine Einbauküche bestellt, die allerdings noch nicht geliefert worden war.

»Was für eine Küche war denn vorher hier drin?«, hatte Caleb gefragt. »Und was haben Sie mit den Möbeln gemacht?«

»Die Küche war eine unsagbare Zusammenstellung aus einem uralten Herd, einem nicht funktionierenden Kühlschrank, einem Tisch, dessen Beine schon fast einbrachen. Und sonstige Möbel hatte er fast keine. Schlief im Schlafsack auf dem Boden, die Klamotten flogen überall herum und waren in einer großen Tasche verstaut. Es gab noch einen Sessel... Er hat alles zurückgelassen, und ich habe den Sperrmüll gerufen. War nicht viel.«

Caleb hatte geflucht. Es gab nichts mehr zu untersuchen, was ihnen irgendwelche Hinweise hätte geben können.

Sergeant Stewart hatte ihn beruhigt. »Was hätten wir schon finden sollen? Hinweise auf Amelie Goldsby? In dieser Wohnung hier war sie bestimmt nicht.«

Die Wohnung lag mitten in der Stadt, eingeschachtelt zwischen Hinterhöfen, und es war vollkommen unrealistisch, dass man hier ein Entführungsopfer verstecken konnte.

»Das Auto«, sagte Caleb, »wir müssen an das Auto kommen, in dem sie geflohen ist.«

Alex Barnes besaß kein Auto, daran war nicht zu rütteln. Sie hatten jeden Autoverleih in der näheren und ferneren Umgebung abgeklappert, sie hatten sich in seiner ehemaligen Nachbarschaft umgehört, aber weder war er bei einer Autovermietung registriert, noch hatte ihn jemand je mit einem Auto gesehen.

»Der hätte sich das gar nicht leisten können«, meinte eine Nachbarin abfällig.

Ebenso wenig hatte die Befragung der Anwohner rings um den Parkplatz oben an der Sea Cliff Road irgendetwas gebracht. Niemand hatte an jenem Abend etwas bemerkt. Niemand erkannte Alex Barnes auf einem Bild, das die Beamten zeigten.

»Ich komme nicht weiter«, murmelte Caleb. Er trank einen Schluck Wasser – denk jetzt *nicht* an den Whisky, befahl er sich – und starrte aus dem Fenster. Es war erst fünf Uhr am Nachmittag, aber schon fast dunkel draußen. Das Zimmer spiegelte sich in der regennassen Scheibe, er sah den einsamen Mann an dem großen Tisch sitzen.

Ein Tisch, den seine Frau ausgesucht hatte, in der Erwartung, dass sie viele Gäste haben würden. Sie hatte es geliebt, Menschen um sich zu versammeln, sie zu bewirten, bis tief in die Nacht hinein zu reden, zu lachen… Es war eigentlich schön gewesen, mit ihr zu leben. Er hatte sie vertrieben, irgendwann war sie einfach gegangen. Sie hatte das Drama mit dem Alkohol nicht mehr ausgehalten, was Caleb gut verstehen konnte. Seitdem war er alleine, und Gäste hatte er keine mehr. Er hätte gar nicht gewusst, was er mit ihnen anfangen sollte.

Er schweifte schon wieder ab. Er zwang sich, zu diesem absolut vertrackten Fall zurückzukehren. Er hatte ein Stück Papier vor sich liegen und hielt einen Stift in der Hand.

Alex Barnes stand auf dem Papier.

Er malte ein großes Fragezeichen dahinter. Von Barnes musste er sich womöglich verabschieden. Er mochte den Mann nicht, und er fand es unmöglich, wie sehr er Deborah Goldsbys Dankbarkeit ausnutzte – Dr. Goldsby rief deswegen fast täglich bei ihm an –, aber es ließ sich nichts gegen ihn finden, was den Verdacht, eine Straftat begangen zu haben, erhärtet hätte. Vielleicht war er wirklich zufällig unten am Meer vorbeigekommen. Vielleicht hatte er auf dem Rückweg von der Pizzeria, in der er jobbte, tatsächlich diesen absurden Umweg über den Cleveland Way bei grauenhaftem Wetter gewählt, weil das zu seinem täglichen Sportprogramm gehörte. Vielleicht stimmten alle seine Angaben.

Warum habe ich dann so ein blödes Gefühl?, fragte sich Caleb.

Wahrscheinlich deshalb, weil er niemanden hatte außer Alex Barnes. Weil er mit ihm die letzte Hoffnung verlor, in absehbarer Zeit Licht in diese ganze Geschichte bringen zu können. Weil es auch sonst keinerlei zielführende Hinweise

gab, weder zum Entführer noch zu dem ominösen zweiten Mann, dem Fahrer des Wagens, mit dem Amelie Goldsby die Flucht gelungen war. Es war wie verhext.

Er schrieb drei Namen auf sein Papier. *Hannah Caswell, Saskia Morris, Amelie Goldsby.*

Kate Linville hatte gemeint, Hannah Caswell könnte in einem Zusammenhang mit den beiden anderen Mädchen stehen. Sie war ebenfalls von der Straße weg verschwunden, und ihr Alter passte auch. Caleb zweifelte dennoch. Er hatte die Ermittlungen im Fall Caswell seinerzeit geleitet, und irgendwann hatte sich alles völlig festgefahren. Es hatte absolut keine Spur gegeben: Kein weggeworfenes Handy oder eine Handtasche wie bei Morris und Goldsby. Und keine Leiche. Nichts. Das schloss eine Verbindung noch nicht definitiv aus, aber dennoch zweifelte Caleb. Der Abstand zu den anderen Fällen schien ihm einfach zu groß.

Blieben Saskia Morris und Amelie Goldsby. Die eine wurde tot gefunden, die andere verschwand am Tag darauf. Ein Täter, der schnell Nachschub brauchte?

Ein Süchtiger, dachte Caleb, und wieder fiel ihm der Whisky ein.

Warum hatte er Saskia Morris verhungern und verdursten lassen? Eine sehr passive Art, jemanden zu ermorden. Unblutig, ohne jede direkte körperliche Gewalt. Als sie tot war, hatte er sie in den Hochmooren abgelegt. Davor hatte sie monatelang bei ihm gelebt. Mit ihm gelebt? Wo konnte man einen Menschen über einen so langen Zeitraum verstecken, ohne dass irgendjemand etwas mitbekam?

Es gab diese Geschichten. Psychopathen, die unterirdische Verliese bauten. Priklopil, Fritzl. Der mehrfach vorbestrafte Sexualverbrecher Philip Garrido, der die Amerikanerin Jaycee Lee Dugard sogar achtzehn Jahre lang festgehalten hatte.

Hatten sie es mit einem Perversen dieser Art zu tun?

Saskia war nicht vergewaltigt worden, was nicht hieß, dass er sich nicht in irgendeiner Art sexuell an ihr vergangen hatte. Weshalb hatte er sie sterben lassen? War sie zu widerspenstig geworden? Oder zu alt? Sie war vierzehn gewesen, als er sie entführte, fünfzehn, als sie starb. War das Zeitfenster seiner Begierde so klein? Mussten sich die Mädchen, die er haben wollte, genau in diesem kurzen Übergang zwischen Kind und junger Frau befinden?

Und was genau tat er mit ihnen?

Caleb hatte oft genug mit Pädophilen zu tun gehabt. Er wusste, wie wählerisch sie sein konnten. Sehr speziell in ihren Vorlieben und Praktiken.

Pädophile verübten natürlich Gewalt, empfanden das aber oft nicht so und waren nicht unbedingt eines Tötungsdeliktes fähig.

Dazu würde das Verhungern passen. Er war Saskias überdrüssig geworden. Hätte es aber niemals fertiggebracht, sie mit eigenen Händen zu töten. Er hörte einfach auf, sie zu besuchen. Ignorierte sie, verdrängte ihre Existenz.

Sie wird gebrüllt, geschrien, auf sich aufmerksam zu machen versucht haben, dachte Caleb. Das deutete darauf hin, dass sie irgendwo gefangen gehalten wurde, wo niemand sie hören konnte. Nicht einmal der Täter, der das vielleicht nicht ertragen hätte.

Saskias Leiche war in den Hochmooren gefunden worden. Und Amelies Tasche.

Die Hochmoore. Eine endlose Gegend. Voller Hügel, Täler, Hochflächen. Einsamer Gehöfte.

Eine Stecknadel im Heuhaufen, dachte Caleb. Aber dazu würde auch passen, dass Amelie von einer längeren Autofahrt gesprochen hatte. Der Täter schnappte sich seine Opfer in der Stadt, natürlich, auf den einsamen Landstraßen und

Feldwegen da draußen liefen selten junge Mädchen herum. Aber dann brachte er sie weit fort. In die tiefste Einsamkeit. Wo sie nur noch ihn hatten. Ihm auf Gedeih und Verderb ausgeliefert waren.

Ihn schauderte, wenn er daran dachte, wie Amelies Schicksal ausgesehen hätte.

Im Grunde war Amelie der einzige Trumpf, den er in der Hand hielt. Sie kannte den Täter. Sie könnte zumindest das Innere des Gebäudes beschreiben, in dem sie festgehalten worden war. Ihr war wie durch ein Wunder die Flucht gelungen. Dadurch wussten sie von einem etwaigen Mittäter. Amelie war der Traum eines jeden Ermittlers. Theoretisch. Leider blockte sie noch immer, wenn das Gespräch in die Nähe der entscheidenden Ereignisse kam. Sergeant Helen Bennett war nach wie vor jeden Tag bei ihr.

»Sie spricht nur über das Wasser«, berichtete sie. »Wieder und wieder und wieder. Über ihre Todesangst im Wasser.«

Gefangen, dachte Caleb, in dieser einen Sequenz. Schlecht für uns.

Sie hatten eine Täterbeschreibung und ein Phantombild. Sie hatten es den völlig gebrochenen Eltern von Saskia Morris gezeigt, aber die hatten einen Mann, der dem Bild entsprach, nie im Leben gesehen. Sie hatten auch mit dem Bild von Alex Barnes nichts anfangen können.

»Nie gesehen. Es tut uns leid. In unserem Bekanntenkreis gibt es niemanden, der so aussieht.«

Das war zu erwarten gewesen. Vieles sprach dafür, dass die Opfer nach dem Zufallsprinzip ausgewählt wurden. Er fuhr durch die Straßen. Erspähte seine Beute. Erkannte eine günstige Gelegenheit. Und griff zu.

Das hieß: Es konnte jederzeit wieder passieren. Auch wenn er wahrscheinlich im Moment geschockt war wegen Amelies Flucht. Er konnte nicht wissen, dass sie nicht redete. Er wusste vielleicht nicht einmal, was sie alles gesehen hatte. Das ließ ihn womöglich eine Zeitlang stillhalten.

Das Phantombild, das nach Amelies Beschreibung angefertigt worden war, war in den meisten Zeitungen der Region abgebildet gewesen und konnte noch immer im Internet abgerufen werden. Es hatte Hinweise aus der Bevölkerung gegeben, aber nicht eine einzige Spur, der die Polizei nachgegangen war, hatte sich verfestigt. Und wie weit konnten sie den Angaben der traumatisierten Amelie überhaupt vertrauen? Caleb hatte durchaus den Eindruck gehabt, dass sie ihr Bestes gab, aber sie blieb psychisch nur stabil, indem sie weite Bereiche ihrer Geschichte verdrängte. Niemand wusste, ob sie ihren Entführer halbwegs realistisch beschrieben hatte.

Ich habe so wenig, dachte Caleb, so verdammt wenig.

Spätestens wenn der Hochmoor-Killer erneut zuschlug, würden er und seine Kollegen unter Druck geraten. Und ein weiteres Mal würden sie nicht so viel Glück haben. Ihm war einmal eine Beute entflohen, weil er offenbar nicht aufgepasst hatte, zu leichtsinnig mit der Situation umgegangen war. Jedes weitere Mädchen würde nicht den Hauch einer Chance bekommen.

Caleb spürte das vertraute Gefühl von … fast Panik. Die Dinge verwirrten sich in seinem Kopf. Ein riesiges Wollknäuel, und er fand den Anfangsfaden nicht. Irgendwo gab es etwas zu entdecken, was ihn weiterbringen würde, er war sich sicher, weil es das immer gab, aber er sah es nicht. Er schien sich nur bei seiner Suche danach immer mehr zu verstricken.

Der Gedanke an den Whisky im Schrank hinter ihm wurde bedrängender.

Es gab einen bestimmten Grad an Alkoholisierung, der ihn dazu befähigte, geniale Gedanken zu haben und Einfälle, die ihn in einer Ermittlung wirklich voranbrachten. Früher hatte er diesen Punkt sehr gut im Griff gehabt. Es war eine große Menge Alkohol nötig gewesen – andere hätten danach bereits halb bewusstlos unter dem Tisch gelegen –, und Caleb hatte sich selbstbewusst gefühlt, sehr stark, sehr klarsichtig. Die Welt vor seinen Augen, aber auch die Gedankenwelt in seinem Kopf hatte klare, scharfe Konturen angenommen, hatte sich entzerrt, war deutlicher geworden. Er hatte Dinge gesehen, die sich ihm zuvor verborgen hatten. Er hatte manchmal sein ganzes Team überrascht, weil er plötzlich mit einer Sichtweise an einen Fall herangegangen war, die alles verändert hatte.

Der Chef und seine genialen Augenblicke, hatte es über ihn geheißen. Irgendwann einmal war ihm zugetragen worden, dass es hinter seinem Rücken hieß: *Der Chef und seine besoffenen Augenblicke.* So klarsichtig war er dann doch nicht immer gewesen: Er hatte ernsthaft gedacht, kein Mensch in seiner Umgebung wüsste etwas von seinem Alkoholproblem. Tatsächlich hatten es alle gewusst. Das zu entdecken hatte zu den schockierendsten Erkenntnissen in seinem Leben gehört.

Seit er den Entzug gemacht hatte und wochenlang trocken blieb, hatte er die Dosierung nicht mehr im Griff. Er reagierte jetzt auf geringe Mengen Whisky manchmal mit Ausfällen, die ihn früher erst ereilt hatten, wenn er die ganze Nacht durchgesoffen hatte. Das machte alles kompliziert. Andererseits konnte er nicht einfach in den alten Rhythmus fallen und sich die frühere Trinkfestigkeit wieder antrainieren. Den Entzug hatte er gemacht, weil ihm sein Arzt die Pistole auf die Brust gesetzt hatte: »Entweder Sie hören mit dem Trinken auf, oder Ihre Leber ist demnächst im Eimer. Noch zwei Jahre, wenn Sie Glück haben. Dann macht Ihr Körper nicht mehr mit.«

Er stand auf, ging zur Küche. Ein Glas. Das Problem war das Aufhören. Aber vielleicht gelang es ihm. Schluss zu machen. Nach einem Glas.

Es ist dir noch nie gelungen. Nicht ein einziges Mal.

Er überhörte die unangenehme Stimme in seinem Kopf geflissentlich und öffnete die Schranktür. Der Whisky glänzte wie cremiges Gold in der Flasche. Oder wie flüssiger Bernstein.

Er roch ihn bereits. Oh Gott, er wusste nicht, wozu er fähig wäre, würde ihn jetzt jemand daran hindern, die Hand nach der Flasche auszustrecken.

Sein Handy, das auf dem Esstisch lag, klingelte.

Caleb fluchte, schaffte es aber tatsächlich, sich abzuwenden und zum Tisch zurückzugehen. Er musste erreichbar sein, es ging nicht, dass er einen Anruf ignorierte. Seine Hände zitterten so heftig, dass es ihm erst im zweiten Anlauf gelang, den Anruf anzunehmen.

Es war Sergeant Stewart. »Neuigkeiten, Sir.«

»Gute?«, fragte Caleb. Seine Stimme krächzte. Er räusperte sich. »Gute Neuigkeiten?«, wiederholte er.

»Wie man's nimmt«, sagte Robert. »Ich hatte ja alle Autovermietungen im Umkreis von Scarborough abgegrast. Nirgends ein Hinweis auf Alex Barnes. Vor zehn Minuten meldet sich *ISY Rent* bei mir. Die haben Barnes in ihren Unterlagen entdeckt. Ein gewisser William Brown, mutmaßlich ein Freund von Barnes, hat bei ihnen ein Auto gemietet. Aber Barnes' Führerschein wurde ebenfalls registriert, das heißt, auch Barnes war als Fahrer zugelassen. Und jetzt halten Sie sich fest: Die Buchung fand am 14. Oktober statt.«

Caleb begriff sofort. »Der Tag, an dem Amelie Goldsby entführt wurde! Das ist…«

»Das Problem ist«, unterbrach Robert, »dass das Auto

erst am Abend abgeholt wurde. William Brown buchte es online am frühen Nachmittag, am Abend übernahm er den Wagen hier in Scarborough. Viele Stunden nachdem Amelie bereits verschleppt worden war.«

»Dieser Brown kann der Täter sein. Und Barnes sein Helfer.«

»Aber die Uhrzeit stimmt nicht.«

In Calebs Schläfe begann es zu pochen. »Trotzdem. Das kann kein Zufall sein. Bis wann haben die das Auto behalten?«

»Bis zum Abend des folgenden Tages. Sonntag, 15. Oktober.«

»Was war das für ein Auto?«

»Ein Kastenwagen.«

»Geeignet für …«

»Ein weißer Kastenwagen. Amelie sprach von einem großen, dunklen Auto. Sie ist verwirrt und verstört, aber so extrem würde sie sich nicht täuschen.«

»Was ist mit dem Tag, an dem Amelie fliehen konnte? Freitag, 20. Oktober. Eine Buchung durch Brown und Barnes?«

»Nein. Auch nicht in den Tagen davor.«

»Zumindest nicht bei demselben Verleih.«

»Ich habe jeden Verleih befragt. Es gibt keinen mehr.«

»Die können sich privat ein Auto geliehen haben. Dieser William Brown muss sofort ausfindig gemacht und überprüft werden. Verdammter Mist, dass wir so viel Zeit verloren haben. Mit etwas mehr Einsatz bei dem Autoverleih …«

»Immerhin haben die jetzt noch angerufen.«

Caleb überlegte. »Das ist kein Zufall«, sagte er dann noch einmal. »Zu viele Zufälle. Zufällig kommt Barnes an jenem Abend dort vorbei, wo Amelie an der Kaimauer hängend um Hilfe ruft. Zufällig mietet er am Tag ihrer Entführung zusammen mit einem anderen Mann ein Auto. Wenn ich an etwas nicht glaube, dann an Zufälle. Zumindest dann nicht, wenn sie sich häufen.«

Sergeant Stewart sah das etwas anders. Er fand, dass im Leben manchmal ganz erstaunlich viele Zufälle zusammenkamen. Dennoch hatte auch ihn die Nachricht von *ISY Rent* elektrisiert.

»Das Auto wird von Spurentechnikern untersucht«, erklärte er. »Allerdings wurde es, wie es üblich ist, nach der Rückgabe gereinigt. Und inzwischen wurde es mehrfach verliehen und *jedes Mal* gereinigt. Viel Hoffnung habe ich daher nicht, dass etwas Brauchbares gefunden wird, aber natürlich versuchen wir es.«

Caleb seufzte. Die renovierte Wohnung. Das gereinigte Auto. Barnes hatte mehr Glück als Verstand.

»Ich habe Barnes für morgen früh zu uns bestellt«, fuhr Robert fort. »Er hat absolut bereitwillig reagiert.«

»Das Schlauste, was er tun kann«, meinte Caleb. »Was ist mit diesem Brown?«

»Die Adresse habe ich bereits. Zwei Leute von uns sind unterwegs zu ihm.«

»Okay. Gut.«

»Da ist noch etwas«, sagte Robert.

»Ja?«

»Ich weiß nicht, ob es relevant ist … aber es geht um ein weiteres Mädchen, das vermisst wird. Mandy Allard. Sie ist schon ziemlich lange verschwunden.«

Eine Vermisstenanzeige, die normalerweise gar nicht in seiner Abteilung gelandet wäre, aber angesichts der derzeitigen Situation hatte es eine Meldung gegeben. Caleb erinnerte sich. »Ja. Aber das war ein Fall von häuslicher Gewalt, oder? Die Mutter hat das Mädchen attackiert, und daraufhin ist es weggelaufen. Das gehört kaum in unsere Reihe.«

»Deshalb bin ich auch vorsichtig. Aber die Betreuerin des Mädchens vom Jugendamt war am Samstagfrüh auf der Wache und hat angegeben, den letzten Aufenthalt des Mädchens zu kennen. Irgendein abbruchreifes Haus, in dem ein Obdachloser lebt. Eine Streife war dort, aber keine Spur von dem Mädchen.«

»Ich glaube nicht, dass das in unseren Zuständigkeitsbereich...«

»Außerdem«, unterbrach ihn Robert, »hat sich heute Mittag eine ältere Dame auf einer Polizeidienststelle gemeldet. Sie hat am Vormittag des 30. Oktober ein Mädchen gesehen, das offenbar geradezu fluchtartig das Haus verließ, in dem sie wohnt. Sie kam aus der obersten Wohnung, in der, nach Angaben der alten Dame, ein merkwürdiger Sonderling wohnt. Brendan Saunders. Die Beschreibung des Mädchens passt auf Mandy Allard.«

»Warum kommt diese Frau jetzt damit? Eine Woche später?«

»Sie war wohl die ganze Zeit über nicht sicher, ob ihre Beobachtung von irgendeiner Relevanz ist. Außerdem wollte sie keinen Ärger. Sie lebt mit Saunders im selben Haus... Aber es ließ ihr dann keine Ruhe.«

»Hm«, machte Caleb. Er hielt das nicht für die heißeste Spur aller Zeiten.

»Wir sollten diesen Saunders überprüfen«, sagte Robert, »er ist bei uns im System.«

»Weswegen?«

»Er gehörte zu der Clique von Jugendlichen, die 2005 ein Mädchen auf einem stillgelegten Fabrikgelände stundenlang missbrauchten. Er war einer von denen, die angeblich an dem Tag nicht dabei waren, aber er gehörte dazu. Er war Teil der Gruppe. Seltsam, oder?«

»Wenn ich nur ein eigenes Auto hätte«, sagte Alex. »Dann müsste ich Sie nicht ständig um Ihres bitten. Es ist mir so unangenehm!«

Sie saßen in einem Café in Hull und versuchten sich mit heißem Tee etwas aufzuwärmen, nachdem sie eine Stunde lang durch die zugige Einkaufsstraße gelaufen waren und Alex komplett neu eingekleidet hatten. Deborah hatte alles bezahlt und dabei ein schlechtes Gewissen gehabt – Jason würde am Abend wieder außer sich sein und ihr Vorwürfe machen –, aber sie hatte sich zu beruhigen versucht, indem sie sich sagte, dass es Alex' Chance auf einen Job erhöhte, wenn er ein wenig gepflegter auftrat, und dass es in ihrer aller oberstem Interesse stand, dass er endlich Arbeit fand. Er musste auf eigene Füße kommen, sonst hing er ihnen noch ewig am Hals.

Er hatte sie am Mittag angerufen und von dem Bewerbungsgespräch in Hull am späten Nachmittag berichtet, irgendein Schreibtischjob in einer Baufirma, nichts, worauf er Lust hatte, aber, wie er hinzufügte, er konnte es sich nicht leisten, wählerisch zu sein.

»Und Hull ist noch dazu ziemlich weit von Scarborough weg«, hatte er hinzugefügt.

Dieser Satz hatte für Deborah den Ausschlag gegeben. Wenn er diese Arbeit bekam – am Ende zog er dann nach

Hull. Den Weg täglich zurückzulegen wäre wirklich absurd, selbst wenn es ihm doch noch irgendwie gelang, an ein Auto zu kommen. Sie wünschte inzwischen nur noch, dass er verschwand, am liebsten ans Ende der Welt, aber Hull wäre zumindest ein Anfang.

Also hatte sie sich bereiterklärt, ihn zu fahren, und dann hatte sie ihn auch noch zum Friseur geschleppt und in die Herrenmodeabteilungen der verschiedenen Geschäfte, und die ganze Zeit über hatte er beteuert, dies alles eigentlich nicht annehmen zu können, aber natürlich hatte er es am Ende doch angenommen. Deborah hatte an das höhere Ziel gedacht. Und er hatte … ja, sie hatte den Eindruck gehabt, dass er die ganze Zeit über grinste. Nicht wirklich sichtbar, im Gegenteil, sein Gesicht hatte ständig zerknirscht gewirkt. Und doch, innerlich hatte er gelacht. Hatte die Situation genossen. Hatte es toll gefunden, schöne neue Sachen zum Anziehen zu bekommen und keinen Penny dafür bezahlen zu müssen. Jason hatte recht: Er fand es großartig, dass die Familie Goldsby ihm zu Dank verpflichtet war. Und er war entschlossen, diese Situation, soweit er nur konnte, auszunutzen.

Das heißt so weit, wie wir ihn gewähren lassen, dachte Deborah.

Sie betrachtete ihn über den Tisch hinweg, während sie dankbar spürte, dass ihre Finger, die sich um die Teetasse schlossen, bitzelnd auftauten und zu neuem Leben erwachten. Zu dumm, dass sie ihre Handschuhe vergessen hatte.

Er sah deutlich seriöser aus mit dem neuen Haarschnitt und der neuen Kleidung, so seriös jedenfalls, wie jemand wie er aussehen konnte. Deborah fand, dass irgendetwas Verschlagenes in seinem Wesen war, aber vielleicht kam ihr das auch nur so vor, oder sie interpretierte es in ihn hinein. Für andere Menschen war er vielleicht einfach ein netter, normaler Mann, der das Leben nicht richtig in den Griff bekam, aber eine gute und hilfsbereite Seele war. So, wie sie ihn ja zu Anfang auch empfunden hatte. Damals, als sie ihm vor Dankbarkeit am liebsten die Welt zu Füßen gelegt hätte.

»Ich musste heute früh wieder zur Polizei«, sagte Alex. Er seufzte leise. »Das hört nicht auf. Dieser Inspector Hale hat sich eindeutig auf mich eingeschossen.«

»Was war diesmal?«, fragte Deborah. Sie konnte Alex nicht leiden, aber sie teilte Hales Verdacht nicht. Sie hätte das nicht wirklich zu begründen vermocht, aber er schien ihr einfach nicht kriminell zu sein. Ein Schnorrer. Extrem auf seinen Vorteil bedacht. Aber kein Verbrecher.

»Ein Kumpel von mir hatte am 14. Oktober ein Auto gemietet«, berichtete Alex. »Bei ISY Rent. Einen Kastenwagen. Und ich war auch als Fahrer registriert.«

»Der 14. Oktober war der Tag, an dem …«

»Ja. Das hat Hale auch total elektrisiert. Der Mann stochert so dermaßen im Nebel, dass er sich an jedem Strohhalm festkrallt, und ich scheine im Moment sein beliebtester Strohhalm zu sein. Vielleicht bin ich auch sein einziger.« Er machte eine kurze Pause. »Ist Ihnen eigentlich schon aufgefallen, dass er trinkt?«

»Nein«, sagte Deborah schockiert. Hale trank? Dafür hatte sie keine Anhaltspunkte. Vielleicht wollte Alex ihn nur schlechtmachen.

»Ich merke das, wenn ein Mensch ein Suchtproblem hat, speziell Alkohol«, erläuterte Alex. »Man sieht das an den Pupillen. Und an der Hautfarbe. Und man merkt es auch im Verhalten. Der lässt sich nicht zulaufen, wenn er im Dienst ist, und lallt dann herum, natürlich nicht. Aber der schafft es kaum, über den Tag zu kommen. Ich vermute, er fällt zumindest jeden zweiten Abend in eine Whiskyflasche.«

Deborah mochte Inspector Hale. »Sie sollten vorsichtig

sein, solche Gerüchte über jemanden in Umlauf zu setzen«, sagte sie ärgerlich. »Da ist vielleicht überhaupt nichts dran, aber es kann einen Menschen zerstören.«

»Sie werden irgendwann sehen, dass ich recht habe«, sagte Alex.

»Und was war nun mit dem Auto?«

»Dieser Freund hatte es ausgeliehen, weil er am darauffolgenden Montag umgezogen ist, und wir haben zusammen den ganzen Sonntag über schon einzelne Dinge zu seiner neuen Wohnung transportiert. William – mein Kumpel – wurde stundenlang vernommen. Er ist noch total schockiert. Zum Glück mussten sie ihn gehen lassen. Nachbarn von ihm haben bestätigt, dass sie uns mit den Kisten gesehen haben. Hale ist total frustriert.« Alex lachte leise. »Er dachte schon, er hat endlich einen Erfolg vorzuweisen.«

»Ein Kastenwagen...«

»Ein weißer Kastenwagen. Amelie hat von einem großen, dunklen Auto berichtet, in das sie gezerrt wurde. Die Beschreibung des Täters passt überhaupt nicht auf mich. Außerdem hätte sie sich bestimmt nicht so bereitwillig von mir retten lassen, hätte ich sie vorher entführt und verschleppt.«

»Sie könnten der zweite Mann sein«, sagte Deborah. »Der, in dessen Auto sie fliehen konnte.« Rasch fügte sie hinzu: »Nicht, dass ich das glaube, aber...«

»Ihr Mann hofft bestimmt, dass ich das bin«, meinte Alex, »aber zum Glück war ich zum Zeitpunkt von Amelies Flucht in der Pizzeria und habe gekellnert. Daran ist nicht zu rütteln.« Er hatte seinen Tee ausgetrunken und sah sich suchend nach dem Kellner um. »Ich brauche jetzt noch was Stärkeres. Sie auch?«

»Nein, danke. Und Sie sollten besser nichts trinken vor dem Vorstellungsgespräch.«

»Ein Schnaps macht mich nicht betrunken, sondern gelassener.« Er bestellte einen Grappa. Nachdem er ihm gebracht worden war, fuhr er fort: »Ihr Mann hofft es, weil er mich dann los wäre.«

»Nein. Wir sind Ihnen dankbar. Jason genauso wie ich.«

Alex lachte. »Klar sind Sie mir dankbar. Aber Sie hätten gerne einen Grund, aus dieser Dankbarkeitsnummer auszusteigen. Niemand fühlt sich gerne verpflichtet. Leider konnte Hale mir beim besten Willen nicht ans Bein pinkeln. Abgesehen von der Tatsache, dass ich gearbeitet habe, habe ich außerdem an dem Tag, an dem Amelie fliehen konnte, kein Auto geliehen. Nirgends.«

Zumindest nicht offiziell, dachte Deborah.

»Wie geht es Amelie?«, erkundigte sich Alex.

Deborah konnte geradezu spüren, wie sich ihre Miene verdüsterte. »Nicht gut. Sie sitzt praktisch den ganzen Tag nur in ihrem Zimmer und starrt aus dem Fenster. Sie bewegt sich nicht einmal im Haus, nimmt nicht an den gemeinsamen Mahlzeiten teil.«

Das war allerdings vor der Entführung nicht viel anders gewesen. Seit einem Dreivierteljahr befand sich Amelie mehr und mehr auf dem Rückzug. Als wäre es das Schlimmste auf der Welt, mit ihren Eltern, besonders mit ihrer Mutter, zusammen zu sein. Sie hatten es nur damals nicht in dieser Form akzeptiert. Jason hatte auf gemeinsamen Abendessen bestanden. Amelie hatte meist kein Wort gesprochen.

Jetzt ließen sie ihre Tochter in Ruhe. Weil sie so wirkte, als könnte sie zerbrechen, wenn sie zu irgendetwas gezwungen wurde, das sie nicht wollte.

»Sie ist so … in sich gekehrt. Gar nicht richtig anwesend.«

»Es wäre sicher besser für sie, wenn sie wieder in die Schule ginge«, meinte Alex. »Es klingt so, als würde sie viel zu viel grübeln.«

»Ja, aber sie weigert sich, in die Schule zu gehen. Der Psychologin hat sie gesagt, sie könne doch nicht einfach so weitermachen, als wäre nichts geschehen. Irgendwie habe ich den Eindruck, sie kann einfach nicht wieder in die Normalität zurück. Sie kann die Normalität noch nicht *annehmen*.«

»Ich kann das schon verstehen«, sagte Alex nachdenklich.

»Ich auch«, sagte Deborah. »Nur... auf diese Weise bleibt sie völlig verfangen in ihrer Situation. Sie spricht nicht über den entscheidenden Teil ihrer Entführung. Stattdessen fängt sie dann immer von der Situation im Meer an. Immer wieder. Dass sie glaubte zu sterben. Zu ertrinken. Es ist wie ein Karussell, das anspringt und sich dann stundenlang im Kreis dreht. Man möchte sie schütteln...«

»Irgendwann«, sagte Alex, »wird sie über alles sprechen.«

»Manchmal wage ich es gar nicht, noch darauf zu hoffen.«

»Hat sie Freunde, mit denen sie kommuniziert?«

»Das ist eben auch so seltsam. Sie hatte immer Freunde. Freundinnen vor allem. Früher war sie praktisch ständig online. Ich habe immer gesagt, ihr Smartphone ist an ihr festgewachsen.«

»War ihr Smartphone nicht verschwunden?«

»Wir haben ihr ein neues geschenkt. Damit sie wieder Kontakt zur Außenwelt aufnimmt. Aber sie tut es nicht. Fasst es so gut wie gar nicht an. Du liebe Güte«, Deborah lachte gequält, »ich hätte nie geglaubt, dass ich eines Tages geradezu darum betteln würde, dass sie wieder rund um die Uhr WhatsApps verschickt. Früher habe ich gesagt, sie soll das doch mal sein lassen. Jetzt bete ich darum, dass sie es wieder tut. Es wäre ein erster Schritt in die Normalität. Aber sie tut es nicht.«

»Sie wird sich schon wieder fangen«, sagte Alex, aber er klang unbeteiligt.

Warum sollte es ihm auch wichtig sein, fragte sich Deborah im Stillen. Laut sagte sie: »Sie müssen los. Ich warte hier auf Sie.«

»Super. Danke. Dann drücken Sie mir mal die Daumen!« Er stand auf.

Gebe Gott, dass er den Job bekommt, dachte Deborah. Gebe Gott, dass auch *er* in eine Normalität findet.

Sie hatte kein gutes Gefühl.

Sie heißt Mandy. Ihren Namen kenne ich bereits, und als ich sie sehe, an dem vergangenen Freitag, weiß ich, dass sie es sein muss. Ich sehe sie in der Dunkelheit die Straße entlanggehen. Die Art, wie sie die Schultern hochzieht, die Arme um den mageren Körper schlingt ... Sie friert erbärmlich. Es ist ein sehr kalter Abend, aber sie scheint geradezu übermäßig zu frieren, tief aus ihrem Innersten heraus. Sie wirkt elend. Verzweifelt. Alleine. Einsam. Hoffnungslos. Junge Mädchen in diesem Alter gehen oft sehr selbstbewusst eine Straße entlang, selbst bei richtig schlechtem Wetter. Sie wissen, wie gut sie aussehen und welche Begehrlichkeit sie wecken. Sie wirken sicher und unverkrampft, weil sie es einfach wissen. Sie haben so viel Kraft und Jugend und Schönheit in sich, und sie gehen damit manchmal fast nachlässig um. So, als könnte diese Phase ihres Lebens nie enden. Aber das macht ihren Reiz aus. Dass sie nicht an das Ende denken. Dass sie glauben, sie werden ewig jung sein.

Dieses Mädchen strahlt weder Lässigkeit noch Selbstbewusstsein aus. Saskia ist auch so gewesen. Nicht so elend und niedergeschlagen ... Aber auch nicht wirklich strahlend. Saskia war schüchtern, traute sich kaum, den Mund aufzumachen. Es war sehr schwierig, mit ihr ein Gespräch zu führen. Am Anfang dachte ich, das ist normal, sie muss sich erst an mich gewöhnen. Aber dann ... na ja, ich sagte es schon. Es wurde schlimmer statt besser. So schrecklich enttäuschend.

Kaum sitzt Mandy bei mir im Auto, merke ich, dass sie von Natur aus eigentlich gar kein niedergedrückter Mensch ist. Es geht ihr nur einfach gerade schlecht – ihr ist so kalt, und sie hat schon seit Tagen nichts Richtiges mehr gegessen, wie sie erzählt. Aber sie hat eine laute Stimme und eine forsche Art zu sprechen. Sie kommt nicht gerade aus der besten Familie, das hört man deutlich. Sie ist anders.

Ich überlege, während wir im Auto sitzen, ob sie richtig ist für mich. Sie lebe schon seit längerer Zeit auf der Straße, erzählt sie mir. Das weiß ich bereits, aber sowieso hätte das jeder sofort bemerkt. Sie ist unheimlich dreckig. Sie stinkt. Nach Schweiß, nach ungewaschener Kleidung, nach fettigen Haaren. Ich weiß gleich, dass ich als Erstes eimerweise Wasser herbeischaffen und erwärmen und sie einseifen und waschen muss. Und dann brauche ich saubere Kleidung für sie. Die Sachen der anderen werden ihr nicht passen, sie ist größer, und sie ist sehr mager. Vielleicht gelingt es mir, sie ein bisschen runder zu füttern, sie sieht wirklich fast krank aus, so dünn ist sie. Allerdings sind das viele junge Mädchen heutzutage. Sie hungern und zwängen sich in Size-Zero-Jeans und führen Gewichtstagebücher und solche Dinge. Sie passen wahnsinnig mit dem Essen auf. Ich weiß das aus dem Fernsehen.

Ich habe eine Packung Kekse im Auto, die Mandy mit wahrem Heißhunger verschlingt. Dabei erzählt sie, dass sie von zu Hause weggelaufen ist, Anfang Oktober schon, und sich seitdem durchschlägt. Die letzte Zeit über hat sie wohl bei einem Freund gewohnt, aber nun hat sie Ärger mit dessen Freundin bekommen und musste gehen.

»Ich dachte, ich muss aufgeben«, sagt sie. »Bei dieser Kälte …«

Sie zeigt mir ihren linken Arm, der wirklich schlimm aussieht und mich ziemlich schockiert. Ihre Mutter hat einen Kessel mit kochendem Wasser nach ihr geworfen. Rohes, rotes Fleisch … Sie hat großes Glück gehabt, dass sie sich keine Infektion geholt hat.

»Ich habe eine gute Brandsalbe daheim«, sage ich, »und Verbände. Wir bringen das schon in Ordnung.«

»Ich möchte nicht wieder nach Hause«, sagt sie. »Ich komme mit meiner Mutter nicht klar. Und mein Vater kann mir nicht helfen. Meine Schwester kümmert sich nicht um mich. Ich habe Angst, dass das Jugendamt mich ins Heim steckt.«

»Du musst keine Angst haben«, tröste ich sie, »du bleibst erstmal bei mir. Wenn du magst.«

Innerlich macht mein Herz einen Freudensprung. Sie gefällt mir als Typ nicht so, aber sie will tatsächlich aus völlig freien Stücken nicht mehr nach Hause. Sie wird nicht ständig jammern und weinen und in ihr altes Leben zurückwollen. Sie braucht mich. Sie wird glücklich sein, dass sie einen Platz gefunden hat. Wo niemand sie mit kochendem Wasser traktiert. Und das Jugendamt kann ihr auch nicht gefährlich werden.

Vielleicht hat sie es immer sein sollen. Schicksalhaft. Vielleicht hat es deshalb mit den anderen nicht funktionieren können.

»Wo wohnen Sie denn?«, fragt sie, als wir Scarborough Richtung Norden verlassen.

Das, spätestens, ist mit den anderen immer der heikle Moment gewesen – oder, besser gesagt, von diesem Augenblick an hat es dann immer nur noch heikle Momente gegeben. Wenn sie merkten, wie weit wir fuhren. Es hätte ja egal sein können, wo sie von nun an mit mir lebten, aber die große Entfernung zu dem, was sie anhaltend als »Heimat« und »vertrautes Leben« bezeichneten, schien sie in eine Panik zu versetzen, die dann nie wieder von ihnen wich.

Ich kann es aber nicht ändern.

Deshalb bin ich darauf gefasst, dass selbst bei Mandy die Stimmung kippen wird.

»Ich wohne etwas außerhalb«, sage ich vage.

Für eine Sekunde wirkt sie beunruhigt. Aber sie wird nicht panisch. Panik hat sie vor der Variante, wieder auf die Straße zu müssen, das macht ihr Angst. Alles ist besser, als wieder draußen zu sein. Schutzlos der Kälte preisgegeben. Und dem Hunger.

Mandy hat nichts zu verlieren.

Und dann schläft sie auch noch ein. Sie ist völlig erschöpft. Ihr Kopf sinkt zur Seite, gegen die Fensterscheibe, und ich kann hören, wie sie tief und gleichmäßig atmet. Das ist wunderbar, das ist ein Geschenk des Himmels. Wir fahren und fahren … um uns herum wird die Gegend immer einsamer … kein anderes Auto kommt uns mehr entgegen. Und sie bemerkt es überhaupt nicht.

Ich könnte an das Ende der Welt mit ihr fahren.

Ich bin immer noch nicht wieder im Keller gewesen. Ich denke, es ist inzwischen vorbei.

MITTWOCH, 8. NOVEMBER

1

Bei ihrem Einzug hatte Kate sich noch gut gefühlt. Jetzt waren nur ein paar Tage vergangen, und schon erkannte sie, dass sie die Zeit in der selbstgewählten Isolation in diesem leeren Haus kaum aushalten würde.

Die Stille erschlug sie. Die Erinnerungen, die hier trotz allem noch so lebendig waren, belasteten sie.

Die Leere machte sie fast depressiv.

Hätte sie Messy nicht gehabt, die sich nachts im Schlafsack an sie kuschelte und ihr tagsüber auf Schritt und Tritt folgte, Kate wäre verrückt geworden.

Am Dienstag war der Makler da gewesen und hatte sich sehr optimistisch gezeigt, bald einen Käufer für das Haus zu finden.

»Genau so etwas suchen junge Familien«, sagte er begeistert. »Idealer Zuschnitt. Unten Küche, Wohnzimmer und Esszimmer. Oben drei Schlafzimmer und ein Bad. Und ein hübscher überschaubarer Garten. Perfekt!«

Ja, dachte Kate, das war es. Auch für uns damals als Familie.

Am Mittwochvormittag kam der Makler bereits mit einem interessierten Ehepaar zurück. Die Frau war schwanger und schlecht gelaunt, ihr Mann meckerte an allem herum und tat so, als würde ihm eine Bruchbude vorgeführt. Kate hatte mit derartigem Verhalten gerechnet, weil mögliche Interessenten natürlich den Kaufpreis drücken wollten und sich deshalb nicht allzu begeistert zeigen konnten, aber sie hatte nicht geglaubt, dass es so schwer zu ertragen sein würde.

»Vielleicht kann man etwas daraus machen«, sagte die Frau, als sie alle im Wohnzimmer standen, »aber man muss sehr viel Geld und Zeit investieren.«

»Nach heutigen Standards nicht ideal«, meinte ihr Mann.

»Dann suchen Sie sich doch etwas anderes«, sagte Kate patzig.

Das Ehepaar starrte sie entgeistert an.

»Natürlich hat jeder seine ganz eigenen Vorstellungen«, sagte der Makler hastig, »solche Dinge sind nie persönlich gemeint und ...«

»Ich meine das durchaus persönlich«, sagte Kate. »Ich werde an Sie nicht verkaufen. Also suchen Sie sich etwas anderes.«

Nachdem das Paar kopfschüttelnd abgezogen war – »Komische alte Jungfer«, flüsterte der Mann seiner Frau zu, was Kate einen schmerzhaften Stich versetzte – und der Makler sich bei sämtlichen Beteiligten hundertmal entschuldigt hatte, ohne dass klar wurde, wofür er das eigentlich tat, zog sich Kate Mantel, Schal und Stiefel an und machte einen langen Spaziergang zum Meer.

Der Strand war leer, der Tag lud nicht zu Spaziergängen ein. Kate dachte daran, wie es während der Sommermonate hier von Menschen wimmelte. Sie selbst war oft zum Baden gekommen. Was sie immer gehasst hatte im Sommer, war der Anblick der Esel gewesen. Diese müden, apathischen Tiere, die hin- und hergeführt wurden, oft in der prallen

Sonne, ständig schreiende, kreischende, johlende Kinder auf dem Rücken. Die Esel galten als ein Wahrzeichen von Scarborough. Die Kinder ritten auf ihnen, und die Eltern liefen mit völlig intelligenzfreiem Grinsen auf den Gesichtern neben ihnen her, drehten Videos und merkten nichts von der Erschöpfung der Tiere. Zweierlei hatte Kate immer gedacht, wenn sie das sah: dass Tiere nur in seltenen Fällen in die Hände von Kindern gegeben werden sollten. Und dass manche Eltern ihren Verstand ablegten, sobald es um ihren Nachwuchs ging.

Als sie zurückkehrte, etwas müde und ratloser denn je, fand sie eine WhatsApp-Nachricht auf ihrem Handy vor. Colin hatte ihr geschrieben. Er erwies sich als erstaunlich anhänglich. Sie hatten sich vor Kates Abreise nach Scarborough noch zweimal getroffen, womit Colin jeden Rekord brach, den je ein Mann im Umwerben von Kate aufgestellt hatte. Insgesamt hatten sie inzwischen drei Dates gehabt. Kate hatte Colin schließlich ihre Handynummer gegeben, und sie hatte ihm gesagt, wo sie arbeitete. Colin hatte auf *Metropolitan Police* mit solch ehrfürchtiger Faszination reagiert, dass Kate ziemlich sicher war, dass es ihr Beruf war, was ihn eigentlich zu ihr hinzog, nicht etwa ihre Reize als Frau. Colin hatte – und das war sicher die absolute Ausnahme in seinem Verhalten – tief beeindruckt gewirkt. Da er, wie Kate vermutete, jedem gegenüber in ähnlicher Weise protzte, wie er das bei ihr tat, würde er seine Bekanntschaft mit einer Scotland-Yard-Beamtin nun in seine Schilderungen seiner eigenen bedeutenden Persönlichkeit einbauen. Bei anderen Menschen klang das wahrscheinlich fast schon so, als arbeitete er selbst dort. Kate war das egal. Immerhin lockerte Colin ihre Einsamkeit ein wenig auf, indem er ihr Nachrichten schickte, sich ab und zu mit ihr treffen wollte und größtes Interesse an ihrer Arbeit zeigte. Ansonsten sprang kein Funke über, bei Kate definitiv nicht, und bei ihm, wie sie vermutete, auch nicht. Er war nicht der Mann, für den sie irgendetwas empfinden konnte. Unglücklicherweise gab es außer ihm keinen anderen.

»Hi Kate«, schrieb er, »wie geht es dir, wie ist es in Scarborough? Kannst du es dort aushalten? Oder zerfrisst dich die Sehnsucht nach London? Haben sich schon Interessenten für das Haus gemeldet? Denk daran, nicht zu nachgiebig mit dem Kaufpreis zu sein. Wenn du Unterstützung brauchst, ich kann jederzeit kommen! Melde dich mal! Colin XX«

Angehängt hatte er ein Selfie. Colin liebte Selfies, er nahm sich in nahezu jeder Lebenslage auf, postete die Bilder auf Facebook und Instagram und verschickte sie an Gott und die Welt. Diesmal stand er auf einer sehr belebten Straße irgendwo in London, zwischen Autos, Bussen und hin und her hastenden Fußgängern. Er hielt eine kleine Tüte von Sainsbury's in der Hand. Um den Hals trug er einen dicken Schal, seine Wangen und seine Nase waren gerötet von der Kälte. Er grinste etwas einfältig, fand sich jedoch sicher umwerfend attraktiv. Kate musste unwillkürlich lächeln. Am Anfang hatte sie sich über ihn geärgert, inzwischen betrachtete sie ihn mit fast mütterlicher Nachsicht. Ein großer Junge. Vollkommen unerträglich im Grunde, aber kein bösartiger Mensch. Auf dem Weg zum Erwachsenwerden war er an irgendeiner Stelle steckengeblieben, und wie es aussah, würde er von dort nicht mehr weiterkommen.

»Hi Colin, komme gerade vom Strand. Ehrlich gesagt, vermisse ich London nicht besonders. Hier ist es so wunderschön. Die ersten Interessenten für das Haus waren da, aber sie waren so schrecklich arrogant, dass ich sie rausgeworfen habe. Ich hoffe, der Makler verzweifelt nicht an mir. Liebe Grüße, Kate«

Colin rief die Nachricht innerhalb von Sekunden ab und

antwortete sofort. »*Wenn du schon London nicht vermisst, dann aber wenigstens mich? Ein bisschen?*«

Dahinter hatte er ein weinendes Emoji gesetzt.

Flirtete er? Kate war nicht sicher. Mit ihr hatte noch nie ein Mann geflirtet. Es war einfach ärgerlich, so völlig unerfahren zu sein.

»*Klar vermisse ich dich*«, antwortete sie. »*Ein bisschen.*«

Diesmal öffnete Colin die Nachricht nicht sogleich und antwortete auch nicht. Kate wartete einen Moment, dann zuckte sie die Schultern und legte ihr Smartphone zur Seite. Sie hatte nichts zu Mittag gegessen, und der Nachmittag brach an, schon wurde es dämmrig. Diese dunkle Zeit … Sie schaltete den elektrischen Kamin ein, packte ein paar Kerzen aus, die sie mitgebracht hatte, befestigte sie auf leeren umgedrehten Konservendosen und stellte sie in das Erkerfenster. Von draußen sah das sicher schön aus. Niemand würde sich vorstellen, dass hier eine Frau ganz alleine mit ihrer Katze in einem völlig leer geräumten Haus wohnte und nicht so recht wusste, wie ihr Leben weitergehen sollte.

Sie ging in die Küche, öffnete die nächste Konservendose – Nudeln mit Fleischklößen – und machte sich das Fertiggericht auf dem Herd warm. Seit Tagen nur Konserven … Sie sollte einkaufen gehen. Sie brauchte Obst und Gemüse, sie sollte sich endlich etwas Frisches zubereiten. Aber sie besaß so wenig Zubehör in dieser Küche, kaum etwas von dem, was man zum Kochen brauchte, die richtigen Messer, Schneidebrettchen, Pfannen, Schüsseln. Sie hatte das Allernotwendigste von London mitgebracht, und im Grunde reichte das tatsächlich nur, um irgendetwas aufzuwärmen.

»Eine schnelle Entscheidung«, murmelte sie, »alles drängt zu einer schnellen Entscheidung.«

Sie setzte sich auf ihren Campingstuhl im Wohnzimmer

vor den Kamin und löffelte ihr Essen, nachdem sie zuvor Messys Schüssel gefüllt und ihr frisches Wasser gegeben hatte.

Dann spülte sie das Geschirr ab, machte sich einen Tee. Die Kerzen im Fenster brannten noch. Der Nachmittag lag noch immer vor ihr. Colin hatte nicht mehr geantwortet.

Sie dachte an Jason und an seinen Besuch. Es juckte sie in den Fingern, sich ein wenig mit dem Fall zu beschäftigen, aber sie wusste, dass dies ein schmaler Grat war, und fast zwangsläufig würde sie sicher mehr als einmal mit dem Fuß in den roten Bereich, das hieß: in den Bereich von Caleb Hales Ermittlungen treten. Sie hatte nichts, gar nichts in dieser Geschichte verloren. Es war ihr Problem, dass sie hier saß, an der Stille des leeren Hauses fast erstickte, potenzielle Verkäufer verjagte, schon wieder nicht wusste, ob sie überhaupt verkaufen wollte, sich im Kreis drehte, am Meer entlangrannte, mit einem Mann in London, von dem sie eigentlich nichts wollte, per WhatsApp flirtete, sich deprimiert fühlte, die Wände auf sich zukommen sah, Kerzen im Fenster hatte, die fast gespenstisch wirkten angesichts des kahlen Raumes, ungesundes Essen in sich hineinschlang, sich nicht aufraffte, wenigstens eine Tüte Äpfel zu kaufen, und dass es außer einer Katze kein Lebewesen um sie herum gab… All dies, jedes einzeln für sich und alles zusammen würde Detective Chief Inspector Caleb Hale nicht im Mindesten nachsichtig stimmen, wenn er sie irgendwann dabei ertappte, wie sie in Dingen herumstocherte, die sie nichts angingen.

Andererseits… es gab Stochern und Stochern. Es gab auch ein behutsames Nachfragen hier und dort. Sie hatte hier keinerlei Ermittlungsbefugnis, dennoch war sie in dieser ganzen Geschichte nicht einfach nur irgendeine Außenseiterin. Sie hatte bei den Goldsbys gewohnt, als das Unglück geschah. Sie war involviert gewesen, als Caleb Hale noch gar nichts von dem Vorkommnis gewusst hatte. Dr. Jason Goldsby hatte sie aufgesucht und ihr berichtet, dass er sich Sorgen wegen Alex Barnes machte, er hatte ihr die Details von Amelies Flucht erzählt und dass die Polizei Alex verdächtigt hatte, in irgendeiner Weise in die Entführungsgeschichte verwickelt zu sein – jenseits der Tatsache, dass er Amelie aus dem Wasser gezogen hatte.

Ich wünschte, sie würden etwas finden. Irgendetwas, das beweist, dass er nicht der edle Retter ist. Ich wünschte, wir könnten aufhören, ihm dankbar sein zu müssen. Er lässt uns nicht mehr los. Können Sie nicht etwas tun? Sie sind doch bei Scotland Yard!

Kate war überzeugt, dass sie, was Alex Barnes anging, nichts herausfinden würde, was nicht Caleb Hale auch entdeckte. Sie kannte Caleb und ahnte, dass Alex nicht nur *ein* Verdächtiger, sondern *der* Verdächtige für ihn war. Caleb biss sich gerne fest, und wenn er das tat, blieb im Leben der betreffenden Person absolut nichts übrig, wovon er nichts gewusst und was er nicht von jeder denkbaren Seite beleuchtet hätte. Wenn Alex Barnes nicht der harmlose Passant und Retter in letzter Minute war, als der er sich ausgab, würde Caleb Hale das herausfinden. Insofern brachte es nichts, wenn sie sich zusätzlich auf diese Fährte begab. Es erhöhte nur die Gefahr, dass sie und Caleb einander in die Quere kamen.

Sie klappte ihren Laptop auf und notierte in einem leeren Dokument zwei Namen: *Ryan Caswell und David Chapland.*

Sie wusste kaum etwas zum aktuellen Stand der Dinge, aber wenn sie wetten sollte, hätte sie gesagt, dass um diese beiden Personen herum noch Ermittlungsbedarf bestehen könnte. Als sie einige Wochen zuvor, direkt nach Amelies Entführung, mit Caleb gesprochen hatte, hatte sie Hannah Caswell in eine Reihe mit Saskia Morris und Amelie gestellt und zu bedenken gegeben, dass auch sie Opfer desselben Täters geworden sein könnte. Caleb hatte sich nicht allzu überzeugt gezeigt. Er hielt den zeitlichen Abstand zu den beiden anderen Fällen für zu groß. Damit konnte er recht haben, und doch ... Kates Gefühl sagte etwas anderes. Es sagte ihr zumindest, dass man diese Möglichkeit nicht ausschließen durfte. Und wenn es so war, wenn Hannah dazugehörte, war sie der Anfang, zumindest soweit es bekannt war. Kate ging in ihren eigenen Ermittlungen immer gerne an den Anfang zurück. Häufig bedeutete das nichts anderes, als dem eigenen Handeln eine Struktur zu geben. Manchmal aber barg der Anfang die einzige Möglichkeit, das Motiv zu erkennen, das allem zugrunde lag.

Sie schrieb zwei weitere Namen auf: Kevin und Marvin Bent. Vor allem Kevin Bent war damals sicherlich gründlich geprüft worden. Er war der letzte Mensch, von dem man wusste, dass er Hannah Caswell gesehen hatte. Sie war in seinem Auto mitgefahren, aber er schwor, dass er sie am Bahnhof in Scarborough abgesetzt hatte. Hannahs Freundin Sheila, mit der Hannah noch vom Bahnhof aus telefoniert hatte, bestätigte das. Kevin war weitergefahren, dann aber wieder umgekehrt und hatte noch einmal Ausschau nach Hannah gehalten. Über diesen Umstand hatte er die Polizei zunächst belogen. Er sagte, er habe Hannah nicht mehr gesehen und sei dann nach Hause gefahren. Offensichtlich war ihm nichts nachzuweisen gewesen. Kate fragte sich, ob Kevin Bent und sein älterer Bruder, der bereits einmal Teil der Ermittlungen um ein Sexualverbrechen gewesen war, im Zusammenhang mit Saskia Morris und Amelie Goldsby erneut überprüft worden waren. Sie machte ein Fragezeichen dahinter. Vermutlich ja. Aber vermutlich nicht besonders gründlich.

David Chapland.

Der Mann, der an jenem späten, stürmischen Abend ebenfalls unten am Cleveland Way gewesen war. Der geholfen hatte, Amelie an Land zu ziehen, der die Polizei und den Rettungswagen angerufen hatte. Wenn der Fahrer des Autos, in dem Amelie geflohen war, sie verfolgt hatte, könnte es sich bei Chapland rein theoretisch auch um diesen Mann handeln. Er hatte jedoch Amelie nichts antun können, weil Alex Barnes dabei gewesen war. Einmal aufgetaucht, hatte er helfen müssen, weil alles andere merkwürdig ausgesehen hätte.

Chapland war sicher ebenfalls überprüft worden. Aber vielleicht nicht mit der Akribie, mit der Caleb hinter Barnes her war.

An den Anfang zurückgehen ... Kate stand auf, löschte die Kerzen im Fenster. Sie schaute auf die Uhr: Kurz nach vier. Nicht zu spät für einen Besuch bei Ryan Caswell, Hannahs Vater. Sie zog ihren Mantel an, schlüpfte in ihre Stiefel. Caswell hatte – nach Calebs eigener Vermutung – ja vielleicht gar nichts mit den anderen Fällen zu tun, insofern mischte sie sich nicht in eine laufende Untersuchung ein. Bei Chapland würde das definitiv anders aussehen, aber darüber konnte sie später nachdenken.

Falls es ein Später gab. Aber das musste sie dann entscheiden.

Kate verließ das Haus.

Kate kannte Ryan Caswells Adresse in Staintondale nicht, hatte sie auch im Google-Telefonbuch nicht finden können, aber sie kannte Staintondale und nahm ziemlich sicher an, dass dort jeder über jeden Bescheid wusste. Sie würde irgendwo halten und nach Caswell fragen. Sie stammte von hier, sie sprach wie die Menschen, die hier lebten. Man würde ihr Auskunft geben.

Staintondale bestand aus einem kleinen Gemischtwarenladen mit Poststation, aus einer Bushaltestelle, die einsam am Rande einer Landstraße lag, und aus etlichen Häusern und Gehöften, die sich zwischen Wiesen und Feldern verstreut hatten. Man hatte von der Hochebene aus einen großartigen Blick auf das Meer, und überall gab es kleine, felsige Buchten, in die man hinabklettern und dann von dort aus schwimmen konnte. Kate hatte das als Kind und Jugendliche auch oft gemacht. Es gab keinen Sandstrand, man turnte über scharfkantige Steine, die an den Füßen wehtaten, aber das hatte sie früher nicht besonders gekümmert. Zimperlich wurde man erst in späteren Jahren.

Inzwischen war es schon sehr dämmrig draußen, und man konnte das Meer nur noch ahnen. Die Scheinwerfer von Kates Auto beleuchteten die Hecken und Mauern, die die schmale Landstraße rechts und links begrenzten. Dann kam sie an die Bushaltestelle und sah, dass eine Frau dort wartete. Sie bremste scharf und ließ die Scheibe hinunter.

»Ich möchte zu Ryan Caswell«, sagte sie. »Können Sie mir sagen, wo er wohnt?«

Die Frau trat heran. Sie wirkte ziemlich verfroren. »Der wohnt gar nicht mehr hier«, erklärte sie. »Der ist schon vor drei Jahren nach Scarborough gezogen.«

»Oh ... Wissen Sie vielleicht, wo er dort lebt?«

Die Frau setzte zu einer langatmigen, komplizierten Beschreibung an, da sie zwar wusste, wie man zu Caswell kam, den Namen der Straße jedoch vergessen hatte.

Kate unterbrach den Redefluss. »Wenn Sie mögen, fahren Sie doch mit mir. Sie können mir den Weg zeigen und sind dann immerhin schon in Scarborough. Dort sind die Verbindungen besser.«

Die Frau war sofort bereit. Sicher empfand sie es nicht als besonders riskant, zu einer anderen Frau ins Auto zu steigen, aber Kate überlegte, dass ein so einsamer Ort wie Staintondale, der zwar an eine Buslinie angeschlossen war, aber trotzdem nicht allzu häufig angefahren wurde, Menschen dazu verleitete, unvorsichtig zu werden. Man stand an einem dunklen Herbstnachmittag an einer Bushaltestelle herum und irgendwann wurde man möglicherweise unvorsichtig, wenn sich plötzlich eine andere Möglichkeit ergab, schnell vom Fleck zu kommen.

Besonders Teenager mochten anfällig sein. Sie hatten es immer besonders eilig, weil ständig irgendwo etwas stattfand, woran sie unbedingt teilnehmen, wozu sie unter allen Umständen gehören mussten. Hannah war an einem verregneten Novemberabend in Scarborough aus dem Zug gestiegen und hatte keine Ahnung gehabt, wie sie nach Hause kommen sollte. Hatte ihren Vater nicht erreichen können und sich vermutlich ziemlich hilflos gefühlt. Man mochte ihr hundertmal eingeschärft haben, niemals zu Fremden ins Auto zu steigen, es könnte trotzdem eine Situation gewesen sein, in der sie abgewogen hatte und bereit gewesen war, das Risiko einzugehen.

In ihrem Fall eine katastrophale Fehlentscheidung. Denn seither war sie verschwunden, und das sicherlich nicht freiwillig.

Kates Mitfahrerin erwies sich als redselig. »Ryan hat es in seinem Haus nicht mehr ausgehalten, nach der… nach der Sache mit Hannah. Seiner Tochter. Wissen Sie davon?«

»Ich bin Journalistin«, behauptete Kate. »Ich weiß davon.«

Die Frau war fasziniert. »Journalistin… Schreiben Sie über diese Geschichte?«

»Hier verschwinden immer wieder Mädchen. Eine eigenartige Häufung. Darüber möchte ich schreiben, ja.«

»Ja, das stimmt. Furchtbar die Sache mit Saskia Morris. Hannah hat man ja nie gefunden. Was natürlich nicht heißt, dass sie noch lebt. Obwohl wir alle hier das hoffen. Aber… je mehr Zeit vergeht…«

»Ryan Caswell hatte nie eine Ahnung, was passiert sein könnte?«

»Er hatte und hat seine eigene Theorie. Er ist überzeugt, dass Kevin Bent umgekehrt ist und Hannah mitgenommen hat. Das ist der junge Mann, der…«

»Ich weiß. Er hatte Hannah von Hull nach Scarborough mitgenommen.«

Die Frau seufzte. »Kevin ist kein schlechter Kerl. Ich bin ganz sicher, dass er Hannah nichts getan hat und dass seine Geschichte stimmt, dass er sie am Bahnhof nicht mehr angetroffen hat. Aber Ryan braucht einen Schuldigen, sonst erstickt er an seinem Hass, an seinem Schmerz. Da bietet sich Kevin an. Schon wegen der Geschichte damals mit seinem Bruder.«

»Ich weiß. Was halten Sie von dem Bruder?«

»Marvin? Harmloser Mensch. Der war damals mit den falschen Freunden zusammen, war in schlechte Gesellschaft geraten, aber er hat an dieser schrecklichen Vergewaltigung nicht teilgenommen, das glaube ich ihm sofort. Dazu wäre er gar nicht fähig. Beide Brüder nicht.«

»Was machen sie heute? Wie leben sie?«

»Sie wohnen noch im Haus ihrer Mutter in Staintondale. Die Mutter ist vor zwei Jahren gestorben, und die Jungs haben das ziemlich verwahrloste Anwesen sehr schön hergerichtet. Und sie haben ein Pub übernommen. Am Hafen von Scarborough. Ganz nettes Ambiente. Einfaches Essen. Hauptsächlich leben sie vom Ausschank. Müssen ziemlich kämpfen. Die Zeiten sind nicht die besten. Alle hier haben Angst, dass nach dem Brexit die Touristen wegbleiben und es noch schwieriger wird. Na ja, und dann lässt Ryan natürlich auch keine Gelegenheit aus ...«

»Was?«

»Er redet überall schlecht über Kevin. Nennt ihn den Mörder seiner Tochter. Gut, die meisten kennen Ryan und nehmen das alles nicht so ernst. Trotzdem, an Kevin ist natürlich etwas hängengeblieben damals, und Ryan sorgt dafür, dass es bloß niemand vergisst. Kevin meint, dass sie mehr Gäste hätten, wenn Ryan endlich aufhören würde zu hetzen. Aber ob das so wäre ... schwer zu sagen.«

»Was glauben Sie, was geschehen ist?«

»Mit Hannah? Ich glaube, sie wusste nicht, wie sie nach Hause kommen sollte. Konnte ihren Vater nicht erreichen. Stand wahrscheinlich sichtlich verloren vor dem Bahnhof herum. Und dieser ... Serientäter, wenn es ihn gibt ... er pickt die Mädchen von der Straße, nicht wahr? Mit Saskia Morris hat er es auch so gemacht. Und mit der kleinen Goldsby. Irgendein kranker Kerl, der auf diese blutjungen Dinger steht. Er nutzt die Gelegenheit. Schnappt sie, stellt Gott weiß was mit ihnen an. Tötet sie.« Die Frau schüttelte den Kopf. »Die Welt ist ein furchtbarer Ort, finden Sie nicht?«

»Sie meinen, es war derselbe Täter? Bei allen dreien?«

»Meint die Polizei das nicht?«

Kate ließ diese Frage unbeantwortet.

»Wie war Hannah?«, wollte sie stattdessen wissen. »Noch kindlich? Oder schon eher erwachsen?«

»Kindlich. Verträumt. Ein unscheinbares Mädchen. Ganz anders als ihre Freundin Sheila, die sich schon schminkte und in aufreizenden Klamotten herumlief und die Jungs verrückt zu machen versuchte. Das hätte Ryan nie erlaubt. Er passte ungeheuer auf Hannah auf. Hielt sie an der kurzen Leine – einer äußerst kurzen Leine.«

»Was für ein Typ ist er?«

»Ach, was soll ich sagen?« Die Frau seufzte. »Er hat keinen schlechten Kern, wissen Sie. Aber es ist nicht leicht, mit ihm auszukommen. Er ist verbittert, seit ihm seine Frau weggelaufen ist. Praktisch über Nacht. Hat ihn mit der damals vierjährigen Hannah sitzengelassen. Das hat ihn ungeheuer mitgenommen.«

»Wissen Sie, warum seine Frau weggelaufen ist?«

»Nun ja, sie passten wohl einfach nicht zusammen. Linda war so jung, als sie ihn heiratete. Gerade achtzehn Jahre alt. Er war schon fast vierzig und, wie wir alle schnell herausfanden, ein ziemlicher Griesgram. Er hatte vorher in der Gegend von Newcastle gelebt, kaufte hier mit vermutlich hohem Kredit den kleinen Hof und fand Arbeit bei einer Gebäudereinigungsfirma in Scarborough. Er sprach mit niemandem mehr als unbedingt notwendig. Er war durchaus ein hilfsbereiter Nachbar, auf den man sich verlassen konnte. Aber er redete eben wenig und lachte nie. Ich schätze Ryan Caswell durchaus. Aber mit ihm leben ... um Gottes willen!« Die Frau legte sich in einer fast theatralischen Geste eine Hand auf die Brust. »Um Gottes willen«, wiederholte sie.

Kate verstand, was sie meinte, als sie schließlich Ryan Caswell gegenübersaß. Ihre Mitfahrerin hatte sie zur Queen's

Parade gelotst, einer direkt über dem Meer in der Nordbucht Scarboroughs gelegenen Straße, die, anders als ihr hochtrabender Name vermuten ließ, von schäbigen, heruntergekommenen Mehrfamilienhäusern gesäumt wurde, in denen die meisten Wohnungen leer zu stehen schienen.

Ryan hatte sie anstandslos in die Wohnung gelassen, nachdem Kate etwas von *Journalistin* gemurmelt hatte, die *über die vielen verschwundenen Mädchen* berichten wolle.

»Dann sollten Sie vor allem über Kevin Bent schreiben«, hatte er gleich gesagt.

Sie saßen in dem kleinen Wohnzimmer, von dem aus eine Tür zu einer winzigen Küche führte. Es gab ein Sofa, einen Tisch, einen Fernseher, eine Schrankwand. Keine Bilder an den Wänden, keine Pflanzen am Fenster. Keinen Teppich auf dem Linoleumboden. Kate fand selbst ihr leer geräumtes Haus mit den Campingstühlen vor dem elektrischen Kamin noch anheimelnder als diese völlige Trostlosigkeit, in der Ryan Caswell lebte. Sie schaute sich verstohlen um und stellte fest, dass es auch nirgends Fotografien gab. Kein Bild von Hannah. Keines von der Ehefrau. Ryan schien mit der Vergangenheit abgeschlossen zu haben.

Nicht aber mit seinem Hass auf Kevin Bent.

»Natürlich war der es. Ich frage mich, wie die Polizei so blind sein konnte. Und jetzt haben sie die Quittung. Jetzt hat er ein weiteres Mädchen ermordet und eines entführt. Die hatte mehr Glück als Verstand, dass sie entkommen konnte. Aber er wird weitermachen. Diese Bestien kriegen nie genug.«

»Amelie Goldsby, das Mädchen, das entkommen konnte, hat ihren Entführer beschrieben«, sagte Kate vorsichtig. »Die Beschreibung deckt sich nicht mit Kevin Bent. Sie hat auch Bilder von Kevin gezeigt bekommen und erklärt, dass er es nicht war. Der Mann war wesentlich älter.«

Ryan wischte den Einwand vom Tisch. »Das ist ein vierzehnjähriges Kind. Schwer traumatisiert. Ich glaube nicht, dass man auf ihre Aussage allzu viel geben sollte!«

»Man kann sie aber auch nicht völlig ignorieren.«

Er starrte sie an. »Gehören Sie auch zu der Fraktion derer, die meinen, Kevin Bent sei ein armer unschuldiger Mann, der von mir verfolgt wird?«

»Eine Fraktion? Sie wollen sagen, in Ihrem Umfeld glauben die meisten Menschen, dass er es *nicht* war?«

Ryan schnaubte verächtlich. »Er ist ein gutaussehender junger Mann. Sämtliche Frauen himmeln ihn an. Wirklich alle. Junge, alte, mittelalte. Er ist sehr charmant. Freundlich. Höflich. Selbst die meisten Männer mögen ihn, obwohl er...«

»Was?«

»Er hat keinen besonders guten Ruf. Viele wechselnde Beziehungen. Und da war durchaus die eine oder andere Ehefrau dabei. Es ist ihm relativ egal, ob eine verheiratet ist. Deshalb sollte man meinen, dass andere Männer eher nicht gut auf ihn zu sprechen sind. Ich meine, die, mit deren Frauen er etwas hatte, sind es natürlich auch nicht, aber die anderen lassen sich von ihm einwickeln. Weil er so ein einnehmendes Wesen hat.«

»Aber Sie haben ihm nie getraut? Auch vor dieser... Sache nicht?«

»Ich mochte ihn noch nie. Zu schön und zu... na ja, selbstbewusst. Er weiß, wie er wirkt, und er setzt das ein, um Menschen auf seine Seite zu ziehen. Und sie machen es ihm leider nie schwer.«

Er ist sozusagen das krasse Gegenteil von dir, dachte Kate, sagte es aber nicht. Sie fragte sich, ob Ryan das wohl konnte, ob er es jemals gekonnt hatte: lächeln. Auf Menschen zugehen. Sich ihnen öffnen. Anteil an ihnen nehmen.

Ein hilfsbereiter Nachbar, auf den man sich verlassen konnte,
hatte die Frau aus Staintondale gesagt. Kate konnte sich
vorstellen, dass sie recht hatte. Auf eine gerade, korrekte
Art war Ryan sicher jemand, der andere nicht im Stich ließ,
wenn sie um Unterstützung baten. Aber Herzlichkeit und
Wärme suchte man bei ihm vergeblich.

»Was ist Ihrer Ansicht nach an jenem Novemberabend
passiert?«, fragte Kate.

»Das habe ich der Polizei hunderttausendmal erklärt.
Und überhaupt jedem Menschen, ob er es hören wollte oder
nicht«, sagte Ryan.

Tatsächlich ist es dann wohl nicht einfach für einen
Mann wie Kevin Bent, der in einer überschaubar großen
Stadt ein Pub zum Laufen bringen will, dachte Kate. Ihn
rettet nur seine große Beliebtheit. Jeder andere wäre nach
einer solchen Sache und mit einem Feind wie Ryan Caswell
am Hals erledigt.

»Bent hat sie in Hull aufgegabelt, nachdem sie den Zug
versäumt hatte. Wir hatten vereinbart, dass sie den nächsten Zug nimmt und ich sie dann abhole. Ich war ziemlich
verärgert. Ich hatte den Tag über in Scarborough gearbeitet.
Wir wohnten damals noch in Staintondale, aber ich wollte
nicht hin- und herfahren, also musste ich nun irgendwie die
Zeit hier totschlagen. Ich habe irgendwo am Strand geparkt
und dann im Auto gewartet. Es war sehr kalt. Aber in ein
Pub zu gehen, wo es warm gewesen wäre ... Ich hätte etwas
essen und trinken müssen, und das war mir zu teuer. Ich
esse nie auswärts.«

»Wusste Hannah, dass Sie ärgerlich sind?«

»Das habe ich ihr deutlich gesagt. Ja.«

»Und dann begegnete sie Kevin Bent, der sie mit nach
Scarborough nahm?«

»Ja. Sie wusste, was ich von den Bents halte. Sie wusste,

dass ich es nie erlaubt hätte, dass sie zu diesem Kerl ins Auto steigt.«

»Was genau fanden Sie denn außerdem so schlimm an Kevin Bent? Abgesehen davon, dass er ein etwas unstetes Liebesleben führte?«

»Was genau ich so schlimm fand?« Ryan lachte. Es klang höhnisch, und zugleich schwang seine ganze Verletztheit darin. »Die Bents waren und sind Pack. Richtiges Pack. Der Vater ist irgendwann verschwunden, die Mutter hatte multiple Sklerose, konnte die Farm nicht führen und lebte von der Sozialhilfe.«

Was ja an sich kein Verbrechen ist, dachte Kate.

»Der ältere Bruder zog mit einer ganz üblen Clique herum als Teenager. Er war an der Vergewaltigung eines fünfzehnjährigen Mädchens beteiligt.«

»Moment«, unterbrach Kate, »darüber habe ich gelesen. Nach meinen Informationen war Marvin Bent nicht beteiligt. Er war an jenem Nachmittag nicht mit seinen Freunden zusammen.«

»Er hatte kein Alibi für irgendetwas anderes, was er an diesem Nachmittag angeblich gemacht haben will.«

»Das Mädchen hat ihn nicht identifiziert.«

»Das Mädchen hat zwei andere von diesen Kerlen auch nicht identifiziert, und die haben trotzdem kurz darauf ihre Beteiligung gestanden. Das ist es doch, was ich vorhin sagte«, Ryan fuchtelte ungeduldig mit den Armen. »Wenn einem jungen Mädchen oder auch einer erwachsenen Frau so etwas passiert, sie wird verschleppt, gequält, missbraucht, da muss ich kein verdammter Psychologe sein, um zu wissen, dass so eine Frau traumatisiert ist für den Rest ihres Lebens. Immer. Und in den ersten Wochen und Monaten danach, wenn sie es überlebt, am allerschlimmsten. Das ist auch bei dieser ... wie heißt sie? Amelie Goldsby. Bei der ist es genauso. Die war eine Woche lang in den Händen dieses gefährlichen Triebtäters. Und da glaubt ihr allen Ernstes, die kann eine korrekte Täterbeschreibung abgeben? Woher wollt ihr eigentlich wissen, dass sie nicht immer noch viel zu viel Angst hat, um eine wahre Aussage abzuliefern? Vielleicht hat er ihr klargemacht, was passiert, sollte sie weglaufen und ihn verraten. Dass er sie verfolgt bis ans Ende der Welt, dass er sie erwischen wird, und dann Gnade ihr Gott! Woher wollt ihr wissen, dass Amelie Goldsby die Wahrheit sagt?«

Das war in der Tat ein neuer Gedanke, zumindest für Kate. Ob Caleb Hale ihn erwog, wusste sie nicht. Amelie konnte über viele, und zwar über die entscheidenden Abläufe des Geschehens nichts sagen, und allen schien klar zu sein, dass es eine Blockade in ihr gab, die verhinderte, dass sie dem Schrecken noch einmal ins Auge blicken musste, indem sie von ihm berichtete. Aber wenn es noch komplizierter – oder, wie man es sehen wollte, einfacher – war? Wenn Amelie keine Blockade hatte, aber größte Angst, alles zu sagen, was sie wusste? Weil der Täter ihr gedroht hatte? Würde sie so weit gehen, sogar eine falsche Beschreibung abzugeben? Wenn sie dafür sorgte, dass ihr Entführer festgenommen wurde und vor Gericht kam, landete er zwar im Gefängnis und sie hatte erst einmal Ruhe. Aber irgendwann kam er raus. Vermutlich schneller als angemessen, war doch die Justiz manchmal sehr um das Wohl des Täters besorgt und nahm das Opfer nur am Rande wahr. Außerdem konnte er ihr klargemacht haben, dass er Freunde hatte. Und die würden in Freiheit bleiben.

Wäre sie Teil des Ermittlungsteams, würde sie diesen Aspekt gerne mit Caleb diskutieren. Aber so, wie die Dinge lagen, würde er das womöglich als übergriffig empfinden.

»Okay«, kam Kate zum Ausgangspunkt zurück. »Der

Bruder also. Mit dieser Geschichte damals. Und was hatten Sie gegen Kevin selbst?«

»Unangenehmer Typ«, antwortete Ryan.

»Unangenehmer Typ oder möglicher Entführer und Vergewaltiger? Dazwischen liegt ein großer Schritt. Ein sehr großer.«

Ryan bekam schmale Augen. »Für welche Zeitung schreiben Sie eigentlich? Irgend so ein linkes Blatt, das sich für die Rechte armer, unschuldiger Verbrecher einsetzt?«

»Ich arbeite frei«, sagte Kate. »Ich muss sehen, wem ich die Geschichte anbiete. Und es wird ganz sicher keine Geschichte sein, die Partei für irgendjemanden ergreift. Ich will einfach berichten, was passiert ist und wie die Menschen hier damit leben.«

Sie hatte die Lüge mit der *Journalistin* im Vorfeld nicht wirklich durchdacht. Es war ein spontaner Einfall gewesen, als sie der Frau, die sie im Auto mitgenommen hatte, hatte erklären müssen, weshalb sie so viele Fragen zu Ryan Caswell und seiner Tochter Hannah stellte. Siedend heiß war ihr erst in diesem Moment klar geworden, dass sie sich noch nicht überlegt hatte, in welcher Funktion sie nun eigentlich auftreten wollte. *Metropolitan Police* konnte sie nicht sagen, auch wenn das zumindest meistens ein wunderbarer Türöffner war. Aber man konnte nicht ausschließen, dass Caleb Hale kurz darauf mit denselben Leuten sprechen würde, und wenn diese ihm dann berichteten, gerade erst sei eine Beamtin aus London bei ihnen gewesen, würde Caleb sofort eins und eins zusammenzählen. Kate zog schon bei dem Gedanken daran unwillkürlich den Kopf ein.

Jetzt war sie also freie Journalistin, ohne irgendeine Ahnung von diesem Job zu haben. Es blieb fraglich, wie weit sie damit kommen würde. Ryan Caswell zumindest schien ihre Identität nicht anzuzweifeln, er hatte nur Sorge, dass sie nicht in seinem Sinne berichten würde.

»Um es kurz zu machen«, sagte er, »Sie wollten wissen, was meiner Ansicht nach passiert ist. Kevin Bent begegnet Hannah zufällig am Bahnhof in Hull. Bietet ihr an, sie mitzunehmen. Setzt sie in Scarborough ab, weil er noch nach Cropton will. Unterwegs denkt er sich, was für ein hübsches, kleines Ding diese Hannah Caswell doch ist und dass er eigentlich blöd ist, sich die Gelegenheit entgehen zu lassen. Er kehrt um und trifft sie noch vor dem Bahnhof an. Sagt ihr, dass er sie nun doch nach Staintondale fährt. Sie steigt arglos ein. Er fährt mit ihr irgendwohin in die Einsamkeit. Fängt an sie zu befummeln. Hannah wehrt sich, will nicht mitmachen. Bent vergewaltigt sie. Hinterher muss er natürlich dafür sorgen, dass sie ihn nicht verrät, also tötet er sie. Versenkt sie in irgendeinem Tümpel in den Hochmooren, wo man sie nie finden wird. Das war's.« Er stand auf. »Sie können gehen, Sie wissen alles. Ach so, Sie wollen ja auch darüber schreiben, wie die Menschen hier damit leben. Ich kann nur für mich sprechen.«

Sein Gesicht verzerrte sich. Kate, die sich ebenfalls erhoben hatte, meinte, noch selten einen solchen Schmerz in einem menschlichen Gesicht gesehen zu haben.

»Mir ist alles genommen worden. Alles, was meinem Leben einen Sinn gab. Ich konnte nicht mehr in dem Haus bleiben, in dem Hannah aufgewachsen ist. Ich sitze hier in diesem Loch und warte, dass mein Leben vorbeigeht. Etwas anderes tue ich nicht mehr. Ich warte, dass es vorüber ist. Ich bin ein zerstörter Mensch. Das können Sie schreiben!«

Und mit einer ungeduldigen Handbewegung wies er ihr den Weg zur Tür.

Ryan Caswell hatte alles gesagt.

3

Constable Kitty Wentworth hatte sich ihren Job früher ganz anders ausgemalt. Sie war Detective Chief Inspector gewesen – mindestens! Wenn nicht gar Superintendent –, und irgendwie hatte sie über den Weg, der sie bis in diese Höhen bringen sollte, nicht richtig nachgedacht. Er mochte schwierig sein, schließlich wusste sie durchaus, dass man nichts geschenkt bekam im Leben, aber über die Schwierigkeiten im Detail hatte sie sich keine Gedanken gemacht. Vielleicht war das ein Fehler gewesen. Andererseits hätte sie sich die zähe Langeweile, die aus Kälte und Müdigkeit bestehende Eintönigkeit, die ihr Beruf im Moment mit sich brachte, auch in ihren deprimierendsten Vorstellungen über die Zukunft nicht ausmalen können. Das hätte niemand gekonnt. Manches überstieg einfach die Vorstellungskraft.

Seit nunmehr zweieinhalb Wochen saß sie neben Constable Jack O'Donell in einem Polizeiwagen in einem stillen und völlig ereignislosen Wohnviertel von Scarborough und behielt das Haus der Familie Goldsby im Auge. Natürlich wurden sie zwischendurch abgelöst, aber die Stunden, in denen sie nach Hause gehen, duschen, schlafen, ihre eigene Wohnung wieder in Besitz nehmen konnte, verschwammen vor ihrem inneren Auge und in ihrer Wahrnehmung. Es fühlte sich an, als sei sie seit Monaten hier, seit Jahren, ständig, immer, rund um die Uhr. Als bestehe ihr ganzes Leben nur noch aus dieser Straße und diesen Häusern. Und aus diesem Auto. Neben sich ihren Kollegen Jack, den sie extrem unsympathisch fand, und von dem sie wusste, dass er sie auch nicht besonders gut leiden konnte. Es hatte nie einen Vorfall zwischen ihnen gegeben, der diese Abneigung begründete, es war einfach die Chemie, die zwischen ihnen nicht stimmte.

Aber vermutlich, dachte Kitty, würde mir selbst George Clooney inzwischen zum Hals heraushängen. Diese Situation könnte sogar ein Liebespaar in die Knie zwingen.

Sie hatten im Oktober mit der Wache begonnen, damals waren alle Bäume in den Gärten noch dicht belaubt gewesen und hatten in braunen, roten und goldenen Farbtönen geleuchtet. Sie hatten zugesehen, wie immer mehr Laub auf die ordentlichen Gehsteige fiel, manchmal schwebend und tänzelnd im Wind, manchmal von Regen und Sturm von den Ästen gerissen. Sie hatten die Anwohner beobachtet, die nach draußen kamen und das Laub zusammenkehrten, bis wieder alles ordentlich aussah. Der Oktober verging, und nun war es schon November, es war nicht mehr viel Laub an den Bäumen, hinter den Fenstern brannten Kerzen, und an manchen Scheiben klebten bereits goldene Papiersterne. Direkt im Haus neben den Goldsbys hatte ein Weihnachtsfreak schon jetzt im ganzen Garten illuminierte Rentiere aufgestellt, dazwischen Nikoläuse und Engel. Um alle Bäume und Büsche wanden sich Lichterketten. Kitty hatte mit wachsender Faszination zugesehen, wie jeden Tag etwas Neues dazukam. Jeden Abend um Punkt sieben Uhr sorgte eine Einschaltautomatik für das gleichzeitige Anspringen sämtlicher Leuchtkörper. Kitty und Jack zuckten noch immer zusammen, wenn es plötzlich gleißend hell wurde.

»So eine verdammte Scheiße«, sagte Jack jedes Mal. Heute, während sie beobachteten, dass weitere Rentiere im Garten aufgestellt wurden, hatte er hinzugefügt: »Ich glaube, ich schleiche irgendwann mal da rüber und schneide die ganzen verfluchten Kabel durch. Der Typ hat sie doch wirklich nicht mehr alle!«

»Du bist Polizist«, sagte Kitty, »du darfst so etwas nicht tun.«

»Was der macht, grenzt an Körperverletzung«, entgegnete Jack. »Mich wundert, dass die Nachbarn nichts sagen. Die muss das doch auch stören.«

»Vielleicht finden sie es schön.«

»Beknackte Gegend«, murmelte Jack. Er gähnte. »Ich würde mein Leben geben für einen Kaffee. Hast du noch was in deiner Kanne?«

Kitty zuckte bedauernd die Schultern. »Leer.«

Sie hatten schon Observationen gemacht, die in belebteren Gegenden stattgefunden hatten, was, wie sie jetzt feststellten, das Leben deutlich vereinfachte. Es gab Geschäfte ringsum und Imbissbuden, man konnte sich zwischendurch schnell einen Kaffee oder etwas zu essen holen. In diesem reinen Wohnviertel gab es natürlich nichts. Die nächste Möglichkeit war der *Tesco Express* an der Burniston Road, und der war eigentlich zu weit weg. Selbst im günstigsten denkbaren Durchlauf – kein Parkplatzproblem, keine Wartezeit an der Kasse – wären sie mindestens zehn Minuten lang vom Objekt, dem Haus der Goldsbys, entfernt. Und das wäre ein massiver Verstoß gegen die Vorschriften.

»Also, wenn ich keinen Kaffee bekomme, schlafe ich ein«, sagte Jack. »Wann kommt die Ablösung?«

»Erst um zweiundzwanzig Uhr«, sagte Kitty. Auch sie war müde. Das Schlimmste war die Langeweile, diese furchtbare Gleichförmigkeit. Es passierte einfach nichts in dieser Gegend. Morgens brachen einige Leute zur Arbeit auf, abends kamen sie zurück. Im Laufe des Nachmittages trudelten ein paar Schulkinder ein. Vielleicht spielten sie im Sommer auf der Straße, malten Hüpfkästchen oder übten Seilspringen oder kickten mit einem Fußball, aber jetzt im November wurde es einfach zu früh dunkel für solche Aktivitäten. Und es war kalt. Richtig kalt. Das kam noch hinzu. Nicht nur, dass man hier herumsaß und ins Nichts starrte, man fror dabei auch noch. Trotz dicker Jacke, Schal, gefütterten Stiefeln. Kitty fühlte die Sehnsucht nach ihrer Badewanne fast übermächtig werden.

Amelie und ihre Mutter hatten das Haus den ganzen Tag über nicht verlassen. Der Vater, Dr. Goldsby, war am frühen Morgen zur Arbeit aufgebrochen, wie die vorige Schicht berichtet hatte. Mittags war Helen Bennett, die Polizeipsychologin, gekommen. Sie hatte sich kurz ins Auto gesetzt und mit Kitty und Jack gesprochen. Daher wussten die beiden, dass es mit Amelie kein Weiterkommen gab und dass Alex Barnes nach langem Verhör wieder munter nach Hause spaziert war.

»Inspector Hales Laune ist unterirdisch«, hatte Helen gesagt. »Er war sicher, dass er Barnes mit dem Mietauto jetzt drankriegt. Aber da ist nichts zu wollen. Entweder der Typ ist gerissener als wir alle, oder er ist tatsächlich unschuldig.«

Sie war dann zu ihrem üblichen Gesprächsversuch mit Amelie im Haus verschwunden.

Jack dachte offenbar auch gerade über den Verlauf des Tages und Helen Bennett nach, denn er murmelte unvermittelt: »Blödes Psychogequatsche. Bringt doch nichts. Seit Wochen labert Helen nun schon auf das Mädchen ein, und was kommt dabei raus? Nichts. Absolut nichts!«

»Weißt du einen besseren Weg?«

»Ich weiß nur, dass die den Kerl nie schnappen, wenn diese Amelie nicht irgendwann redet. Und solange sie nicht redet, sitzen wir hier. Ich frage mich, welcher Teufel mich geritten hat, als ich beschlossen habe, zur Polizei zu gehen!«

In gewisser Weise hatte sich Kitty das in der letzten Zeit auch immer wieder gefragt. »Und«, wollte sie nun wissen, »welcher Teufel war es?«

Jack grinste. »Zu viele amerikanische Krimis im Fernse-

hen gesehen. Von starken Kerlen, die ganz alleine hochge-
fährlichen Verbrecherbanden gegenüberstehen. Die sich aus
der verfahrensten Situation heraus den Weg frei schießen!
Und am Ende das schönste Mädchen bekommen.«

»Während du nur mit mir hier herumsitzt!«, bemerkte
Kitty.

Jack war nicht für seinen Charme bekannt, sonst hätte er
auf diese Steilvorlage mit einer netten Bemerkung reagiert.
»Ja, Teufel auch«, brummte er nur. »Ich sitze mit dir in diesem bescheuerten Auto und betrachte diese noch bescheu-
ertere Straße und habe das Gefühl, mir friert das Gehirn
ein.« Mit einer entschlossenen Bewegung stieß er die Tür
auf. Sofort wurde es noch kälter im Auto. »Ich gehe jetzt
zum *Tesco* und hole Kaffee. Was soll ich dir mitbringen?«

Auch wenn sie hierbliebe: Es war klar gegen die Vorschriften, wenn Jack jetzt loszog. Zu Fuß würde es eine
ganze Weile dauern, ehe er zurückkam. Andererseits war
der Gedanke an einen Kaffee einfach zu verführerisch. Im
Tesco gab es einen Automaten, in dem man verschiedene
Sorten Kaffee oder heiße Schokolade ziehen konnte. Und
es schmeckte dort richtig gut, wie Kitty fand.

»Bring mir einen *White Americano* mit«, bat sie, »und
irgendetwas zu essen.«

»Was denn?«

»Ein Eiersandwich bitte.«

Auch die Sandwiches dort waren passabel. Jack nickte
und stapfte davon. Kitty sah ihm mit einem etwas ungu-
ten Gefühl nach. Sie wusste, dass man auf dem Weg zum
Superintendent möglichst nicht zu oft mit den Vorschriften in Kollision kommen sollte, aber tatsächlich war ihr
das auch noch nie passiert. Und wer sollte das jetzt schon
merken? Hier war ja wie üblich alles ruhig. Jason Goldsby
war vor einer halben Stunde nach Hause gekommen. Auf

dem Weg zwischen Auto und Haustür hatte er den beiden Beamten freundlich zugenickt. Kitty mochte Jason. Er war immer nett, und er schien den Dienst, den sie für seine Familie leisteten, nicht als selbstverständlich zu sehen. Er bedankte sich oft bei ihnen, sagte sogar, dass es ihm leidtäte, so viel von ihrer Zeit zu beanspruchen. Der Mann sah elend aus, fand Kitty. Er hatte abgenommen seit Oktober, und er hatte eine fahle Gesichtsfarbe. Wirkte müde. Die ganze Situation belastete ihn sehr.

Kitty lehnte sich in ihrem Sitz zurück, schloss für ein paar Momente die Augen. Sie dachte an den Kaffee und an das Sandwich und fühlte sich alleine bei dem Gedanken schon belebt. Um zehn war sie fertig, und koste es, was es wolle, sie würde dann noch ein Bad zu Hause nehmen und dabei ein Glas Wein trinken und ein paar Kerzen anzünden.

Sie öffnete die Augen und sah Alex Barnes, der auf das Haus der Familie Goldsby zuging.

Sofort richtete sie sich kerzengerade auf und war hellwach.

Barnes war offenkundig nicht die Straße entlanggekommen, sondern von der Gartenseite her, was bedeutete, er hatte den Weg über die Klippen und die Anhöhe zwischen den Häusern und dem Meer genommen. Eigentümlich, aber nicht verboten. Und jetzt stand er vor der Haustür. Klingelte, wenn sie seine Armbewegung richtig deutete.

Kitty fluchte. Ausgerechnet jetzt war sie alleine.

Sie wusste, dass Inspector Hale gerne eine Verfügung erwirkt hätte, die es Barnes untersagte, sich dem Haus der Goldsbys auch nur zu nähern, aber es gab keine ausreichenden Gründe, die einen Richter veranlasst hätten, einen solchen Erlass zu unterschreiben. Insofern durfte Alex Barnes tun, was er gerade tat: Er durfte das Haus der Goldsbys betreten. Die Personenschützer hatten Anweisung, in diesem

Fall mit geschärfter Wachsamkeit zu reagieren. Inspector Hale hatte ihnen gesagt, sie sollten nach spätestens zehn Minuten klingeln und nach dem Rechten sehen. Kitty wusste, dass er die Goldsbys gebeten hatte, Barnes möglichst gar nicht einzulassen, aber seit vielen Wochen war er auch nicht mehr hier aufgekreuzt, und die Situation hatte sich nicht ergeben.

Jetzt wurde ihm geöffnet. Er trat ins Haus. Die Tür schloss sich hinter ihm.

Kitty starrte verzweifelt die Straße entlang. Wo blieb denn Jack? Aber natürlich konnte er noch gar nicht zurück sein. Er hatte vermutlich noch nicht einmal den Laden erreicht.

Sie zog ihr Handy hervor und rief seine Nummer auf. Ließ es klingeln und wartete. Jack reagierte nicht. Entweder er hatte keinen Empfang, oder er hörte sein Handy aus irgendeinem Grund nicht. Kitty fluchte. Sie konnte jetzt nur hoffen, dass nichts passierte, dass Barnes wieder ging, ehe die zehn Minuten vorbei waren, dass sie die Goldsbys danach wohlbehalten antreffen würde. Verdammter Mist, wenn es jetzt richtig dumm lief, würde auffliegen, dass Jack verbotenerweise zum *Tesco* gegangen war, und das würde für sie beide einen Verweis bedeuten.

»Mist, Mist, Mist!«, sagte sie laut. Sie starrte zum Haus der Goldsbys. Alles ruhig.

Oder sollte sie gleich klingeln?

»Möchten Sie etwas zu trinken, Mr. Barnes?«, fragte Jason höflich. Eigentlich hatten er und Deborah gerade den Tisch in der Küche für das Abendessen decken wollen. Sie hatten sich durch einen kurzen Blickwechsel verständigt: Sie würden Alex Barnes nicht dazubitten. Im Backofen stand die

Lasagne, die oberste Käseschicht warf Blasen in der Hitze. Deborah drehte den Thermostat hinunter. Hoffentlich wurden sie Barnes schnell wieder los.

Alex Barnes hatte es sich in der Sofaecke bequem gemacht und nahm gerne den angebotenen Sherry. Mit dem neuen Haarschnitt sah er jünger aus und ziemlich attraktiv, wie Deborah feststellte, als sie ins Wohnzimmer zurückkam. Allerdings trug er an diesem Abend seine alten Klamotten, die fleckigen Jeans und den Pullover mit den fast völlig durchgescheuerten Ellbogen. Er schien guter Dinge zu sein, obwohl es, wie er berichtete, draußen wirklich kalt war.

»Ich habe mir fast die Nase abgefroren auf dem Weg hierher. Aber hier ist es wunderbar warm. Sie sollten den Kamin noch anzünden. Ein wunderbarer Kamin übrigens. Und überhaupt ein wirklich wunderschönes Haus.«

»Vielen Dank«, murmelte Deborah. Warum klangen selbst Komplimente aus seinem Mund immer irgendwie unverschämt? Fordernd? So, als sei er im Innersten überzeugt, eigentlich stehe ihm alles, was er schön fand, im Grunde auch zu.

Ich interpretiere zu viel in ihn hinein, dachte sie, weil ich Angst habe, er könnte sich zu einer ewigen Zecke entwickeln. Oder hat er das schon? Ist er bereits eine Zecke? Warum kann ich den Mann, der Amelies Leben gerettet hat, bloß nicht sympathischer finden?

»Hat sich etwas aus dem Vorstellungsgespräch ergeben?«, erkundigte sie sich. Immerhin hatte sie einen ganzen Nachmittag geopfert. Von den Kosten für seine neuen Klamotten ganz zu schweigen.

Alex schüttelte bedauernd den Kopf, wirkte aber keineswegs niedergeschlagen. »Nein. Leider. Die haben heute früh angerufen, sie haben sich für einen anderen entschieden. Schwierige Situation am Arbeitsmarkt im Moment.«

Vor allem, wenn man nichts gelernt hat, dachte Deborah feindselig.

»Tja«, sagte Jason. Weder er noch Deborah hatten Platz genommen. Sie tranken auch nichts von dem Sherry.

»Wie geht es Amelie?«, erkundigte sich Alex.

»Nicht besonders gut«, erwiderte Deborah. Warum sollte sie schwindeln? »Ihre Lethargie macht uns Sorgen. Und dass einfach nichts vorangeht. Sie sitzt in ihrem Zimmer, starrt aus dem Fenster. Die Gespräche mit der Psychologin führen zu nichts. Jedenfalls zu nichts, das erkennbar wäre. Vielleicht macht sie untergründig Fortschritte.«

»Sie sollte wieder in die Schule gehen«, sagte Jason. »Das untätige Herumsitzen würde den gesündesten Menschen krank machen.«

»Sie will aber nicht. Und im Moment können wir sie zu gar nichts zwingen. Und sollten es auch nicht.« Das kam heftiger, als Deborah beabsichtigt hatte. Aber es war ein schwelender Streitpunkt zwischen ihr und Jason. Er vertrat die Ansicht, Amelie müsse ins Leben zurück, in die Normalität, nur dann könne sie vergessen und verwinden, was geschehen war. Deborah hielt das für die völlig falsche Methode. Amelie konnte nicht einfach weitermachen, wo sie am 14. Oktober aufgehört hatte. Ihr Leben würde so oder so nie wieder dasselbe sein. Weshalb verstand Jason das nicht? Die Bewältigung eines Traumas war nichts, was man einfach so verordnen konnte. Es brauchte Zeit. Geduld und Kraft. Jason würde am liebsten so tun, als wäre das alles nie geschehen. Aber das konnte so nicht funktionieren.

»Sind ihr wieder ein paar Erinnerungen mehr gekommen?«, fragte Alex. »An den Täter? Oder an das, was sie in dieser Zeit erlebt hat?«

»Nein«, sagte Jason, »nichts. Leider.«

Er konnte den Typ einfach nicht ausstehen. Zeitweise

zerriss ihn die Vorstellung fast, dass er einem Menschen, dem sie alle so verpflichtet waren, mit Misstrauen und Ablehnung begegnete und ihm womöglich Unrecht tat. Er mochte ihn unsympathisch finden, aber Amelie säße vermutlich nicht oben in ihrem Zimmer, in der warmen, beschützenden Sicherheit ihres Zuhauses, hätte Alex Barnes nicht eingegriffen. Sie wäre ertrunken. Bei der Vorstellung, wie es gewesen wäre, wenn ein mitfühlender Polizist bei ihnen aufgekreuzt wäre, um ihnen behutsam und schonungsvoll zu berichten, dass ein totes Mädchen irgendwo zwischen den Klippen unterhalb der South Bay angespült worden wäre, liefen Schauer wie Fieberwellen durch seinen Körper.

»Es ist schon seltsam«, meinte Alex. »Dieser totale Blackout…«

»In Fällen wie diesen«, sagte Deborah, »ist das wohl keineswegs seltsam. Der Mensch blendet aus, was er nicht erträgt. Wer weiß, was Amelie dort…« Sie sprach den Satz nicht zu Ende. Es ging ihr ja nicht besser als Amelie. Nicht einmal sie konnte darüber sprechen. Wie sollte es dann Amelie gelingen?

Jason fragte sich, ob Alex gerade versuchte, die Lage zu checken, oder ob seine Fragen das normale Interesse eines Menschen an einer Situation waren, in die er sich ein Stück weit involviert sah. War er ein Bekannter oder sogar ein Freund des Täters? Versuchte er herauszufinden, welche Gefahr von dem jungen Mädchen ausging? Für den Täter war Amelie eine tickende Zeitbombe. Wenn sie sich erinnerte, wenn sie redete, konnte sie für ihn zur Katastrophe werden.

Alex trank seinen Sherry in einem Zug aus, dann stand er abrupt auf. »Weshalb ich eigentlich gekommen bin…«

»Ja?«

Er schien nach Worten zu suchen. Selbst das wirkte bei ihm aufgesetzt. Als wüsste er genau, was er sagen wollte, versuchte aber, zögerlicher zu erscheinen, als er war. »Ich will, dass wir offen zueinander sind. Ich habe den Eindruck, dass ich Ihnen ziemlich auf die Nerven gehe.«

»Nun, Alex, ich...«, begann Jason, aber Barnes winkte ab. »Doch, doch. Ich habe das Leben Ihrer Tochter gerettet, daher fühlen Sie sich mir verpflichtet, aber irgendwie stresse ich Sie. Ich schaffe es ja nicht so richtig, auf eigene Füße zu kommen...«

»Sie werden bestimmt...«, setzte Deborah an, aber erneut unterbrach er. »Ich habe Ihr Gesicht gerade gesehen, Deborah. Als ich sagte, dass ich den Job nicht bekommen habe. Verdammt noch mal, haben Sie gedacht, jetzt geht das immer so weiter! Sie haben sich so viel Mühe gegeben, haben mich nach Hull kutschiert, sind mit mir einkaufen gegangen, haben mir Klamotten geschenkt, wie ich sie noch nie besessen habe...«

Jason warf Deborah einen scharfen Blick zu. Diese Einkäufe hatte sie noch nicht gebeichtet. Sie hielt trotzig stand.

»Und dieser super Haarschnitt!« Alex grinste und fuhr sich mit den Fingern in den dichten Haaren herum. Er sah aus wie ein großer Junge, völlig entspannt, mit sich und dem Leben im Einklang. »Ehrlich, ich betrachte mich in jeder Schaufensterscheibe, an der ich vorbeikomme, und finde mich großartig!«

»Wie schön für Sie«, sagte Jason.

Alex schaltete sein Grinsen aus. Schlagartig wirkte sein jungenhaftes Gesicht angespannt. Die Linien um seinen Mund wurden tiefer. »Sie mögen mich nicht, und wir sollten vielleicht alle aufhören, Theater zu spielen. Ich sage Ihnen, was ich brauche. Ich brauche verdammte dreißigtausend Pfund. Ich habe ja gedacht, eine finanzielle Belohnung sei das Mindeste, was Eltern für das Leben ihrer Tochter anbieten könnten, aber offenbar sehen Sie das anders. Stattdessen ein Friseurbesuch hier, eine Fahrt zum Vorstellungsgespräch dort... Und ansonsten Abstand. Möglichst viel Abstand.«

»Hören Sie«, protestierte Jason, perplex darüber, wie unvermittelt die Atmosphäre eine andere geworden war, »wir bezahlen immerhin die Wohnung, in der Sie wohnen!«

»Das ist keine Wohnung, das ist die letzte Absteige. Und ich habe auch keine Lust, mich von Monat zu Monat durchzuhangeln und nicht zu wissen, ob Sie die nächste Miete eigentlich auch noch zahlen. Ich weiß doch, dass Sie heftig diskutieren. *Wie lange müssen wir das noch machen, wie lange kreuzt der noch bei uns auf, wann können wir aussteigen, dürfen wir jemals aussteigen, schließlich hat er unser Liebstes gerettet, aber er ist so lästig, dieser Versager...* So denken und so reden Sie, und glauben Sie nicht, ich wüsste es nicht!«

Deborah spürte, dass ihr Gesicht brennend heiß geworden war. Vor allem deshalb, weil er recht hatte. *Genau so* redeten und dachten sie. Und hatten tatsächlich geglaubt, er merke das nicht.

»Dreißigtausend Pfund«, sagte Alex Barnes, »dafür, dass ich Ihre Tochter gerettet habe. Und Sie sehen mich nie wieder.«

»Das ist äußerst viel Geld«, sagte Jason.

In diesem Moment ging das Licht aus. Deborah gab einen Schreckenslaut von sich. Es war dunkel, erschreckend dunkel. Nicht nur, dass sämtliche Lampen im Zimmer erloschen waren, auch vom Flur und von der Küche her fiel kein Schein mehr zu ihnen hinüber. Auf der Straße brannten keine Laternen mehr, und die anderen Häuser, soweit sie sie durch das Fenster erblicken konnte, standen wie schwarze, leere Mauern herum. Wolken verdeckten den Mond. Deborah hatte selten eine solche Finsternis erlebt.

»Was ist das, zum Teufel?«, fragte Jason, den sie als grauen Schatten neben sich wahrnahm.

Von oben erklang ein Schrei. »Dad! Dad!« Das war Amelie. Gleichzeitig hörten sie, dass heftig gegen die Haustür gehämmert wurde. »Aufmachen! Polizei! Sofort aufmachen!«

Wieso klingeln die nicht?, fragte sich Deborah eine Sekunde lang, ehe ihr aufging, dass natürlich auch die elektrische Klingel nicht funktionierte. Während sich Jason durch das Treppenhaus nach oben zu seiner Tochter tastete, lief Deborah zur Haustür, stieß irgendwo mit dem Fuß dagegen, unterdrückte mühsam einen Schmerzenslaut und riss die Tür auf. Constable Kitty Wentworth, die nette Beamtin, die draußen immer Wache hielt, schob sich sofort in das Haus hinein.

»Alles okay?«

»Ja. Alles in Ordnung.« Deborah spähte hinter ihr in die Finsternis. »Wo ist denn Ihr Kollege?«

»Kommt gleich«, sagte Kitty vage. Mit einer Taschenlampe leuchtete sie in den Flur. »Wo ist Mr. Barnes?«

Alex kam aus dem Wohnzimmer, blieb im Lichtkegel der Taschenlampe stehen und hob gespielt theatralisch beide Hände. »Ich bin hier. Unbewaffnet. Ohne böse Absichten.«

»Wo ist Amelie?«, erkundigte sich Kitty, ohne auf seinen Tonfall einzugehen.

»Sie ist bei mir hier oben!«, tönte Jasons Stimme durch das Treppenhaus.

»Was ist denn passiert?«, fragte Deborah verstört. »Hier ist ja nirgends mehr Licht!«

»Also, ich habe damit nichts zu tun«, sagte Alex. »Das können Deborah und Jason bestätigen. Ich stand ganz harmlos bei ihnen im Wohnzimmer. Wir hatten eine geschäftliche Besprechung.«

»Eine geschäftliche Besprechung?«, fragte Kitty irritiert.

So kann man es auch nennen, dachte Deborah. Wenn man etwas weniger wohlwollend wäre, könnte man auch fast von Erpressung sprechen.

Kitty hielt den Schein ihrer Taschenlampe beständig auf Alex gerichtet. »Ich vermute, es gab einen Kurzschluss im ganzen Viertel«, sagte sie. »Und zwar von dieser Hunderttausend-Volt-Beleuchtung in Ihrem Nachbargarten ausgehend. Die haben heute noch mehr Rentiere drangehängt. Das war jetzt wohl doch zu viel für das Stromnetz.«

Alex blinzelte heftig mit den Augen. »Könnten Sie vielleicht diese Verhörlampe ein klein wenig senken, Constable? Ich sehe praktisch gar nichts mehr.«

»Ich denke, Sie wollen jetzt ohnehin nach Hause gehen, Mr. Barnes, oder?«, gab Kitty zurück.

»Wenn ich meinen Weg durch die Dunkelheit finde … Wo ist eigentlich Ihr netter Kollege?«

»Auf Wiedersehen, Mr. Barnes«, sagte Kitty kühl.

Alex grinste. »Na ja, schöne Grüße an ihn von mir jedenfalls!« Er schaute nach oben in das dunkle Treppenhaus. »Wiedersehen, Jason! Sie lassen sich mein Angebot durch den Kopf gehen, ja?«

»Auf Wiedersehen«, klang es förmlich zurück.

Alex ging an Constable Wentworth vorbei und trat zur Tür hinaus. »Bis bald, Deborah!« Er verschwand in der Dunkelheit.

Kitty schloss nachdrücklich die Tür. »Wovon spricht er?«

»Das ist … umständlich zu erklären«, murmelte Deborah. Sie war nicht sicher, ob sie irgendjemanden in den Deal einweihen wollte, den Alex vorgeschlagen hatte. Es schien ihr, als hätte sie dann nicht mehr so viel Handlungsspielraum, als wenn nur sie und Jason Bescheid wussten. Im Grunde wäre es ein peinlicher Vorgang. Sie speisten den Lebensretter ihres Kindes mit Geld ab, damit er sie in Ruhe ließ. Deborah fand, dass niemand es wissen musste, falls sie das taten. Es war eine spezielle Situation, und wahrscheinlich konnte sie Außenstehenden nicht wirklich klarmachen, was in ihr vorging.

Mit Kittys Hilfe, vor allem mit der ihrer Taschenlampe, zündete Deborah überall im Erdgeschoss die Kerzen an und entfachte ein Feuer im Kamin, sodass auch die Flammen Helligkeit spendeten. Jason hatte signalisiert, dass er bei Amelie bleiben wollte. Deborah hatte sie schluchzen hören. Der plötzliche Stromausfall, die jäh über sie alle hereinstürzende Dunkelheit musste furchtbare Erinnerungen und schreckliche Ängste in ihr geweckt haben.

Wie lange wird es dauern, bis wir zu einer annähernden Normalität zurückgefunden haben werden?, fragte sie sich beklommen.

Kitty wandte sich zum Gehen. »Sie kommen zurecht? Ich bin wieder im Auto. Und, Deborah, ein Rat: Lassen Sie ihn nicht mehr in Ihr Haus. Mr. Barnes. Mag sein, dass wir ihm alle Unrecht tun, aber der Mann gefällt mir nicht. Er ist... nicht ehrlich.«

»Sie haben recht«, sagte Deborah.

Als sie die Tür öffneten, stand, wie aus dem Boden gewachsen, Constable Jack O'Donell vor ihnen. Erschrocken starrte er sie an.

»Was ist denn hier los?«, fragte er.

»Wieso gehst du nicht an dein Handy?«, fragte Kitty gleichzeitig.

»Habe ich nicht gehört«, sagte Jack. Kitty funkelte ihn wütend an.

Deborah gewahrte zwei hohe Coffee-to-go-Becher, die auf der Gartenmauer standen, daneben ein Päckchen mit Sandwiches. Sie ahnte, was geschehen war: O'Donell war nicht auf seinem Posten gewesen, und deshalb war Kitty auch alleine im Haus aufgekreuzt. Den Kaffee und die Sandwiches konnte er nur im *Tesco Express* an der Burniston Road besorgt haben, was bedeutete, er war eine ganze Weile unterwegs gewesen. In dieser Zeit war Alex erschienen, und es hatte einen totalen Stromausfall gegeben. Eine unglückliche Verkettung von Zufällen, aber daraus war eine prekäre Situation entstanden, die sehr unangenehm und vor allem gefährlich hätte werden können, wenn Alex tatsächlich eine Bedrohung für sie darstellte. Die schuldbewussten Gesichter der beiden Beamten zeigten, dass sie genau dasselbe dachten und sich wahrscheinlich darüber hinaus noch Sorgen um sich selbst machten. Sie würden Ärger mit ihrem Vorgesetzten bekommen, das stand fest, und auch wenn Deborah entschlossen war, dass von ihr niemand etwas erfahren würde, mussten die beiden wohl ohnehin Rechenschaft über den Verlauf des Abends ablegen und waren sich im Klaren darüber, dass es klüger wäre, alles wahrheitsgemäß zu berichten. Deborah hoffte, es würden sich keine ernsthaften Konsequenzen für die beiden daraus ergeben.

Etwas anderes begriff sie aber mit allem Nachdruck: Ihre Situation war tatsächlich kritisch, und trotz des Polizeischutzes vor der Tür konnte von einem Moment zum anderen plötzlich alles aus dem Ruder laufen.

Geben wir ihm das Geld, dachte sie, plötzlich sehr erschöpft, geben wir ihm das verdammte Geld, und dann haben wir die Hoffnung, ihn nie wiederzusehen. Diese dauernde Sorge hört auf und die Zerrissenheit. Der Wunsch, ihm die Tür zu weisen und gleichzeitig das Gefühl, so nicht mit ihm umgehen zu können.

Sie wusste, es würde nicht leicht sein, Jason davon zu überzeugen. Er machte sich sowieso ständig Gedanken wegen des Geldes. Aber er musste einsehen, dass dies der einzige Weg war, Alex Barnes loszuwerden – und dabei mit einem halbwegs guten Gewissen zurückzubleiben. Natürlich konnte Barnes jederzeit erneut auftauchen und um Unterstützung bitten. Aber – und an dieser Stelle hinkte der Vergleich mit dem *Erpresser*, der sich Deborah vorher aufgedrängt hatte – es war ja nicht so, dass er sie mit irgendetwas unter Druck setzen konnte. Nur mit ihrem Gefühl für Anstand. Und das relativierte sich hoffentlich nach einer Zahlung von dreißigtausend Pfund.

Irgendwann, wenn er wusste, dass nichts mehr bei ihnen zu holen war, würde er aufgeben.

Und dann ist das alles ausgestanden und vorbei, dachte Deborah.

Seltsamerweise glaubte sie nicht wirklich daran.

DONNERSTAG, 9. NOVEMBER

1

Brendan Saunders war schon ein Häufchen Elend, als ihn zwei Beamte in das Vernehmungszimmer brachten, und nach fünf Minuten Gespräch mit Caleb Hale und Robert Stewart schien er dicht davor, in Tränen auszubrechen. Er war ohne jeden Widerstand der Bitte der Polizisten gefolgt, ihn zu begleiten, er verlangte weder einen Anwalt, noch berief er sich auf sonst irgendwelche Rechte. Er wirkte verstört, verängstigt und absolut kooperativ.

Sie waren seiner erst an diesem Morgen habhaft geworden, denn er war verreist gewesen und niemand hatte gewusst, wohin. Heute früh war er mit dem Zug aus Edinburgh gekommen, wo er nach eigener Aussage ein paar Tage Urlaub gemacht hatte.

»Im November?«, fragte Caleb mit hochgezogenen Augenbrauen. »In Edinburgh? Ziemlich ungemütlich dort.«

Saunders fing sofort an zu stottern. »Ich war ... ich brauchte einfach einen Tapetenwechsel. Meine Mutter stammt aus Edinburgh, daher ... Und ich ... Wissen Sie, als Schriftsteller ... ist es immer ein Problem mit der Inspiration ...«

»Sie sind also Schriftsteller?«

»Ja.«

»Was haben Sie denn veröffentlicht?«

Saunders hatte noch nichts veröffentlicht, schrieb aber an einem Buch, in dem er romanhaft die englische Gesellschaft in ihrer Diskrepanz zur Europäischen Union schilderte. »Am Beispiel eines großen Familienunternehmens, das mit dem Brexit einbricht.«

»Und bis dahin, also bis dieses Buch erscheint, wovon leben Sie?«, wollte Caleb wissen.

Brendan hatte, wie sich herausstellte, von seiner verstorbenen Großmutter mütterlicherseits drei Jahre zuvor ein Haus in Edinburgh geerbt, hatte es verkauft und das Geld so angelegt, dass er eine Weile davon leben konnte, »bis das mit den Büchern läuft«, wie er sagte. Im Moment stecke er in einer Schreibblockade, daher der Trip nach Schottland, um »den Kopf freizubekommen«. Er habe rund um Edinburgh in verschiedenen *Bed & Breakfasts* übernachtet.

»Können wir die entsprechenden Quittungen bitte sehen?«, fragte Caleb.

Brendan stotterte schon wieder. »Ich weiß nicht recht, wo ich … Ich muss nachsehen …«

»Wissen Sie noch Namen und Adressen der Häuser? Damit wir Ihre Angaben überprüfen können. Hatten Sie reserviert?«

Er schüttelte den Kopf. »Nein. Ich ging davon aus, dass im November … also, dass da nicht alles belegt ist. Ich habe mir einfach dort etwas gesucht, wo ich gerade war. Ich … mir fallen bestimmt die Namen ein … wenn ich etwas nachdenke …«

»Gut, dann versuchen Sie bitte, sich zu erinnern, und besorgen Sie die Belege«, sagte Caleb ungerührt. Er lehnte sich vor, streckte Brendan ein Foto von Mandy Allard hin. Der diensthabende Beamte, der seinerzeit die Vermisstenmeldung aufgenommen hatte, hatte es ihm gegeben.

»Kennen Sie dieses Mädchen?«, fragte er.

Brendan Saunders hätte nichts sagen müssen, seine Reaktion verriet sofort, dass er Mandy kannte. Er wurde kreideweiß, und seine Augen traten hervor. Er blickte absolut entsetzt drein. »Äh... das ist... ja, ich kenne sie.«

»Gut, dass Sie es wenigstens nicht abstreiten. Jemand hat gesehen, wie dieses Mädchen, Mandy Allard, am 30. Oktober diesen Jahres aus Ihrer Wohnung stürzte. Fluchtartig geradezu.«

»Das war bestimmt die alte Mrs. Vine«, sagte Brendan hasserfüllt. »Stimmt's? Sie wohnt unter mir, und sie beobachtet alles, einfach alles. Sie schafft es einfach nicht, sich um ihre eigenen Sachen zu kümmern!«

Caleb ging nicht darauf ein. »Mandy Allard wird seit Anfang Oktober vermisst. Das Jugendamt hat Meldung bei der Polizei gemacht. Sie verließ ihr Elternhaus und wurde nicht mehr wiedergesehen.«

»Sie verließ nicht einfach nur ihr Elternhaus. Sie wurde misshandelt. Ihre Mutter hat einen Kessel mit kochendem Wasser nach ihr geworfen. Ihr Arm sah sehr schlimm aus. Wirklich gefährlich. Ich habe mich darum gekümmert. Ich habe Brandsalbe und Verbandsmaterial gekauft. Ich habe dafür gesorgt, dass sich das alles nicht infiziert.«

»Das ist sehr lobenswert von Ihnen, aber können Sie mir erklären, weshalb Sie ein *vierzehnjähriges* Mädchen von der Straße aufsammeln und tagelang in Ihrer Wohnung wohnen lassen? Ist Ihnen nicht der Gedanke gekommen, dass das alles andere als in Ordnung ist?«

Die Frage war ein Versuchsballon. Caleb wusste nicht, wo und unter welchen Umständen Brendan Saunders auf Mandy gestoßen war, nicht einmal, ob die beiden einander womöglich vorher bereits gekannt hatten. Er wusste auch nicht, wie lange Mandy in Saunders' Wohnung gewohnt hatte, die Informantin – tatsächlich eine Mrs. Vine – hatte dazu keine Angaben machen können, was sie sichtlich bedauert hatte.

Saunders biss an. »Ja, ich habe sie angesprochen. Sie stapfte eine Straße entlang ...«

»Welche?«

»Cross Lane.«

Caleb machte sich eine Notiz. »Weiter.«

»Sie wirkte ... so verloren. Elend. Verletzlich. Ja, so erschien sie mir vor allem. Sehr verletzlich.«

»Verstehe. Sie waren mit dem Auto unterwegs?«

»Ich habe kein eigenes Auto, aber ich hatte den Wagen eines Bekannten von der Werkstatt abgeholt. Damit war ich gerade unterwegs.«

»Wie heißt der Bekannte? Und der Name der Werkstatt?«

»Joseph Maidows. Ein ... entfernter Bekannter, aber er hatte Grippe, deshalb ... Die Werkstatt ist in der Burniston Road ... Scalby Mills Service Station.«

»Es geht nur um eine Überprüfung Ihrer Angaben.« Caleb hatte sich alles notiert. Nun neigte er sich vor. »Mandy Allard stieg also sofort zu Ihnen ins Auto? Freiwillig?«

Brendan machte ein empörtes Gesicht. »Natürlich freiwillig. Ich habe sie nicht *entführt.* Ich habe ihr einen Platz zum Ausruhen und etwas zu essen und zu trinken angeboten, und sie kam sofort mit.«

Caleb schüttelte den Kopf. Sicher hatten auch Mandys Eltern ihrer Tochter immer wieder eingeschärft, genau so etwas *unter keinen Umständen zu tun.* Andererseits, Mandy kam aus einer dysfunktionalen Familie. Befand sich auf der Flucht, lebte auf der Straße. Wahrscheinlich war sie einfach verzweifelt genug gewesen, jede Warnung, die sie je gehört hatte, in den Wind zu schlagen.

»Sie war dann … zehn Tage bei Ihnen?«, fragte Caleb versuchsweise.

Brendan Saunders machte es ihm leicht. Wäre er nicht so verängstigt gewesen, hätte er längst merken können, wie wenig die Polizei im Grunde wusste und dass selbst die Aussage seiner Nachbarin nicht wirklich beweisbar war. Er hätte nichts zugeben müssen, und man hätte sich die Zähne an ihm ausgebissen.

»Eine Woche. Sie war eine Woche bei mir. Sie hat mir die Geschichte mit ihrem Arm erzählt, und dass sie es daheim nicht länger aushält. Ihre Mutter muss schlimm sein, ganz schlimm. Ich konnte sie doch nicht dorthin zurückschicken.«

»Sie wussten, dass sie vermisst wird. Dass sie minderjährig ist. Sie hätten die Polizei oder das Jugendamt verständigen müssen. Das ist Ihnen hoffentlich klar?«

»Sie hat mir vertraut. Wir haben lange Gespräche geführt. Ich habe versucht, ihr zu helfen. Positive Sichtweisen in ihr zu wecken.«

»Hm. Wissen Sie, Mr. Saunders, das klingt alles sehr hilfsbereit und fürsorglich, obwohl ich sagen muss, dass mir der Gedanke, dass ein fast dreißigjähriger alleinstehender Mann tagelang alleine mit einem vierzehnjährigen Schulmädchen in seiner Wohnung haust, offen gestanden nicht besonders gut gefällt. In Ihrem Fall kommt erschwerend hinzu«, Caleb warf einen Blick in die Akte, die neben ihm lag, »dass Sie im Jahr 2005 schon einmal in ziemlichen Schwierigkeiten steckten. Habe ich recht?«

Brendan wurde noch bleicher, als er ohnehin schon war. Caleb fragte sich, ob er geglaubt hatte, seine Vorgeschichte ruhe irgendwo in einem vergessenen Archiv und würde nie mehr wieder zur Sprache kommen. »Sie waren damals siebzehn, gerade von der Schule abgegangen und hatten ein Volontariat bei der *Yorkshire Post* begonnen.«

»Ja«, flüsterte Brendan heiser. Er räusperte sich. »Ja«, wiederholte er etwas lauter.

»Sie lebten bei Ihrer Mutter, hier in Scarborough?«

»Ja.«

»Sie gehörten zu einer Clique Jugendlicher, die häufig unangenehm auffiel. Mitglieder der Gruppe waren wegen Autodiebstahls vorbestraft. Auch kam es immer wieder zu Belästigungen, Pöbeleien auf der Straße. Ein oder zwei Ladendiebstähle. Solche Dinge galten als Mutproben unter den Mitgliedern.«

»Ich habe aber so etwas nie gemacht«, sagte Brendan.

Caleb war fast geneigt, ihm das zu glauben. Brendan war der Typ, der vor seinem eigenen Schatten erschrak. Seltsam, dass er überhaupt zu einer solchen Gang gehört hatte. Wahrscheinlich hatte er sich hinter der Unbekümmertheit und Skrupellosigkeit der anderen versteckt und sich dadurch etwas stärker gefühlt.

»Am 22. September des Jahres 2005«, fuhr Caleb fort, »wurde die damals fünfzehnjährige Sarah Fisher von Mitgliedern der Gruppe auf dem Heimweg von der Schule angesprochen. Man fragte sie, ob sie mitgehen wollte, irgendwo den einen oder anderen Joint rauchen, Alkohol trinken. Sarah Fisher war ein unternehmungslustiges Mädchen. Sie ging mit. Zu einer stillgelegten, ziemlich einsamen Fabrikhalle am Stadtrand von Scarborough.«

»Ich weiß«, sagte Brendan leise. »Aber ich war nicht dabei.«

»Die Situation in dieser Fabrikhalle ist, so die Aussage von Sarah Fisher, nach ungefähr anderthalb Stunden völlig eskaliert. Alkohol und Drogen dürften dabei durchaus eine Rolle gespielt haben. Sarah wurde von den Jungen in immer obszönerer Form zunächst verbal sexuell belästigt, und als sie schließlich gehen wollte, gegen ihren Willen festgehalten. Sie wurde vergewaltigt, Mr. Saunders, wie Sie wissen.

Von sämtlichen der anwesenden jungen Männer. Über Stunden. Immer wieder.«

»Ich war nicht dabei. Ich schwöre es.«

Caleb nickte. Er hatte die Akte von damals genau gelesen. »Sie hatten Ihrer Aussage zufolge die Zeitungsredaktion an diesem Tag schon mittags verlassen, weil Sie sich schlecht fühlten. Angeblich ein Darmvirus. Das wurde von Ihrem damaligen Chef bestätigt. Sie waren dann zu Hause und lagen für den Rest des Tages im Bett.«

»Ja. Das hat damals auch meine Mutter ausgesagt.«

»Ich weiß. Ich frage mich nur, wie weit eine Mutter gehen würde, um ihren Sohn vor einer solchen Anklage zu bewahren.«

»Das Mädchen hat mich auch nicht identifiziert. Sie hat klar gesagt, dass ich nicht dabei war.«

»Ich weiß. Unglücklicherweise hat sie das auch von einigen Tätern gesagt, die später ihre Teilnahme doch gestanden. Sarah Fisher war völlig traumatisiert. Ihre Aussagen waren teilweise verworren und widersprüchlich, und einige waren schlicht falsch.«

»Aber ich war wirklich …«, begann Brendan.

Caleb unterbrach ihn. »Gegen Sie wurde damals kein Verfahren eingeleitet, weil Ihnen nichts nachzuweisen war. Die Aussagen Ihrer Mutter und Sarah Fishers konnten nicht widerlegt werden. Dennoch muss es eine unangenehme Erfahrung für Sie gewesen sein. Allein die Tatsache zu wissen, welche Art von Menschen man zu seinen Freunden gezählt hat … Und damit unter begründetem Verdacht gestanden zu haben, an einem wirklich abscheulichen Verbrechen teilgenommen zu haben. Selbst wenn Sie unschuldig waren … Sehr verstörend stelle ich mir das vor.«

»Ja, das war es. Und ich habe mich mit dieser Clique danach auch nie wieder getroffen. Nicht einmal mit denen, die nicht dabei gewesen waren. Ich wollte um Gottes willen nichts mehr mit ihnen zu tun haben. Ich fand es widerlich, was da passiert ist, einfach entsetzlich.«

»Warum haben Sie also Mandy Allard mitgenommen?«, fragte Caleb. »Warum, nachdem Sie damals gerade noch mit einem blauen Auge davongekommen sind, haben Sie etwas derart Idiotisches getan?«

Brendan ließ den Kopf immer tiefer sinken. »Ich habe mich so alleine gefühlt. Ich habe meine Stelle bei der *Yorkshire Post* vor zwei Jahren verloren. Das war sehr schlimm für mich. Ich habe dann überlegt, dachte, ich fange neu an, schreibe den Roman, den ich immer schreiben wollte ... Aber ob das funktioniert ... Ich weiß es nicht.« Brendan kämpfte mit den Tränen. »Ich bin einfach so alleine. So schrecklich einsam. Können Sie sich vorstellen, wie das ist? In dieser Wohnung, Tag und Nacht. Mit nichts anderem als meiner Arbeit, von der ich nicht weiß, ob irgendwann irgendjemand daran interessiert sein wird. Ich war an jenem Morgen unterwegs und sah sie ... Sie wirkte ebenso verlassen wie ich. Verloren. Bedürftig. Ich dachte ... wenn sie eine Weile bei mir bleibt, dann ist es nicht so einsam. Ich habe jemanden für die langen Abende. Jemanden zum Reden. Zum gemeinsam Essen, Fernsehen. Das alles. Aber ich habe sie nicht angefasst, nicht ein einziges Mal, das schwöre ich. Und sie hätte jederzeit gehen können. Ich hätte sie nicht aufgehalten. Die Tür war nicht abgeschlossen. Mandy war die ganze Zeit über *freiwillig* bei mir!«

»Uns wurde berichtet, sie habe Ihre Wohnung fluchtartig verlassen.«

Brendan hob die Schultern. »Ich kann mir das nur so erklären, dass ...« Er stockte.

»Nur weiter«, ermunterte ihn Caleb.

»Ich habe an jenem Morgen telefoniert. Mit meiner

Mutter. Ich habe ja sonst niemanden ...« Seine Stimme schwankte wieder.

Caleb seufzte. Brendan Saunders ertrank einfach ständig im Selbstmitleid.

»Sie telefonierten also mit Ihrer Mutter ...«

»Ja. Ich gab etwas an ... erzählte von Mandy ... also nicht, dass sie noch so jung ist natürlich. Einfach so, als ob ich ... na ja ...«

»Als ob Sie eine Frau kennengelernt hätten, die sich auf Sie eingelassen hat«, half Caleb.

»Ja. Meine Mutter macht sich ja immer Gedanken, weil es mit einer festen Freundin bei mir nicht klappt. Ich habe ... noch nie eine richtige Beziehung gehabt. Also habe ich das einfach ausgeschmückt. Mandy war zuvor ins Bad gegangen. Aber ich vermute, dass sie mich gehört hat, und womöglich hat sie gedacht, ich erzähle jemand anderem von ihr. Der Polizei vielleicht oder ihrer Betreuerin vom Jugendamt. Vor der hatte sie eine Heidenangst. Dass sie sie in ein Heim steckt oder so.«

»Sie meinen, Mandy hat aus ein paar aufgeschnappten Wortfetzen die falschen Schlüsse gezogen und ist davongelaufen?«

»So muss es gewesen sein. Denn noch während ich sprach, lief sie weg. Sie hat ja sogar fast alle ihre Sachen zurückgelassen. Geld hat sie mir noch geklaut, aber ansonsten ist sie praktisch ohne irgendetwas auf und davon.«

Das konnte so gewesen sein. Genauso konnte Mandy aber auch vor den Zudringlichkeiten ihres Gastgebers geflüchtet sein. Auf Caleb wirkte Brendan allerdings nicht wie ein gefährlicher Triebtäter, schon gar nicht wie einer, der reihenweise Mädchen ermordete, aber er wusste aus Erfahrung, dass man sich täuschen konnte. Er hatte zumindest ganz offensichtlich ein Problem mit Frauen.

Caleb wedelte mit einem Blatt Papier. Es hatte achtundvierzig Stunden gedauert, den Richter zu überzeugen. »Ich
habe hier einen richterlichen Beschluss, der uns berechtigt, Ihre Wohnung zu durchsuchen. Es werden jetzt gleich
mehrere Beamte dorthin fahren. Ich denke, Sie bleiben am
besten solange hier.«

Brendans Augen begannen zu flackern. »Bin ich verhaftet?«

Ist er wirklich ein so ängstlicher Typ, fragte sich Caleb.
Oder hat er Grund, Angst zu haben?

»Nein, Sie sind nicht verhaftet. Ich halte es nur für besser,
Sie bleiben hier, während Ihre Wohnung durchsucht wird.«
Widerwillig, weil es seine Pflicht war, fügte er hinzu: »Sie
können jederzeit mit einem Angehörigen telefonieren oder
auch mit einem Anwalt.«

Brendans Schultern sanken nach vorne. »Ja. Ich werde
meine Mutter anrufen. Danke.«

Er wirkte so eingeschüchtert und verzweifelt, dass es tatsächlich schwerfiel, ihn sich als Serienkiller vorzustellen.
Trotzdem war Caleb noch nicht bereit, ihn von der Liste zu
streichen. Es hing jetzt alles davon ab, was sie in der Wohnung fanden. Mit Spuren von Mandy Allard war natürlich
zu rechnen. Fanden sie hingegen DNA von Saskia Morris
und Amelie Goldsby, war Saunders fällig. Dann hatten sie
ihn.

Irgendwie hatte Caleb die düstere Ahnung, dass es nicht
so einfach sein würde.

2

Kate fuhr an diesem Morgen schon früh nach Staintondale hinaus, um Kevin und Marvin Bent einen Besuch abzustatten. Es war ein klarer, sehr kalter Tag. Auf den Wiesen ringsum glitzerte der Raureif. Der Himmel war von einem kristallenen Blau. Es war keine Wolke zu sehen.

Die Frau, die Kate an der Bushaltestelle mitgenommen hatte, hatte berichtet, dass Kevin und Marvin die einst ziemlich heruntergekommene ehemalige Farm nach dem Tod der Mutter auf Vordermann gebracht hatten, dennoch war Kate angenehm überrascht, wie gepflegt alles aussah. Das Haus sowie die verlassenen Stallungen schienen in einem guten Zustand zu sein. Entlang der Auffahrt, die zwischen Weidezäunen zum Hof hinführte, waren die Hecken sauber geschnitten, und am Ende des Sommers musste jemand das Gras gemäht haben. Die Farm war schon lange nicht mehr in Betrieb, aber nirgends sah man verrostete, vor sich hin gammelnde Geräte oder kaputte Zäune und Mauern. Alles wurde in Schuss gehalten, wenn auch vermutlich mit wenigen finanziellen Mitteln. Das Haus war sicherlich seit den fünfziger Jahren des vergangenen Jahrhunderts nicht mehr renoviert worden, aber die Außenwände waren neu verputzt, die Fensterrahmen mit blauer Farbe gestrichen. Die Haustür leuchtete in einem tiefen Dunkelblau.

So asozial, wie Caswell behauptete, konnten die beiden Brüder nicht sein.

Unglücklicherweise waren sie nicht daheim. Kate klopfte mehrmals an die Tür, aber nichts rührte sich, und im Haus blieb alles still und dunkel. Sie umrundete das Gebäude, stellte fest, dass es auf der Rückseite eine kleine gemauerte Veranda gab, mit Gartenmöbeln, die von einer Plastikplane bedeckt wurden. Sie schaute über die Wiesen und Felder, die sich von hier aus bis zum Meer erstreckten, das an diesem Tag dasselbe tiefe Blau des Himmels zeigte. Land genug hatten die Bents, aber gab es irgendwo die Möglichkeit, ein Mädchen wochenlang gefangen zu halten?

Sie drehte sich um und schaute am Haus hinauf. Natürlich im eigenen Haus. Oder in einer der Scheunen und Ställe ringsum. Aber wenn ein Fremder kam? Wenn sie schrie?

War Amelie Goldsby hier gewesen? Hatte sie sich hier geistesgegenwärtig und mutig im Auto eines Besuchers versteckt?

Kate ging wieder nach vorne, versuchte, in die Scheune und in die zwei Stallgebäude zu blicken, aber die Tore waren fest verschlossen. Sie spähte durch die Fensterscheiben, gewahrte jedoch nichts, was aufschlussreich gewesen wäre. Leere Boxen. Etwas Stroh auf dem Boden. Nichts, was darauf hindeutete, dass hier Menschen gehaust hatten.

Sie stieg wieder in ihr Auto und fuhr nach Scarborough zurück, wo sie das Pub am Hafen aufsuchte, das Kevin und Marvin betrieben. *The Sailor's Inn* hieß es, ein weißgekalktes kleines Gebäude, in dessen Erdgeschoss sich ein Laden für Fischereibedarf befand. Über eine hölzerne Außentreppe gelangte man in den ersten Stock hinauf und in das kleine Pub, das etwa zwanzig Tische und eine große Theke hatte. Hinter der Theke führte eine Tür zur Küche.

Kate traf eine ältere Frau an, die gerade den Fußboden wischte und ihr erklärte, dass die beiden Bents zum Einkaufen unterwegs seien. »Aber heute Abend sind sie beide wieder hier. Da treffen Sie sie auf jeden Fall an!«

Kate stieg wieder auf die Straße hinunter und blieb unschlüssig stehen. Sie mochte noch nicht nach Hause gehen – in das leere Haus –, aber für einen Spaziergang am

Meer war es zu kalt, sie hätte sich erst wärmere Sachen und feste Stiefel holen müssen. Sie kramte einen Zettel aus ihrer Handtasche. Sie hatte die Adresse von David Chapland im Internet recherchiert. Sie stellte fest, dass er weit oben am Kliff, in der Sea Cliff Road wohnte. Eine Strecke bis dorthin, die ihr ein wenig Bewegung verschaffen würde. Auf jeden Fall besser, als daheim zu sitzen.

Sie lief am Strand entlang unterhalb des Grand Hotels und nahm dann den Aufstieg über eine Treppe am Rande der Esplanade Gardens. Unterwegs dachte sie, dass es tatsächlich ein wenig seltsam war. Nach eigenen Angaben hatte David Chapland an jenem Abend überprüft, ob mit seinen Schiffen alles in Ordnung war, und war auf dem Rückweg vom Hafen gewesen, als er auf Amelie und den sie mit letzter Kraft festhaltenden Alex Barnes traf. Sein direkter Weg hätte ihn zweifellos über genau die Treppe geführt, die Kate gerade nach oben stieg.

Warum hatte Chapland den Umweg über den Cleveland Way unten am Wasser gewählt? Bei Regen und Sturm?

Sie kam ziemlich atemlos vor dem Haus in der Sea Cliff Road an und blieb erst einmal stehen, um wieder Luft zu bekommen. Sie musste dringend mehr Sport machen, ihre Kondition war lausig. Sie betrachtete das Haus, eines in einer Reihe von schönen Einfamilienhäusern entlang einer stillen, gepflegten Straße. Häuser mit kleinen Vorgärten und buntgestrichenen Türen, mit beeindruckend großen Erkern zur Straße hin und Gaubenfenstern unter dem Dach. Am Ende der Straße hoch über dem Meer lag der Parkplatz, von dem aus Amelie Goldsby in jener Nacht aller Wahrscheinlichkeit nach geflohen war.

Kate stellte fest, dass das Haus, in dem David Chapland wohnte, zu einem Zweifamilienhaus umgebaut worden war, denn es gab zwei Klingeln mit zwei verschiedenen Namensschildern. Sie läutete. Über ihr kreisten Möwen und schrien in der kalten Luft. Die Novembersonne stand blass und niedrig über dem Meer.

Eine schöne Gegend, dachte sie, schön hier zu wohnen.

David Chapland öffnete, als sie schon aufgeben und umkehren wollte. Er war barfuß und hatte seine Jeans über die Knöchel hochgerollt. Seine Hände waren mit irgendetwas Schwarzem verschmiert. Er sah sie fragend an. »Ja?«

Es war offensichtlich, dass sie störte.

»Entschuldigen Sie ... ich ... falls ich ungelegen komme ...«

»Worum geht es denn?«

Sie streckte ihm die Hand hin, zog sie aber zurück, als ihr aufging, dass er im Moment niemandem die Hand geben konnte. Wie blöd konnte man sich eigentlich aufführen?

»Kate Linville. Ich weiß, es ist lästig, wenn jemand unangemeldet einfach vorbeikommt ...« Es ist mein Beruf, dachte sie, er lässt mich so ungewandt sein in einer solchen Situation. Beamte der Polizei meldeten sich häufig nicht an, sondern tauchten einfach auf. Allerdings stotterten sie dann nicht herum. Sie zückten ihren Ausweis und baten um ein Gespräch. Höflich, zugleich unnachgiebig. Kate hätte sich nichts so sehr gewünscht, wie einfach nach ihrem Ausweis greifen und ihn Chapland vor die Nase halten zu können. Sie hätte sich sofort viel sicherer gefühlt.

»Kein Problem«, versicherte er. »Ich hatte nur gerade einen Heizungsmonteur da und beseitige jetzt den Dreck, den er hinterlassen hat. Diese Firma nehme ich nie wieder. Bei mir geht seit vorgestern die Heizung nicht mehr, deshalb musste ich das unbedingt machen lassen. Normalerweise wäre ich um diese Zeit schon im Büro.«

»Ich bin Journalistin«, sagte Kate. »Aus London.« Diesmal ging ihr die Lüge schon glatter über die Lippen. »Ich arbeite an einem Artikel. Über diese schreckliche Verbrechensserie, die hier stattgefunden hat. Die verschwundenen Mädchen. Von denen man eines tot gefunden hat. Und eines ja lebend zurückgekommen ist.«

»Verstehe. An der Stelle geht es um mich, richtig? Weil ich geholfen habe, Amelie Goldsby aus dem Wasser zu ziehen.«

»Ja. Ich würde Ihnen gerne ein paar Fragen stellen, aber ich könnte natürlich auch ein anderes Mal wiederkommen, wenn es jetzt...«

»Ist schon in Ordnung. Kommen Sie rein. Es ist allerdings furchtbar kalt bei mir, die Heizung springt gerade erst wieder an. Hätten Sie Lust auf einen heißen Tee?«

Sie saßen in der Küche, die nach hinten zum Garten hinausging. Eine steile Treppe führte zu Chaplands Wohnung hinauf. Die Mitte der Küche nahm ein großer, schöner Holztisch ein, und ringsum herrschte eine gemütliche Unordnung. Chapland hatte Kate gebeten, Platz zu nehmen. Er hatte sich die Hände gewaschen und dann einen Tee gemacht, zwei Becher, Zucker und Milch auf den Tisch gestellt. Kate hielt ihren Becher fest umklammert. Es war wirklich lausig kalt im Haus. Sie behielt ihren Mantel vorsichtshalber an.

»Tja«, sagte Chapland, »ich kann Ihnen kaum etwas Neues sagen. Das meiste dürfte bereits in den Zeitungen gestanden haben. Ich kam an jenem Abend den Cleveland Way entlang, sah diesen Mann... wie hieß er noch?«

»Alex Barnes.«

»Genau. Ich sah Mr. Barnes auf dem Boden direkt an der Kaimauer liegen, und als ich näher trat, bemerkte ich, dass er ein Mädchen festhielt. Sie hing schon ziemlich entkräftet im Wasser, und es war erkennbar, dass er es nicht schaffte, sie an Land zu ziehen. Also packte ich auch ihren Arm. Ich schrie, Mr. Barnes solle sofort Hilfe herbeitelefonieren, aber sein Handy war ins Meer gefallen. Ich hielt Amelie alleine, bis er seine Finger halbwegs entkrampft hatte, dann übernahm er wieder, und ich rief Polizei und Sanitäter herbei.«

»Wirkte Alex Barnes … in irgendeiner Form verstört oder verunsichert wegen Ihres Auftauchens?«

Chapland schüttelte den Kopf. »Das hat mich die Polizei auch gefragt. Nein. Er wirkte erleichtert.«

Vorsichtig fuhr Kate fort: »Die Polizei wollte das bestimmt auch schon wissen … Wie kam es, dass Sie dort waren, Mr. Chapland? Sie kamen vom Hafen. Das war nicht der direkteste Weg hierher zu Ihnen nach Hause.«

Chapland lachte. »Sie fragen wirklich genau dasselbe wie die Polizei. Sind Sie sicher, dass Sie Journalistin sind?«

»Es sind wahrscheinlich die Fragen, die sich jedem aufdrängen würden«, wich Kate aus, »egal ob man Polizist ist oder nicht.«

»Das stimmt. Normalerweise hätte ich das Auto genommen. Ich war unruhig wegen der Schiffe. Ich wollte nachsehen, ob sie ausreichend gesichert sind. Ich hatte dummerweise schon zwei Bier getrunken. Das mit dem Auto wollte ich daher lieber nicht riskieren.«

»Sehr korrekt. Fast überkorrekt. Wer handelt jemals so vorbildlich?«

»Jemand, der schon einmal eine Zeitlang ohne Führerschein leben musste. Weil er mit Alkohol am Steuer erwischt worden ist.«

»Oh …«

»Ich bin kein notorischer Trinker, der dann auch noch Auto fährt«, sagte Chapland. »Es war die Silvesternacht. Ich kam von einer Party. Es war einfach idiotisch von mir. Seitdem passe ich auf wie ein Luchs.«

Kate konnte das nachvollziehen. Die meisten Menschen waren geläutert, wenn sie den Führerschein hatten abgeben müssen.

»Okay. Kein Auto. Aber wieso dieser Weg? Da unten entlang am tobenden, schäumenden Meer … Im Regen, so spät am Abend?«

Er lächelte. »Ich liebe das Meer. Gerade wenn es so ist wie an jenem Abend. Ich habe bewusst diesen Weg gewählt.«

»Ich verstehe.«

»Sie schreiben weder mit, was ich sage, noch nehmen Sie unser Gespräch auf.«

»Wie?«

»Na ja, Sie schreiben doch über das alles. Mich wundert, dass Sie sich keinerlei Notizen machen.«

Kate spürte, dass ihre Wangen zu glühen begannen. Sie war wirklich schlecht vorbereitet.

»Ich … bislang reden wir ja nur über Dinge, die ich sowieso weiß. Später … mache ich vielleicht noch Aufnahmen …« Er musste sie für eine Dilettantin halten.

Er nickte. »Falls ich wörtlich zitiert werde, möchte ich das aber gegenlesen.«

»Selbstverständlich.«

»Für welche Zeitung arbeiten Sie denn?« Es schwang jetzt ein Hauch von Misstrauen in seiner Stimme.

»Ich bin freie Journalistin. Ich lebe in London. Ich weiß noch nicht, wem ich die Geschichte anbiete. Es wird darum gehen, was solche Geschehnisse mit einer Stadt machen. Mit ihren Menschen.«

Er blickte sie nachdenklich an. »Ja, klingt interessant. Ich fürchte nur, das alles macht gar nicht viel mit einer Stadt und den Menschen. Wissen Sie, eine Zeitlang sind alle Zeitungen voll davon, und jeder redet darüber … Ja, und vermutlich schärfen die Eltern ihren Kindern einmal mehr ein, nur ja keinem Fremden zu vertrauen. Aber ganz schnell gehen alle wieder zur Tagesordnung über. Als wäre nichts gewesen. Denken Sie an den Anschlag von Manchester. Von London. Denken Sie an den Brand im Grenfell Tower. Unheimlich viel Aufregung. Und dann ist es schon wieder Schnee von gestern. Dann überwiegen bei den Leuten schon wieder die eigenen Sorgen und Probleme, die ihren unmittelbaren Alltag betreffen. Der Job. Das Geld. Die Schulsorgen der Kinder. Was weiß ich.«

»Es ist das, was jeden Tag bewältigt werden muss«, sagte Kate. »Es hilft ja nichts.«

Sie fand, dass er sie mit einem sehr intensiven Blick ansah. So, als fände er es tatsächlich interessant, mit ihr zu sprechen. »Ja«, wiederholte er langsam, »es hilft ja nichts.«

Dann schien er sich von den Gedanken, die ihn gerade beschäftigten, loszureißen. »Soll ich noch einen Tee machen?«

»Ich möchte Sie nicht aufhalten. Sie wollten ja eigentlich schon im Büro sein.«

»Stimmt, ich müsste…« Er überlegte. »Ich hätte eine Idee: Würden Sie mit mir essen heute Abend? Dann könnten wir weitersprechen.«

Kate war so perplex, dass sie sich fast an ihrem letzten, schon kühl gewordenen Tee verschluckt hätte. Wollte sich wirklich gerade ein Mann mit ihr verabreden? Misstrauisch überlegte sie, wie man seine Worte vielleicht noch anders interpretieren könnte. Nicht, dass sie sich blamierte… Ihr war das noch nie passiert. Okay, Colin hatte sich mehrmals mit ihr getroffen, aber ursprünglich waren sie einfach von einem Computer zusammengewürfelt worden, und daraus hatte sich ihr erstes Date ergeben. Ebenso wie ihre anderen *Parship*-Bekanntschaften. Einmal, drei Jahre zuvor, hatte Inspector Hale sie gefragt, ob sie mit ihm in ein Pub gehen wollte. Damals hatte sie gekniffen. Das durfte ihr nicht noch einmal passieren. Aber sie durfte auch nichts missverstehen.

Andererseits: *Mit mir essen* hieß *mit mir essen*. Es gab nicht allzu viel daran herumzudeuten.

»Essen?«, fragte sie und dachte, dass er sie für eine wahre Intelligenzbestie halten musste. Schwieg erst sekundenlang entgeistert und wiederholte dann den Begriff, als hätte sie ihn noch nie vorher gehört.

»Ja, ich dachte, wir könnten in irgendein Pub gehen. Nur wenn Sie mögen natürlich«, fügte er hinzu.

Sie riss sich zusammen. Sie hatte ein Talent, Dinge zu vermasseln, besonders wenn es um Männer ging.

»Ich wollte heute Abend ins *Sailor's Inn*«, erklärte sie, »um mit Kevin und Marvin Bent zu reden. Wegen meiner Story. Vielleicht können wir uns ja dort treffen?«

»Immer im Einsatz«, meinte er belustigt, »aber okay, warum nicht. Die haben ganz gutes Essen dort. Wäre Ihnen halb acht recht? Soll ich Sie abholen?«

Auch das noch. Das hatte wirklich noch nie jemand angeboten. Auch nicht Colin. Zu den paar Verabredungen mit ihm hatte sich Kate immer alleine gekämpft – in überfüllten U-Bahnen oder mit dem Auto durch den Londoner Verkehr.

»Vielen Dank, nein, ich komme alleine dorthin«, sagte sie hastig. Sie wollte früher da sein, um mit den beiden Brüdern sprechen zu können. Außerdem brauchte David Chapland nicht gleich zu sehen, dass sie in einem Haus komplett ohne Möbel wohnte. Dass sie ein Haus, das von asozialen Mietern verschandelt worden war, entkernen und renovieren ließ, war für jeden nachvollziehbar, nicht aber, dass sie zwei Wochen lang darin campierte. Jeder andere hätte sich ein Hotel oder eine Pension gesucht oder wäre überhaupt nicht angereist, sondern hätte die ganze Angelegenheit von dem Makler alleine abwickeln lassen. Sie hatte Angst, dass David sogleich durchschauen würde, dass sie ein Abnabelungsproblem hatte und sich noch immer an ihrem toten Vater festhielt. Sie konnte sich nicht vorstellen, dass er das sehr anziehend finden würde.

»In Ordnung. Dann um halb acht«, sagte er.

Er begleitete Kate zur Haustür. Zum Abschied reichte er ihr seine jetzt saubere Hand. Sein Händedruck fühlte sich angenehm an. Und er hatte ein schönes Lächeln, fand Kate.

Sie stand auf der Straße, froh über den Wind, der über ihre Wangen strich.

Okay, sagte sie zu sich, okay, überbewerte das nicht. Du bist als Journalistin zu ihm gekommen und hast um ein Gespräch gebeten, und er hat jetzt nicht richtig Zeit, daher hat er das Treffen heute Abend vorgeschlagen. Es muss nichts mit dir *als Person* zu tun haben.

Andererseits: Nicht jeder ging mit einer Journalistin gleich zum Abendessen, nur weil die ein paar Fragen hatte.

Cool bleiben, ermahnte sie sich, und mach dir bloß keine Hoffnungen!

Auf dem ganzen Heimweg überlegte sie, was sie anziehen sollte.

3

»Nichts«, sagte Caleb. »Nichts, woraus sich irgendetwas machen ließe.« Er stand bei Sergeant Stewart im Büro. Ihm war nicht entgangen, dass Stewart bei seinem Eintritt blitzschnell das Programm geschlossen hatte, das er gerade in seinem Computer aufgerufen hatte. Wahrscheinlich war er wieder in einem Dating-Portal unterwegs gewesen. Robert Stewart suchte seit Jahren online die Frau seines Lebens, ohne je über Beziehungen einer Dauer von höchstens vierzehn Tagen hinausgekommen zu sein. Zum Erstaunen – und dennoch mit dem Respekt – seiner Kollegen machte er unverdrossen weiter.

»Nichts?«, echote er jetzt.

Caleb ließ sich auf einen Stuhl fallen und streckte beide Beine von sich. Er fühlte sich müde und frustriert. »Die haben Brendan Saunders' Wohnung total auseinandergenommen. Noch ist nicht alles ausgewertet, aber wie es bislang aussieht: keinerlei Hinweise auf Amelie Goldsby oder Saskia Morris. Zumindest ersten Erkenntnissen zufolge ist keines dieser beiden Mädchen jemals in der Wohnung gewesen.«

»Von dieser Mandy Allard gibt es aber Spuren?«

»Klar, jede Menge. Sogar sehr sichtbare: Ihren Rucksack, ihr Handy. Aber dass sie in seiner Wohnung war, streitet Saunders ja nicht ab.«

»Seine Mutter…?«

»Erinnert sich an das Telefonat am Morgen des 30. Oktobers, als Brendan ihr von einer neuen Freundin berichtete. Allerdings erinnert sie sich meiner Ansicht nach an alles, was ihren Sohn aus jeder nur denkbaren Gefahrenzone herausbringt. Joseph Maidows, den Besitzer des Autos, haben zwei Beamte zu sprechen versucht, aber er scheint verreist zu sein. Diese Autowerkstatt, Scalby Mills Service Station, bestätigt jedoch, dass sein Auto wegen eines Problems mit den Bremsen dort war und von Brendan Saunders abgeholt wurde. Im Wesentlichen stimmen Saunders' Angaben. Und, ach ja, erste Anrufe bei den Pensionen rund um Edinburgh, in denen Saunders während dieser Urlaubs-reise gewohnt haben will, ergeben, dass er dort tatsächlich war und nur dadurch auffiel, dass er halbe Tage verschlief und ansonsten Wanderungen unternahm. In der Gegend gibt es keine Vermisstenmeldungen, die Ähnlichkeiten zu unseren Fällen aufweisen würden. Er scheint dort wirklich nur gewesen zu sein, um sich auszuruhen.«

»Durch die Nachbarin wissen wir, dass Mandy Allard vor ihm davongelaufen ist. Also kann er sie auch nicht irgendwo anders hingeschafft haben«, überlegte Stewart.

»Er kann sie natürlich später wieder eingefangen haben«, meinte Caleb. »Zunächst mal ist sie ja wohl wieder bei die-sem Freund untergekrochen. Cat oder wie er heißt.«

Es waren gleich am Montag mehrere Beamte erneut bei Cat gewesen und hatten einen haschumnebelten jun-gen Mann auf einer Matratze liegend angetroffen, der sie freundlich anlächelte. Es wimmelte um ihn herum von Kat-zen. Auf die Frage nach Mandy Allard entgegnete er, sie sei da gewesen, aber sie sei nun wieder fort. Wann sie da gewe-sen war, wusste er nicht. Wann sie gegangen war, auch nicht.

»Der ist«, hatte einer der Beamten Caleb erklärt, »neun von zehn Stunden unter irgendwelchen Drogen. Ich halte ihn für völlig unfähig, reihenweise Mädchen zu entführen und zu ermorden.«

Da Mandy seit Wochen verschwunden und laut des Berichtes der Jugendamtsmitarbeiterin bei Cat gewesen war, gab es auch für die Kellerwohnung einen Durchsuchungs-beschluss. Er förderte ebenso viele neue Erkenntnisse zutage wie die Hausdurchsuchung bei Brendan Saunders, nämlich gar keine. Zwischendurch tauchte noch Cats Freundin auf, eine junge Frau, die die Polizisten wüst beschimpfte und bei der Nennung des Namens von Mandy Allard eine Art Tobsuchtsanfall bekam. Ja, sie habe das junge Mädchen eigenhändig an die Luft befördert. Die bekäme hier keinen Fuß mehr in die Tür, nicht, solange sie es noch verhindern könne. Wer sie sei? Eine Zufallsbekanntschaft von Cat. Die beiden hätten sich im Wesentlichen immer nur auf Whats-App geschrieben, sonst nichts. Aber nun sei sie von daheim weggelaufen und habe zweimal – *zweimal* – für mehrere Tage bei Cat gehaust, weil der gutmütig genug gewesen sei, ihr ein Dach über dem Kopf und etwas zu essen anzubieten. Das sei eine einzige Provokation ihr gegenüber, und so etwas lasse sie sich nicht gefallen, und das habe sie beiden, Mandy und Cat, unmissverständlich klargemacht, und deshalb werde Mandy hier auch ganz bestimmt nicht mehr aufkreuzen, nicht jedenfalls, wenn ihr das Leben lieb sei!

Den nächsten Wutanfall hatte sie bekommen, als sie begriff, dass die Polizei die Kellerwohnung wegen akuter Einsturzgefahr des ganzen Gebäudes räumen würde und dass sie und Cat nun erst einmal ohne Behausung dastanden.

»Das kann ja wohl nicht wahr sein! Nur wegen dieser kleinen Schlampe. Wegen dieser gottverdammten kleinen Schlampe! Kriecht hier unter, macht sich an meinen Freund ran und hetzt uns dann noch die Bullen auf den Hals. Ich fasse es nicht. Ich fasse es nicht!«

Man hatte sie nach draußen tragen müssen, wobei sie um sich schlug, biss und spuckte. Cat hingegen verließ den Keller von alleine, barfuß trotz der Kälte und mit einem verklärten Ausdruck in den Augen. Die Beamten riefen das Sozialamt an und dann den Tierschutzverein, der sich um die Katzen kümmern sollte. Das Haus wurde dichtgemacht. Was nicht hieß, da machte sich niemand etwas vor, dass nicht demnächst wieder irgendjemand den Keller zu seinem Zuhause umfunktionieren würde. Vielleicht sogar Cat.

»Also diesen Cat streichen wir?«, fragte Stewart.

Caleb nickte. »Zu neunundneunzig Prozent bin ich sicher, dass er harmlos ist. Ich habe kurz mit ihm zu sprechen versucht, aber wenig aus ihm herausbekommen. Er bringt Menschen und Zeitabläufe hoffnungslos durcheinander. Auf die Namen Saskia Morris und Amelie Goldsby hat er überhaupt nicht reagiert, und das erschien mir nicht gespielt. Der hat mit seinen Drogen schon große Teile seines Gehirns außer Gefecht gesetzt. Es ist, wie die Kollegen sagen: Schon einer Logistik, wie mehrere Entführungen sowie das Gefangenhalten von Entführten sie erfordern, scheint er kaum fähig zu sein. Praktisch nicht vorstellbar.«

»Mehrere Entführungen«, wiederholte Stewart. »Chef, wir dürfen nicht außer Acht lassen, dass wir bislang keinen Beweis dafür haben, dass es sich bei allen unseren Fällen um ein und denselben Entführer handelt. Wir vermuten das, aber theoretisch könnte es sein, dass keiner etwas mit dem anderen zu tun hat.«

»Zufällig diese seltsame Häufung?«

»Welche Häufung?«, fragte Stewart. »Wir haben ein Mädchen, das verschwunden ist und Monate später ermordet aufgefunden wurde. Saskia Morris. Wir haben ein Mädchen, das in ein Auto gezerrt und verschleppt wurde, jedoch fliehen konnte: Amelie Goldsby. Wir haben ein Mädchen, das aus desolaten Familienverhältnissen davongelaufen ist und sich seit Wochen auf der Straße herumtreibt, dabei hier und dort unterkriecht, aber doch ganz offenkundig in Freiheit ist. Mandy Allard. Wenn Sie mich fragen, Mandy können wir von der Liste der Opfer des sogenannten *Hochmoor-Killers* streichen. Sie wird jetzt entweder, wenn es draußen immer kälter und unwirtlicher wird, reumütig zu ihrer Familie zurückkehren. Oder sie wird, so schlimm das ist, ein Name in einer Statistik werden: Die der vielen jungen Leute, die in Großbritannien alljährlich von zu Hause ausreißen, weil sie ihre Familien satthaben oder mit der Schule nicht klarkommen oder von Abenteuerlust gepackt werden oder was auch immer. Das bedeutet nicht, dass man nicht nach ihr suchen sollte, obwohl Sie ja auch wissen, wir haben nicht einmal ansatzweise genügend Leute, um uns all dieser Ausreißer anzunehmen. In jedem Fall sollten wir ihre Geschichte nicht mit den anderen vermischen.«

»Hm«, machte Caleb.

»Wir haben sie doch nur in unsere Ermittlung mit aufgenommen, weil uns berichtet wurde, dass sie aus der Wohnung eines bereits aktenkundigen Mannes davongelaufen ist«, fügte Stewart hinzu. »Und der ist höchstwahrscheinlich harmlos.«

»Scheint so«, gab Caleb zu.

»Der hat sich wirklich wegen dieser Sarah Fisher damals nichts zuschulden kommen lassen, Sir, wenn Sie mich fragen. Vom Typ her ist der Mann ein Opfer, kein Täter. Und er ist nicht der Klügste unter der Sonne. Er hatte sich in seiner Jugend mit den falschen Freunden eingelassen, mehr nicht. Und jetzt war er dumm genug, einer jugendlichen Ausreißerin ein Zuhause geben zu wollen, weil er sich einsam fühlte. Aber wenn wir das für zutreffend halten, sind wir wieder da, wo wir vorher waren. Wir haben nicht den geringsten Anhaltspunkt dafür, dass Mandy Allard entführt wurde und nun irgendwo festgehalten wird.«

Caleb stützte den Kopf in die Hände. »Wieder da, wo wir vorher waren. Das ist der rote Faden in diesem ganzen Fall, Sergeant. Das macht mich krank. Egal was geschieht, wir kommen nicht vom Fleck. Wir drehen uns ständig auf derselben Stelle. Und wenn wir tatsächlich zwischendurch glauben, einen Anhaltspunkt gefunden zu haben, führt er garantiert erneut ins Leere. Langsam komme ich mir vor wie jemand, der völlig ziellos im Nebel stochert und einfach nur hofft, dabei zufällig auf irgendetwas Bedeutungsvolles zu stoßen – ohne ein Konzept, eine Idee, ohne *irgendetwas*.«

Sergeant Stewart schwieg. Er konnte nicht viel dagegen sagen. Caleb Hale beschrieb die Situation ziemlich realistisch.

»Unsere ganze Hoffnung«, sagte Caleb, »beruht im Grunde darauf, dass Amelie Goldsby ihre Verstörtheit so weit überwindet, dass sie redet. Dass sie die entscheidenden fehlenden Angaben in ihrem Bericht nachliefert. Davon hängt alles ab. Wir sind abhängig von einem traumatisierten Teenager und haben keine Ahnung, ob sich sein Trauma überhaupt jemals auflösen wird.«

»Sergeant Helen Bennett geht aber noch immer regelmäßig zu ihr?«, erkundigte sich Robert.

»Fast täglich. Sie gibt die Hoffnung nicht auf. Immerhin hatte sie schon einmal unerwartet einen Durchbruch erzielt. Als Amelie Details ihrer Flucht preisgab.«

»Was uns leider auch nicht wirklich weitergebracht hat«, murmelte Robert düster.

Die Befragung sämtlicher Anwohner oben am Kliff hatte nichts ergeben. Niemand hatte das Auto auf dem Parkplatz bemerkt. Niemand hatte überhaupt irgendetwas gesehen oder gehört. Niemand schien derjenige zu sein, in dessen Wagen Amelie geflohen war. Oder anders herum gedacht, und das war noch deprimierender: Theoretisch hätte es auch jeder dort sein können. Es gab nichts, was bestimmte Personen kategorisch ausschloss, und nichts, was auf bestimmte Personen zwingend hinwies.

Es gab einfach gar nichts.

»Wir bleiben aber dabei, dass es sich im Fall Saskia Morris und im Fall Amelie Goldsby um jeweils denselben Täter handelt?«, hakte Robert Stewart noch einmal nach.

Caleb überlegte kurz, dann nickte er. »Wir bleiben dabei. Zumindest die Tatsache, dass in beiden Fällen Besitztümer – Handy, Handtasche – der Mädchen kurz nach der Entführung an abgelegenen Orten gefunden wurden, ergibt eine Übereinstimmung. Immerhin.«

»Immerhin«, wiederholte Robert Stewart müde.

»Und noch etwas«, sagte Caleb.

»Ja?«

»Wir wissen, dass Saskia Morris einige Monate irgendwo festgehalten wurde, ehe man sie verhungern und verdursten ließ. Amelie wurde eine Woche lang festgehalten, ehe es ihr gelang zu fliehen. Das ist sehr ungewöhnlich. Wenn so junge Mädchen von der Straße weg in ein Auto gezerrt werden, handelt es sich in den allermeisten Fällen um ein Sexualdelikt, und leider erledigt sich das sehr schnell, meist in den ersten ein, zwei Stunden nach dem Kidnapping. In unserem Fall ist die Vorgehensweise eine andere. Jemand möchte länger etwas von den Mädchen haben, wenn man das so zynisch sagen kann. Saskia Morris wurde nicht vergewaltigt, bei Amelie Goldsby wissen wir nicht, ob sie nicht doch schon vor ihrer Entführung einen Freund hatte, von dem ihre Eltern nur nichts wissen. Schneller Sex ist nicht das Grundmotiv dieser Entführungen. Der Täter will offenkundig mehr als das. Er handelt zwar spontan nach den Gelegenheiten und Gegebenheiten des Augenblickes, ist darüber hinaus aber bestens organisiert. Er hat einen Platz, an dem er seine Opfer verstecken kann. Monatelang im Fall Morris, immerhin eine Woche lang im Fall Goldsby. So etwas zu finden, auszubauen und zu erhalten ist nicht ganz einfach. Ich glaube nicht, dass wir hier zufällig zwei Täter herumlaufen haben, die das bewerkstelligen können. Und die nicht auf die rasche Befriedigung aus sind, sondern auf eine großangelegte – und damit hochriskante – Geschichte.«

»Das stimmt«, gab Robert zu.

Caleb wirkte ein klein wenig zuversichtlicher als zu Beginn des Gesprächs. Nicht, dass sie der eigentlichen Lösung näher gekommen wären. Aber er sah wieder ein wenig klarer. Zumindest, was die Personen anging, die an dem Fall beteiligt waren.

»Dann steht das jetzt fest«, sagte Caleb. »Wir streichen Mandy Allard von der Liste der gekidnappten Opfer. Sie ist eine gesonderte Geschichte. Bleiben Saskia und Amelie.«

»Hannah Caswell?«, fragte Robert.

Caleb schüttelte den Kopf. »Der zeitliche Abstand ist zu groß. Das passt nicht.«

»Wir müssen uns ranhalten, Sir«, sagte Robert. »Wenn Sie der zeitlichen Abfolge eine so große Bedeutung beimessen, dann ist es eine Tatsache, dass der Täter relativ schnell nach Saskias Tod das nächste Mädchen gegriffen hat. Amelie. Sie ist ihm vor nunmehr drei Wochen entkommen. Er könnte wieder auf der Suche sein – nach der nächsten.«

»Ja«, sagte Caleb, »der Gedanke ist es, der mich umtreibt. Tag und Nacht.« Wie zum Beweis für seine schlaflosen Nächte strich er sich über die Augen. Sie sahen rot und wund aus. »Dass wir wahrscheinlich jeden Moment mit dem nächsten Opfer rechnen müssen.«

4

Das *Sailor's Inn* war gut besucht. Jeder Tisch besetzt; frei war nur noch der, den David Chapland reserviert hatte, wie Kate mit einem Blick in das dicke Notizbuch, das auf dem Tresen lag, freudig festgestellt hatte. Die Reservierung machte die Sache noch ernsthafter. Es hatte wirklich etwas von einem Date. Sie konnte es kaum glauben.

Sie saß an der Bar und trank ein Bier, und wie sie vermutet hatte, war Kevin Bent geradezu erpicht darauf, sein Herz auszuschütten, nachdem sie die Lockworte *Journalistin* und *an Ihrer Version der Geschichte interessiert* in den Raum geworfen hatte. Zusätzlich zu dem absoluten Reizbegriff *Ryan Caswell*. Obwohl der Laden brummte, war Kevin Bent sofort bereit, seine Tätigkeit als Barkeeper an einen jungen Angestellten abzutreten und sich auf Kate zu konzentrieren. Sein Bruder sei in der Küche, sagte er, aber der habe mit der ganzen Sache sowieso überhaupt nichts zu tun.

»Nun ja«, sagte Kate, »aber er war ja als Sechzehnjähriger…«

Kevins Augen blitzten. »Jetzt kommen Sie bloß nicht mit diesem Mist! Marvin war an dieser Sache nicht beteiligt. Das hat ihm ja sogar die Polizei schließlich geglaubt!«

Es gab einen Unterschied zwischen dem, was die Polizei tatsächlich *glaubte,* und dem, was sie bloß nicht *nachweisen* konnte, aber darauf wollte Kate nicht herumreiten. Es war auch klar, dass sie damit möglicherweise Kevins Redebereitschaft verdarb. Kevin war wütend wegen des Verdachts, dem er selbst ausgesetzt gewesen war, aber noch wütender schien er zu werden, wenn es um seinen Bruder ging.

»Okay. Aber dass Sie Hannah an jenem Abend von Hull nach Scarborough mitgenommen haben – das stimmt?«

»Ja. Sie stand im Regen vor dem Bahnhof in Hull und war unglücklich, dass ihr der Zug vor der Nase weggefahren war. Ich wohnte bei ihr und ihrem Vater um die Ecke. Was hätten Sie gemacht? Sie stehen gelassen?«

»Natürlich nicht. Das Problem ist ja nur … sie ist seitdem verschwunden.«

»Ich hatte sie in Scarborough abgesetzt. Ich wollte weiter zu Freunden.«

»Dass Sie Hannah dort abgesetzt hatten, wird ja von ihrer Freundin bestätigt«, sagte Kate. »Hannah hatte sie vom Bahnhof Scarborough aus angerufen. Sheila. So hieß sie, oder?«

»Keine Ahnung«, sagte Kevin. Das Thema berührte ihn, was kein Wunder war, wie Kate dachte. Er hatte unter einem schweren Verdacht gestanden, und wenn sich der Fall Hannah Caswell nicht irgendwann aufklärte – was immer unwahrscheinlicher wurde, je mehr Jahre verstrichen –, würde für alle Zeiten dieser Hauch eines Verdachts an ihm kleben bleiben. Dieser Schatten. Dieses ewige *Vielleicht.*

Sie betrachtete ihn unauffällig. Er hatte während des Gesprächs zu schwitzen begonnen, sie sah feine Schweißperlen in seinem Gesicht. Er schenkte sich ein Mineralwasser ein, nahm gierig einen Schluck. Kate konnte nachvollziehen, dass er während seiner Schulzeit als Mädchenschwarm gegolten hatte und mit Sicherheit noch immer ein Frauenliebling war. Er sah einfach gut aus. Dichte, dunkle Haare, sehr dunkle Augen. Selbst jetzt im November war seine Haut noch leicht gebräunt, im Sommer würde man ihn wahrscheinlich für einen Spanier oder Italiener halten. Kate hatte ein Foto von Hannah gesehen. Sie konnte sich nicht vorstellen, dass dieses unscheinbare, noch absolut kindlich wirkende Mädchen irgendeine Art von Begierde in Kevin geweckt hatte. Es sei denn, Kinder hatten es ihm angetan … Aber dafür schien es, soweit man den Presseberichten, die damals kursierten, Glauben schenken durfte, in seiner ganzen Biografie nicht den kleinsten Anhaltspunkt zu geben.

»Ich stehe auf Ihrer Seite«, versicherte Kate, »aber wenn ich objektiv über Sie schreiben will, muss ich die Punkte abklären, die … nun ja, die zumindest auf den ersten Blick *gegen* Sie sprechen.«

Kevins Miene entspannte sich etwas. »Klar. Das verstehe ich. Es war einfach unfassbar dumm von mir …«

Er stockte.

»Was?«, fragte Kate.

Er seufzte. »Zwei Dinge waren unfassbar dumm. Zum einen, dass ich ihr angeboten hatte, sie mit zu der Eröffnungsparty des Pubs eines Freundes zu nehmen. Daraus machte ihr Vater später, ich hätte sie anzubaggern versucht. Was überhaupt nicht stimmte. Sie tat mir leid. Das war alles.«

»Der zweite Fehler war …«

»Dass ich wegen Cropton gelogen hatte. Dass ich behauptet hatte, ich sei tatsächlich zu den Freunden dort gefahren. Während ich in Wahrheit umgekehrt und zum Bahnhof in Scarborough zurückgefahren bin.«

»Das war in der Tat dämlich«, bestätigte Kate, aber sie lächelte, und nach einer Sekunde lächelte Kevin auch.

»Es war ein Reflex«, sagte er, »der mit meinem Bruder zu tun hatte. Ich hatte damals erlebt, wie es ist, verdächtigt zu werden. Mein Bruder wurde wieder und wieder befragt. Jeder in seinem Umfeld wurde befragt. Das Unterste wurde zuoberst gekehrt. Jeder tuschelte über ihn, über unsere Familie. Jeder Weg aus unserem Haus wurde zum Spießrutenlauf … Ich wollte das nicht noch einmal erleben, um keinen Preis. Als ich hörte, dass sie verschwunden ist, und mir klar wurde, dass ich mutmaßlich der Letzte war, der mit ihr zusammen war, wusste ich genau, was mich erwartet. Also dachte ich, ich darf auf gar keinen Fall zugeben, dass ich umgekehrt bin.« Er zuckte mit den Schultern. »Aber es flog natürlich auf, und dann stand ich doppelt verdächtig da. Es war … schrecklich. Eine schreckliche Zeit.«

»Warum sind Sie denn umgekehrt?«

»Das glaubt mir ja sowieso keiner«, murmelte Kevin.

»Vielleicht glaube ich es Ihnen.«

»Die Polizei war damals mehr als skeptisch. Und der alte Caswell ... na ja, für den bin ich sowieso der größte Verbrecher unter der Sonne.« Er seufzte. »Es war ein *Gefühl*. Einfach ein *dummes Gefühl*. Ich hatte Hannah noch im Rückspiegel beim Wegfahren gesehen ... Sie stand da im Regen auf der Straße ... und sie wirkte so ... schutzlos. Und ich war plötzlich nicht sicher, ob sie ...« Er stockte.

»Ob sie was?«

»Ob sie wirklich ihren Vater anrufen oder zu dieser Firma gehen würde, bei der er arbeitete. Ich wusste, dass sie Angst hatte. Das war greifbar. Während der ganzen Fahrt.«

»Angst vor ihrem Vater?«

»Kennen Sie Ryan Caswell?«

»Ich habe einmal mit ihm gesprochen. Kennen ist zu viel gesagt.«

»Und welchen Eindruck hatten Sie von ihm?«

Kate überlegte. »Verbittert. Einsam. Er hat es aufgegeben, vom Leben noch irgendetwas zu erhoffen. Der Verlust seiner Tochter hat einen gebrochenen Menschen aus ihm gemacht.«

»Mir hat er ja auch irgendwie immer leidgetan«, sagte Kevin. »Schon vor Hannahs Verschwinden. Seine Frau ist ihm bei Nacht und Nebel davongelaufen, und das hat ihn vollkommen geschockt. Er war schon vorher nicht gerade die Lebensfreude in Person, was meiner Ansicht nach der Grund war, weshalb seine Frau das Weite gesucht hat. Danach wurde es natürlich nicht besser. Er klammerte sich an seine Tochter. Sie war das Einzige, was ihm zunächst geblieben war. Uns anderen tat sie immer leid.«

»Welchen *anderen*?«

»Uns anderen Kindern. Wir waren ja alle noch Kinder damals. Draußen in Staintondale. Hannah war vier, als ihre Mutter davonlief. Ich war neun. Und auf jeder Farm gab es Kinder. Wir waren immer zusammen unterwegs, alle Altersgruppen gemischt. Haben Staudämme in den Buchten gebaut, Baumhäuser in den Waldstücken. Wir sind geschwommen, wir waren in den Sommern mehr im Wasser als sonst irgendwo. Einmal haben wir ein Floß gebaut, aus Baumstämmen. Staintondale ist der Arsch der Welt, aber für Kinder ist es ein Paradies. Nur Hannah durfte so gut wie nie mitmachen. Ihr Vater fand immer alles zu gefährlich. Sie durfte nicht im Meer baden, sie durfte nicht mit uns auf den Klippenpfad, sie durfte nicht…«

»Na ja, mit vier Jahren…«

»Auch später nicht. Nie. Ich erinnere mich noch, dass wir sie manchmal abholen wollten, aber ihr Vater ließ uns schon gar nicht auf sein Grundstück. ›Hannah möchte nicht mit euch spielen‹, sagte er immer, was überhaupt nicht stimmte. Manchmal trafen wir Hannah alleine an, dann war sie richtig traurig und sagte, sie dürfe leider nicht mit, ihr Vater erlaube es nicht. Sie wagte es dann auch nicht, sich einfach über sein Verbot hinwegzusetzen. Sie blieb zurück, und ich weiß noch, dass sie uns oft aus großen, traurigen Augen nachschaute. Sie war sehr einsam.«

Kate nickte langsam. Sie hatte Ryan Caswell erlebt. Sie konnte sich sehr gut vorstellen, dass es so gewesen war. »Sie sagten, Sie seien an jenem Abend vor vier Jahren umgekehrt, weil Sie sich Sorgen machten«, wiederholte sie. »Sie meinten, Hannah werde vielleicht gar nicht ihren Vater aufsuchen oder anrufen. Weil sie Angst vor ihm hatte.«

»Ja. Genau. Und da dachte ich, ehe sie sich zu Fuß oder per Anhalter nach Staintondale aufmacht, fahre ich sie lieber. Es war… ja, wie ich schon sagte: ein ungutes Gefühl.«

»Hatte Hannah einen Grund, Angst vor ihrem Vater zu haben? Ich meine: War er ihr gegenüber gewalttätig?«

Kevin zögerte. »Das wohl nicht. Nein, ich glaube, gewalttätig war er nicht. Aber er reglementierte sie von morgens bis abends. Und er versuchte ihr ständig nachzuweisen, dass sie ein unfähiges kleines Mädchen ist, das man keinen Schritt alleine machen lassen kann. Sie war an diesem Tag bei ihrer geliebten Großmutter gewesen und hatte den Zug für die Rückfahrt versäumt. Sie wusste einfach, dass sie nun für ewige Zeiten ihre Großmutter nicht mehr würde besuchen dürfen. Sie war ziemlich deprimiert deswegen. Sie hatte Angst vor den langen Vorträgen ihres Vaters, die alle nur das Ziel hatten, ihr klarzumachen, wie unfähig sie war. Und sie hatte Angst davor, was ihr nun wieder alles gestrichen werden würde: Besuche in Hull sowieso, aber auch Treffen mit ihrer Freundin, Teilnahme an Schulpartys, Stadtbummel, was auch immer.«

»Sie hatten sie zu dieser Eröffnung des Pubs eingeladen.«

»Ja, aber doch nicht, weil ich irgendetwas von ihr gewollt hätte. Sie war noch ein richtiges Kind, du liebe Güte! Sie tat mir einfach leid. Ehrlich gesagt ging ich aber sowieso davon aus, dass es nicht klappen würde. Dass sie mitkommt zu dieser Eröffnung, meine ich. Wie sie das hätte bewerkstelligen wollen, ohne dass ihr Vater etwas merkt, war mir damals und ist mir bis heute eigentlich schleierhaft.«

Der Junge, der den Dienst an der Bar alleine übernommen hatte, warf Kevin einen hilfesuchenden Blick zu. »Hey, Kevin, ich müsste dringend beim Service mithelfen. Könntest du …?«

Es war noch voller geworden. An der Bar drängten sich die Leute. Viele sahen aus, als kämen sie aus ihren Büros und wollten hier noch schnell ein Bier mit den Kollegen trinken, ehe sie nach Hause gingen.

»Gleich«, sagte Kevin. Er blickte Kate entschuldigend an. »Ich müsste jetzt …«

»Ja, klar. Ganz schöner Betrieb. Ich hatte gehört, Sie hätten sich beschwert, Ryan Caswell würde Ihnen durch seine Unterstellungen geschäftlich schaden, aber den Anschein hat es zumindest heute Abend nicht.«

»Inzwischen läuft es. Ja. Aber es war schwierig. Marvin und ich übernahmen die Kneipe ja in dem Jahr, nachdem Hannah verschwunden war und sich ganz Scarborough den Mund über mich zerriss. Wissen Sie, was Caswell am Anfang gemacht hat? Er stellte sich Abend für Abend unten an die Holztreppe, mit Flugblättern im Arm, die er an meine Gäste verteilte. Darauf war ein Bild von Hannah zu sehen, und darunter folgte eine detaillierte Beschreibung dessen, was an jenem Abend geschehen war. Aber es war eben nur Ryan Caswells Sicht der Dinge. Und die hieß, dass ich seine Tochter geschnappt und getötet hatte. Es gab einige Leute, die deswegen nicht mehr hierherkamen.«

»Das ist heftig«, meinte Kate.

»Ich habe damals gerichtlich eine einstweilige Verfügung erwirkt. Er durfte das nicht mehr machen. Aber er hatte bereits großen Schaden angerichtet.«

Die Tür ging auf. David Chapland kam in den Raum. Er lächelte, als er Kate an der Bar entdeckte. Kate merkte, dass ihr Herz schneller schlug.

Bleib ganz ruhig und bilde dir nichts ein, ermahnte sie sich.

»Ganz kurz noch«, sagte sie schnell zu Kevin: »Als Sie damals zurück zum Bahnhof fuhren, war sie weg? Hannah. Sie haben sie nicht mehr gesehen?«

»So war es«, bestätigte Kevin.

»Was schätzen Sie, wie viel Zeit vergangen war? Seitdem Sie sie zuletzt im Rückspiegel gesehen hatten?«

»Das hat die Polizei damals auch gefragt«, sagte Kevin. »Ich würde sagen, fünfzehn Minuten. Höchstens.«

»Fünfzehn Minuten. Und sie war spurlos verschwunden. Halten Sie es für möglich, dass sie weggelaufen ist? Weil sie einfach nie wieder nach Hause wollte?«

Kevin schüttelte den Kopf. »Nein. Der Typ war sie nicht. Viel zu kindlich und zu ängstlich. Und außerdem: Irgendwie hing sie auch an ihrem Vater. So schrecklich und despotisch er auch war. Sie kannte es ja nicht anders. Er war ihr Zuhause. Nein, sie wäre nie im Leben weggelaufen. Davon bin ich überzeugt.«

Der Abend war anders als andere Abende, die Kate mit Männern verbracht hatte. Sie entsann sich, diese in erster Linie als quälend empfunden zu haben. Sie hatte gespürt, dass sich die Männer langweilten und dass sie sie vollkommen uninteressant fanden. Sie hatte sich krampfhaft bemüht, etwas Unterhaltsames, Witziges zu sagen, und gemerkt, dass ihr das nicht einmal ansatzweise gelang. Am besten hatte es noch mit Colin Blair funktioniert, aber das lag nur daran, dass Colin keinen Gesprächspartner suchte, sondern einen Zuhörer und Bewunderer. Es hatte völlig gereicht, ab und zu *Was du nicht sagst!* oder *Nein, wirklich, wie großartig!* einzuwerfen.

Mit David war es irgendwie unkompliziert. Er erzählte von sich, stellte ab und zu Fragen, hörte konzentriert zu. Er betrieb ein Büro im Hafen, nur wenige Schritte von *The Sailor's Inn* entfernt, von wo aus er Yachten und Segelboote sowohl an Touristen als auch an professionelle Segler vermittelte, für Regatten wie für Urlaubsreisen. Er selbst hatte drei Boote, die er vermietete, aber er arbeitete mit vielen Schiffsbesitzern auch auf dem Kontinent zusammen, vornehmlich im Mittelmeerraum. Spanien, Frankreich, Italien, Griechenland und die Türkei zählten zu seinem Bereich. Jetzt habe er aber auch einen Kontakt nach Schweden hergestellt, berichtete er, und er hoffe, dass etwas daraus wurde.

»Wenn Sie also einmal einen Segelurlaub machen wollen, wo auch immer, wenden Sie sich an mich«, sagte er. »Ich stelle Ihnen die komplette Reise zusammen und suche das geeignete Boot für Sie.«

Kate lachte. »Ich kann leider nicht segeln.«

»Man kann das Schiff auch mit Skipper mieten. Inklusive Segelkurs. Alleine, zu zweit oder als Gruppe. Was immer Sie mögen.«

»Ich überlege es mir«, erwiderte sie.

Aus den Zeitungsberichten wusste sie, dass er achtunddreißig Jahre alt war, vier Jahre jünger als sie, aber das war eigentlich auch schon alles. Gab es eine Frau in seinem Leben, war er verheiratet? Dann würde er heute Abend nicht hier mit ihr sitzen, oder? Quatsch, wieso nicht?

Doch ein wenig kompliziert, dieser Abend, dachte Kate.

Er löste irgendetwas in ihr aus, aber sie wehrte das Gefühl der Hoffnung, das sich fast zwangsläufig einstellte, nahezu panisch ab. Ein gutaussehender, achtunddreißigjähriger Mann mit einem interessanten Beruf… Vergiss es, rief sie sich zur Ordnung. Wie um ihre eigenen Erwartungen keinesfalls anzuheizen, hatte sie, nachdem sie ewig über die Frage nachgedacht hatte, was sie anziehen sollte, letztlich entschieden, sich ganz normal zu kleiden. Sie hatte sowieso nichts Besonderes dabei, und wenn sie noch etwas gekauft hätte, wäre sie sich bemüht vorgekommen – und Bemühung auf *diesem* Sektor, soweit ihre Erfahrung, endete immer in einer Enttäuschung. Jetzt bereute sie es. Sie trug ihre ausgeleierten Jeans, ohnehin eine Nummer zu groß und inzwischen so verbeult, dass sie noch unförmiger wirkten. Darüber ein graues Sweatshirt mit dem Aufdruck *Keep cool*. Sie kam sich lächerlich vor und ziemlich unattraktiv. Das Schöne war nur, dass David das gar nicht zu bemerken schien. Er lächelte sie an, als fände er aufrichtig Gefallen an ihr.

Er findet mich nett, dachte sie, sympathisch. Als Mensch. Nicht als Frau.

Sie entspannte sich. Es war nicht das, was sie ein paar Momente lang gedacht hatte, heute Vormittag und heute Abend, als er zur Tür hereinkam. Dass da irgendeine Spannung war.

Du hast nichts zu verlieren, Kate. Weil du von Anfang an nichts zu gewinnen hattest. Wie immer.

Sie fand diesen Gedanken befreiend.

David lehnte sich etwas vor. »Und Sie arbeiten also als freie Journalistin in London. Das ist doch sicher ein harter Konkurrenzkampf, oder?«

»Ja. Aber ich bin einigermaßen gut vernetzt«, erwiderte Kate. Sie spürte, dass dies der letzte Moment war, an dem sie aus der unwahren Geschichte über ihre Identität aussteigen konnte, ohne dass sich David allzu sehr an der Nase herumgeführt fühlen würde.

Wissen Sie, eigentlich bin ich Detective Sergeant bei der Metropolitan Police. Scotland Yard. Für den Fall der verschwundenen Mädchen interessiere ich mich beruflich. Sie stehen auch auf meiner Liste der Verdächtigen, deshalb bin ich heute Morgen bei Ihnen aufgekreuzt.

Sie war dicht daran, es zu sagen, schluckte es aber in der letzten Sekunde hinunter. Es würde die gute Stimmung und den ganzen Abend womöglich ruinieren. Sie würde einfach bei ihrer Geschichte bleiben. Wahrscheinlich sah sie David Chapland ohnehin nicht wieder, und es war völlig gleichgültig, ob sie Journalistin oder Polizistin war. Oder Verkäuferin bei *Harrod's*.

Um jedoch nicht zu viel und zu dreist zu lügen – und weil sie kaum eine Ahnung von der Arbeit einer Journalistin hatte –, lenkte sie das Gespräch auf das Haus, das sie geerbt hatte. Und auf die furchtbaren Mieter, die es verwüstet hatten. Dass sie jetzt alles leer geräumt hatte und auf Käufer wartete.

David war voller Anteilnahme. »Wie schrecklich. Man liest ja manchmal von diesen Fällen, aber tatsächlich habe ich noch niemanden getroffen, dem das wirklich passiert ist. Und Sie haben keine Ahnung, wohin sich die Leute abgeseilt haben?«

Kate schüttelte den Kopf. »Nicht die geringste. Bei der Polizei hat man mir auch kaum Hoffnung gemacht, dass man dieses Pärchen wird aufstöbern können. Sieht so aus, als bliebe ich auf den Kosten wirklich alleine sitzen.«

»Die Kosten sind das eine«, sagte David, »ich stelle es mir aber auch sehr schwer vor, mit dieser … Verletzung zu leben. Es ist eine Verletzung, oder? Das Haus, in dem Sie groß geworden sind, das Sie als Heimat empfinden. Wenn das verwüstet wird, stellt das ja auch irgendetwas mit Ihnen an.«

Sie sah ihn fasziniert an. Es geschah ihr selten – eigentlich nie –, dass jemand verstand, wie sehr sie an dem Haus ihres Vaters hing. An ihrem Vater überhaupt. An ihrer Mutter. An ihrer Kindheit. An der Sicherheit und Geborgenheit, die sie nirgends sonst jemals wiedergefunden hatte. Normalerweise unternahm sie alles, diese Sehnsucht zu verbergen, weil sie bei anderen Menschen auf Befremden stieß. Sie war über vierzig. Sie hatte solche Gefühle ihrem Elternhaus gegenüber nicht mehr zu haben. Sonst wies sie damit nur auf die Defizite in ihrem Leben hin: ihre Einsamkeit, das Nichtvorhandensein von Freunden, dass sie keine Beziehung hatte, dass sie keine Anerkennung bei ihren Kollegen fand. Sie zeigte damit, dass ihr Leben ein einziger großer Mangel war. An allem. Ihr Leben war wie das Wirtschaftssystem eines kommunistischen Staates. Es funktionierte gerade so, dass es nicht komplett zusammenbrach. Aber es gab nichts im Überfluss darin. Nichts, das leuchtete. Das über das unbedingt Notwendige hinausging und von Zeit zu Zeit das Gefühl eines unvorhergesehenen, wunderbaren Glücks vermittelt hätte.

»Ja«, sagte sie, »es richtet etwas an. Natürlich. Auch, dass ich alle Möbel entsorgen lassen musste. Die meisten waren so kaputt ... so verdreckt ... Das Haus ist jetzt völlig leer.«

»Und Sie wohnen trotzdem darin?«

»Nur solange ich hier für ... den Artikel recherchiere.«

Sie hatte am Morgen noch die Sorge gehabt, er könnte sie eigenartig finden, aber er schien fasziniert. »In einem total leeren Haus ... mit Schlafsack und Campingkocher?«

Sie lachte. »Die Einbauküche ist noch drin. Ich habe einen Herd. Aber sonst, ja. Schlafsack, etwas Geschirr. Zwei Klappstühle. Und eine Katze.«

»Eine Katze?«

»Die Mieter hatten sie einfach zurückgelassen. Jetzt wohnt sie bei mir.«

»Das muss ich unbedingt einmal sehen«, sagte er. »Dieses leere Haus mit einer Frau und einer Katze darin. Das muss eine besondere Atmosphäre sein. Traurig, ja. Aber auch voller neuer Möglichkeiten, oder?«

Möchte er, dass ich ihn zu mir einlade?, fragte sich Kate.

»Das habe ich, als ich hierherkam, auch so empfunden«, sagte sie. »Dass dieses leere Haus nicht nur das Ende von etwas darstellt. Sondern auch einen Anfang.«

»Gibt es schon Interessenten?«

»Ja. Aber die ersten habe ich weggeschickt. Sie waren so

unangenehm und überheblich. Ich hätte mich nie überwinden können, ihnen das Haus zu überlassen.«

»Das verstehe ich sehr gut«, sagte David. »Vielleicht sind Sie ja auch noch gar nicht so weit. Innerlich. Es zu verkaufen, meine ich.«

»Fänden Sie das merkwürdig?«

»Nein. Sie hängen an dem Haus, das spürt man. Natürlich haben Sie dann Probleme, sich davon zu trennen.«

Er war so nett. Und er verstand sie. Er verstand sie wirklich.

»Sie können es sich gerne einmal ansehen«, sagte sie. Schnell, ehe der Mut sie verließ.

»Gerne. Morgen Abend?«

»Hat Ihre Frau nichts dagegen? Wenn Sie zwei Abende hintereinander weg sind?«, fragte Kate und spürte gleich darauf, dass ihr glühende Hitze in den Kopf stieg. Oh Gott, wie plump war das denn? Konnte man noch dümmer und uneleganter fragen?

Er grinste. »Ich bin nicht verheiratet. Und meine letzte Beziehung liegt ein gutes Jahr zurück. Im Moment gibt es niemanden. Und bei Ihnen?«

»Auch niemanden.« Sie unterließ es, auf ihre letzte Beziehung hinzuweisen. Weil es überhaupt keine gab. Was sie ihm natürlich nicht auf die Nase binden würde.

»Wunderbar, dann sehe ich Sie morgen schon wieder«, sagte David. Dann blickte er in Richtung Küche. »Wollen wir noch einen Nachtisch bestellen? Die haben ziemlich guten Crumble Pie hier.«

Sie drehte sich um und sah, was David auf die Idee gebracht hatte: Marvin Bent, der die Küche mit zwei Tellern verließ, auf denen Apple Crumble Pie mit viel Sahne angerichtet war. Marvin Bent selbst war die etwas ältere Ausgabe seines Bruders, Kate war sofort klar, wen sie vor sich hatte. Auch an diesem Mann, der bereits sichtlich erschöpft und dabei doch sehr konzentriert seine Arbeit tat, klebte ein hässlicher Verdacht. Nicht so, dass es die Leute ringsum noch groß beschäftigte. Aber wie auch bei Kevin war es einfach da. Nie ganz ausgeräumt. Es würde bei beiden immer wieder diesen kurzen Augenblick geben, in dem sich andere Menschen fragten: *Und wenn doch?*

Ein paar Momente lang überlegte sie, ob es Zufall war, dass zwei Brüder im Abstand von acht Jahren in Situationen gerieten, die sie beide mit ähnlichen Verdachtsmomenten belasteten, doch dann tat sie etwas, das ungewöhnlich für sie war: Sie entschied, dass sie heute Abend darüber nicht mehr nachdenken wollte. Sie war jetzt weder Kate, die Polizistin, noch Kate, die Journalistin.

Sie war einfach nur Kate.

Heute in aller Frühe fahre ich zu dem Haus der Familie Allard, parke auf der gegenüberliegenden Straßenseite und beobachte die Haustür. Es ist noch dunkel, aber es brennen genügend Straßenlaternen. In einigen der ärmlichen Häuser ist schon Licht. Eine schreckliche, traurige Gegend. Die Adresse habe ich aus dem Telefonbuch. Es gibt den Namen Allard nur einmal in Scarborough. Die Straße sagte mir überhaupt nichts, aber als ich nun sehe, woher Mandy kommt, wundert mich manches nicht mehr. Nicht, dass sie ausgerissen ist, aber auch nicht, dass sie so gewöhnlich ist.

Um sieben Uhr geht die Haustür auf, und ein Mädchen kommt hinaus, etwas älter als Mandy. Wahrscheinlich eine Schwester. Sie hat die Schwester nicht erwähnt, aber die Phase, in der sie mit mir geredet hat, ist auch schon vorbei. Sie ist nur noch wütend und feindselig, und wenn sie mich beschimpft, ist sie so vulgär, dass ich inzwischen das starke Gefühl habe, es war ein Fehler, sie mitzunehmen. Anfangs schien sie genau richtig, sie war offen, vertrauensvoll und sehr dankbar, weil ich sie aus der Kälte und Hoffnungslosigkeit ihres Lebens auf der Straße gerettet habe. Inzwischen will sie nur noch weg, und die Tatsache, dass ich sie festhalte, lässt sie toben und schreien. Und manchmal weinen.

Die Schwester (?) sieht nett aus, friedlich. Nicht mein Fall, was die Aufmachung angeht. Abgetragene Jeans, Springerstiefel, eine schwarze Lederjacke. Jungenhaft kurzgeschnittenes Haar. Warum richten sich manche Mädchen so her? Sie könnten so wunderschöne lange Haare haben. Stattdessen versuchen heutzutage immer mehr von ihnen, wie junge Männer auszusehen. Zigarette im Mundwinkel, gepiercte Nase, plumpe Schuhe. Ich kann das einfach nicht nachvollziehen.

Die Schwester geht davon, und dann rührt sich erst einmal lange Zeit gar nichts. Aus den anderen Häusern kommen ein paar Menschen, manche steigen in ihre Autos, andere gehen zu Fuß davon. Bei den Allards: Fehlanzeige. Offenbar ist die Schwester die Einzige, die einer geregelten Arbeit nachgeht. Es ist nicht so, dass ich Menschen grundsätzlich verachte, die keine Arbeit haben, manche geraten unschuldig in die schwierigsten Situationen, aber bei den Allards passt es zum Rest. Zu dem Niveau, das Mandy vermittelt.

Ich friere immer mehr, und irgendwann sage ich mir, dass es wohl nichts bringt, ich werde zumindest an diesem Tag niemanden sonst von der Familie kennenlernen. Aber gegen halb neun geht die Tür erneut auf, und eine Frau kommt heraus. Wahrscheinlich die Mutter. Du liebe Güte! Inzwischen ist es hell geworden, und ich sehe sie recht gut. Klein, viel kleiner als Mandy. Rappeldünn. Haare wie Stroh, sehr schlecht gefärbt, ein sehr seltsames, unschönes Blond, orangestichig. Jeans, Pullover, Turnschuhe. Sie bleibt vor der Haustür stehen und zündet sich eine Zigarette an. Inhaliert tief. Immerhin, sie raucht nicht im Haus. Die Kälte scheint ihr nichts auszumachen, sie steht einfach da und genießt das Nikotin. Sie sieht aus wie eine jener Frauen, die ihre Ernährung durch Zigaretten ersetzt haben und sich deshalb nie Gedanken um ihre Figur machen müssen. Dafür umso mehr um ihre Lunge, aber die sehen sie ja nicht jeden Morgen im Spiegel, und wenn sie merken, dass da etwas nicht stimmt, ist es sowieso zu spät.

Dafür, dass Mandy seit Anfang Oktober verschwunden ist, sieht ihre Mutter nicht allzu besorgt oder gar verzweifelt aus. Auch nicht gerade fröhlich, aber ich vermute, das tut sie nie. Sie ist verhärmt, verbittert, unzufrieden mit ihrem Leben, das sie wahrscheinlich als eine einzige Ungerechtigkeit empfindet, ohne sich ein einziges Mal zu fragen, ob sie selbst an den Umständen, die sie bedrücken, etwas hätte ändern können. Ich muss unwillkürlich an die Mutter von Saskia denken, die ich auch ein paar Mal beobachtet habe. Ihr Schmerz schien sie zu zerreißen, ihre Seele starb langsam, Tag für Tag, vor den Augen der Menschen um sie herum. Diese hier, Mrs. Allard, macht sich nicht allzu viele Gedanken. Sie glaubt wohl auch nicht, dass ihrer Mandy etwas zugestoßen sein könnte, sie nimmt an, dass sie mit irgendeinem Typen abgehauen ist und irgendwann als Kleinkriminelle in London auf der Straße landet. Nicht dass das die Karriere wäre, die sich die meisten Eltern für ihre Töchter wünschen würden, aber Mrs. Allard kann solche Gedanken wahrscheinlich auch immer wieder ganz gut verdrängen.

Sie weiß gar nicht, dass sie Glück hat. Dass Mandy bei mir und in Sicherheit ist.

Irgendwann wirft sie die Zigarette auf den Boden und tritt sie aus, dann kehrt sie ins Haus zurück und schließt die Tür hinter sich. Und ich lasse den Motor an und drehe die Heizung hoch.

Ich fahre zu Mandy.

Ich bin lange unterwegs, durch Gegenden, die immer einsamer und karger werden. Dass es ihr dort, wo ich sie vorübergehend untergebracht habe, nicht besonders gefällt, ist mir klar, aber solange sie sich so aufführt wie im Moment, kann ich nicht einmal daran denken, sie unter zivilisierte Menschen zu bringen. Auch heute empfängt sie mich wie eine wütende, unberechenbare Raubkatze. Sie sieht schrecklich aus, ungekämmt, ungewaschen, mit geröteten Augen und bleicher, fleckiger Haut.

»Was ist mit dir los?«, faucht sie mich an. »Wie pervers bist du? Wie abgedreht und krank?«

»Ich würde dir raten, es mit einem anderen Ton zu versuchen«, sage ich kühl. »Auf dieser Ebene finden wir bestimmt nicht zueinander.«

Sie spuckt in meine Richtung, verfehlt mich aber. Die Spucke landet irgendwo hinter mir an der Wand. Sie zerrt an der Kette, die ihr rechtes Handgelenk an die Wand fesselt.

»Ich habe Hunger. Und Durst!«

Ich lächele. »Glaubst du, du kannst dich so benehmen, dass ich dir etwas zu essen und zu trinken geben kann? Wie ein großes Mädchen?«

Ihre Augen werden vor Wut ganz schmal. »Fick dich!«, schreit sie.

Ich zucke mit den Schultern. »Ich habe alles dabei. Truthahnsandwiches mit Mayonnaise. Scones mit Butter und Pfirsichmarmelade. Zitronenlimonade.«

Die Blässe ihres Gesichtes vertieft sich. Sie ist wirklich hungrig. Schlimmer wiegt wahrscheinlich der Durst.

»Ich will mich waschen«, verlangt sie. »Und ich muss meinen Arm neu verbinden.«

»Wasser zum Waschen habe ich auch. Und Verbandsmaterial.« Es ist anstrengend, vor allem für mich, dass hier alles abgeschaltet ist. Strom und Wasser. Es gibt Wasserhähne, aber es kommt nichts raus. Es gibt Steckdosen, aber sie sind tot. Das letzte ziemlich abgestandene Wasser befand sich im Spülkasten der Toilette. Saskia hat es ausgetrunken. Und auch das vergilbte, dreckige Zeug in der Schüssel. Wenn das alles ein Experiment wäre, um zu sehen, wie viele Hemmschwellen der Mensch zu überwinden in der Lage ist, wenn es um Leben und Tod geht, würde ich interessante Erkenntnisse gewinnen. Aber darum geht es nicht. Ganz und gar nicht.

»Ich will, dass du mich losmachst. Ich will essen und trinken. Ich will mich waschen. Ich will Verbandszeug«, sagt Mandy.

»Es gibt da ein kleines Wort«, erinnere ich sie.

Sie schaut mich hasserfüllt an. Ich sehe, dass ihr Stolz mit all ihren verzweifelten Bedürfnissen, mit ihrem Hunger und ihrer Sehnsucht nach Sauberkeit und Pflege für ihren schmerzenden Arm ringt.

»Bitte«, sagt sie schließlich leise.

Ich bringe ihr einen Eimer aus dem Auto, in den ich vorgewärmtes, inzwischen ziemlich abgekühltes Wasser aus zwei Kanistern fülle. Mandy tickt sofort wieder aus. »Du spinnst ja wohl! Ich will duschen! Verdammt noch mal! Ich wasche mich doch nicht in einem Eimer!«

Wenn man sich vorstellt, dass sie sich wochenlang auf der Straße überhaupt nicht waschen konnte ... Und jetzt hätte sie am liebsten eine Suite mit Bad und Zimmerbar.

»Es gibt hier keine Dusche.«

»Natürlich gibt es hier eine Dusche!«

»Aber sie funktioniert nicht. Das Wasser ist abgestellt.«

»Was ist das hier für ein versiffter Ort, verdammte Scheiße?«

Sie ist einfach ordinär. Es wird mir immer klarer. Sie ist die falsche Wahl. Die anderen konnte ich frei herumlaufen lassen, sie waren verängstigt und eingeschüchtert, aber Mandy ... Ich würde nicht ausschließen, dass sie mich angreifen könnte. Sie ist geschwächt, und ihr verbrannter Arm macht ihr zu schaffen, aber trotzdem gehe ich lieber kein Risiko ein. Vielleicht hat sie auch Angst, aber sie zeigt es nicht.

Und ihre Wut ist größer als ihre Angst.

»Ich möchte auf die Toilette.«

Sie benutzt seit Tagen einen Eimer, den ich immer wieder ausleere und sauber mache, und natürlich empfindet sie das als entwürdigend, aber ich kann ihr da nicht helfen.

»Ich bringe nachher den Eimer raus.«

Mandy flippt derart aus, dass ich einen Moment lang fürchte, sie werde die Kette aus der Verankerung in der Wand reißen.

»Du glaubst doch nicht, dass ich weiterhin diesen Eimer

benutze? Du glaubst doch nicht, dass ich hier einfach Ruhe gebe? Was bist du für ein perverses Arschloch?«

Sie zerrt an der Kette, brüllt herum.

»Du solltest versuchen zu kooperieren«, sage ich, als sie endlich aufhört zu toben und zu schreien und erschöpft innehält, »denn wir müssen irgendwie miteinander auskommen.«

Sie starrt mich aus flackernden Augen an. »Einen Scheißdreck müssen wir«, sagt sie, aber erstmals höre ich so etwas wie Furcht in ihrer Stimme. Sie beginnt zu begreifen, dass ich es ernst meine. Wieso sie das nicht gleich kapiert hat, ist mir ein Rätsel, aber offenbar dachte sie die ganze Zeit über, das alles sei ein Scherz und werde sich auf eine verstehbare Weise auflösen.

»Ich komme morgen wieder«, sage ich. Normalerweise würde ich mehr Zeit mit ihr verbringen, das ist schließlich der Sinn der Sache, aber mit Mandy zusammen zu sein frustriert und ärgert mich, noch mehr als zuvor mit den anderen. Vielleicht ändert sich das noch, vielleicht ändert sie sich noch, aber, ehrlich gesagt, ich mache mir nicht allzu große Hoffnungen. Sie ist ein Fehlgriff, und das Tragische ist nur, dass sie alle bisher ein Fehlgriff waren. Nicht gleich von Anfang an so deutlich wie Mandy, die einfach nicht zu mir passt, weil sie niveaulos und primitiv ist. Und sehr ungebildet. Selbst wenn sie aufhören würde, mich zu beschimpfen und zu attackieren, bezweifle ich, dass ich jemals ein auch nur halbwegs tiefgründiges Gespräch mit ihr werde führen können. Aber letzten Endes, auf irgendeine Weise, lehnen sie sich alle gegen mich auf. Es gelingt mir nicht, ihnen klarzumachen, dass ich ihr Bestes im Sinn habe und dass wir sehr glücklich zusammen werden können.

Ich schiebe Mandy einen Beutel hin, darin befinden sich frisches Verbandsmaterial und eine große Tube kühlendes Gel für ihre Verletzung.

»Hier. Damit kannst du dich verarzten.«

»Steck dir das in den Arsch!«, schreit sie. Ich zucke mit den

Schultern. Sie wird es benutzen. So wie sie den Eimer zum Waschen nutzt und den anderen als Toilette. So wie sie isst und trinkt. Der Überlebenswille siegt immer. Immer.

Ohne noch ein Wort zu sagen, verlasse ich das Gebäude, nachdem ich mich vergewissert habe, dass die kleine mit Propangas betriebene Heizung in der Ecke noch funktioniert und dass sie ausreichend gefüllt ist, um noch mindestens weitere vierundzwanzig Stunden zu brennen. Der Raum ist nicht gerade heiß, aber vertretbar warm. Würde die Heizung ausfallen, könnte es für Mandy hier äußerst ungemütlich werden. Nachts fallen die Temperaturen fast auf den Gefrierpunkt, das ist ganz untypisch für diese Küstengegend hier, aber offenbar wird das ein harter Winter. Ich bin verärgert, dass Mandy das kein bisschen zu schätzen weiß. Wie ich mich kümmere. Dass ich dafür sorge, dass sie es warm hat. Dass ich täglich die weite Strecke fahre, um ihr Essen und Trinken zu bringen und zu sehen, ob es ihr gut geht. Vielleicht sollte ich ihr sagen, dass das keineswegs selbstverständlich ist. Als es mir mit den anderen zu dumm wurde – weil sie immer nur heulten und jammerten, nach Hause wollten und sich weigerten, mich zu lieben –, bin ich irgendwann nicht mehr gekommen. Habe die lange Fahrt nicht mehr auf mich genommen, kein Geld mehr für Essen und Trinken ausgegeben. Ich habe mir die ständige Undankbarkeit einfach nicht mehr bieten lassen.

Irgendwie habe ich eine Ahnung, dass es gar nicht mehr so lange dauern wird, bis ich auch bei Mandy diesen Punkt erreiche.

Ihr Wutgeschrei verfolgt mich bis zum Auto.

Auf der Heimfahrt überlege ich, ob ich nachher in den Keller gehen soll. Nachschauen. Vielleicht mache ich es. Aber nur vielleicht.

FREITAG, 10. NOVEMBER

I

Es gab bessere und schlechtere Tage mit Amelie Goldsby, und dieser Tag gehörte zu den schlechteren.

Helen Bennett fand sich selbst sehr geduldig, sie mochte Amelie auch und wusste, dass das Mädchen Schlimmes durchgemacht hatte. Dennoch fragte sie sich manchmal, ob Amelie in irgendeinem Winkel ihrer Seele einfach beschlossen hatte, sich nicht mehr besonders zu bemühen. Es hatte einen großen Schub gegeben – als sie von ihrer Flucht in dem Auto berichtete –, aber seitdem kamen sie nicht einen einzigen Schritt voran. Und es war nicht so, dass sie uferlos Zeit hatten. Helen stand in täglichem Austausch mit DCI Caleb Hale, und sie wusste, wie groß die Angst des Chefs und der restlichen Mannschaft war, dass demnächst erneut ein Mädchen verschwinden würde.

»Sie muss reden«, hatte Hale erst gestern am Telefon zu Helen gesagt, »verdammt noch mal, sie muss endlich reden!«

Ein verzweifelt hervorgebrachter Wunsch, der Helen vor allem eines verriet: Hale hatte nichts in der Hand, absolut gar nichts. Er trat hoffnungslos auf der Stelle.

Sie saßen in Amelies Dachzimmer, so, wie sie immer

saßen und wie sie, wie Helen hin und wieder seufzend mutmaßte, für immer sitzen würden. Amelie auf der Fensterbank.

Helen im Sessel. Mit einer Tasse Tee in der Hand.

Amelie sah schlecht aus. Unnatürlich blass. Kein Wunder, seit drei Wochen war sie nicht mehr an der frischen Luft gewesen. Mehrfach hatte Helen angeboten, mit ihr einen Spaziergang am Meer zu machen. Aber Amelie hatte fast schroff abgelehnt. »Keine Lust!«

An diesem Morgen hatte sie verweinte Augen, aber als Helen sich erkundigte, was denn los sei, wehrte sie ab. »Nichts. Was soll sein? Ich habe mein altes Leben verloren. Das ist los.«

»Vielleicht würde es dir leichterfallen, in dein altes Leben zurückzukehren, wenn du wüsstest, dass der … dieser Mann, der dir das alles angetan hat, hinter Schloss und Riegel sitzt«, wagte Helen einen Vorstoß. »Amelie, eine ganze Armee von Polizisten steht bereit, sich den Kerl zu schnappen und ihn vor Gericht und ins Gefängnis zu bringen. Wenn du nur ein bisschen mehr über ihn sagen könntest. Über den Ort, an dem du warst. Über Dinge, die er gesagt und getan hat. Alles, einfach alles könnte uns weiterhelfen.«

Amelie starrte sie an. »Ich erinnere mich nicht.«

»Du willst dich nicht erinnern. Und das ist verständlich. Aber … wir treten auf der Stelle.«

»Ich habe nicht gesagt, dass Sie jeden Tag hierherkommen und sich langweilen sollen.«

»Ich langweile mich nicht. Ich will dir helfen.«

»Ich habe den Mann doch beschrieben.«

»Ja, und das war großartig. Trotzdem, es reicht nicht. Das Bild ist zu … unbestimmt. Es gibt zu viele, auf die es zutreffen würde. Du warst dir in etlichen Punkten unsicher.«

»Was glauben Sie, wie unsicher Sie wären, wenn Sie durchgemacht hätten, was ich durchgemacht habe?«

»Es ist kein Vorwurf, Amelie. Nur eine Feststellung. Wir brauchen konkretere Angaben, wenn wir den Mann finden sollen.«

»Ich habe alles gesagt.«

»Wie sah es dort aus, wo du warst?«

»Weiß ich nicht mehr.«

Helen seufzte. »Du weißt es. Dein Gehirn verdrängt es.«

Amelie zuckte mit den Schultern. »Keine Ahnung, was mein Gehirn macht. Da ist eine schwarze Stelle. Ich bin in der Burniston Road in das Auto gestiegen, und dann war ich weg. Und dann ist da irgendwie … nichts. Einfach nichts.«

»Aber es gab einen späteren Moment, an den du dich erinnert hast. Das andere Auto. Das Auto, mit dem du geflohen bist. Wie hast du das geschafft, Amelie? Wie konntest du dich unbemerkt in diesem Auto verstecken? Das war eine unglaubliche Leistung, mutig, tollkühn, sehr entschlossen. Es gibt niemanden, der dich dafür nicht bewundert, Amelie. Weißt du gar nicht mehr, warum es funktioniert hat? Wo stand dieses Auto, in das du unbemerkt einsteigen konntest? In einer Garage? Draußen? Du konntest dich offenbar frei bewegen. War das immer so? Oder war dein Entführer einfach unvorsichtig, vielleicht nur für ein paar Momente?«

»Ich weiß es nicht.«

»Versuch es. Versuch dich zu erinnern!«

Amelie starrte zum Fenster hinaus, und dann schrie sie plötzlich: »Ich will nicht! Ich will einfach nicht!«

»Okay, ich …«

Sie wandte sich Helen zu. »Ich will hier raus. Ich halte dieses Zimmer nicht mehr aus. Dieses ganze Haus!«

»Das verstehe ich. Ich finde, wir sollten jetzt wirklich an den Strand gehen. Die beiden Constables draußen werden uns begleiten, so kann dir nichts geschehen. Was meinst du?«

»Ich will nicht spazieren gehen. Meine Mutter geht ständig spazieren. Immer am Strand. Bei Wind und Wetter. Stumpfsinnig. Wie ein Tier auf dem Jahrmarkt, das ständig im Kreis geht. Ich bin nicht wie sie.«

»Wo würdest du denn gerne spazieren gehen?«

»Ich möchte überhaupt nicht spazieren gehen. Ich will wegfahren. Irgendwohin. In der Gegend herum. Ich möchte in die Stadt. Einkaufen.«

»Das lässt sich bestimmt einrichten. Ich spreche mit DCI Hale, und dann werden wir …«

Amelie sah sie finster an. »Alleine. Ich möchte das alleine tun.«

»Alleine? Das wird nicht gehen. Ich und die Constables …«

»Die Constables … okay. Aber nicht Sie.«

Helen wusste, dass sie nicht verletzt sein durfte. Ein traumatisierter Teenager, den sie seit Wochen bedrängte, sich an Dinge zu erinnern, an die er sich nicht erinnern wollte. Kein Wunder, dass Amelie von ihr genug hatte. Trotzdem …

»Ich werde das klären«, versprach sie.

Vielleicht war es ein Schritt. Ein kleiner Schritt in Richtung Normalität für Amelie. Vielleicht stellte er einen Ansatz dar, die Blockade zu lösen, in der sie sich gefangen fühlte.

2

Deborah fand die Situation einfach nur peinlich und wünschte, sie wäre schnell vorüber. So schnell wie nur möglich. Eigentlich hatte Jason alleine gehen wollen.

»Wir müssen doch nicht beide antanzen, um diesem Typen das Geld zu bringen«, hatte er gesagt und Deborah über den Frühstückstisch hinweg aus geröteten Augen, die von einer schlaflosen Nacht erzählten, angeblickt. »Es reicht, wenn ich gehe. Ich gebe ihm den Scheck, und damit habe ich ihn dann hoffentlich zum letzten Mal gesehen. Ich hoffe, er lässt sich nie wieder blicken.«

Die dreißigtausend Pfund machten ihm schwer zu schaffen. Geld, das die Familie eigentlich nicht hatte. Jason hatte den Bankkredit, den sie zur Finanzierung des Hauses bekommen hatten, aufstocken müssen. Das einzig Gute war, wie er sich zynisch sagte, dass bei ihren vielen Schulden dreißigtausend Pfund mehr kaum noch ins Gewicht fielen. Irgendwie war es nun auch schon egal.

Als sie an jenem Abend, dem Abend des Stromausfalls (der, wie sich herausstellte, tatsächlich auf die Weihnachtsbeleuchtung im Nachbargarten zurückzuführen war) im Bett lagen, hatte er in die Dunkelheit hinein gesagt: »Dreißigtausend Pfund! Der spinnt doch. Nie im Leben!«

»Es gibt Menschen, die stellen weit höhere Belohnungen in Aussicht, wenn ihr Kind spurlos verschwindet«, hatte Deborah erwidert.

»Wir haben aber keine Belohnung in Aussicht gestellt. Weil wir … wir sind irgendwie nicht darauf gekommen.«

»Das heißt nicht, dass es verkehrt ist, jemanden wie Alex Barnes zu bezahlen. Er hat sie gerettet. Er hat sie gewissermaßen zurückgebracht.«

Jason seufzte. »Es ist schwierig… es nachher zu tun. Den Betrag festzusetzen. Was ist uns das Leben von Amelie wert? Fünfzehntausend Pfund? Zwanzig? Hundert? Es ist nicht aufzuwiegen. Nicht mit einer Million Pfund oder mehr.«

»Wir wollen ja damit auch nicht sagen, dass Amelies Leben dreißigtausend Pfund wert ist. Wir wollen uns einfach erkenntlich zeigen. Dafür, dass er ihre Hand nicht losgelassen hat, als sie sich an ihn klammerte.«

Jason hatte sich aufgesetzt und das Licht angeknipst. Er hatte tiefe Furchen auf der Stirn. »Wir geben ihm das Geld, damit er uns in Ruhe lässt. Weil wir damit nicht klarkommen, dass wir ihn nicht mögen. Und ihm trotzdem dankbar sein müssen. Weil es vielleicht besser wird, wenn wir ihn nicht mehr sehen.«

Sie setzte sich auch auf. »Wir geben es ihm also?«

»Ja.«

Am nächsten Tag war er bei der Bank gewesen. Er bekam den Kredit bewilligt, mühsam, aber er war Arzt, er hatte eine feste Anstellung, die Bank drückte ein Auge zu. Man ließ ihn jedoch auch wissen, dass sein Kreditrahmen damit bis zum Alleräußersten ausgereizt war. In der darauffolgenden Nacht hatte er nicht geschlafen, sich hin und her gewälzt. Deborah war immer wieder davon wach geworden. Am Morgen sagte sie, dass sie mitkommen würde. Er wollte das nicht, aber sie ließ sich nicht abschütteln.

»Es ist mir wichtig. Ich brauche diesen Abschluss auch.«

Alex Barnes war zu Hause, als sie in seiner schäbigen Unterkunft eintrafen. Ein heruntergekommenes Haus, kleine, enge Wohnungen mit Blick auf den großen Parkplatz auf dem Nicholas Cliff. In Alex' Appartement gab es kaum Möbel, allerdings hätten auch nur wenige dort Platz gehabt. Vor dem Fenster, das zum tristen Hinterhof hinausging, standen zwei alte Sessel, die er wohl entweder auf dem Sperrmüll gefunden hatte oder von lange verstorbenen Vorfahren geerbt haben musste. Eine zusammengeklappte Liege in der Ecke diente ihm mutmaßlich nachts als Bett. Auf der Theke, die die schmale Küchenzeile abtrennte, standen mehrere benutzte Kaffeetassen und ein Teller, auf dem Reste einer Mahlzeit klebten. Es roch nach altem Essen, nach Schweiß und so, als sei lange nicht mehr das Fenster geöffnet worden. Deborah war entsetzt von der offensichtlichen Armut. Alex war jung, er war gesund und stark. Wie konnte er so leben? Wieso schaffte er es nicht, einen Beruf zu erlernen und auszuüben?

Wenn er deswegen Komplexe hatte, so zeigte er sie nicht. Er legte die übliche arrogante Attitüde an den Tag.

»Wie schön, Sie beide zu sehen. Kommen Sie herein. Möchten Sie ablegen?«

»Danke, wir wollen gleich wieder gehen«, sagte Jason steif.

»Einen Kaffee trotzdem?«

Deborah dachte, dass sie ungern aus Tassen trinken würde, die aus dieser Küche stammten. »Nein, vielen Dank.«

Jason streckte Alex einen Umschlag hin. »Hier. Ein Scheck über dreißigtausend Pfund.«

Alex griff den Umschlag, öffnete ihn jedoch nicht. »Vielen Dank, Jason.«

»Bitte sehr«, sagte Jason. Seine Feindseligkeit war fast mit Händen zu greifen. Das Geld tat ihm weh. Vergrößerte die Sorgen, mit denen er sich ohnehin herumschlug. Und es blieb die Frage: Wen bezahlten sie da gerade? Wohl nicht den Entführer ihrer Tochter, denn der war laut Amelies Aussage ein anderer gewesen.

Aber seinen Freund? Seinen Komplizen?

»Ich habe mir schon einen Gebrauchtwagen angesehen«,

sagte Alex. »Nicht teuer. Den kann ich mir jetzt kaufen. Das ist wunderbar. Dann kann ich viel einfacher zu den Bewerbungsgesprächen kommen.«

»Wir wünschen Ihnen natürlich, dass Sie möglichst schnell Arbeit finden«, sagte Jason höflich. »Und übrigens – wir werden zum Monatsende den Mietvertrag dieser Wohnung hier kündigen. Von dem Geld werden Sie ja selbst Miete bezahlen können. Vielleicht übernehmen Sie den Vertrag sogar.«

»Ich werde mir ganz sicher etwas Schöneres suchen«, sagte Alex. »Hier kann man nicht leben.«

Kein Wort des Dankes für die Miete, die Jason und Deborah bislang gezahlt hatten.

Habe ich das erwartet?, fragte sich Jason.

»Nun, wir wollen Sie nicht länger aufhalten«, sagte er hastig. Er wollte nichts wie weg, das war spürbar. Er fand dieses Haus schrecklich. Dieses heruntergekommene Appartement, die Unordnung, den Geruch. Diesen Mann. Am schrecklichsten fand er den Mann.

Deborah überwand sich und streckte Alex ihre Hand hin. »Wir sehen einander dann ja wohl nicht mehr, Mr. Barnes«, sagte sie. »Ich wünsche Ihnen alles Gute für die Zukunft.«

Alex ergriff ihre Hand, schüttelte sie überschwänglich und grinste. »Ihnen auch. Alles Gute! Auch für Amelie. Hoffentlich findet sie in das normale Leben zurück.«

»Und hoffentlich schnappt die Polizei den Täter«, ergänzte Jason.

Alex zuckte mit keiner Wimper. »Ja, das ist wirklich zu hoffen. Ich kann Ihnen wirklich nichts anbieten …?«

»Nein, vielen Dank«, sagten Jason und Deborah wie aus einem Mund.

Zwei Minuten später standen sie unten auf der Straße.

»Glaubst du, wir sind ihn für immer los?«, fragte Jason.

»Wir können ihn von jetzt an wegschicken, wenn er auftaucht«, meinte Deborah. »Es ist ja nicht so, dass er irgendetwas gegen uns in der Hand hielte. Dass er irgendeinen
Anspruch über den moralischen hinaus hätte. Und auch
den, seinen moralischen Anspruch, haben wir jetzt bedient.
Von nun an brauchen wir ihn nicht mehr in unser Leben zu
lassen.«

»Hm«, machte Jason. Er sah nicht aus wie jemand, der
glaubt, dass eine Geschichte ausgestanden und vorbei ist.
»Das Problem ist, Alex Barnes wird so schnell keine gere-
gelte Arbeit finden. Weil er meiner Ansicht nach auch
keineswegs verbissen danach sucht. Ich könnte mir durchaus vorstellen, dass er wieder bei uns aufkreuzt, wenn er
das Geld verbraucht hat, und das ist wahrscheinlich recht
schnell der Fall. Als Erstes kauft er jetzt ein Auto. Und
dann wird er sich eine teurere Wohnung suchen.«

»Nicht unsere Sache. Wir müssen nicht reagieren, wenn
er sich wieder zeigt.«

»Ich habe ein dummes Gefühl«, sagte Jason.

Deborah erwiderte nichts. Sie hatte auch ein dummes
Gefühl. So, als stünden ihnen die wirklichen Probleme noch
bevor.

Sie nahm Jasons Arm. »Komm. Wir trinken jetzt irgendwo einen Kaffee. So viel Zeit muss sein. Dann gehst
du in die Klinik und ich nach Hause. Und wir vergessen,
was gewesen ist. Wir sind eine Familie. Wir haben einander
noch. Trotz allem, was passiert ist. Wir werden unser Leben
wieder in den Griff kriegen.«

Er murmelte irgendetwas.

Es klang nicht nach Zustimmung.

3

David wollte um halb acht da sein, und kurz vorher rief ausgerechnet Colin an. Kate, die sich in der Küche gerade abmühte, einen Pizzateig zu fabrizieren, ohne nennenswerte Gerätschaften zur Verfügung zu haben, reagierte gereizt.

»Was gibt es denn?«, fragte sie anstelle einer Begrüßung.

Colin klang eingeschnappt. »Du freust dich ja riesig, dass ich anrufe!«

»Tut mir leid. Ich bin im Stress.«

»Wieso denn im Stress? Du arbeitest doch gerade gar nicht.«

»Man kann ja wohl trotzdem im Stress sein.« Mit dem Handy am Ohr wanderte Kate zur Gästetoilette, wo es noch einen in die Wand eingelassenen halbhohen Spiegel gab. Sie musterte sich kritisch. Sie war nachmittags in der Stadt gewesen und hatte sich in ein Kleid verliebt, blau und sehr eng. Und ziemlich kurz. Sie hatte sich daran erinnert, was Colin über ihre Figur gesagt hatte, und so war sie über ihren Schatten gesprungen und hatte sich etwas gekauft, was wirklich sexy aussah, aber plötzlich erschien ihr das völlig verrückt. Es passte nicht zu ihr, sie wirkte wie ein einziger untauglicher Versuch, Eindruck auf einen Mann zu machen. Bemüht und ungekonnt. David würde innerlich über sie lachen.

Hastig wischte sie sich den Lippenstift vom Mund. Das war definitiv zu viel. Dafür sah ihr Gesicht jetzt etwas verschmiert aus.

Mist, dachte sie.

»Wie fändest du das?«, fragte Colin gerade.

Sie hatte nicht zugehört, weil sie sich nur mit ihrem Aussehen beschäftigt hatte.

»Wie fände ich was?«

»Wenn ich morgen käme. Ich fahre früh in London los und bin spätestens am Mittag in Scarborough. Wir könnten das Wochenende zusammen verbringen.«

Kate starrte ihr Gesicht im Spiegel an. Sosehr sie sich bemühte, nicht die geringsten Erwartungen an David Chapland zu stellen, so sehr wünschte eine unvernünftige Stimme in ihrem Inneren, er möge vielleicht doch um ein weiteres Treffen bitten. Natürlich würde aus alldem nichts werden, aber in ihren verrückten Tagträumen sah Kate doch manchmal Bilder vor sich, in denen sie und David ... Letztlich hatten diese Bilder sie zum Kauf dieses auffälligen Kleides verleitet.

»Du möchtest hierherkommen?«, fragte sie.

»Das habe ich jetzt zweimal gesagt«, entgegnete Colin leicht verärgert.

Er war der Letzte, den sie hier brauchen konnte, falls David heute Abend einen Vorschlag für Samstag machte. Eine absurde Situation, wie sie fand: Jahrelang, jahrzehntelang, hatte sich kein Mann auch nur in Ansätzen für sie interessiert, und sie hatte sich durch unzählige, sich ewig und öde dahinziehende Wochenenden alleine gequält, hätte alles gegeben für eine Verabredung, selbst wenn sie mit dem langweiligsten Menschen der Welt stattgefunden hätte. Und nun stand sie plötzlich vor einem Wochenende, das ihr zwei Bewerber anbot – zumindest hoffte sie es, was den einen anging –, und sie musste tatsächlich jemandem eine Absage erteilen.

Wahrscheinlich bereue ich das irgendwann bitter, dachte sie.

»Tut mir leid, Colin. Das passt gerade gar nicht.«

»Wieso denn nicht? Du sitzt doch nur in dem leeren Haus herum und wartest auf Käufer. Wir könnten ins Kino gehen, zusammen einkaufen, kochen .... Und ich würde sehr gerne diese Familie kennenlernen, weißt du, deren Tochter verschwunden und wieder aufgetaucht ist ...«

Die Goldsbys. Die wären sicher begeistert.

»Ich brauche Zeit für mich«, sagte Kate.

»Hä?«, fragte Colin.

Sie schaute auf ihre Uhr. Die Pizza war noch nicht im Ofen, und inzwischen hatte sie beschlossen, sich unbedingt doch noch umzuziehen. Dieses Kleid war lächerlich. Und viel zu eindeutig.

»Colin, ich bin gerade etwas in Eile«, sagte sie hastig.

Im selben Moment klingelte es an der Haustür.

»Oh«, sagte Colin, »du erwartest Besuch. Sag das doch gleich. Dann will ich nicht stören.«

Er legte auf. Beleidigt.

Egal. Schlimmer war, dass sie sich nun nicht mehr umziehen konnte. Sie wischte hastig die Lippenstiftreste aus den kleinen Fältchen um ihren Mund, straffte die Schultern und ging zur Tür. Sie fühlte sich so unsicher und unvollkommen, dass sie sich am liebsten in einem Mauseloch verkrochen hätte. Aber dafür war es zu spät. Sie musste diese Verabredung nun durchstehen.

Wie konnte ich mich nur darauf einlassen?, fragte sie sich und öffnete die Tür.

David Chapland war wirklich auf eine angenehme Weise unkompliziert, stellte Kate fest. Er half ihr, die Pizza fertigzustellen, und als sie endlich im Ofen war, ließ er sich das Haus zeigen und war beeindruckt.

»Ein schönes Haus«, sagte er, »und seltsamerweise spürt man noch immer eine sehr positive Atmosphäre. Obwohl es völlig leer ist und nach frischer Farbe riecht. Es könnte auch verlassen wirken. Aber es strahlt Wärme aus.«

Er streichelte Messy, die ihm von da an nicht mehr von der Seite wich. Er öffnete eine Flasche Rotwein, die er mitgebracht hatte. Sie saßen im Wohnzimmer vor dem elektrischen Kamin. Aus der Küche roch es nach warmem Teig und Gewürzen. Kate hatte die Kerzen im Fenster angezündet.

Fühlt es sich so an, fragte sie sich, wenn etwas Neues beginnt?

Immer noch war ihre Angst größer als alles andere. Die Angst, sich einzulassen und verletzt zu werden. Zurückweisung und Kränkung, die beiden treusten Begleiterinnen ihres Lebens. Sie musste aufpassen. Auf der Hut sein. Vielleicht gefiel sie David. Vielleicht hatte er aber auch einfach nichts anderes vorgehabt an diesem Abend und fand es dann immer noch besser, eine unattraktive *Journalistin* aus London zu besuchen, als alleine daheim herumzusitzen.

Sie beschloss, von der schlechtesten Variante auszugehen. Entweder sie wurde bestätigt. Oder positiv überrascht.

»Schreiben Sie immer über Kriminalfälle?«, wollte er wissen. »Also, ist das sozusagen eine Spezialität von Ihnen?«

»Meistens«, sagte Kate. Über Kriminalfälle konnte sie zumindest sprechen, da sie tatsächlich zu ihrem Alltag gehörten. Wenn auch ganz anders, als David ahnte.

»Und dieser Fall interessiert Sie, weil er in Ihrer Heimat stattfindet?«

»Ja, und weil ich zufällig näher hineingeraten bin. Ganz zu Beginn.« Sie berichtete von ihrer Einquartierung bei den Goldsbys und dass am nächsten Tag Amelie verschwunden war. »Ich bekam den Anfang hautnah mit. Und dann, als ich wieder in London war, erfuhr ich, dass sie zurückgekehrt ist. Ich dachte, das ist eine wirklich interessante Geschichte.«

»Ja, seltsam. Es hätte schlimm ausgehen können. Am Tag ihres Verschwindens wurde ja die Leiche dieses anderen

Mädchens gefunden. In der Zeitung stand, dass die Polizei davon ausgeht, es handelt sich um denselben Täter.«

»Der sogenannte *Hochmoor-Killer*. Ja, manches spricht dafür.«

»Gott sei Dank konnte Amelie fliehen. Aber der Sprung ins Meer war wirklich riskant«

»Ja. Und dann kamen Sie ins Spiel…«

Er sah sie nachdenklich an. »Die Polizei muss uns beide für verdächtig halten. Alex Barnes und mich. Es ist in jedem Fall seltsam, dass wir um diese Zeit bei diesem Wetter da unten waren.«

Sie nickte. »Ja. Wobei Barnes wohl besonders im Fokus steht.«

»Wir haben das gestern Abend gar nicht mehr thematisiert…war das auch Ihr Gedanke, als Sie mich aufsuchten? Dass ich etwas mit der Sache zu tun haben könnte?«

Er fragte in unbefangenem Ton. Sie beschloss, dennoch vorsichtig zu sein.

»Ich versuche, ganz ohne vorgefasste Meinung an solche Recherchen heranzugehen. Ich wollte mit Ihnen sprechen, einfach, weil Sie an einer bestimmten Stelle Teil der Geschichte waren.«

»Ja, schon, aber irgendeine Meinung hat man trotzdem. Zumindest zieht man Möglichkeiten in Betracht.«

»Ich hielt die Wahrscheinlichkeit, dass Sie in irgendeiner Form mit Amelies Entführung zu tun hatten, für äußerst gering.«

»Und jetzt? Nachdem Sie mich kennen?«

»Ich schließe das praktisch aus.«

»*Ich schließe es praktisch aus* ist nicht dasselbe wie *Ich halte es für völlig ausgeschlossen*.«

»Ich bin es gewöhnt, ohne einen klaren Beweis Dinge weder auszuschließen noch als gegeben anzunehmen.«

Er lachte. »Das ist eine sehr gute Einstellung für eine Journalistin. Manche Ihrer Kollegen trompeten ihre Ansichten ziemlich ungeprüft in die Gegend.«

»Ich versuche es eben anders zu machen.«

»Und haben Sie auch mit Alex Barnes gesprochen?«

Sie schüttelte den Kopf. »Noch nicht. Ich will es noch tun. Welchen Eindruck hatten Sie von ihm?«

»Ich? Na ja, wenn man im tosenden Sturm und Regen und immer wieder überspült von eiskalten Wellen auf dem Bauch an der Kaimauer liegt und ein Mädchen aus den Fluten zu ziehen versucht... Da ist wenig Raum für gegenseitige Einschätzungen. Man kämpft gewissermaßen Seite an Seite. Aber man lernt einander nicht wirklich kennen.«

»Aber später... Ich stelle mir das so vor, dass Sie nebeneinander im Krankenwagen saßen... Decken über Ihren Schultern... Becher mit heißem Tee in den Händen... Irgendetwas denkt man über den anderen. Irgendetwas sagt man. Oder nicht?«

David überlegte. »Das Bild stimmt. Der Krankenwagen, die Decken, der Tee... Aber haben wir geredet? Barnes war total erschöpft. Völlig erledigt. Er hatte einem Polizisten, der zu uns in den Wagen kam, eine Kurzfassung der Ereignisse gegeben: Dass er Hilferufe gehört und dann Amelie entdeckt habe, dass er sie aber nicht nach oben habe ziehen können. Dass seine Hände fast erfroren seien.... Was sicher stimmte. Schon meine Hände waren wie Eisklumpen, und ich musste viel kürzer in der ganzen Situation aushalten. Ich erinnere mich, dass er seinen Becher zunächst nicht greifen konnte. Und dann, als er ihn endlich zum Mund führte, zitterte seine Hand so, dass ich fürchtete, er verschüttet alles.«

»Hm. Und zu Ihnen sagte er gar nichts?«

Es war David anzusehen, dass er sich angestrengt zu

erinnern versuchte. »Nein. Nachdem er mit dem Polizisten gesprochen hatte, sagte er überhaupt nichts mehr.«

»Versuchte er, irgendwie Kontakt zu Amelie aufzunehmen?«

»Das wäre gar nicht gegangen. Es waren zwei Krankenwagen da, und mit dem einen wurde Amelie gleich weggebracht. Es gab überhaupt keine Kontaktmöglichkeit mehr.«

»Und Sie? Was dachten Sie?«

»Worüber?«

»Über Barnes. Über die ganze Situation?«

»Ich glaube, über Barnes dachte ich gar nicht nach. Ich dachte an das Mädchen. Zu diesem Zeitpunkt wusste ich ja noch nicht, dass es sich um Amelie Goldsby handelte, die in allen Zeitungen war. Von den Fotos her hatte ich sie nicht erkannt, nass und erschöpft und am Ende ihrer Kräfte sah sie irgendwie ganz anders aus als auf allen Bildern. Ich glaube, nicht einmal die Polizeibeamten, die vor Ort erschienen, wussten das sofort. Ich fragte mich, warum sie im Wasser war. Ich hoffte, dass es ein Unglück war und nicht ein Selbstmordversuch. Wie tragisch wäre es, wenn jemand, der noch so jung ist, bereits sein Leben wegwerfen will, weil er keinen Ausweg sieht.«

»Und auch darüber fiel kein Wort zwischen Barnes und Ihnen? Über die Frage, was wohl los war mit diesem jungen Mädchen?«

»Nein. Er war so erledigt, er war nicht wirklich ansprechbar.« David schüttelte den Kopf. »Es tut mir leid. Ich biete wenig Material für Ihre Geschichte, oder? Aber tatsächlich saßen wir da nur stumm nebeneinander und tranken Tee.«

»Das war in dieser Situation wohl völlig normal.« Sie überlegte, ob es weitere Fragen gab, die sie ihm stellen konnte, aber ihr fiel nichts ein, und sie hatte auch keine Ahnung, worüber sie sonst mit ihm hätte reden können.

»Wir sollten vielleicht nach der Pizza sehen«, schlug David in diesem Moment zum Glück vor.

Sie aßen die Pizza mit der Hand von Папptellern vor dem Kamin, zumindest versuchten sie es. Kate musste irgendetwas mit dem Teig falsch gemacht haben, denn er war so steinhart, dass man ihn mit einer Säge kaum durchbekommen hätte. Nach dem zweiten Bissen sah David sie unglücklich an. »Bitte nicht böse sein, aber wenn ich weiteresse, verliere ich ein paar Zähne. Wie, um Himmels willen, kann ein Pizzateig so hart sein?«

Kate, die ebenfalls schon um ihre Zähne fürchtete, hob resigniert die Schultern. »Ich kann überhaupt nicht kochen. Ich vermassele alles.«

»Kein Problem. Wir haben ja noch den Wein.«

Sie entsorgten die Pizza in eine Abfalltüte in der Küche. Kate fand eine angebrochene Packung mit Salzcrackern im Schrank, was immerhin besser als nichts war. Sie hatten die unbequemen Campingstühle verlassen, saßen auf dem Fußboden im Wohnzimmer, und Kate fragte sich beklommen, wie der Abend enden würde. Da sie seit dem Frühstück nichts gegessen hatte und man zwei Bissen knochentrockene Pizza kaum zählen konnte, spürte sie den schweren Rotwein sehr schnell im Kopf. Alkohol war nicht ungefährlich bei ihr. Sie wurde redselig und liebebedürftig davon.

»Und Sie haben Ihre ganze Kindheit und Jugend hier in diesem Haus verbracht?«, fragte David.

Sie nickte. »Ja. Und ich bin auch später immer wieder hierhergekommen. Meine Mutter ist schon vor vielen Jahren gestorben. Mein Vater … er ist vor drei Jahren …« Sie schluckte.

»Ja?«

»Er wurde hier in diesem Haus ermordet.« Sie hatte es eigentlich nicht sagen wollen. Das war der Wein.

David starrte sie entsetzt an. »*Ermordet?*«

»Ja. Wegen einer alten Geschichte. Es führt zu weit, das jetzt zu erzählen … Mein Vater war ein hoher Kriminalbeamter und hatte sich in etwas verstrickt, das … nun ja, das ihn das Leben kostete.«

»Ach, du liebe Güte«, sagte David. »Wie schrecklich.«

Kate wünschte, sie hätte nicht davon angefangen. Vielleicht überlegte er gerade, dass er mit jemandem, der aus einer Familie stammte, in der ein Mord geschehen war, lieber nichts Näheres zu tun haben wollte. »Ja. Ich habe vieles über ihn erfahren, was ich vorher nicht wusste. Manches war ein Schock.«

»So schlimm?«

»Mein Vater war immer mein Held. Der großartigste Mensch, den ich kannte. Über jeden Zweifel erhaben. Ich war … Es war … Ich konnte es nicht fassen …« Schrecklicherweise spürte sie, dass Tränen in ihren Augen brannten.

Jetzt. Nicht. Weinen.

»Wer hat ihn umgebracht?«, erkundigte sich David sachlich.

»Jemand, der … ach, egal. Er wurde jedenfalls hier im Haus in einer Februarnacht überfallen.« Sie sah das Bild vor sich, einen Tatort, den sie nie gesehen hatte, der ihr jedoch beschrieben worden war. Ihr Vater im Schlafanzug, gefesselt auf einem Stuhl in der Küche sitzend, eine Plastiktüte über dem Kopf. Er war unter dieser Tüte qualvoll erstickt.

»Das ist furchtbar«, sagte David leise.

»Ja«, flüsterte sie.

Sie spürte seine Hand auf ihrem Arm und hörte, wie er sagte: »Nicht weinen. Oh Gott, es ist schlimm, ich weiß. Es tut weh.«

Sie hatte nicht bemerkt, dass die Tränen inzwischen liefen. Seine warme Hand und seine mitfühlenden Worte machten es natürlich noch schlimmer. Es war völlig hoffnungslos, mit dem Weinen aufhören zu wollen.

»Ja«, schluchzte sie. »Es tut weh. Es tut so schrecklich weh.«

Und es hörte nicht auf. Das war das Verrückteste. Es hörte einfach nicht auf, obwohl Jahre vergangen waren. Weder kam sie über den grausamen Tod ihres Vaters hinweg noch über die Tatsache, dass er nicht der Mann gewesen war, den sie in ihm gesehen hatte.

Sie merkte, dass sie in Davids Umarmung lag und seinen Pullover nass weinte. Seine Arme hielten sie fest.

»Weine einfach«, flüsterte er, »vielleicht hast du wegen alldem nie genug geweint.«

Das hatte sie in der Tat nicht. Sie hatte geweint, aber viel zu selten im Verhältnis zu dem Ausmaß ihrer Verstörtheit und ihrer Verletzung. Sie hatte versucht, all die Gefühle von Untröstlichkeit und fassungsloser Enttäuschung wegzuschieben, an irgendeine Stelle in ihrer Seele, an der sie verwahrt und verschlossen waren und ihr nicht ständig in die Quere kommen konnten. Sie hatte dem Schmerz nicht erlauben wollen, über sie herzufallen, weil sie Angst hatte, sie würde dann nie wieder aus seinen Klauen herausfinden. Sie hatte ihn zurückgedrängt, wann immer er einen Vorstoß in ihre Richtung unternahm. Und hatte geglaubt, er werde dabei immer kleiner und schwächer werden und sich vielleicht eines Tages ganz auflösen.

Sie hatte sich getäuscht. Er war noch immer das Raubtier mit den gefletschten Zähnen. Er wartete noch immer darauf, sich an ihr austoben zu können.

Sie weinte und weinte, und David hielt sie fest, und irgendwann dachte sie, dass sie doch Colins Bitte um eine Verabredung hätte erhören sollen, denn David würde sich das bestimmt kein weiteres Mal antun. Erst das verkorkste

Essen, dann hatte er erfahren, dass hier ein Mord stattgefunden hatte, und nun heulte sie auch noch ohne Ende. Sie musste plötzlich lachen, kein frohes, sondern ein etwas hysterisches Lachen, weil es wirklich grandios war, mit welch vorhersehbarer Sicherheit sie Beziehungen zu Männern im Keim erstickte. Das Lachen, so wenig es einem *wirklichen Lachen* ähnelte, schaffte es zumindest, ihren Tränenfluss zu stoppen. Sie richtete sich auf und wischte sich unbeholfen mit den Ärmeln ihres neuen Kleides über beide Wangen.

»Es tut mir leid«, sagte sie. »Oh je, das ist... Ich wollte das nicht. Du lieber Himmel...« Sie wagte sich ihr gerötetes, fleckiges Gesicht, über das sich vermutlich Wimperntusche in schwarzen Streifen malerisch verteilte, nicht vorzustellen. Ohnehin von der Natur nicht gerade mit Schönheit bedacht, hatte sie es geschafft, sich noch unansehnlicher herzurichten.

»Ich muss furchtbar aussehen«, sagte sie resigniert.

»Finde ich nicht«, sagte David, neigte sich vor und küsste ihren Mund.

Sie erstarrte.

Es konnte einfach nicht sein, dass ihr das gerade passierte.

Er wich zurück. »Wenn du das nicht möchtest, dann...«

Trotz ihrer Benommenheit erkannte sie geistesgegenwärtig die Chance des Momentes – und zugleich sagte ihr ein Instinkt, dass es vielleicht keine weitere Gelegenheit geben würde. Wenn sie jetzt schroff reagierte – und meist reagierte sie unwillkürlich schroff, viel schroffer als sie wollte –, dann würde David den Rückzug antreten, und es wäre an ihr, ihn irgendwann erneut zu ermutigen, wobei sie keine Ahnung hatte, wie sie das hätte machen sollen.

»Doch«, sagte sie leise, »ich möchte das.«

Er küsste sie erneut. Seine Lippen schmeckten ganz leicht nach Rotwein. Sie fühlten sich warm an.

Kate erwiderte den Kuss, wobei sie nicht sicher war, ob sie das auf die richtige Weise tat. In einem Buch hatte sie gelesen, Küssen sei etwas, was jeder Mensch instinktiv konnte, aber Kate hatte das Problem, dass Instinkte bei ihr immer von ihren Gedanken überlagert wurden. Dinge, die bei anderen Menschen problemlos funktionieren mochten, bereiteten ihr Probleme, weil sie sie mit ihrem Verstand so lange analysierte, bis jede Unbefangenheit und Spontaneität verschwunden war.

Denk jetzt nicht nach. Überlass dich ihm einfach.

Das klang nicht sehr emanzipiert, war aber Kates einzige Chance angesichts ihrer nahezu vollkommenen Ahnungslosigkeit. Sie entsann sich ein paar hastiger Knutschereien in dunklen Ecken auf irgendwelchen Schulpartys, zu fortgeschrittener Stunde, wenn alle so betrunken waren, dass es ihnen egal war, wen sie küssten. Mithilfe ähnlicher Ingredienzen – Party, Dunkelheit, Alkohol – hatte sie es mit siebzehn Jahren endlich geschafft, mit einem Jungen zu schlafen, aber auch nur deshalb, weil dieser Junge eigentlich auf Kates Freundin scharf gewesen war, sie aber nicht bekommen konnte, weil sie an jenem Abend mit einem andern abgezogen war. Kate war das durchaus bewusst, aber es war ihr egal gewesen, sie hatte auch endlich mitreden wollen. Ein hastiger, unromantischer Akt auf dem Rücksitz des Autos, das sich der Junge von seinem Vater geliehen hatte. Das war es.

Das zweite Erlebnis hatte sie auf einer Weihnachtsfeier gehabt, viele Jahre später. Eigentlich hasste sie die Weihnachtsfeiern, auf denen sich alle komplett zulaufen ließen und mit fortschreitender Stunde die Witze immer seichter und die Anzüglichkeiten immer obszöner wurden. Die Anwesenheit war nicht unbedingt Pflicht, allerdings hätte es Kate ihren Kollegen gegenüber noch weiter ins Abseits gestellt, wenn sie nicht erschienen wäre. Sie trank irgendwelche Cola-Mix-Getränke, hatte einen albernen Papierhut auf dem Kopf und hoffte verzweifelt, irgendwie in die rauschende, überbordende, fröhliche Stimmung der anderen zu kommen. Es gelang ihr nicht, aber immerhin wurde sie zu fortgeschrittener Stunde heftig von einem Kollegen angebaggert, der sie im normalen Alltag noch nie zur Kenntnis genommen hatte, jetzt aber offensichtlich betrunken genug war, um nicht mehr klar erkennen zu können, dass er eine Frau vor sich hatte, die unter weniger feuchtfröhlichen Umständen absolut nicht sein Typ war. Sie ging tatsächlich mit ihm nach Hause und wachte am nächsten Morgen in einem fremden Bett auf, neben sich einen schnarchenden Mann, der nach Alkohol stank. Eine blasse Wintersonne schien zum Fenster hinein und beleuchtete ein unaufgeräumtes Schlafzimmer, in dem kreuz und quer Schuhe, Pullover, Strümpfe und Unterwäsche herumflogen. Kate stand leise auf und klaubte ihre Sachen zusammen, zog sich im Bad an und huschte auf den Zehenspitzen zur Wohnungstür hinaus. Sie und der Kollege begegneten einander erst am darauffolgenden Montag auf den Gängen von Scotland Yard wieder, aber sie blickten geflissentlich aneinander vorbei, murmelten nur einen kaum verständlichen Gruß. Keiner von ihnen spielte je auf das Geschehene an.

So weit Kates zwei Erfahrungen mit Männern. In zweiundvierzig Jahren.

Sie durfte das David auf gar keinen Fall wissen lassen.

Seine Küsse wurden heftiger und drängender, und seine Finger nestelten am Reißverschluss von Kates Kleid herum. Er öffnete ihn, und Kate wand sich aus dem engen Kleid hinaus, wenig anmutig, wie sie befürchtete. David hatte inzwischen seinen Pullover über den Kopf gezogen. Sie beide würden in ziemlich absehbarer Zeit nichts mehr anhaben.

Kate atmete tief, und David hielt inne. »Alles in Ordnung?«, flüsterte er.

Kate kannte die eisernen Regeln, die jeder entsprechende Ratgeber seinen Leserinnen immer wieder einhämmerte: Nie, nie, nie beim ersten Date intim werden. Auch nicht beim zweiten. Frühestens beim dritten. Zu schnelle Verfügbarkeit ruinierte die Beziehung, noch ehe sie zu einer hatte werden können. Kate hatte diese Dinge gehört und gelesen, aber feststellen müssen, dass sie ein Sonderfall war und deshalb andere Strategien anwenden musste. Männer verabredeten sich kein zweites Mal mit ihr, daher machte es keinen Sinn, auf das dritte Date warten zu wollen. Besser, sie nahm sofort, was sie kriegen konnte, oder, wenn sie den betreffenden Typen blöd fand, nahm sie am besten gar nichts. Jener Morgen nach der Weihnachtsfeier hatte ihr gezeigt, dass das Dasein eines Mauerblümchens traurig und frustrierend sein mochte, dass aber das Erwachen neben einem Mann, für den man außer Abneigung nichts empfand, zu einem Ekelgefühl führen konnte, das noch schlimmer war.

David war anders. Sie fand David attraktiv. Nett. Sensibel. Verständnisvoll. Er hatte sich mit ihr im Pub verabredet. Er hatte sich für heute Abend mit ihr verabredet. Er blieb eindeutig am Ball. Und wenn man das erste Gespräch in seiner Wohnung mitrechnete, hatten sie jetzt bereits ihr drittes Date, und deshalb verstieß sie gegen keine noch so blöde Regel.

Statt einer Antwort rollte sie ihre Strumpfhose hinunter, war jetzt nur noch in Slip und BH. Er streifte seine Jeans ab. Sie knieten einander gegenüber. Jeder spürte die Wärme, die vom Körper des anderen ausging. Jeder spürte auch die Anspannung. Kate erkannte: Auch David war nervös. Nicht nur sie. Er wollte alles richtig machen.

»Wir können nichts falsch machen«, flüsterte sie ihm zu, »ich glaube, das geht gar nicht.«

Er umschloss sie mit seinen Armen, und sie versank darin. Sie versank wie in einer großen Welle aus Wärme, Sicherheit, Kraft. Und Leidenschaft. Zum ersten Mal in ihrem Leben spürte Kate, wie es war, einen Mann sexuell zu begehren. Und sie fragte sich, wie es für sie sein würde. Zum ersten Mal in ihrem Leben würde sie mit einem Mann schlafen, der nicht betrunken war.

Und der wusste, was er tat.

Wochenende. Kalt. Selten einen solchen Herbst erlebt. Die November hier sind normalerweise eher mild, aber feucht. Manchmal, sehr selten, zieht es dann im Februar an, und wir haben etwas Schnee. Eine dünne Decke nur, eher eine Art Raureif … Aber in diesem Jahr ist es schon jetzt so kalt, dass die Luft nach Schnee riecht. Vielleicht bekommen wir eine weiße Weihnacht. Danach sind ja immer alle so verrückt. Mir ist das ganz egal. Die Kälte macht mir nur insofern zu schaffen, als ich mich ein paar Mal am Freitag und am Samstagabend gefragt habe, ob die Propangasheizung bei Mandy noch ausreicht. Der Raum ist recht groß und überwiegend gefliest. Kacheln speichern Wärme nicht besonders gut, oder? Heute, Sonntag, schlafe ich lange, es ist schon Mittag, als ich aufwache. Dass ich alleine bin, macht mir nichts aus. Ich frühstücke gerne alleine, ganz ruhig und friedlich, ohne mich unterhalten zu müssen.

Bis in die Nachmittagsstunden hinein überlege ich, ob ich zu Mandy fahren soll. Ich habe wenig Lust. Sie hat sich so schrecklich aufgeführt beim letzten Mal, und ich bin eigentlich endgültig sicher, dass sie ein Fehlgriff ist. Das ist ein Rekord, bei den anderen habe ich viel länger die Hoffnung gehegt, es könnte alles gut werden. Aber das sind Mädchen aus guten Familien gewesen, und sie gebärdeten sich viel weniger feindselig. Dafür heulten sie allerdings ständig, was auch nicht gerade ermutigend für mich war. Aber diese Wut von Mandy … ihr Hass … ihre Tobsuchtsanfälle … Wie sollen wir eine Beziehung aufbauen?

Schließlich, gegen halb vier, raffe ich mich doch auf. Der Tag draußen lädt nicht dazu ein, das warme Haus zu verlassen. Lieber würde ich ein Feuer im Kamin anzünden und einen heißen Tee trinken.

Der Gedanke an Wärme und Tee bringt mich aber schließlich doch dazu, Schuhe, Mantel und Schal anzuziehen. Ich muss kontrollieren, ob die Propangasheizung bei Mandy noch funktioniert. Am Donnerstag habe ich ihr zuletzt etwas zu essen und zu trinken gebracht, sie hat mit Sicherheit Hunger und Durst. Ich verspüre ganz leise Schuldgefühle, weil ich sie so lange habe warten lassen und weil ich sie am liebsten noch länger warten lassen würde. Ich bin schon jetzt dicht davor, sie aufzugeben. Diesen Punkt habe ich ja bisher leider jedes Mal erreicht, aber nie so früh. Es fängt damit an, dass ich keine Lust mehr habe, zu ihnen zu fahren. Dass meine Besuche immer weniger und immer schwerfälliger werden. Bis ich mich dann irgendwann gar nicht mehr aufraffen kann. Das ist dann, wenn ich nichts mehr, gar nichts mehr für die Mädchen empfinde.

Ich packe eine Flasche Mineralwasser ein und nehme ein in Plastik eingeschweißtes Sandwich mit Cheddar und Tomaten aus der Tiefkühltruhe in der Küche, in der etliche solcher Sandwiches lagern. Bis ich dort bin, wird es aufgetaut sein, ich werde die Heizung im Auto schön hochdrehen.

Dann mache ich mich auf den Weg.

Nachdem ich losgefahren bin, hebt sich meine Stimmung. Es ist nicht gut, den ganzen Tag daheim herumzusitzen, man wird müde und faul und hat negative Gedanken. Der graue Tag hat eine Atmosphäre von ganz eigener Schönheit. Die Landschaft wird immer karger und einsamer, je weiter ich nach Norden fahre. Rechter Hand taucht immer wieder das Meer auf, es ist schiefergrau wie der Himmel. Das Grau mischt sich sogar in das fahle Gelb der hohen Gräser, die im Wind flattern. Die Wolken werden zu Türmen, die aus dem Horizont wachsen. Ganz selten nur begegnet mir ein anderes Auto. Zeitweise habe ich das Gefühl, völlig alleine auf der Welt zu sein. Ein Gefühl, das mich nicht mehr schreckt. Ich hatte so oft mit den Therapeuten darüber gesprochen. Dass ich nicht alleine sein kann. Dass da immer der Gedanke ist, etwas Schlimmes würde passieren, während ich alleine bin.

»Was würde denn passieren?« Das hat mich jeder meiner Therapeuten gefragt.

»Ich weiß nicht«, antwortete ich, obwohl ich es genau wusste.

Sie insistierten. »Versuchen Sie es. Versuchen Sie, sich vorzustellen, was tatsächlich geschehen würde, wenn Sie alleine wären.«

Irgendwann hatte ich es gesagt. »Ich würde sterben.«

Das war es, was ich fühlte. Dass Alleinsein und Tod dasselbe waren.

Ich weiß gar nicht, wann es aufhörte, dass mich diese Gedanken beherrschten und quälten. Mit den Mädchen? Hörte es mit den Mädchen auf?

Aber es funktioniert nicht mit ihnen. Sie nehmen mich nicht an. Und ich habe große Angst, dass es deshalb wiederkommen wird, dieses Gefühl. Dass ich allein bin und sterbe. Deshalb muss ich sie finden. Die Eine. Die, die für mich und mein Leben bestimmt ist.

Ich komme an Newcastle vorbei und halte mich von da an in unmittelbarer Nähe zur Küste. Ich erreiche Northumberland. Ich bin zweieinhalb Stunden unterwegs gewesen, als ich endlich auf dem kleinen, völlig verwilderten Parkplatz anhalte. Parkplatz kann man das eigentlich nicht mehr nennen, Disteln und Dornen und sogar Strandgras haben die Vorherrschaft übernommen und alles zugewuchert, aber dadurch, dass ich doch immer wieder hierherkomme, ist ein Weg frei geblieben und sogar ein Stück geteerte Stelle, auch wenn der Asphalt an einigen Stellen aufbricht. Die Kälte, vermute ich, oder das Wurzelwerk, das sich hier seinen Weg gräbt.

Ich steige aus, und die Kälte des Windes, der über die Nordsee kommt, raubt mir sekundenlang fast den Atem. Hier, im nördlichsten England, ist es noch einmal kälter als in Scarborough, und schon dort ist es zurzeit ungewöhnlich frostig. Ich ziehe den Schal enger um den Hals, nehme den kleinen Korb mit der Mineralwasserflasche und dem aufgetauten Sandwich und gehe den freigetrampelten Weg hinüber zu dem Gebäude. Eine Weißdornhecke versucht immer wieder, den Eingang zuzuwuchern. Im Sommer schneide ich sie beharrlich zurück. Jetzt im Winter passiert nichts, aber mir fällt auf, dass sie, wenn ich sie weiter in die Höhe wachsen lasse, bald den Blick auf das Haus vom Weg aus verbirgt. Dann kann man es nur noch vom Meer her sehen, aber wen würde das kümmern, und wer würde sich interessieren?

Als ich aufschließe, merke ich sofort, dass es drinnen nicht viel wärmer ist als draußen, allerdings fehlt der Wind, der einem die Tränen in die Augen treibt. Ich verharre einen Moment lang vorsichtig. Wenn Mandy sich hat befreien können – unwahrscheinlich, aber es gibt nichts, was es nicht gibt –, dann ist es nicht ausgeschlossen, dass sie irgendwo auf mich lauert. Aber mit einem weiteren Schritt kann ich um die Ecke in den kleinen Raum spähen und sehen, dass sie noch immer an ihrer Kette hängt. Sie hat sich völlig unter der Decke vergraben, die ich ihr hingelegt habe. Der Raum stinkt nach ihren Exkrementen und ist eiskalt. Die Propangasheizung ist erloschen. Die Feuchtigkeit, die im Gemäuer hängt, die salzige Nässe des Meeres, das sich in unmittelbarer Nähe befindet, kriecht aus allen Ritzen und Winkeln. Es ist hier immer feucht, aber im Sommer ist es nicht so schlimm, und im Winter kann man dagegen anheizen. Im Winter ohne Heizung ... ist es wirklich nur schwer möglich, hier zu wohnen.

Ich habe zu viel Zeit verstreichen lassen.

Die Wolldecke bewegt sich, und Mandys Kopf taucht auf. Ihre

Haare sind verklebt und sehen fettig aus, sie hat sich offenbar noch immer nicht gewaschen. Ihre Augen sind verquollen, ihre Lippen rissig und spröde. Sie sieht nicht die Spur mehr attraktiv aus.

»Ich brauche Wasser«, sagt sie leise, »und mir ist so kalt.«

Die Decke schützt sie vermutlich nur unzureichend vor der Kälte, und das Wasser hatte sie wahrscheinlich spätestens am Freitag leer getrunken. Ich werfe einen Blick in den Eimer mit dem Waschwasser, er ist leer. Sie hat auch dieses Wasser getrunken. Nicht dumm von ihr.

»Ich habe etwas zu essen und zu trinken dabei«, sage ich.

Sie blickt mich aus wilden, hungrigen Augen an.

Ich schiebe die Flasche und das Sandwich mit dem Fuß zu ihr hin, achte aber darauf, Abstand zu halten. Sie ist der Streetfighter-Typ. Aufgewachsen in einer harten Umgebung, wenig Schutz, von klein auf meist auf sich allein gestellt. Sie ist es gewohnt zu kämpfen. Im Moment geht es ihr sichtlich dreckig, aber das heißt nicht, dass sie nicht eine Chance ergreifen würden, sollte sie sich ihr bieten.

Sie öffnet sofort die Flasche und trinkt und trinkt … in großen, gierigen Zügen.

»Warum tust du das?«, fragt sie schließlich. Immer noch mit dieser leisen Stimme. Sie ist deutlich gefügiger als beim letzten Mal. Hunger, Durst und Kälte, im Grunde ist es einfach, einen Menschen zu brechen. Nur, dass ich das gar nicht möchte. Sie soll mich lieben. Was dieses Ziel betrifft, scheine ich jedoch im Moment nicht gerade auf einem guten Weg zu sein.

Ich gebe ihr keine Antwort auf ihre Frage, denn sie würde die Komplexität meiner Gedanken, meiner Vorstellungen und meines Handelns ohnehin nicht verstehen. Stattdessen schnappe ich mir schnell den Eimer, den sie als Toilette benutzt, und bringe ihn nach draußen, leere ihn in ein Gebüsch, das sich ein Stück vom Haus entfernt am Rande der Klippen befindet. Weit unter mir schwappt das Meer gegen die Felsen, ich höre den dröhnenden Schlag der Wellen. Möwen über mir lassen sich kreischend in den Wind fallen und davontragen, in weiten, schwebenden Bögen. Wie schön es hier ist. Hätte ich genug Geld, ich würde das kleine Haus von Grund auf sanieren, und ich würde jeden Tag hier oben stehen und über das Meer blicken.

Der Eimer stinkt noch, als ich ihn zurücktrage, weil ich ihn nicht auswaschen kann. Ich müsste hinunter in die Bucht klettern, und dafür ist es mir im Moment zu kalt, der Fels zu glitschig. Ich merke, wie viel Abneigung dieser Eimer in mir auslöst, und ich versuche krampfhaft, mir klarzumachen, dass Mandy ja wirklich nicht anders kann als ihn zu benutzen. Jedenfalls in ihrer Situation. An der sie natürlich nicht unschuldig ist. Die anderen benutzten die Toilette, deren Spülung zwar nicht funktionierte, aber ich schleppte große Zwei-Liter-Wasserflaschen heran, mit denen wir alles wegspülten. Das abgestellte Wasser hier ist ein echtes Problem. Aber Mandy muss den Eimer benutzen, denn ich kann es ja nicht riskieren, dass sie sich frei bewegt. Insofern ist sie daran schuld, dass die Dinge komplizierter sind, als sie sein müssten. Inmitten der schneidenden Kälte dieses Tages spüre ich, dass die Wut ein großes, heißes Loch in meinen Magen zu brennen scheint. Ich erschrecke vor dieser Wut, weil ich sie kenne. Von einem bestimmten Grad der Wut an ist mein Verhältnis zu einem anderen Menschen unumkehrbar. Dann ist es gelaufen. Auch bei den anderen kam ich an diesen Punkt, weil sie mich ablehnten, weil sie heulten, weil sie ständig darum bettelten, wieder nach Hause zu dürfen, ohne zu erkennen, dass sie das schönste Leben bei mir hätten haben können. Als ich irgendwann dieses Brennen in meinem Magen spürte, wusste ich, dass es vorbei war; danach hätten sie tun können, was sie wollten, mich auf Knien anflehen, sie zu lieben, ich hätte es nicht mehr gekonnt.

Ich kann dann nur noch die Tür hinter mir zuziehen. Buchstäblich.

Bei Mandy ist es schon jetzt so weit.

Das liegt zweifellos an ihrem Verhalten, an der Art, wie sie mich beschimpft hat, an ihrem gewöhnlichen Vokabular, an meiner Enttäuschung, weil sie von Anfang an ein Fehlgriff war und wir nie eine Chance hatten.

Vielleicht werden die Abstände aber auch kürzer, weil ich mich verändere. Weil ich ungeduldiger werde und weil mir die Zeit davonläuft. Weil ich nicht einen riesengroßen Teil meiner Lebenszeit mit offenkundig vergeblichen Bemühungen verplempern will.

Zurück im Haus. Mandy hat bereits das Brot verschlungen. Die Wasserflasche ist leer.

»Kann ich noch etwas haben?«, fragt sie.

Ich hebe bedauernd die Schultern. »Tut mir leid. Mehr habe ich nicht dabei. Du hättest dir zumindest das Wasser etwas sparsamer einteilen sollen.«

Sie starrt mich entgeistert an. »Was? Das war alles?«

»Das war eine große Flasche Wasser und ein dick mit Käse belegtes Brot!«

Der Blick ihrer Augen irrt hektisch im Raum herum, so als sei sie voller Ungläubigkeit und hoffe, irgendwo Antworten auf ihre Fragen zu finden.

»Wann kommst du wieder?«, fragt sie dann.

Ich schaue sie an. Sie sieht so hässlich aus. So primitiv.

»Ich weiß nicht«, sage ich ausweichend.

Plötzlich steht Panik in ihrem Gesicht. »Was passiert mit mir? Ich erfriere hier fast. Ich habe Hunger und Durst. Ich kann mich nicht bewegen. Hier ist niemand, oder?« Sie schaut zum Fenster hin, aus ihrer Perspektive kann sie vermutlich nur den Himmel sehen, aber mehr erkennen zu können würde sie auch nur in dem bestätigen, was sie vermutet: Ja, hier ist niemand. Weit und breit nur Einsamkeit. Hochebene. Klippen. Meer. Wind. Möwen.

Nichts.

Sie fängt plötzlich an zu schreien. Brot und Wasser haben sie gekräftigt. Sie zerrt wie eine Irre an der Kette, ich sehe, wie sich der Stahl in ihre Haut gräbt, sie blutig reißt. Es scheint ihr egal zu sein.

»Lass mich hier raus! Lass mich sofort hier raus! Du perverses Arschloch, du dreckiges …«

Ich versuche, nicht weiter hinzuhören. Da sind wir also wieder. Dieses unsägliche ordinäre Gebaren. Ich habe das Haus gesehen, in dem sie aufgewachsen ist, die Gegend. Ihre Mutter. Mich wundert nichts mehr.

Ich nehme meinen Korb. Sie brüllt.

»Du kannst nicht abhauen und mich hierlassen! Das ist Mord! Lass mich los. Mach sofort diese verdammte Kette ab!«

Ich gehe in Richtung Tür.

Sie fängt an zu weinen. Ändert ihre Tonlage und verlegt sich aufs Betteln. »Bitte. Lass mich nicht alleine. Bitte. Ich habe dir nichts getan, oder? Ich kenne dich nicht. Lass mich doch bitte gehen. Ich weiß nicht mal, wie du heißt, ich würde niemandem etwas sagen, ich habe keine Ahnung, wer du bist und wo du wohnst, deshalb müsstest du dir keine Sorgen machen. Bitte!«

Ich öffne die Haustür. Ich bin jetzt schon um die Ecke, kann sie nicht mehr sehen.

Sie schreit wie ein gefangenes Tier. »Bitte! Bitte! Bitte!«

Ich trete hinaus.

Sie brüllt. »Bleib hier! Geh nicht weg! Lass mich nicht allein!«

Ich muss fast lächeln. Perverses Arschloch hat sie mich genannt und etliche andere Nettigkeiten noch dazu. Ja, man sollte sich früher überlegen, ob man einen anderen Menschen einfach so vor den Kopf stoßen will. Jetzt fleht sie mich an, bei ihr zu bleiben, mich um sie zu kümmern. Obwohl, na ja, genau genommen hätte sie es am liebsten, ich würde sie losmachen. Sie will weg. Alle wollten sie weg. Keine kapiert …

Irgendwann wird es eine verstehen.

Ich gebe nicht auf.

Noch als ich im Auto sitze, höre ich Mandys Geschrei. Sie ist außer sich, panisch, hysterisch.

Ich lasse den Motor an und wende.

Nur weg hier. Nur weg.

Ich brauche eine andere. Möglichst bald.

Ich war übrigens noch immer nicht im Keller.

MONTAG, 13. NOVEMBER

I

Constable Kitty Wentworth war selten für etwas so dankbar gewesen wie für Amelie Goldsbys geäußerten Wunsch, einen Ausflug gemeinsam mit ihren beiden Beschützern zu unternehmen. Endlich konnten sie sich bewegen, herumfahren, herumlaufen, etwas anderes sehen als immer die gleiche Straße, die gleichen Häuser, die gleichen Abläufe. Nach der Geschichte mit dem Stromausfall und Jack O'Donells unerlaubtem Entfernen vom Einsatzort waren sie beide verwarnt worden, und Kitty hatte schon fast gehofft, man werde sie von ihrem Posten abziehen, aber der wütende DCI Hale hatte ihr einen Strich durch diesen verlockenden Gedanken gemacht.

»Wie üblich sind wir völlig unterbesetzt!«, hatte er sie angebellt, fast so, als könnte sie etwas für dieses Problem. »Und die Leute, die etwas taugen, brauche ich für die anspruchsvollen Aufgaben!«

Das war hart. Kitty hatte sich zusammenreißen müssen, um nicht loszuheulen.

»Deshalb machen Sie und O'Donell vorläufig weiter. Wenn noch ein einziges Mal so etwas vorkommt oder auch nur etwas *Ähnliches,* können Sie für den gesamten Rest Ihrer beruflichen Laufbahn Falschparker aufschreiben ohne die geringste Perspektive, dass Sie es je zu einer größeren Herausforderung bringen. Ist das klar?«

»Ja, Sir.«

Kitty hatte erst abends daheim geheult. Auch deshalb, weil es so ungerecht war. Jack hatte den Fehler gemacht, aber Hale hatte überhaupt nicht unterschieden, sondern sie beide gleichermaßen niedergemacht. Früher hatte sie immer gedacht, der Chef sei ein sehr fairer Mensch, aber in der letzten Zeit war er manchmal kaum wiederzuerkennen. Alle sagten das. Er hatte konstant schlechte Laune und schnauzte an manchen Tagen jeden an, der das Pech hatte, seinen Weg zu kreuzen. Fehler ahndete er unnachsichtig und kleinlich. Aber vermutlich machte es ihm keinen Spaß, jeden Morgen in der Zeitung zu lesen, dass die Polizei im Fall des Hochmoor-Killers nicht vom Fleck kam und dass es nur eine Frage der Zeit war, wann sich der Killer sein nächstes Opfer schnappen würde.

Den Begriff *Hochmoor-Killer* benutzte übrigens niemand im Präsidium, dem sein Leben lieb war. Alle hatten mitbekommen, dass Caleb Hale eine Praktikantin, die das Wort in den Mund genommen hatte, geradezu zerlegte. Noch einmal diese vollkommen idiotische Bezeichnung in diesem Haus, und jeder könne sich einen neuen Job suchen, hatte er gebrüllt. Die Praktikantin war am nächsten Tag nicht mehr im Büro erschienen, und alle anderen waren nur noch auf Zehenspitzen herumgeschlichen. Jeder betete insgeheim, Caleb Hale möge, wenn es schon nicht gelang, den Täter bald zu fassen, endlich wenigstens irgendein, notfalls kleines Erfolgserlebnis haben. Es machte keinen Spaß mehr, mit ihm zu arbeiten. Niemandem mehr.

Immerhin, an diesem Tag bot der Job eine Abwechslung. Amelie hatte am späteren Vormittag aufbrechen wollen, und Caleb hatte die Erlaubnis gegeben, dass sie bis zum frühen Abend unterwegs sein durften. Auch ihm war klar, dass man Amelie nicht ewig im Haus einsperren konnte, das Mädchen musste in die Normalität zurück, zumindest in eine eingeschränkte. Noch immer hielt er es für zu gefährlich, sie zur Schule gehen zu lassen, aber die Frage stellte sich ohnehin nicht, da sich Amelie strikt weigerte, dies zu tun. Vielleicht würde ihr ein Ausflug etwas von ihrem seelischen Gleichgewicht zurückgeben. Kitty wusste genau, was der Chef im Innersten hoffte: dass Amelie redete. Dass *irgendetwas* dazu führte, dass sie endlich redete.

Amelie war dabei geblieben, dass weder Helen noch Deborah mitkommen durften, sie wollte mit den beiden Polizisten alleine sein. Jack fuhr das Auto, Kitty saß neben Amelie auf dem Rücksitz. Amelie ließ sich zuerst in die Innenstadt fahren und schlenderte durch die Geschäfte. Kitty fiel auf, wie vorsichtig das junge Mädchen seine Schritte setzte, zögernd, sehr achtsam. Sie war so lange nicht mehr außerhalb ihres Zimmers gewesen, die bereits weihnachtlich geschmückte Fußgängerzone und die Menschen mussten erschreckend und verwirrend auf sie wirken. An diesem gewöhnlichen Montagvormittag war keineswegs allzu viel los, aber für jemanden, der so entwöhnt war wie Amelie, musste es anstrengend sein. Sie beschloss, eine Jeans zu kaufen, und sie gingen zu *Marks & Spencer*. Amelie verschwand mit acht Hosen über dem Arm in einer Kabine, und Jack ließ sich seufzend in einen Sessel im Wartebereich sinken.

»Ich hasse es, wenn Frauen Klamotten kaufen«, murrte er. »Es dauert ewig, und sie können sich nie entscheiden. Ich weiß nicht, ob dieser ganze Trip eine gute Idee ist!«

Kitty, die selbst in den Kleiderständern herumsuchte, lachte. »Da musst du jetzt durch. Es ist besser, als ewig im Auto vor dem Haus zu sitzen, findest du nicht?«

»Ich weiß ehrlich gesagt nicht, was schlimmer ist. Oh Gott, wie lange braucht denn die?«

Amelie tauchte nach einer halben Ewigkeit wieder aus ihrer Kabine auf, die Jeans über dem Arm und mit einem Gesichtsausdruck, der Verwirrung und fast Verstörtheit zeigte. »Ich weiß nicht«, sagte sie.

»Siehst du«, murmelte Jack in Kittys Richtung. Er hatte es ja gewusst, sie würde sich nicht entscheiden können.

Amelie setzte sich in einen zweiten Sessel, völlig erschöpft, wie es schien. »Ich kann nichts kaufen«, sagte sie. »Es ist mir alles zu viel.«

»Du musst nichts kaufen«, sagte Kitty. »Du warst so lange nicht mehr draußen. Das alles hier überfordert dich. Das ist verständlich.«

Amelie schien kurz davor, in Tränen auszubrechen. »Glauben Sie, es wird jemals wieder normal? Mein Leben?«

»Natürlich wird es das«, versicherte Kitty. »Du bist jung. Du verarbeitest das alles. Und dann wird das, was passiert ist, ein dunkler Fleck in deiner Vergangenheit sein. Etwas, woran du dich immer erinnerst, was aber irgendwann keinen Einfluss mehr auf dein Leben hat.«

Amelie schüttelte den Kopf. »Ich kann es mir kaum vorstellen. Ich kann mich jetzt schon an mein altes Leben gar nicht mehr richtig erinnern. Dass ich ganz normal in die Schule gegangen bin und dass ich mit Freundinnen gechattet habe und das alles… Mir kommt das so weit weg vor. Als wäre ich damals ein Kind gewesen, und jetzt bin ich keines mehr.«

Sie sah sehr blass aus, wie sie klein und dünn in dem breiten Sessel saß, traurig und verloren. Kitty hätte sie, einem Impuls folgend, am liebsten in die Arme genommen, aber sie wusste nicht, ob das dem Mädchen recht sein würde.

Es geht ihr sehr schlecht, dachte sie. Zum ersten Mal fiel

ihr das wirklich auf: Dass Amelie tief innerlich litt. Vermutlich Tag und Nacht. Einem verlorenen Leben nachtrauerte. Kein neues Leben fand, es nicht sah, nicht fühlte.

Diese sieben Tage, dachte Kitty, diese sieben Tage ihrer Entführung waren in Wahrheit nur der Anfang. Da sind all die Wochen danach. Die Monate, die noch kommen werden. Der lange Prozess, den sie brauchen wird, bis sie sich selbst wiederfindet. Bis sie einen Weg sieht, mit dem, was geschehen ist, umzugehen. Sie ist brutal aus ihrer Welt gezerrt worden, und nun weiß sie nicht mehr, wohin sie gehört.

Sie berührte sanft ihre Schulter. »Vielleicht ist das hier nicht der richtige Ort für den Anfang. Dieser ganze Weihnachtsschmuck, die Musik, die Lichter… Wollen wir irgendwo anders hinfahren? Mehr in die Natur?«

Amelie nickte und stand auf. Sie hielt auf dem Rückweg zum Auto Kittys Hand fest. Jack trottete hinter ihnen her; erleichtert, dass sie das Kaufhaus verließen, komplett überfordert mit der Gesamtsituation. Er sah das Ganze pragmatisch: Amelie hatte etwas Schlimmes erlebt, klar. Aber sie hatte riesiges Glück gehabt – und Mut und Entschlossenheit bewiesen –, und nun war alles gut. Jetzt musste sie nach vorne schauen. Sich den Tatsachen stellen – wozu gehörte, dass sie sich ihren Erinnerungen nicht mehr verschloss, der Polizei genau sagte, was geschehen war, sie am besten zum Täter und seinem Wohnhaus führte. Dann würde der Kerl verhaftet, und niemand brauchte mehr Angst vor ihm zu haben. Amelie würde nicht länger unter Polizeischutz in ihrem Zimmer sitzen, sondern wie alle Mädchen ihres Alters ganz normal die Schule besuchen, Freunde haben, samstagnachts ausgehen und tanzen. Für Jack war das alles ganz klar. Seiner Ansicht nach blockierte sich Amelie selbst.

»Wohin sollen wir denn fahren?«, fragte er, als sie wieder im Auto saßen.

»Vielleicht in die Hochmoore?«, schlug Amelie vor.

Also fuhren sie in die Hochmoore. Der Tag war dunkel und grau ohne einen einzigen Sonnenstrahl am Himmel, und die Landschaft ringsum schien düster, wild und einsam. Kitty fragte sich auf einmal beklommen, ob das alles gut war für Amelies Seele, zumal es ja sein konnte, dass sie in derselben Gegend herumfuhren, in der Amelie gefangen gehalten worden war. Schließlich hatte man ihre Tasche inmitten der Moore gefunden. Aber Amelie zeigte keine Regung. Sie saß immer noch neben Kitty auf dem Rücksitz, war jedoch nicht an einem Gespräch interessiert. Sie hatte ihr neues Smartphone in der Hand und die Kopfhörer in ihre Ohren gestöpselt, schaute zum Fenster hinaus und hörte Musik.

Mittags hielten sie an einem etwas heruntergekommen wirkenden Pub, das inmitten eintöniger Täler lag. Der Gastraum war geöffnet, aber niemand hatte an einem Montagmittag im November Gäste erwartet, und man schien nicht allzu erfreut. Die Hälfte aller Gerichte auf der Karte gab es nicht. Sie aßen schließlich Folienkartoffeln mit einer seltsam schmeckenden Kräutersoße und einen faden Salat. Jacks Laune wurde immer schlechter. Amelie wirkte inzwischen völlig abwesend. Sie sprach kein Wort, aß kaum etwas, starrte aus dem Fenster, aber vermittelte nicht den Eindruck, als sähe sie, was vor ihren Augen lag.

Nach dem furchtbaren Essen fuhren sie noch eine Weile ziellos in der Gegend herum, dann machte sich Jack auf den Rückweg. Schon wurde es ringsum dämmrig.

»Schrecklich, diese dunkle Jahreszeit«, sagte Jack.

»Ich finde es schön«, sagte Amelie. Es war seit Stunden der erste Satz, den sie sprach.

Jack warf ihr einen prüfenden Blick durch den Rückspiegel zu. Ihre Stimme hatte so traurig geklungen, das war auch Kitty aufgefallen. Amelie schien fast depressiv.

Sie nahm sich vor, mit Helen zu sprechen. Möglicherweise brauchte Amelie weit mehr professionelle Hilfe, als sie im Augenblick bekam.

Sie erreichten Scarborough, aber Jack fuhr an der Straße, in die sie hätten abbiegen müssen, um zu Amelies Elternhaus zu kommen, vorbei.

»Ich muss noch schnell tanken«, sagte er. »Ist das okay?«

Kitty, die vor sich hin gedöst hatte, schreckte auf. »Ja, klar«, sagte sie und gähnte.

Ein Stück weiter die Straße entlang befand sich eine *Gulf*-Tankstelle auf der linken Seite. Gerade als sie dort ankamen, schienen eine Menge Menschen festgestellt zu haben, dass sie Benzin brauchten, denn es wimmelte von Autos auf dem kleinen Vorplatz, und sie mussten sich anstellen und warten, dass eine Zapfsäule frei würde. Jack knurrte gereizt. »Oh Mann, was ist hier denn plötzlich los? Soll ich euch erst zurückfahren?«

»Nein, kein Problem. Sind ja nur ein paar Minuten«, meinte Kitty. Sie war jetzt hellwach und aufmerksam. Einbrechende Dunkelheit, Straßenlaternen, viele Menschen und Autos, Gedränge… Das war genau die Situation, in der sofort alle Sinne geschärft werden mussten. Gut, die Wahrscheinlichkeit, dass der Mann, der Amelie gefährlich werden könnte, sich hier aufhielt, ging vermutlich gegen null. Er hätte wissen müssen, dass sie jetzt vorhatten zu tanken, was Jack selbst erst seit ein paar Minuten wusste. Oder er hätte ihnen den ganzen Tag über folgen müssen, was noch unwahrscheinlicher war und ihnen auf den einsamen Straßen sofort aufgefallen wäre. Jack hatte ständig den Rückspiegel im Blick gehabt.

Dennoch. Kitty passte auf.

Amelie zog sich die Kopfhörer aus den Ohren. »Ich muss auf die Toilette.«

»Wir sind ja gleich bei dir zu Hause«, sagte Jack.

Amelie schaute sich um. »Wir müssen ewig warten, bis wir dran sind. Ich muss wirklich dringend.«

»Ich glaube, hier gibt es keine Toilette«, meinte Kitty.

Amelie öffnete kurzentschlossen die Wagentür. »Ich schau mal nach.«

Sofort stieg auch Kitty aus. »Ich komme mit.«

Jack fluchte. »Verdammt noch mal, ich fahre jetzt einfach erst nach Hause und …«

Aber Amelie hörte schon nicht mehr hin, sondern bewegte sich in Richtung des kleinen Shops, in dem man bezahlen und außerdem Getränke, Süßigkeiten und in Plastik verschweißte Sandwiches kaufen konnte. Kitty blieb dicht hinter ihr.

Wie sich herausstellte, gab es tatsächlich keine Toiletten für die Kunden der Tankstelle, aber es gab eine für das Personal, und die Frau hinter der Kasse händigte Amelie einen Schlüssel aus und erlaubte ihr, sie zu benutzen.

»Ausnahmsweise. Aber nicht so auffällig. Sonst wollen alle.«

Neben dem Verkaufsraum befand sich ein kleiner Gang, der mit Paletten voller Getränkedosen und roten Propangasflaschen vollgestellt war. Amelie turnte zu der Tür mit der Aufschrift *Staff only* und verschwand dahinter. Kitty lehnte sich an die einzige freie Stelle an der Wand und wartete. Anders als Jack konnte sie verstehen, weshalb Amelie diesen Besuch einer wenig attraktiven Toilette durchgesetzt hatte, anstatt zu warten, bis sie in wenigen Minuten daheim sein würde. Es hatte mit Freiheit und Beweglichkeit zu tun; beides vermisste Amelie schon viel zu lange. Es hatte auch etwas mit Normalität zu tun, mit der Rückkehr in das Leben, das sie gekannt hatte. Man konnte ihr diese ersten Schritte nicht verbieten, es war im Gegenteil wichtig, dass sie sie tat. Auch wenn es für ihre Bewacher Stress bedeutete.

Jack ist kein schlechter Polizist, dachte Kitty, aber er hat so schrecklich wenig Einfühlungsvermögen.

Sie wartete. Im Raum nebenan drängten sich die Leute an der Kasse. Es war kalt hier drinnen. Kitty begann wieder einmal, von einem heißen Bad zu träumen. Sie überlegte, was sie sich zum Abendessen machen würde. Irgendetwas Üppiges, Kalorienreiches. Nudelauflauf. Käse. Das brauchte sie nach diesem Tag.

Sie wartete immer noch. Jack musste inzwischen eine Zapfsäule erreicht haben, aber sie konnte ihn von ihrem Platz aus nicht sehen.

Wie lange brauchte Amelie denn?

Sie schlängelte sich mühsam zwischen den vielen Lagerbeständen hindurch zu der Tür und klopfte an.

»Amelie? Alles okay?«

Sie erhielt keine Antwort. Sie klopfte noch einmal an, diesmal kräftiger. »Amelie? Bist du in Ordnung?«

Schweigen. Kitty rüttelte an der Türklinke, aber die Tür gab nicht nach. »Amelie!«

Nichts.

Kitty lief in den Verkaufsraum. »Haben Sie einen zweiten Schlüssel für die Toilette?«, rief sie der Frau an der Kasse zu. Diese wandte sich mit mürrischem Gesicht zu ihr um. »Nein. Und ich hatte Sie gebeten, sich nicht so auffällig zu verhalten.«

Der Raum war voller Menschen. Alle starrten Kitty an.

»Verdammt«, murmelte Kitty. Sie lief zurück, versuchte es erneut an der Tür, scheiterte abermals. Sie rannte hinaus, winkte Jack zu, der gerade den Tankdeckel seines Wagens zudrehte. »Jack! Schnell!«

Er war eine Sekunde später neben ihr.

»Sie ist in der Toilette. Sie antwortet nicht. Öffnet nicht.«

Jack versuchte es ebenfalls an der Türklinke. Inzwischen hatten sämtliche Anwesenden gemerkt, dass irgendetwas nicht stimmte, und drängten sich im Durchgang zu dem engen Flur. Die Kassiererin schob sich energisch durch die Menge. »Was geht hier vor? Was machen Sie denn mit der Tür? Hören Sie mal gut zu, wenn Sie hier etwas beschädigen, dann werde ich …«

Jack hielt ihr seinen Ausweis vor die Nase. »Polizei. Können Sie uns diese Tür öffnen?«

»Nein. Das habe ich Ihrer Kollegin schon gesagt. Es gibt nur einen Schlüssel, und den hat das Mädchen. Es war reine Gutmütigkeit von mir, dass ich …«

Er unterbrach sie. »Hat die Toilette ein Fenster?«

»Ja, nach hinten zum Hof. Aber wieso …«

Jack rannte bereits an ihr vorbei nach draußen. Kitty stellte sich neben die Tür. »Vorläufig verlässt bitte niemand diesen Raum!«

Einige murrten. Anderen sah man an, dass es dieser Aufforderung nicht bedurfte; sie hätten sich dieses mögliche Abenteuer auf keinen Fall entgehen lassen.

Jack tauchte wieder auf, er sprach in sein Handy. Kitty schnappte auf, dass er Verstärkung anforderte.

»Das Fenster steht sperrangelweit offen, der Raum ist, soweit ich sehen konnte, leer«, sagte er leise zu ihr. »Da hinten ist ein Hof, der von einem hohen Bretterzaun umgeben ist. Nicht unüberwindbar. Dahinter gibt es einen Durchgang zwischen den Häusern zur nächsten Seitenstraße.«

»Wieso sollte sie aus dem Fenster klettern und davonlaufen?«

»Andere Frage: Kann jemand sie sich auf diese Weise schnappen?« Jack sah verwirrt und verstört aus. Die Situation entbehrte jeder Logik. Wer hätte wissen können, dass Amelie diese Toilette benutzte? Wer hätte sie überreden können, aus dem Fenster zu klettern? Wer hätte zu ihr hereinklettern und sie hinausnötigen können, ohne dass Kitty, keine zwei Meter jenseits der Tür, etwas davon mitbekam? Ein Messer an ihrer Kehle? Amelie hätte sich dann vermutlich nicht gewehrt, nicht geschrien.

Wie konnte das passieren? Wie konnte das passieren? Wie konnte das passieren?

Die Frage jagte in einer Endlosschleife durch Kittys Kopf. War ihnen doch jemand gefolgt? Hatte Amelie in die Toilette gehen sehen? War außen zu dem Fenster gelaufen?

Ich habe zu lange gewartet, dachte sie. Sie hatte sich ihr Schaumbad ausgemalt und ihr Abendessen. Es war zu viel Zeit verstrichen, ehe ihr auffiel, dass Amelie schon eine halbe Ewigkeit verschwunden war. Sie hatte in den entscheidenden Minuten geträumt.

Jack war wieder draußen. Kitty wartete, bis zwei uniformierte Beamte eintrafen. Einer von ihnen begann die Personalien der anwesenden Kunden aufzunehmen, während der andere unter dem wütenden Gezeter der Kassiererin die Tür zur Toilette eintrat. Der kleine Raum war, wie Jack bereits gemeldet hatte, leer. Kitty sah sich blitzschnell um, fasste jedoch nichts an. Es gab keine Spuren, die auf einen Kampf hindeuteten. Nichts war zurückgeblieben, weder Amelies Handtasche noch ihr Handy oder die Kopfhörer. Das Fenster war nicht groß, dennoch würde eine erwachsene Person hindurchklettern können, die kleine zierliche Amelie sowieso. Sie hätte auf die Toilette steigen müssen, um es zu erreichen, und auf der anderen Seite hinunterspringen, aber auch das war ohne große Probleme zu bewältigen. Da Amelie sich nicht in Luft aufgelöst haben konnte, musste sie durch dieses Fenster verschwunden sein, freiwillig oder unfreiwillig, während Kitty draußen Wache geschoben und sich gedanklich mit einem Rezept für Nudelauflauf mit Brokkoli und Käse beschäftigt hatte.

Sie stöhnte leise. DCI Hale würde sie in der Luft zerreißen. Jede Chance auf eine Beförderung konnte sie sich für lange Zeit aus dem Kopf schlagen. Ganz abgesehen davon, machte sie sich größte Sorgen um Amelie. Was war dem Mädchen zugestoßen?

Sie überließ den möglichen Tatort den beiden Kollegen und lief nach draußen, bog um die Ecke in die Coldyhill Lane. Vorbei an einer Teestube und zwei Büros, dann erreichte sie den Durchgang, wo sie auf Jack stieß.

»Direkt gegenüber ist ein *Proudfoot*-Supermarkt«, sagte er. »Und da ist es auf dem Parkplatz auch gerade gerappelt voll. Wenn sie sich jemand geschnappt hat, konnte er sofort mit ihr zwischen den Menschen untertauchen und sein Auto erreichen.«

»Ein Mann, der einen Teenager gewaltsam über die Straße nötigt, fällt doch auf!«, sagte Kitty beschwörend.

»Wenn er ihr eine Waffe an die Rippen hält, sieht das keiner. Aber es hätte sie äußerst gefügig gemacht«, sagte Jack. Im Schein der Straßenlaternen sah sein Gesicht fahl aus. Kitty wusste, er machte sich Sorgen um Amelie. Aber auch um sich selbst. Sie hätten nicht zur Tankstelle fahren dürfen, zumindest hätten sie umkehren müssen, als sie sahen, welch unübersichtliches Gedränge dort herrschte. Sie hätten Amelie nicht zur Toilette gehen lassen dürfen. Kitty hätte *zuvor* das Vorhandensein eines Fensters prüfen müssen. Sie hätte darauf bestehen müssen, dass Amelie nicht abschloss von innen. Und sie hätte viel, viel schneller bemerken müssen, dass etwas nicht stimmte.

»Wenn sie abgehauen ist«, sagte Jack, »dann ... ja, warum? Warum sollte sie das tun?«

»Wir müssen überprüfen, ob sie zu Hause ist.«

Beide schwiegen eine Sekunde. Das hieß, Amelies Eltern erneut damit zu konfrontieren, dass ihre Tochter verschwunden war.

»Sie wäre mit uns ein paar Minuten später auch daheim gewesen«, murmelte Jack.

Es machte keinen Sinn.

Und das hieß, dass es wahrscheinlich einen Entführer gab. Wie auch immer ihm dieser Coup gelungen war: Amelie befand sich möglicherweise in den Händen des Mannes, für den sie die größte denkbare Gefahr darstellte.

2

Caleb Hale fragte sich, ob ein Fall noch furchtbarer werden konnte als dieser. Nicht nur, dass er und seine Leute seit Monaten auf der Stelle traten, was die Person des Hochmoor-Killers anging, nun war auch Amelie erneut verschwunden, und das noch unter den Augen der Kollegen, die er zu ihrem Schutz abgestellt hatte.

Der Ort des Geschehens, die Toilette der Tankstelle, gab keine Hinweise auf den Verlauf des Geschehens. War Amelie aus eigenem Antrieb aus dem Fenster geklettert? Oder hatte sie jemand dazu gezwungen? Ein *Jemand*, der hätte wissen müssen, dass das Mädchen zu genau diesem Zeitpunkt an diesem Ort sein würde. Ein bleicher Constable O'Donell hatte geschworen, dass ihnen niemand gefolgt sein konnte, sie seien einsame Höhenstraßen durch die Moore entlanggefahren, er habe die Straße vor und hinter ihnen immer wieder kontrolliert, über lange Strecken sei überhaupt kein anderes Auto, kein anderer Mensch sichtbar gewesen. Kitty Wentworth hatte dies bestätigt.

»Es kann nicht sein«, hatte sie gesagt. »Es ist einfach unmöglich.«

Angesichts der Menschenansammlung an der Tankstelle hatte Caleb einen Wutanfall bekommen.

»Und warum haben Sie sich mit ihr in dieses Gewühl begeben?«, brüllte er. »Warum, verflucht noch mal, konnte das Tanken nicht warten, bis Sie sie nach Hause gebracht hatten und von der nächsten Schicht abgelöst worden waren?«

»Wir haben kein Risiko gesehen«, verteidigte sich Kitty, während Jack O'Donell die Zähne zusammenbiss. Ihm war anzusehen, dass er gerne zurückgeschrien hätte, sich aber seine Karriere nicht völlig vermasseln wollte. »Uns war mit hundertprozentiger Sicherheit niemand gefolgt. Und dass sich der Täter zufällig gerade auch an dieser Tankstelle aufhielt ... Damit konnte man nicht rechnen. Ich ...«

»Genau mit so etwas müssen Sie aber rechnen, verdammt! Das ist ja gerade das Problem, vor dem wir seit Wochen stehen. Dieser Typ lebt wahrscheinlich ein ganz normales Leben in Scarborough, und er kann Amelie überall begegnen, jederzeit, in der Fußgängerzone, am Hafen, in einer Zahnarztpraxis oder an einer Scheißtankstelle. Das ist ja genau der Albtraum – seiner wie unserer. Und *natürlich kann er zufällig dort gewesen sein!* Das Leben besteht aus verrückten, schrecklichen, unglaublichen Zufällen. Die Tatsache, dass viele Leute da waren, viele Autos, dass eine ziemlich unüberschaubare Situation herrschte, hätte Sie dazu verpflichtet, Amelie zumindest *keinesfalls aussteigen zu lassen.*«

»Sie musste dringend auf die Toilette ...«

»Dann hätten Sie sie eben nach Hause gefahren. Das ist ja nur ein paar Straßenecken entfernt.«

Die beiden hatten nichts mehr gesagt. Zu ihrem Glück. Caleb war so in Rage gewesen, dass jedes weitere Wort nur zur völligen Eskalation geführt hätte.

Zwei Dinge geschahen als Nächstes: Sergeant Stewart fuhr zu den Eltern. Und Caleb fuhr mit zwei weiteren Beamten zu Alex Barnes. Ja, er wusste, dass etliches gegen Barnes als Täter sprach, in erster Linie die Tatsache, dass Amelie ihn nicht als solchen identifiziert hatte. Und doch, er hatte immer wieder von Neuem ein ungutes *Gefühl* bei diesem Typen.

Alex öffnete nicht, als sie an seiner Wohnung klingelten, aber eine Frau, die direkt neben ihm auf seiner Etage wohnte, ließ sie ins Haus.

»Er ist nicht daheim«, erklärte sie. »Ich habe ihn vor ein paar Stunden wegfahren sehen.«

»Wegfahren?«, fragte Caleb. »Nach allem, was ich weiß, besitzt Mr. Barnes kein Auto.«

Die Frau zuckte mit den Schultern. »Seit Freitag letzter Woche hat er eines. Parkte hier direkt gegenüber am Nicholas Cliff, sozusagen genau vor meiner Nase. Ich habe ihn immer wieder mit dem Auto gesehen.«

»Ein Leihwagen vielleicht?«

»Keine Ahnung. Ein ziemlich schäbiger Kleinwagen, Renault, glaube ich. Wenn er ihn gekauft hat, dann auf jeden Fall gebraucht – sehr gebraucht. Trotzdem erstaunlich, dass er plötzlich das Geld dafür hat.«

Das fand Caleb auch. Und noch etwas ging ihm durch den Kopf: Wenn Alex Barnes ein Auto hatte, woher auch immer, dann konnte er durchaus an der Tankstelle gewesen sein. Natürlich ein unglaublicher Zufall. Aber er hatte im Leben schon die verrücktesten Dinge gesehen, und es war nicht auszuschließen. Es war einfach nicht auszuschließen.

»Er war alleine heute, als Sie ihn sahen?«, vergewisserte er sich.

»Ja. Er ist eigentlich immer alleine. Also, seitdem er hier wohnt. Was ja noch nicht lange ist.«

Sie verabschiedeten sich. Barnes war offenkundig tatsächlich nicht zu Hause, was alles Mögliche oder auch gar nichts bedeuten konnte. Caleb wies die beiden Beamten an, zu überprüfen, ob Barnes irgendwo im näheren und weiteren Umfeld ein Auto gemietet hatte, und zudem zu klären, ob er neuerdings als Fahrzeughalter registriert war. In beiden Fällen brauchten sie den genauen Wagentyp und die Nummer.

Danach machte auch er sich auf den Weg zu Deborah und Jason Goldsby.

Hatte anfangs die vage Hoffnung bestanden, Amelie könnte aus dem Fenster geklettert und nach Hause gegangen sein, so war diese Möglichkeit inzwischen für alle Beteiligten vom Tisch. Amelie war nicht daheim erschienen, Beamte waren sämtliche für einen Rückweg infrage kommenden Wege abgelaufen, und nirgends gab es eine Spur von ihr. Deborah und Jason saßen wie erstarrt im Wohnzimmer ihres Hauses und schienen nicht fassen zu können, dass es ihnen gerade zum zweiten Mal passierte: Ihre Tochter war verschwunden. Der Albtraum war wahr geworden. Die Polizei hatte sie nicht beschützen können. Sie war weg.

»Er hat sie, nicht wahr?« Jasons Frage beim Anblick des hereinkommenden Caleb Hale glich im Tonfall eher einer Feststellung. »Der Kerl, der sie schon einmal hatte, hat sie geschnappt. Er will sie als Zeugin unschädlich machen.«

Caleb Hale hob beschwichtigend beide Arme. »Das wissen wir nicht. Es gibt vieles, was dagegenspricht. Meine Leute beteuern, dass ihnen niemand gefolgt ist während des ganzen Tages. Der Täter *kann* nicht gewusst haben, dass

Amelie in diesem Moment an der Tankstelle war. Dorthin zu fahren war eine völlig spontane Entscheidung von Constable O'Donell. *Niemand* wusste davon.«

Jason fuhr sich mit der Hand über das Gesicht. Er sah plötzlich viel älter aus, als er war. »Er könnte zufällig dort gewesen sein.«

»Ich finde, wir sollten das Zufallsprinzip nicht überstrapazieren«, sagte Caleb, obwohl es genau das war, was er seit Stunden dachte. Dass es ein unfassbarer Zufall gewesen war, genau der Zufall, vor dem sie sich vor allem für die Zukunft gefürchtet hatten, wenn Amelie irgendwann in ein normales Leben zurückkehren musste. Dass *er,* der Mann, der sie betäubt, verschleppt und gefangen gehalten hatte und dessen Gesicht sie vermutlich für den Rest ihres Lebens nicht mehr vergessen würde, sie plötzlich entdeckte. Irgendwo, in irgendeiner Situation, an irgendeinem Ort, in irgendeinem Moment. Und dass er beschloss, alles auf eine Karte zu setzen. Diese hohe Gefahr, die sie für ihn darstellte, ein für alle Mal auszulöschen. Was bedeutete: Amelie auszulöschen.

»Aber es ist möglich«, beharrte Jason.

Caleb wich erneut aus. »Es ist manches möglich und denkbar. Ich habe vorhin noch einmal mit Sergeant Helen Bennett gesprochen. Sie ist Amelie ja in den letzten Wochen so nah gewesen wie sonst niemand. Nach ihrer Aussage ging es Amelie psychisch wirklich nicht gut. Sie war verstört, in sich gekehrt, mit all den Dingen beschäftigt, die sich in ihrem Inneren abspielten und über die sie nicht reden mochte. Constable Wentworth, die ja heute während dieses Ausflugs immer neben ihr saß, sprach sogar von Depressionen. Es ist daher absolut denkbar, dass Amelie aus dem Fenster geklettert und einfach davongelaufen ist.«

Erstmals sprach Deborah. »Wohin denn?« Ihre Stimme klang rau.

»Ich weiß es nicht. Aber sie wollte der Situation entkommen. Sie lebt seit Wochen kein normales Leben mehr und quält sich mit dem herum, was geschehen ist. Gleichzeitig spürt sie, dass wir alle fieberhaft darauf warten, dass sie sich an die Geschehnisse erinnert und sie uns preisgibt. Auch dieser Druck wurde vielleicht unerträglich für sie.«

»Sie kann doch nirgends hin«, sagte Jason. »Es gibt keinen Ort...keinen vorstellbaren Ort...«

»Wir haben von ihrem letzten Verschwinden noch die Namens- und Adressenlisten all ihrer Freunde und Bekannten. Wir sind bereits dabei, sie alle erneut zu kontaktieren. Vielleicht fällt Ihnen ja auch noch etwas ein. Eine Person. Ein Ort?«

Jason schüttelte verzweifelt den Kopf. »Wir haben damals alles gesagt. Jeden genannt.«

»Trotzdem kann einem plötzlich noch etwas einfallen.«

Schweigen. Dann schlug Deborah beide Hände vor das Gesicht. »Ich halte es nicht noch einmal aus«, flüsterte sie. »Ich halte es nicht noch einmal aus. Ich halte es nicht noch einmal aus.« Sie wiegte den Oberkörper vor und zurück. »Ich halte es nicht noch einmal aus.«

Jason legte den Arm um ihre Schultern. Sie gab ein ersticktes Schluchzen von sich.

Caleb biss sich auf die Lippen. Diese Menschen erneut in einer solchen Verzweiflung zu erleben...

Trotzdem, er musste weitermachen. Seine Fragen stellen. Zweieinhalb Stunden waren seit Amelies Verschwinden vergangen. Die Zeit lief ihnen davon.

»Wir waren bei Alex Barnes«, sagte er. »Er war nicht daheim.«

Jason sah ihn überrascht an. »Sie halten Alex Barnes noch immer für verdächtig?«

»Ich halte ihn für einen Menschen, der jedenfalls in die

ganze Geschichte verwickelt ist«, entgegnete Caleb. »Wir werden auch mit Mr. Chapland sprechen. Wir dürfen niemanden auslassen, der in irgendeiner Form beteiligt war.«

»Ich verstehe«, sagte Jason. »Sie wissen, dass ich eine tiefe Abneigung gegenüber Alex Barnes empfinde, allerdings… ob er ein Entführer ist…«

»In diesen Einschätzungen kann man sich sehr täuschen«, meinte Caleb und dachte daran, wie oft er sich bereits *in diesen Einschätzungen* getäuscht hatte.

»Wie gesagt«, fuhr er fort, »wir haben Alex Barnes nicht angetroffen, aber seine Nachbarin hat uns berichtet, dass er seit einigen Tagen ein Auto besitzt. Ob er der Eigentümer ist oder ob er es gemietet hat, wird gerade überprüft. In beiden Fällen erstaunt es mich, woher er plötzlich das Geld dafür hat.«

Jason zögerte den Bruchteil einer Sekunde, entschied dann aber, dass es nicht der Moment für Versteckspiele war. »Er hat letzte Woche dreißigtausend Pfund von uns bekommen. Und er wollte sich sofort einen Gebrauchtwagen kaufen.«

»*Dreißigtausend* Pfund?« Caleb war völlig perplex. »Das ist eine riesige Menge Geld!«

»Ja«, sagte Jason, »das weiß ich.«

»Wieso haben Sie Alex Barnes so viel Geld gegeben?«

Deborah nahm die Hände vom Gesicht. Ihre Augen waren riesengroß, weit aufgerissen. »Das war der Preis, den er nannte.«

»Welcher Preis? Wofür?«

Jason holte tief Luft. Dann berichtete er, was an dem Abend des Stromausfalls geschehen war.

Caleb musste an sich halten. Er hatte gewusst, dass Alex Barnes an jenem Abend bei den Goldsbys gewesen war, aber seine unverschämte Geldforderung hatten Jason und

Deborah nicht erwähnt. Caleb war daher davon ausgegangen, dass es um eine der üblichen Schnorrereien gegangen war, derentwegen Barnes ja immer wieder bei Amelies Familie aufgekreuzt war.

»Es war eine Art… endgültiger Deal«, sagte Jason. »Er versprach uns, sich dann nie wieder blicken zu lassen, sich nie wieder zu melden… Wir haben eine schlaflose Nacht verbracht, Inspector, das können Sie uns glauben. Unsere finanzielle Situation ist alles andere als rosig. Aber dann…«

»Wir wollten ihn endlich los sein«, sagte Deborah. »Aber er war und ist ja der Lebensretter unseres Kindes. Wir hatten das Gefühl, ihm irgendetwas geben zu müssen, um uns nicht schäbig und undankbar vorzukommen.«

»Es konnte doch so nicht weitergehen«, fiel Jason ein. »Dass er ständig an uns klebte und dies und jenes wollte… die Miete für die Wohnung, eine Autofahrt hierhin und dorthin… Deborah hat ihn komplett neu eingekleidet… Lauter solche Sachen, und es nahm kein Ende. Wir dachten, wenn wir ihm diese große Summe geben, haben wir uns erkenntlich gezeigt, wobei natürlich Amelies Leben so oder so nicht in Geld aufzuwiegen ist, aber Sie wissen, was ich meine… Und dann ist er Geschichte. Das Ganze ist Geschichte. Hofften wir.«

»Ich verstehe das«, sagte Caleb. »Aber ich hätte es wissen müssen. Sie hätten mir das sagen müssen.«

»Wir wollten nicht riskieren, dass Sie versuchen, uns daran zu hindern«, erklärte Jason. »Es war ein Weg, der uns gangbar schien.«

»Ich verstehe«, wiederholte Caleb. Er überlegte fieberhaft. Eine knappe Woche zuvor unterbreitete Alex den Goldsbys den Vorschlag, ihm dreißigtausend Pfund zu geben, um damit einen Schlussstrich unter ihre Bekanntschaft zu ziehen. Die Goldsbys willigten ein, gaben ihm das Geld.

Barnes kaufte, wie offenbar angekündigt, sofort ein Auto. Kurz darauf verschwand Amelie von einer Tankstelle in der Nähe ihres Elternhauses.

»Das hängt zusammen«, murmelte er, »das hängt alles zusammen.«

Deborahs unnatürlich geweitete Augen wurden, obwohl das fast unmöglich schien, noch größer. »Hätte es etwas geändert? An dieser Situation jetzt, meine ich. Wenn wir ihm kein Geld gegeben hätten?«

Jason hatte Calebs Gedankengänge bereits nachvollzogen. »Amelie wurde von einer Tankstelle gekidnappt. Barnes hat neuerdings ein Auto. Das ist der Zusammenhang, den Sie sehen.«

»Oh Gott«, flüsterte Deborah.

Caleb hob beschwichtigend die Hände. Er war wütend, weil die Goldsbys an ihm vorbei agiert hatten, aber es brachte nichts, diese beiden ohnehin verzweifelten Menschen jetzt noch zu attackieren. »Wir wissen vorläufig nicht, ob sie überhaupt gekidnappt wurde. Und ob Barnes seine Finger im Spiel hat, wissen wir auch nicht. Er kann sonst wo mit seinem Auto unterwegs sein und überhaupt nichts mit alldem zu tun haben.«

»Aber Sie denken, er *hat* etwas damit zu tun«, sagte Jason.

»Ich darf das nicht ausschließen«, sagte Caleb. Und das stimmte. Sehr viel mehr als die Tatsache, dass er es nicht ausschließen durfte, hatte er nicht zu bieten, so gerne er den schlagenden Beweis gehabt hätte, dass Alex Barnes bis über beide Ohren im Dreck steckte und mit aller Sicherheit demnächst hinter Schloss und Riegel verschwinden würde.

Er hatte ein Auto. Er war im richtigen Moment am richtigen Ort. Er konnte das Haus der Goldsbys beobachtet haben. Er konnte gesehen haben, wie die beiden Polizisten mit Amelie davonfuhren.

Hätte er ihnen den ganzen Tag über folgen können, ohne dass ein mit allen Wassern gewaschener Jack O'Donell und eine äußerst clevere und begabte Beamtin wie Kitty Wentwort etwas bemerkten?

Sehr schwer vorstellbar, aber natürlich nicht vollkommen ausgeschlossen.

»Was geschieht jetzt?«, fragte Deborah.

»Wir durchkämmen die Gegend. Bleiben Sie bitte zu Hause, falls Amelie hier auftaucht. Wir ermitteln das Kennzeichen von Alex Barnes' Wagen und leiten eine Fahndung ein. Wir haben alle Personen erfasst, die sich zum fraglichen Zeitpunkt in der Tankstelle aufhielten, und überprüfen sie nun.« Soweit dies der rechtliche Rahmen zulässt, fügte er in Gedanken hinzu. Der Spielraum war nicht groß, aber auch das war kein Thema, das er nun mit Amelies Eltern diskutieren mochte.

»Und ich suche jetzt gleich noch einmal David Chapland auf«, sagte er.

»Warum ihn?«, fragte Jason.

»Auch er war an jenem Abend unten in der Bucht«, erwiderte Caleb, und wieder ergänzte er nur für sich etwas im Stillen: Und mir kommt seine Erklärung dafür noch immer ganz und gar nicht plausibel vor.

Auch das war jedoch nicht für die Ohren anderer bestimmt.

David Chapland kochte gerade, als Caleb Hale bei ihm in der Sea Cliff Road klingelte. Chapland wohnte ein Stück unterhalb seiner eigenen Wohnung, und Caleb war zuvor noch einmal die ganze Straße bis nach vorne gefahren, bis hin zu dem Parkplatz über dem Meer. Natürlich konnte Chapland an jenem Abend vorgehabt haben, auf dem Rückweg vom Hafen unten am Wasser entlangzulaufen und dann hier den steilen Schotterweg hinaufzuklettern, und das hatte ihn dann zwangsläufig an der Stelle vorbeikommen lassen, an der Barnes Amelie über Wasser hielt. Dennoch wäre der Weg entlang der Straße besser beleuchtet und schneller gewesen.

»Er liebt das Meer, und deshalb läuft er dort nachts in Sturm und Regen entlang«, murmelte Caleb. Es konnte so sein, weil es ja praktisch keine Verrücktheit gab, die es nicht gab. Dennoch, es blieb ... ungewöhnlich.

Chapland trug Jeans und T-Shirt und war barfuß. Von oben aus der Wohnung drang köstlicher Essensgeruch. Caleb hatte zuletzt zum Frühstück etwas zu sich genommen. Er hatte brüllenden Hunger, aber es war nicht die Zeit dafür. Ein Mädchen war verschwunden.

Er hielt Chapland seinen Ausweis unter die Nase. »Detective Chief Inspector Caleb Hale. Wir hatten ja bereits miteinander zu tun.«

Chapland nickte. »Ja. Ich weiß. Wegen des Mädchens, das ich mit aus dem Wasser gezogen habe.«

»Könnte ich einen Moment reinkommen?«, fragte Caleb.

»Bitte sehr!« Chapland trat einen Schritt zurück. »Macht es Ihnen etwas aus, mit in die Küche zu kommen? Ich habe ein paar Sachen auf dem Herd und ...«

»Natürlich, kein Problem.« Caleb folgte Chapland die Treppe hinauf und dann in die hell erleuchtete, warme Küche. Auf dem großen Tisch in der Mitte brannten Kerzen, deren Wachs auf die Holzplatte getropft war, daneben standen eine Schüssel mit Mandarinen, mehrere benutzte Kaffeebecher und ein angeschnittener Kuchen. Auf dem Herd köchelten Dinge vor sich hin, die wunderbar rochen. Im Fenster hing ein Leuchtstern. Es war ersichtlich, dass sich David Chaplands Leben hauptsächlich in diesem Raum abspielte, wenn er daheim war. Hier saß er und las die Zeitung, schaute sich Fußballspiele in dem kleinen Fernseher auf einem Sideboard an, kochte und empfing Gäste. Irgendwie vermittelte allein diese Küche bereits ein sympathisches Bild von ihm. Caleb registrierte dies, ließ sich aber davon nicht beeindrucken. Er hatte zu viele Menschen kennengelernt, die völlig anders waren als die schöne Fassade, die sie von sich nach außen zeigten.

Neben dem Herd auf einer Anrichte stand eine geöffnete Flasche Weißwein. Den Geruch hatte Caleb schon in der Tür wahrgenommen, die Quelle entdeckte er jetzt. Sofort wappnete er sich.

Nicht daran denken. Konzentriere dich auf etwas anderes!

Das entsprach nicht dem Rat seines Therapeuten aus der Entzugsklinik. Ganz im Gegenteil.

»Es ist leider ein Gesetz, dass wir am heftigsten an die Dinge denken, an die wir krampfhaft *nicht* denken wollen«, hatte er erklärt. »Wir fokussieren sie genau durch unser Bemühen, sie auszublenden. Wenn Sie eine Reaktion auf Alkohol haben, lassen Sie sie zu. Nehmen Sie sie einfach an. Der Dämon verliert an Kraft, wenn er keinen Widerstand spürt. Es macht ihm sozusagen keinen Spaß mehr.«

Caleb hatte die Erklärung eingeleuchtet, aber er schaffte es nicht, sie umzusetzen. Der Therapeut wusste eine Menge über suchtkranke Menschen, aber er war selbst nie einer von ihnen gewesen. Er wusste bloß in der Theorie, wie sich die Reaktion auf Alkohol anfühlte, während Caleb jede Menge praktische Erfahrung hatte. Seltsamerweise wurden immer zuerst seine Beine heiß und die Haut begann zu bitzeln. Gleichzeitig breitete sich ein leichtes Gefühl in seinem Kopf aus, ähnlich einem Schwindel, nur dass sich die Welt nicht vor seinen Augen zu drehen begann. Es war nur so, als wäre sein Kopf schwerelos und als träten alle Bilder und Geräusche um ihn herum zurück. Die Hände fingen leicht an zu zittern. Und dann der Schweißfilm, der sich abrupt über das ganze Gesicht legte. Das machte Caleb am meisten zu schaffen. Alle anderen Unannehmlichkeiten in seinem Körper gingen zumindest nur ihn etwas an, niemand sonst bekam etwas davon mit. Sogar die Hände konnte er immer irgendwie verbergen. Die Schweißperlen jedoch konnten die Menschen sehen. Und einige in seinem Umfeld, diejenigen, die Bescheid wussten, machten sich wahrscheinlich auch ihren Reim darauf.

Er konnte das nicht annehmen, er würde das wohl nie können. Er stemmte sich geradezu reflexhaft dagegen. Er wusste nicht, wie er das hätte verhindern sollen.

Chapland nahm ein Glas aus einem Schrank und griff nach der Flasche. »Ein Schluck Wein?«

Caleb machte eine abwehrende Bewegung, von der er den Eindruck hatte, dass sie fahrig und viel zu heftig ausfiel. »Danke, nein. Ich arbeite ja noch.«

»Schade. Wunderbarer Wein. Aus Südfrankreich.«

»Trotzdem.« Der Schweiß überschwemmte sein Gesicht unvermittelt, heiß und nass. Gleichzeitig trocknete sein Mund in Sekundenschnelle aus, wurde zu einem von einer pelzigen Zunge ausgefüllten verdorrten Hohlraum. Caleb mühte sich zu schlucken und widerstand gleichzeitig dem dringenden Bedürfnis, sich mit einem Taschentuch über das Gesicht zu fahren. Er hatte Sorge, dass er damit noch deutlicher auf seinen Zustand aufmerksam machte. Außerdem zitterten seine Hände heftig. Auch das wäre bei dieser Gelegenheit aufgefallen. Und am Ende stellte sein Gegenüber den richtigen Zusammenhang her.

Chapland schenkte sich selbst ein Glas ein und blieb am Herd stehen, wo er in einer Tomatensoße herumrührte. »Setzen Sie sich doch, Inspector. Worum geht es?«

Caleb blieb stehen. Sich zu setzen hätte bedeutet, näher an die geöffnete Flasche zu rücken, und das hätte sämtliche Symptome verschlimmert.

»Es geht um Amelie Goldsby«, sagte er. »Sie ist verschwunden.«

Er beobachtete Chaplands Gesicht genau. Er sah Erstaunen. Chapland wirkte perplex, aber nicht wie jemand, der sich ertappt fühlt.

»Verschwunden? Schon wieder?«

»Wir vermuten, dass sie erneut entführt wurde. Von dem Täter, für den sie nach wie vor eine große Gefahr darstellt. Sie ist der Mensch, der ihn identifizieren und damit überführen kann.«

»Ich verstehe«, sagte Chapland. Er nahm einen großen Schluck Wein. »Das ist ja furchtbar. Wann ist das geschehen? Wurde sie denn nicht bewacht?«

»Doch. Eine Verkettung unglücklicher Umstände hat dennoch dazu geführt, dass es einen unbeobachteten Moment an einem öffentlichen und belebten Ort gab. Nach wie vor ist es schleierhaft, wie jemand wissen konnte, dass sie sich dort aufhielt, aber wir müssen davon ausgehen, dass es nun einmal jemand wusste.«

»Liebe Güte«, sagte Chapland. Er fuhr sich mit der Hand durch die Haare. »Das arme Mädchen. Die armen Eltern!«

»Mr. Chapland, ich muss Sie das fragen: Wo waren Sie heute am späteren Nachmittag zwischen halb fünf und halb sechs?«

Staunen malte sich auf Chaplands Gesicht, das gleich darauf der Erkenntnis wich, dass er natürlich noch immer zum Kreis der Verdächtigen gehörte, auch wenn er bislang nicht im Fokus gestanden hatte.

»Ich war hier«, sagte er. »In meiner Wohnung.«

»Schon um halb fünf? Sie haben Ihr Büro drüben am Hafen. Wann sind Sie dort heute weggegangen?«

»Um halb vier. Das ist ziemlich früh, ich weiß, aber im Winter ist bei mir nicht so viel los. Außerdem arbeite ich häufig auch von daheim, das meiste geht ja über das Internet.«

»Sind Sie direkt nach Hause gefahren?«

»Ich habe noch eingekauft. Für das Abendessen.« Er wies auf den Herd. »Und dann bin ich direkt heimgefahren, ja.«

»Kann das irgendjemand bezeugen?«

Chapland zögerte eine Sekunde lang. »Ich war alleine beim Einkaufen. Und ich bin alleine hierhergefahren.«

»Und dann? Kann jemand bezeugen, dass Sie ab halb fünf hier in der Wohnung waren?«

»Ja«, sagte eine Stimme hinter Caleb, »ich. Ich kann das bezeugen, denn ich war auch hier.«

Caleb fuhr herum. Er schnappte buchstäblich nach Luft.

Vor ihm stand Kate Linville.

Abgesehen davon, dass Caleb es nicht fassen konnte, ihr überhaupt hier zu begegnen, konnte er noch weniger fassen, *in welchem Aufzug* er sie antraf. Kate hatte nasse Haare, nackte Beine und bloße Füße, und sie trug einen dunkelblauen Bademantel, der ihr viel zu groß war und mutmaßlich David Chapland gehörte. Sie schien direkt aus der Dusche zu kommen.

Wieso, zum Teufel, fragte sich Caleb schwerfällig, duscht sie in Chaplands Wohnung und trägt seinen Bademantel?

»Kate?«, fragte er, so als könnte sich plötzlich herausstellen, dass sie doch eine andere war und nur eine unglaubliche Ähnlichkeit mit der Kate Linville hatte, die er kannte.

»Ja«, sagte sie.

Caleb sah von ihr zu Chapland und zurück.

»Was machen Sie denn hier?«, fragte er.

»Ach, ihr kennt euch?«, fragte Chapland erstaunt.

»DCI Hale hat im Mordfall meines Vaters ermittelt«, erklärte Kate. »Daher hatten wir miteinander zu tun.«

»Ach so«, sagte Chapland. Die Spannung, die plötzlich herrschte, schien ihm zu entgehen. »Kate, stell dir vor, das Mädchen ist erneut entführt worden. Amelie Goldsby.«

»Was?« Kate blickte Caleb entsetzt an. »Sie hatte doch Personenschutz!«

»Wir wissen nicht mit hundertprozentiger Sicherheit, dass sie entführt wurde«, erläuterte Caleb. »Aber sie ist auf jeden Fall verschwunden. Aus einer Tankstelle, in der sie die Toilette benutzte. Am Ende eines Ausflugs mit ihren Bewachern.«

»Das ist ja unfassbar!«, sagte Kate.

»Ja«, sagte Caleb. Sein Gehirn funktionierte klar genug, um all die Fakten kurz zusammengefasst zu erläutern, aber daneben mühte er sich noch ab, die Situation zu begreifen. Langsam kapierte er es. Kate – *Kate?* – hatte offensichtlich ein Verhältnis mit David Chapland. Kate und ein Mann – das war an sich bereits eine völlig absurde Vorstellung. Kate hatte keine Verhältnisse. Affären. Beziehungen. Das war einfach so. Das war ihre Tragödie. Er hätte nie, nie geglaubt, dass sich das ändern könnte.

Noch befremdlicher aber war, dass sie – man konnte es ja nicht anders sagen – augenscheinlich mit einem Mann ins Bett ging, der zum Kreis der Verdächtigen in einem Entführungs- und möglicherweise Mordfall gehörte, in dem er, Caleb Hale, ermittelte.

Das war absolut... bizarr.

Genauso empfand er die Situation in dieser Küche. Vollkommen bizarr.

»Sie meinen, jemand hat sie in dieser Toilette überfallen und es irgendwie geschafft, sie zu entführen?«, fragte Kate.

Klar, sie war Ermittlerin. Sie fragte sofort nach allen Fakten.

»Es war keine öffentliche Toilette«, erklärte Caleb, »sondern die der Tankstellenbelegschaft. Amelie hatte um den Schlüssel gebeten, und ihr wurde die Benutzung ausnahmsweise gestattet. Constable Wentworth hielt sich unmittelbar vor der Tür auf. Es gab jedoch ein Fenster. Nicht zu hoch gelegen und groß genug, dass ein Mensch rein- oder rausklettern kann. Es stand offen.«

»Constable Wentworth hat das vorher nicht überprüft?«

»Nein.«

»Wohin führte das Fenster?«

»In einen Hinterhof, in dem nur einige reparaturbedürftige Autos standen. Menschen hielten sich zu diesem Zeitpunkt dort nicht auf. Allerdings ist der Hof umgeben von weiteren Häusern. Die Bewohner werden von meinen Leuten befragt, aber bislang ist niemand zu finden gewesen, der etwas beobachtet hat. Es war ja auch schon ziemlich dunkel.«

»Aber der Hof war mit Sicherheit beleuchtet«, sagte Kate, »und ein sich wehrendes Mädchen, das weggeschleppt wird, fällt schon auf.«

»Wenn sie sich gewehrt hat. Wenn der Täter sie mit einer

Waffe bedrohte, ist sie womöglich lammfromm mit ihm mitgegangen«, meinte Caleb.

»Wie kommt man aus dem Hof hinaus?«, fragte Kate.

David warf ihr einen lächelnden Blick zu und sagte dann zu Caleb: »Die Journalistin mit Schwerpunkt Kriminalfälle merkt man Kate an, nicht wahr?«

Caleb sah Kate überrascht an, blickte in eine plötzlich völlig unbewegliche Miene. Er sagte nichts, reimte sich aber schlagartig ein paar Dinge zusammen: Daher ihre Bekanntschaft mit Chapland. Kate stocherte wieder einmal in einem Fall herum, für den sie nicht zuständig war. Immerhin vorsichtig genug, sich nicht als Polizeibeamtin auszuweisen, versuchte sie über die Journalisten-Masche an Informationen zu kommen. Landete in einer Affäre mit einem der Befragten und konnte nun aus ihrer falschen Identität nicht mehr heraus.

Bravo, Kate, dachte er, das wird Chapland freuen, wenn er irgendwann dahinterkommt.

Andererseits ging ihn ihr Privatleben nichts an. Wohl aber die Tatsache, dass sie sich in Dinge einmischte, die ausschließlich in seinen, Caleb Hales, Zuständigkeitsbereich fielen. Es war nicht der Zeitpunkt, darüber ein Gespräch zu führen. Es würde sich eine Gelegenheit finden.

Er merkte, dass er ihre Frage noch nicht beantwortet hatte.

»Der Hof ist von einem Lattenzaun umgeben. Nicht ganz einfach zu überwinden, aber es ist möglich. Nach vorne über die Tankstelle zu entkommen war praktisch unmöglich, denn dort stand Constable O'Donell und tankte sein Auto, und das wäre ihm natürlich aufgefallen.«

Natürlich wäre es das. Auch wenn Caleb den Beamten in seiner Wut völlige Unfähigkeit attestiert hatte, wusste er genau, dass beide gut ausgebildet und absolut nicht dumm waren.

»Es gibt einen Durchgang zu einer Seitenstraße«, fuhr er fort. »Dort könnte er geparkt haben. Oder auf dem Parkplatz eines großen Supermarktes gleich gegenüber. Dort war zu der Uhrzeit die Hölle los. Ich fürchte, niemand hätte irgendetwas bemerkt.«

»Ich verstehe«, sagte Kate. Caleb konnte förmlich sehen, dass es hinter ihrer Stirn fieberhaft arbeitete.

»Ich hoffe sehr, Sie finden das Mädchen schnell«, sagte Chapland. »Nicht auszudenken, wie es in ihr aussehen muss. Aber ich kann Ihnen leider tatsächlich überhaupt nicht weiterhelfen. Ich war hier zusammen mit Kate.«

»Das stimmt«, sagte Kate. Wasser sickerte aus ihren nassen Haaren in den flauschigen Stoff des Bademantels.

Irgendwie sah sie verändert aus, fand Caleb. Weicher. Entspannter.

In einem Punkt war er sicher: Detective Sergeant Kate Linville würde für einen Mann nicht lügen, selbst wenn sie bis über beide Ohren in ihn verliebt war. Nicht in einer Sache wie dieser. Wenn sie aussagte, dass er hier mit ihr zusammen gewesen war, dann stimmte das. Und ein besseres Alibi als eines, das ihm eine Beamtin von Scotland Yard gab, hätte sich David Chapland nicht wünschen können.

Calebs Handy piepte. Das Display zeigte ihm, dass Sergeant Stewart anrief.

Er klang aufgeregt. »Sir, wir wissen, dass Alex Barnes ein Auto gekauft hat. Am Freitag letzter Woche hat er es auf der Zulassungsstelle angemeldet. Wir haben das Kennzeichen und die Automarke. Ein Renault. Er ist übrigens noch immer nicht in seiner Wohnung aufgekreuzt.«

»Fahndung«, sagte Caleb.

Kate warf ihm einen raschen Blick zu, er erwiderte ihn, ohne etwas zu sagen. Er wusste, dass sie erriet, um wen es ging. Und er sah, dass sie Zweifel hatte.

Egal. Es war sein Fall. Er war verantwortlich. Und er würde Barnes drankriegen.

Er musste ihn nur noch erwischen.

DIENSTAG, 14. NOVEMBER

Ihr war so kalt. So entsetzlich kalt. Und sie hatte fürchterlichen Hunger.

Mandy versuchte, die Decke enger um sich zu ziehen, aber
sie hatte sich ohnehin schon so fest darin eingewickelt wie
eine Raupe in ihren Kokon. Das Schlimme war, dass sie ihren
rechten Arm nicht benutzen konnte, weil sie mit ihm an der
Wand festgekettet hing. Dadurch konnte sie die Decke nicht
dicht um ihren Hals schließen. Die Schulter schaute immer
hinaus, und an der Stelle drang die Kälte in Mandys Körper ein. Abgesehen davon war der Arm schon taub und völlig blutleer, die Finger fast gefühllos. Der andere Arm, der,
an dem sie die Brandverletzung hatte, schmerzte, war heiß,
brannte. Der einzige Teil ihres Körpers, an dem ihr warm
war, aber es war eine Wärme, die sich nicht gut anfühlte. Das
Pochen unter der Haut verriet ihr, dass sich die Wunde ent-
zündet hatte. Sie hatte kein Verbandsmaterial mehr, aber in
der Tube mit dem kühlenden Gel war noch etwas drin. Sie
sollte den Arm dringend neu damit bestreichen und dann
eben mit dem gebrauchten Verband umwickeln. Eine Blutvergiftung war genau das, was ihr jetzt noch fehlte.

Sie hatte einen Tag und eine Nacht lang geweint, jetzt
hatte sie keine Tränen mehr. Und keine Kraft. Nicht einmal
genug Kraft, sich aufzusetzen, die Decke ein Stück zur Seite
zu schieben und sich um ihre Brandverletzung zu kümmern.

Du musst aber, sagte ihr eine innere Stimme, du musst!

Stöhnend richtete sie sich auf. Es gab keine Läden vor dem vergitterten Fenster auf der gegenüberliegenden Seite, daher konnte sie den Himmel sehen und wusste, wann es Tag war und wann Nacht. Jetzt gerade ging die frühmorgendliche Dunkelheit in das fahle Licht eines trüben Tages über. Mandy sah, wie sich die Gegenstände im Raum mehr und mehr aus der Finsternis, die sie während der Nacht umhüllt hatte, herausschälten, aber es gab nichts, was ihr etwas Neues verraten hätte, sie kannte diesen Raum in- und auswendig. Gefliester Steinboden. Ein paar alte Teppiche. Das vergitterte Fenster, dessen weißer Anstrich bröckelte. Um eine Ecke herum konnte man in einen Gang gelangen, an dessen Ende die Haustür lag. Auf der entgegengesetzten Seite führte ein Gang in die andere Richtung. Es gab zwei Sessel, die einander unterhalb des Fensters gegenüberstanden, und es gab ein halbhohes Bücherregal an der Wand, in dem sich einige ziemlich zerlesene Bücher befanden. Mandy konnte das Regal nicht erreichen, bezweifelte aber auch, dass ihr nach Lesen zumute gewesen wäre. Hauptsächlich standen dort Liebesromane, und die mochte sie sowieso nicht. Dieser ganze Schrott um wunderschöne Frauen und heldenhafte Männer. Das war so weit von ihrer Lebenswirklichkeit entfernt – nicht nur von der augenblicklichen –, dass es sie nicht lockte. Irgendeinen Bezug zu ihrem eigenen Dasein versuchte sie in Büchern immer zu finden, wobei sie ohnehin nicht viel las.

Mehr gab es nicht. Nur direkt vor ihr die Dinge, die sie unmittelbar brauchte: Der Eimer mit dem Wasser zum Waschen, in dem allerdings kein Wasser mehr war, weil sie ihn leer getrunken hatte. Der andere Eimer. Eine Plastikflasche, ursprünglich auch mit Wasser gefüllt, jetzt ebenfalls leer. Die leere Plastikverpackung eines Sandwiches. Die Tube mit dem Gel.

Das war es. Mehr gab es nicht. Außer dem lächerlichen Propangasheizer in der Ecke, der seine Tätigkeit schon vor Tagen eingestellt hatte. Wahrscheinlich weil er leer war. Was Mandy andererseits auch ein wenig beruhigend fand, so konnte hier wenigstens nicht plötzlich alles in Flammen stehen wegen einer Gasexplosion. Wenn sie die Wahl hatte, würde sie lieber erfrieren und an einer Blutvergiftung sterben, als zu verbrennen. Davor hatte sie die größte Angst.

Aber natürlich wollte sie eigentlich überhaupt nicht sterben. Und schon gar nicht langsam und qualvoll.

Die Decke rutschte von ihren Schultern. Mandy hielt einen Moment inne, versuchte sich daran zu gewöhnen, dass sie jetzt noch mehr fror. Aber eigentlich machte es kaum einen Unterschied. Sie fror bis in die Knochen. Diese blöde Wolldecke reichte sowieso nicht aus.

Sie rutschte ein Stück von der Wand weg, so weit die Kette ihr Spielraum ließ, und angelte nach der Tube mit dem Gel. Dann wickelte sie langsam und mühsam den verklebten Verband von ihrem verletzten Arm. Es tat weh, außerdem war es schwierig dadurch, dass sie festgekettet war. Warum durfte sie sich bloß nicht frei bewegen in diesem Haus? Vergitterte Fenster, verriegelte Tür – sie käme doch sowieso nicht raus. Und dass sie durch Schreien irgendjemanden auf sich hätte aufmerksam machen können, war völlig illusorisch. So viel hatte sie trotz nächtlicher Dunkelheit an jenem späten Abend ihrer Ankunft hier noch mitbekommen: Dieses Haus stand völlig alleine und einsam irgendwo in der Einöde. Ringsum eine kahle Hochebene, zur Ostseite hin das Meer, wahrscheinlich steil abfallende Klippen. Möglicherweise führte hier ein Wanderweg entlang – die gesamte englische Küste war praktisch von solchen Pfaden umgeben –, aber es war ziemlich ausgeschlossen, dass hier zu dieser Jahreszeit jemand vorbeikam. Seltsam sowieso, dass es hier überhaupt ein Haus gab. Vielleicht war das sogar einmal eine Station für Wanderer gewesen, wo man sich ausruhen und etwas zu essen und zu trinken kaufen konnte. Es hatte sich nicht rentiert und war aufgegeben worden. Was wiederum etwas aussagte über die Menge an Menschen, die hier vorbeikam. Nämlich so gut wie niemand.

Der Arm sah schlimm aus. Mandy erkannte, warum es so wehgetan hatte, den Verband zu lösen. Die Wunde eiterte, und der Eiter hatte sich mit dem Stoff verklebt. Rund um die Stelle der ursprünglichen Verbrennung, die inzwischen eher wie eine Bisswunde oder etwas Ähnliches aussah, war die Haut rot, glänzend und geschwollen.

»Das geht ganz böse aus«, murmelte Mandy.

Sie tupfte etwas von dem Gel auf den Arm, aber natürlich hätte sie eigentlich etwas Antibiotisches gebraucht, nicht etwas, das im Grunde nur kühlte. Wann war diese Verletzung ihr so vollständig entglitten? Sie hatte sich schwer verbrüht, aber die Sache hätte nicht einen so schlimmen Verlauf nehmen müssen, wäre sie *einmal* bei einem Arzt gewesen und richtig behandelt worden, anstatt sich wochenlang auf der Straße und in obskuren Unterkünften durchzuschlagen und nur sporadisch etwas für ihren Arm zu tun. Am besten war es ihr noch gegangen, als sie bei diesem unsäglichen Brendan Saunders gewohnt hatte. Der Typ hatte schrecklich genervt, aber sie hatte in einer richtigen Wohnung gelebt, hatte sich waschen können, und er hatte sie täglich mehrfach neu verbunden und mit irgendwelchen gut wirksamen Salben behandelt. Hätte er nicht die Polizei gerufen... Aber egal, was dann passiert wäre, ob sie jetzt wieder zu Hause oder in einem Heim oder bei einer Pflegefamilie wäre, alles, *alles* wäre besser als die Situation, in der sie jetzt gelandet war.

»Mummy«, flüsterte sie. »Mummy, ich will zu dir.«

Einen solchen Gedanken hatte sie noch nie gehabt, hatte ihn nicht gefühlt, schon gar nicht ausgesprochen. Patsy Allard war so wenig eine *Mummy*, dass sich Mandy an keine Lebenslage erinnern konnte, in der sie sich den Schutz und Beistand ihrer Mutter herbeigesehnt hatte. Patsy vermochte beides nicht zu vermitteln, daher wäre es sinnlos gewesen, sich diese Dinge von ihr zu wünschen. Jetzt jedoch, in dieser lebensbedrohlichen Situation … Patsy würde ihr helfen. Natürlich. Egal, wer sie war und wie sie war, sie würde keine ihrer Töchter in einer so furchtbaren Lage im Stich lassen.

Mandy wickelte den Verband wieder um ihren Arm, was mit einer Hand schon schwierig genug war, mit einer festgeketteten Hand jedoch ein kräftezehrender, von ständigen Misserfolgen und Neuanfängen begleiteter Akt. Der Verband war ziemlich dreckig, und es klebten Haare aus der Wolldecke an ihm. Mandy hoffte, dass er nicht mehr schadete als nützte.

Irgendwann hatte sie ihn mehr schlecht als recht befestigt und hielt erschöpft inne. Ihre Kräfte schwanden von Tag zu Tag, von Stunde zu Stunde. Sie hatte seit über sechsunddreißig Stunden nichts mehr gegessen und getrunken, und die letzte Mahlzeit hatte aus einem pappigen Sandwich bestanden. Wobei der Durst das größere Problem darstellte. Sie hätte jede Regenpfütze leer getrunken, nur um ihn zu lindern. Wie lange konnte ein Mensch überleben, wenn er nichts zu trinken bekam? Mandy wusste es nicht genau, aber sie fürchtete, dass die Spannweite gering war. Das Essen war das kleinere Problem, obwohl Mandy mörderischen Hunger hatte. Aber der Hunger erfüllte sie nicht mit solcher Panik wie der Durst.

Sie griff die leere Plastikflasche, setzte sie an ihre rissigen, trocknen Lippen, versuchte sie förmlich auszuwringen, aber es kam kein Tropfen mehr heraus. In ihrer Frustration hätte sie sie fast voller Wut quer durch den Raum geschleudert, aber im letzten Moment hielt sie sich zurück und betrachtete sie genauer.

Der Gedanke von vorhin kam ihr in den Sinn: Weshalb wurde sie angekettet? Wenn sie aus ihrem Gefängnis doch sowieso nicht fliehen konnte?

Vielleicht war der Gedanke falsch. Weil die Antwort einfach lautete: Sie wurde angekettet, *weil* es ihr sonst womöglich würde gelingen können, an irgendeiner Stelle auszubrechen. Das Haus war am Ende gar nicht so sicher, wie es den Anschein hatte.

Das bedeutete: Sie musste ihren Arm von der Kette befreien und dann nach einem Weg suchen, hier rauszukommen.

Vor Jahren hatte sie ein Buch gelesen von Stephen King. Im Grunde war eine Frau dort in derselben Situation gewesen wie sie jetzt. Mit Handschellen zwar nicht an die Wand, jedoch an ein Bett geketet in einem einsam gelegenen Haus. Allerdings war sie nicht entführt und verschleppt worden, sondern es handelte sich um ihr eigenes Wochenendhaus, in dem sie mit ihrem Mann ein leidenschaftliches Wochenende verbrachte. Dazu gehörte Sex mit Handschellen, was Mandy pervers gefunden hatte, und die Frau hatte auch nur widerwillig mitgemacht. Mitten während des Geschlechtsaktes war ihr Ehemann einem Herzinfarkt erlegen und tot neben das Bett gefallen, und nun hing sie in dieser absolut grauenvollen Lage fest. Zu allem Überfluss auch noch halbnackt.

Es gibt, dachte Mandy, tatsächlich noch schlimmere Varianten als die, die ich gerade erlebe.

Jedenfalls war es der Frau schließlich gelungen, an ein über ihr stehendes Wasserglas zu kommen und es zu zerbrechen, und sie hatte sich mit einer Scherbe buchstäblich die Handgelenke *gehäutet* und war dann mithilfe des glitschigen Blutes aus zumindest einer Handschelle gerutscht. Mandy wusste nicht mehr, wie alles am Ende ausgegangen war, aber immerhin war die Frau auf diese Art teilweise erfolgreich gewesen. Für Mandy würde es reichen: Sie musste ohnehin nur einen Arm befreien.

Etwas aus Glas gab es nicht in ihrer Reichweite, aber es gab die Plastikflasche, und auch aus Plastik konnte man ziemlich scharfzackige Stücke herstellen. Das Ganze klang nicht nach einem einfachen Weg, sondern nach einem, der extrem schmerzhaft und scheußlich sein würde und bei dem sie sehr aufpassen musste, dass sie sich nicht aus Versehen die Pulsader aufschnitt. Zudem hatte sie danach immer noch das Problem, dass das Haus verriegelt war und sie schnell entkommen musste, weil sie sonst womöglich verblutete. Aber sie hatte nichts zu verlieren. Eine innere Stimme sagte ihr, dass so bald niemand mehr kommen und ihr etwas zu essen und zu trinken bringen würde. Sie würde an diese verdammte Wand gekettet sterben, oder sie würde sich irgendwie befreien. Dazwischen gab es nichts.

Sie betrachtete die Handschelle. Sie hatte schmale Gelenke und Hände, dennoch war es ihr die ganze Zeit trotz wiederholter Versuche nicht gelungen, sich aus dem Metallring herauszuwinden. Andererseits schien immer nicht allzu viel zu fehlen, Millimeter vielleicht nur. Die Nummer mit dem Blut könnte funktionieren.

Sie begann, die Plastikflasche zu zerbeißen.

Tu es, sagte sie sich, solange du noch die Kraft hast!

MITTWOCH, 15. NOVEMBER

I

Kate stand in Davids Küche, gehüllt in einen warmen Wollpullover, der ihm gehörte und den sie sich übergeworfen
hatte, um nicht zu frieren, während sie Kaffee machte. Es
war noch früh am Morgen, Dunkelheit jenseits der Fenster.
Die Küche ging nach hinten zu den Gärten und den Rück-
seiten der Häuser hinaus, die eine Straße oberhalb lagen.
In zwei oder drei Fenstern konnte Kate dort schon Licht
sehen. Sonst schien noch niemand wach zu sein.

Messy kam in die Küche, strich um Kates nackte Beine,
maunzte leise. Kate nahm sie mit, wenn sie bei David war,
denn inzwischen verbrachte sie praktisch jeden Abend und
jede Nacht hier, und sie mochte die Katze nicht ständig
alleine lassen. Sie füllte ihr etwas Futter in eine Schüssel
und sah zu, wie sie sich darüber hermachte.

Wie großartig es sich anfühlt, dachte sie, fast benommen,
weil statt *großartig* der Begriff *unwirklich* sogar passender
gewesen wäre. Eben war ich noch vollkommen alleine. Jetzt
gibt es einen Mann in meinem Leben und eine Katze.

Sie hob die Arme, grub ihre Nase in die weiche Wolle
des Pullovers. Sie roch nach David. Nach seinem Dusch-
gel, nach seinem Deo, nach seinem Rasierwasser. Und nach

seiner Haut. Sie dachte, dass sie diesen Pullover am liebsten nie im Leben wieder ausziehen würde.

Und dass es ein Wunder war.

Sie stand hier in dieser Wohnung und wollte Kaffee machen, den sie mit dem Mann, den sie liebte, zusammen im Bett trinken würde. Nachdem sie die ganze Nacht mit ihm verbracht hatte. Und die Nächte davor.

Das passierte ihr. Kate Linville. Die es nie geschafft hatte, irgendeinen Menschen für sich zu gewinnen oder gar zu begeistern. Jetzt stand sie barfuß in dieser Küche, und ihr ganzes Leben war ein anderes als noch eine Woche zuvor. Sie selbst war eine andere. Die Welt da draußen lief weiter wie immer, aber ihre eigene Welt stand komplett auf dem Kopf.

Messy maunzte. Kate gab ihr noch etwas zu essen. Sie war so glücklich. Sie wollte jeden glücklich machen. Auch eine kleine Katze, die gerne etwas mehr zum Frühstück haben wollte.

Du hattest recht, Daddy, dachte sie, irgendwann passiert es. Irgendwann begegnet einem das Wunder. In einem Moment, in dem man es nicht erwartet. In dem man kein bisschen damit rechnet. In dem man es eigentlich aufgegeben hat.

Natürlich hatte sie auch Angst. In manchen Momenten erschien es ihr einfach zu perfekt. Wie gut sie einander verstanden. Wie ähnlich sie fühlten und dachten. Wie vorbehaltlos sie sich aufeinander einließen. Wie unkompliziert ihre Geschichte lief.

Sie gab sich ihm vollkommen hin, mit Leib und Seele. Mit der Rückhaltlosigkeit eines Menschen, der immer vorsichtig, immer misstrauisch gewesen war, der ausgehöhlt war vom Hunger nach Leben. In dunklen, zweifelnden Momenten sah sie die Fallhöhe, die ihre Gefühle bereits erreicht hatten, und ihr schwindelte.

Und vor allem ein Gedanke belastete sie: dass David noch immer nicht ihre wahre Identität kannte.

Aus irgendeinem Grund fiel es ihr schwer, ihm einfach reinen Wein einzuschenken, obwohl sich mehrfach Gelegenheiten geboten hatten, bei denen sie es hätte tun können.

Übrigens, was ich dir schon die ganze Zeit über sagen wollte, ich bin überhaupt keine Journalistin. Ich bin Detective Sergeant bei der Metropolitan Police. Ich wollte undercover in dem Fall um die verschwundenen Mädchen ermitteln, und du gehörtest zum Kreis derer, die ich mir näher ansehen wollte ...

Ungefähr hundertmal am Tag sagte sie sich, dass es nicht schlimm war. Sie konnte ihm erklären, dass sie nicht als Polizistin hatte auftreten dürfen, weil sie nicht zuständig war, und Zuständigkeiten waren nun einmal nachvollziehbarerweise ein heikles Thema. Natürlich konnte er zurückfragen, weshalb sie ihn für verdächtig gehalten hatte, aber dann konnte sie erwidern, dass *verdächtig* nicht das richtige Wort war. Er war einfach ein Teil der Geschichte. Als Polizist untersuchte man jeden Teil. Vorurteilsfrei.

Warum sagte sie das nicht einfach? Sie wusste, mit jedem Tag, der verstrich, wurde es schwieriger. Irgendwann würde er mit Recht ungehalten sein, weil sie ihm so lange Zeit etwas vorgemacht hatte, er würde sich an der Nase herumgeführt vorkommen, würde sich fragen, wie es denn mit ihrem Vertrauen ihm gegenüber aussah ... Aber obwohl sie das wusste, schreckte sie jedes Mal zurück, und sie wusste inzwischen, warum: Es war ihre Angst. Es war jetzt bereits ihre große, schreckliche Angst, es könnte sich etwas verändern zwischen ihnen. Ein Hauch von Ärger nur bei ihm, ein Hauch von Unverständnis ... Sie wusste, dass haarfeine Risse größer werden konnten. Sie waren allzu oft der Anfang vom Ende.

Sie hatte Blut und Wasser geschwitzt, als Caleb zwei Tage zuvor in der Wohnung aufgekreuzt war. Er hätte sie nur *Sergeant* nennen müssen statt *Kate* – was er in Gegenwart Dritter häufig tat –, und schon hätte sie ein Problem gehabt. Und es würde definitiv alles erheblich verkomplizieren, wenn David zu allem Überfluss durch einen anderen Menschen erfuhr, dass die Frau, mit der er eine Beziehung eingegangen war, nicht die war, für die er sie hielt.

Im Übrigen konnte er sie auch jederzeit googeln. Kate hielt den Atem an, dass er das nicht tat. Im Netz kursierten noch genügend Berichte über die Ermordung ihres Vaters, und in nahezu jedem wurde die Rolle seiner Tochter, *Detective Sergeant Kate Linville von Scotland Yard*, hervorgehoben.

Und selbst wenn dieser Kelch an ihr vorüberging, wenn David nicht zu den Menschen gehörte, die jeden, den sie kennenlernten, sofort in eine Suchmaschine eingaben – wie sollte es denn dann weitergehen? Am Ende der Woche musste sie nach London zurück, undenkbar eigentlich, nachdem sie sich ein Leben ohne David schon jetzt nicht mehr vorstellen konnte. Calebs Angebot, sich beim CID Scarborough zu bewerben, erhielt angesichts der Ereignisse in Kates Privatleben eine ganz neue Bedeutung. Kate fasste diese Möglichkeit ernsthaft ins Auge, konnte aber bislang mit David, dem Menschen, um den es ganz wesentlich dabei ging, darüber nicht sprechen, weil er sie ja beruflich ganz woanders verortete.

Ich muss es ihm sagen, dachte sie, so schnell wie möglich. Ich hatte mehr Glück als Verstand bisher, dass er es nicht herausgefunden hat, aber ich erhöhe jeden Tag das Risiko und …

»Wo bleibst du denn?«, fragte David. Kate zuckte zusammen und drehte sich um. David stand in der Tür, mit Boxershorts und T-Shirt bekleidet, mit völlig zerwühlten

Haaren und ganz kleinen Augen, die in das Licht der Küche blinzelten. Er lächelte. »Sagtest du nicht etwas von Kaffee, als du vor endloser Zeit unser schönes warmes Bett verlassen hast?«

Sie erwiderte sein Lächeln. »Ich bin hier irgendwie in Gedanken versunken.«

Er musterte sie aufmerksam. »Du siehst ... bedrückt aus. Was ist mit dir?«

Kate holte tief Luft. Wieder eine Chance. Sie würde sie sich nicht entgehen lassen, diesmal nicht. Noch war nicht zu viel Zeit verstrichen. Noch konnte sie hoffen, dass er sie verstand.

»David, ich muss dir etwas sagen«, begann sie, und in diesem Augenblick klingelte ihr Handy, das sie am Vorabend auf dem Küchentisch hatte liegen lassen.

»Was denn?«, fragte David.

Das Handy klingelte gnadenlos weiter. Es machte Kate verrückt. Und plötzlich flutete auch der Mut wieder aus ihr heraus, den sie für ein paar Sekunden wenigstens ansatzweise gespürt hatte.

»Ach, nicht so wichtig«, sagte sie schnell, nahm dann das Handy und meldete sich. Es war Colin, der anrief. Tief gekränkt, weil sie auf mehrere WhatsApp-Nachrichten von ihm nicht reagiert hatte.

»Was ist los?«, fragte er patzig und ohne sich für die frühe Stunde zu entschuldigen, zu der er anrief. »Empfängst du meine Nachrichten nicht? Habe ich irgendetwas getan, was du mir übel nimmst?«

Zum zweiten Mal innerhalb einer Minute holte Kate tief Luft. Es war nicht so, dass sie mit Colin jemals eine Beziehung eingegangen war, wirklich nicht, aber sie waren einander über ihre Profile bei einem Partnersuchportal begegnet, und es gehörte sich, dass Colin erfuhr, dass sich die Parameter in Kates Privatleben geändert hatten. Offensichtlich hegte er ein Interesse an ihr, es wäre unanständig, ihn länger im Ungewissen zu lassen.

»Colin, hör zu, ich muss dir etwas sagen«, begann sie.

Ebenfalls zum zweiten Mal innerhalb einer Minute.

Ein verrückter Morgen, dachte sie. Ein völlig verrücktes Leben.

2

Die heruntergekommenen Häuser entlang der Queen's Parade in der Nordbucht, deren Bewohner den zweifellos spektakulären Meeresblick mit ständiger Feuchtigkeit im Mauerwerk ihrer Wohnungen bezahlten, sahen an diesem grauen, wolkenverhangenen Tag noch trostloser aus als an jenem Abend, an dem Kate zum ersten Mal hier gewesen war. Das war gerade eine Woche her, aber ihr erschien es, als wäre inzwischen mindestens ein Jahr vergangen. Zu viel hatte sich in ihrem Leben verändert.

Die schleichende Verwahrlosung der Häuser fiel bei Tageslicht erst richtig ins Auge. Viele leer stehende Wohnungen ohne Vorhänge an den Fenstern und erkennbar ohne Möbel in ihrem Inneren. Bröckelnder Putz an den Fassaden. Kleine Vorgärten zwischen Hauseingängen und Straße, in denen nichts gepflanzt wurde, kein Baum und kein Busch, weil sich wahrscheinlich niemand fand, der sich darum hätte kümmern wollen. Lediglich vor dem Haus, in dem Ryan wohnte, standen ein paar kahle Gewächse, die möglicherweise im Frühling und Sommer schöne Blüten hervorbrachten. Vielleicht kamen im April auch ein paar Narzissen aus der Erde, Kate hoffte es zumindest. Gegen die Vernachlässigung, die sonst überall herrschte, kamen diese wenigen Pflanzen jedoch kaum an.

David war in sein Büro gegangen, nachdem er und Kate im Bett Kaffee getrunken hatten und Kate ihm von Colin erzählte. Denn natürlich hatte er wissen wollen, wer sie um diese Zeit anrief, auch wenn er, als sie mit dem ihm unbekannten Teilnehmer zu sprechen begann, taktvoll die Küche verlassen hatte. Kate hatte ihm von ihrer Bekanntschaft mit Colin berichtet, wobei sie die Tatsache unterschlug, dass sie einander über uk.parship.com kennengelernt hatten. Sie sei ihm im Zuge einer Recherche begegnet, behauptete sie vage. David brauchte nicht zu wissen, wie verzweifelt sie auf der Suche gewesen war, ehe sie ihn traf.

Gleichzeitig hatte ihr eine innere Stimme gesagt: Schon wieder eine Lüge! Das ist nicht gut. Du schwindelst zu viel.

Immerhin würde er Colin – der mitten im Gespräch beleidigt aufgelegt hatte – sicher nie kennenlernen. Somit drohte aus dieser Ecke keine Gefahr.

Während ihrer Berichterstattung hatte David offenbar völlig vergessen, dass sie ihm, als das Handy klingelte, auch gerade etwas Bedeutungsvolles hatte sagen wollen, und so war Kate um dieses Thema vorerst wieder herumgekommen. Was nicht das Geringste an ihrem Problem änderte.

Mittags würde sie zu David ins Büro gehen, und dann wollten sie irgendwo am Hafen eine Kleinigkeit essen, und für den Abend hatte er sie zu *Giannis* eingeladen, dem schönsten italienischen Restaurant der Stadt.

Dann mache ich es, nahm sich Kate vor. Bei Rotwein und Kerzenlicht. Dann wirklich!

Bis dahin wollte sie noch ein wenig ermittlerisch tätig werden. Herumsitzen tat ihr nicht gut. Zudem war sie noch immer sicher, dass Caleb Hale einen Fehler machte, indem er den Fall Hannah Caswell ausklammerte. Kate spürte geradezu, dass hier der Anfang des verworrenen Knäuels lag. Ihr war noch ein Gedanke gekommen, daher wollte sie erneut mit Ryan Caswell sprechen.

Die untere Haustür war unverschlossen, und Kate gelangte ohne Probleme zwei Treppen hinauf bis zu seiner Wohnungstür. Abgeblätterter Lack, dazu der allgegenwärtige Geruch nach Feuchtigkeit und Schimmel. Von draußen drangen die Schreie der Möwen herein.

Ryan Caswell öffnete beim zweiten Klingeln. Er sah Kate erstaunt an, aber dann schien er sich zu erinnern.

»Sie sind die Journalistin?«

»Kate Linville, ja. Hätten Sie einen Moment Zeit für mich?«

Ryan lächelte traurig. Er mochte ein schroffer, verbitterter Mann sein, aber es gab Momente, da war vor allem der Schmerz zu sehen, der ihn erfüllte und der sich hinter seiner abweisenden Art verbarg. Ryan Caswell war zutiefst einsam.

»Ich habe Zeit«, sagte er. »Allerdings nicht immer Lust auf Gespräche.«

Dennoch geleitete er sie in das kleine Wohnzimmer. Jenseits der Fenster lag das Meer. Grau wie der Himmel an diesem Tag.

»Was kann ich für Sie tun?«, fragte er.

Weniger des Falls wegen als aus persönlichem Interesse fragte Kate: »Arbeiten Sie eigentlich noch in Ihrem früheren Beruf?«

Er war nicht mehr der Jüngste, aber er schien ihr doch zu jung, um bereits in Rente gegangen zu sein.

Er schüttelte den Kopf. »Ich war früher als Hausmeister in verschiedenen Einrichtungen tätig... dann habe ich fast fünfzehn Jahre lang für eine Gebäudereinigungsfirma gearbeitet. Aber seitdem meine Arthrose so schlimm ist ... Ich kann mich nicht mehr so gut bewegen. Ich bekomme eine Frührente, und dann habe ich etwas Geld aus dem Verkauf des Hauses in Staintondale. Das ist ganz gut angelegt. Ich besitze nicht viel, aber ich kann den Kopf über Wasser halten.«

Und vereinsamt auf diese Weise vollständig, dachte Kate. Sie sprach es jedoch nicht aus. Letzten Endes ging sie ja dieser Teil seines Lebens nichts an.

Er bot ihr diesmal keinen Platz an – vielleicht um zu signalisieren, dass das Gespräch tatsächlich kurz sein sollte –, und so standen sie einander vor den zugigen Fenstern gegenüber.

»Ich habe noch eine Frage«, sagte Kate, »zu dem Abend und dem Tag, als Hannah verschwand.«

Es zuckte ein wenig an seinem Mund. »Ja?«

»Sie war ja zuvor bei ihrer Großmutter in Kingston-upon-Hull. Handelt es sich bei ihr um Ihre Mutter oder um die Ihrer Frau?«

»Meine Mutter.«

»Lebt sie noch?«

»Ja.«

»Wurde sie damals auch befragt? Von der Polizei, meine ich.«

»Ja. Allerdings konnte sie nichts Nennenswertes beitragen. Sie hat bestätigt, dass Hannah gegen fünf Uhr ihre Wohnung verlassen hat, um den vereinbarten Zug nach Scarborough zu erreichen.«

»Und danach hat sie sie nicht mehr gesehen?«

»Nein«, sagte Ryan. Er zögerte eine Sekunde, dann fügte er hinzu: »Ich hatte ja an jenem Abend zunächst meine Mutter in Verdacht, dass sie Hannah bei sich behalten hat. Aber das war tatsächlich nicht der Fall.«

»Weshalb glaubten Sie das?«

»Hannah hatte wochenlang gebettelt, dass sie das ganze Wochenende bei ihrer Großmutter verbringen darf. Am liebsten von Freitagnachmittag bis Sonntagabend. Was natürlich überhaupt nicht infrage kam.«

»Weshalb nicht?«, rutschte es Kate hinaus. Schnell sagte sie: »Verzeihen Sie, wenn diese Frage...«

»Sie ist es«, unterbrach Ryan, »diese Frage ist übergriffig.«

»Entschuldigen Sie. Es ist nur... Egal. Sie hatten jedenfalls Ihre Mutter in Verdacht, dass sie Hannah einfach über das Wochenende bei sich behält?«

»Es hätte sein können. Nicht, dass meine Mutter zuvor jemals etwas Ähnliches getan hatte... Aber sie war alleine und hätte sich gefreut, ihre Enkelin bei sich zu haben. Und mir wäre es die liebste Variante gewesen. Als Hannah verschwunden war, verstehen Sie? Eine Zeitlang klammerte ich mich an der Hoffnung fest, sie sei in Hull, weil alles andere... viel schlimmer war.«

»Doch dann erfuhren Sie, dass sie mit Kevin Bent nach Scarborough gefahren ist.«

Ryans Lippen wurden zu einem harten, schmalen Strich. »Ja. Und damit war ja alles klar.«

An diesem Punkt war mit Sicherheit nicht mit ihm zu reden. Für ihn stand Kevin Bent als Täter felsenfest.

»Glauben Sie, dass ich auch noch einmal mit Ihrer Mutter sprechen könnte?«, fragte Kate.

Er schien verwundert. »Was soll das bringen?«

»Einfach, um mein Bild abzurunden. Von dem Tag, an dem Ihre Tochter verschwand.«

»Sie können es versuchen. Meine Mutter lebt inzwischen in einem Pflegeheim in Hull. Sie ist zeitweise ziemlich verwirrt, aber es gibt klare Momente. Wenn Sie einen solchen erwischen...«

»Ich könnte es versuchen. Würden Sie mir die Adresse des Pflegeheims geben?«

Er trat an einen Schrank, nahm eine Karte aus einem Fach und reichte sie ihr.

»Hier. Da steht alles drauf.«

Trescott Hall, Pflegeheim für Senioren, Kingston-upon-Hull, las Kate. Es folgten die genaue Anschrift, Telefonnummer, E-Mail-Adresse und die Homepage.

»Vielen Dank, Mr. Caswell«, sagte sie und verstaute die Karte in ihrer Handtasche. »Ich hoffe, ich muss Sie nicht ein weiteres Mal belästigen.«

»Schon gut«, knurrte er. So offensichtlich einsam er war, schien er dennoch keine gesteigerte Lust auf einen Kontakt zu anderen Menschen zu haben. Er beeilte sich, Kate zum Ausgang zu bringen, und schloss dann nachdrücklich und ohne Abschiedsgruß die Tür hinter ihr. Kate stand im Treppenhaus.

Ein schwieriger, unfreundlicher Mann, dachte sie, nicht böse, aber er verbreitet eine Atmosphäre zum Weglaufen.

Kevin hatte berichtet, dass Hannah von ihrem Vater sehr beherrscht und eingeschränkt worden war, und Kate konnte sich das sehr gut vorstellen. Wieder einmal geisterte ihr die Variante durch den Kopf, nach der das Mädchen die Chance ergriffen hatte und weggelaufen war. Sie schien jedoch einfach nicht der Typ dafür gewesen zu sein. Kindlich und schüchtern. Zudem hatte es nachweisbar Anrufe sowohl auf dem Mobiltelefon ihres Vaters gegeben als auch auf dem Apparat daheim in Staintondale. Sie hatte an jenem Abend mehrfach versucht, ihn zu erreichen. Tat das ein Mädchen, das gleich darauf den Entschluss fasste, für immer unterzutauchen?

Kate rief sich ins Gedächtnis, dass sich Hannah zudem auf die Verabredung mit Kevin gefreut hatte, so sehr, dass sie gleich ihrer Freundin davon berichtet hatte. Kevin hatte das Angebot, sie mit zu der Pubcröffnung zu nehmen, nicht besonders ernst gemeint, aber zweifellos war Hannah völlig euphorisch, aufgeregt und durcheinander gewesen. Lief man weg, wenn man sich auf ein Ereignis so sehr freute?

Mit der Freundin sollte ich auch noch sprechen, dachte Kate.

Sie überwand sich und klingelte noch einmal an Ryan Caswells Tür. Schlurfende Schritte, dann wurde geöffnet.

»Sagten Sie nicht, Sie wollten mich nicht noch einmal belästigen?«, fragte er unfreundlich.

Sie lächelte ihn an, aber er verzog trotzdem keine Miene.

»Wären Sie noch so nett, mir die Adresse von Hannahs bester Freundin zu geben? Das Mädchen, dem sie an jenem Abend von ihrer Verabredung mit Kevin Bent berichtet hat?«

»Sie heißt Sheila Lewis. Den Rest machen Sie bitte über das Telefonbuch«, sagte er und schlug die Tür zu.

3

Am frühen Abend ging bei Sergeant Robert Stewart die Nachricht ein, dass einer Streife im Großraum Manchester das gesuchte Auto aufgefallen und es den Beamten sogar gelungen war, dem Wagen zu folgen. Nach ihrem Bericht hielten sich das Fahrzeug und seine Insassen in einer Nebenstraße der Ringway Road, nicht weit vom Flughafen entfernt, auf.

»Insassen?«, fragte Stewart zurück. »Mehrere?«

»Ein Mann und eine Frau«, präzisierte der Kollege aus Manchester.

»Frau? Oder sehr junges Mädchen?«

»Das konnten wir auf die Entfernung so genau nicht erkennen.«

Offenbar gab es in jener Straße, ziemlich dicht am *Car Rental Village*, in dem zahlreiche große Autovermieter ihren Fuhrpark und ihre Büros hatten und durch einen Shuttle-Dienst Verbindung mit An- und Abreisenden auf dem Flughafen hielten, eine Art Motel, in dem der Fahrer des gesuchten Fahrzeugs, mutmaßlich Alex Barnes, und seine Begleiterin abgestiegen waren.

»Die sind jetzt dort in einem Zimmer?«, vergewisserte sich Stewart.

»Ja. Wir stehen auf der anderen Straßenseite. Das Auto parkt in einer Auffahrt.«

»Okay. Warten Sie auf weitere Anweisungen. Lassen Sie das Fahrzeug nicht aus den Augen.«

Stewart besprach sich umgehend mit Caleb. Dieser setzte sich mit den Kollegen von GMP, Greater Manchester Police, in Verbindung.

»Der Mann ist gefährlich«, sagte er. »Und er hat möglicherweise ein vierzehnjähriges Mädchen bei sich. Er hat sie entführt und würde sie vermutlich rücksichtslos als Schutzschild einsetzen.« Während er dies sagte, fragte sich Caleb, weshalb Alex Barnes mit Amelie Goldsby durch die Gegend fuhr. Es machte wenig Sinn, mit ihr in einem Auto, von dem er sich ausrechnen konnte, dass die Polizei danach fahnden würde, auf den Straßen unterwegs zu sein. Ein absurd hohes Risiko.

»Ist er bewaffnet?«, fragte der Chief Inspector aus Manchester.

»Das wissen wir nicht. Es ist aber nicht auszuschließen.«

Der Kollege seufzte. »Ich weiß, wo die sind. Der Zugriff ist riskant. Kleine Zimmer, ziemlich verschachtelt, weil es um die Ecke noch eine Teeküche und dann natürlich ein Bad gibt, und durch die völlig zugehängten Fenster ist es nicht möglich, vorher zu ermitteln, wo im Raum sich die Personen befinden. Wenn er eine Vierzehnjährige in seiner Gewalt hat und zudem möglicherweise bewaffnet ist…« Er sprach nicht weiter. Es war deutlich, dass ihm diese Geschichte in seinem Zuständigkeitsbereich so lieb war wie Zahnschmerzen.

Caleb überlegte hin und her. Es war eine Abwägungssache. Angenommen, es handelte sich um Amelie, was tat er dann da drinnen mit ihr? Sie mochte sich in einer Situation befinden, aus der sie dringend und schnell befreit werden musste. Aber es konnte zu einem Schusswechsel kommen, der sie in noch größere Gefahr brachte. Sicherer wäre es zu warten, bis die beiden herauskamen, was allerdings möglicherweise erst am nächsten Morgen der Fall sein würde. Dann sofortiger Zugriff auf der Straße.

Und wenn er sie bis dahin ermordete? Sich jetzt noch ein wenig mit ihr vergnügte und dann ihre Leiche im Bett zurückließ, um das Weite zu suchen?

Und die ganze Zeit hätte die Polizei wartend auf der Straße gestanden. Caleb brach bei dieser Vorstellung der Schweiß aus.

Wie gewalttätig war Barnes? War er es, der Saskia Morris hatte verhungern lassen? Caleb erinnerte sich, was er gedacht hatte: eine brutale, aber äußerst passive Art des Tötens. Sie widersprach der Vorstellung eines Killers, der Amelie in seinem Bett erwürgte, erstach oder erschoss.

Andererseits mochte Barnes sich zunehmend in die Enge getrieben fühlen. Er musste Amelie loswerden, so oder so.

Weshalb hatte er sie überhaupt noch bei sich?

»Schwierige Situation«, unterbrach der Kollege aus Manchester das Schweigen. Er würde Caleb die Entscheidung nicht abnehmen.

»Können Sie ein bewaffnetes Team reinschicken?«, fragte Caleb.

Die Polizei von Manchester hatte gute Erfolge mit dem neu formierten *Specialist Operation Team* vorzuweisen.

»Kann ich. Aber ...«

Caleb war plötzlich sicher. »Gehen Sie rein. Das Mädchen ist in Gefahr. Wir müssen eingreifen. Jetzt.«

»Okay«, sagte der Kollege. Und obwohl er es nicht aussprach, hatte Caleb noch nie ein lauteres *Auf Ihre Verantwortung* im Raum klingen hören.

Sergeant Stewart, der die ganze Zeit neben Calebs Schreibtisch gestanden hatte, nickte. »Zugriff?«, fragte er.

Caleb hätte ihn am liebsten gefragt, ob er das für richtig hielt, aber er bremste sich gerade noch. Er hatte aus einer Sekunde der instinktiven Gewissheit entschieden, aber schon jetzt, einen Augenblick später, verwischte sich sein Gefühl erneut. Das war das Schlimme, das, was sein Leben wirklich ständig beschwerte. Der Verlust einer gleichbleibenden, klaren Gewissheit, was er zu tun hatte und was nicht.

Er hoffte, dass er gerade keinen gewaltigen Fehler machte. Den ein vierzehnjähriges Mädchen am Ende mit dem Leben bezahlte.

»Wir brechen sofort nach Manchester auf«, sagte er. »Ich will vor Ort sein.«

»Alles klar«, sagte Stewart. »Ich hole nur schnell meinen Mantel.«

Er verließ das Büro. Caleb war froh darüber.

Es gab da noch diese Flasche in der Schublade.

Er brauchte jetzt einen großen Schluck.

4

Kate war erst ein- oder zweimal in ihrem Leben bei *Giannis* gewesen, und sie war jetzt sehr froh darum, denn dadurch kannte man sie dort nicht und sie hatte keine böse Überraschung zu erwarten. Niemand konnte David darauf hinweisen, um wen es sich bei seiner Begleiterin in Wahrheit handelte. Sie würde es ihm an diesem Abend selbst sagen.

Spät. Aber nicht zu spät, wie sie hoffte.

Das steinerne Gebäude in der Victoria Road war mit Lichterketten geschmückt. Innen brannten Kerzen. Kate und David saßen im oberen Stockwerk, jeder mit einem Glas Prosecco vor sich. Es roch nach wunderbarer Pasta. Am Nachbartisch hatte sich eine Gruppe fröhlicher Frauen niedergelassen, die Geschenkpäckchen untereinander austauschten. David blickte kurz hinüber und wandte sich dann an Kate.

»Was machst du eigentlich an Weihnachten? Ich weiß, es dauert noch etwas, aber …«

Sie schluckte. »Was machst *du* an Weihnachten?«, fragte sie zurück.

Er lachte. »Ich habe zuerst gefragt.«

»Ich habe Weihnachten immer mit meinem Vater verbracht«, sagte Kate. »Seit seinem Tod … alleine.«

»Ich bin an Weihnachten auch meistens alleine. Ausgenommen die Zeiten, in denen ich in einer festen Beziehung war.«

»Fällt es dir schwer? An Weihnachten alleine zu sein?«

Er zuckte mit den Schultern. »Ich arbeite meistens. Und koche mir zwischendurch etwas. Gehe am Meer spazieren. Es ist okay.«

»Ein Meer zum Spazierengehen habe ich in London leider nicht«, sagte Kate.

Er spielte mit seinem Glas herum. »Und wenn du über Weihnachten hierherkommst?«

Sie wollte auf keinen Fall zudringlich wirken. »Na ja, mein Haus ist wahrscheinlich bis dahin noch nicht verkauft, also könnte ich dort…«

»Nicht in dein leeres Haus. Zu mir!«

Sie wohnte sowieso schon die überwiegende Zeit bei ihm, trotzdem erschien ihr Weihnachten plötzlich problematisch. Dieses mit Gefühlen und Erwartungen überfrachtete Fest…

»Ja. Wir könnten das überlegen.«

Er trank einen Schluck, lächelte. Sie mochte die Wärme seines Lächelns. *Mochte?* Sie liebte sie. Sie liebte diesen ganzen Mann. Sie liebte, was er aus ihrem Leben gemacht hatte. Aus ihr. Was er für die Zukunft versprach.

Pass auf dich auf, sagte eine warnende innere Stimme. Pass ein bisschen auf!

»David, ich…«, setzte sie an, bereit, ihm jetzt, in dieser Sekunde zu sagen, wer sie war und weshalb sie so lange mit der Wahrheit hinter dem Berg gehalten hatte.

Doch er hatte im selben Moment wie sie zu sprechen begonnen. »Du scheinst diesen Detective Chief Inspector ja ganz gut zu kennen, hatte ich vorgestern den Eindruck. Ihr seid befreundet?«

»Befreundet wäre zu viel gesagt. Aber wir kennen uns ganz gut. Die Ermittlung im Fall meines Vaters war… na ja, für mich war das sehr emotional, und er ist damit irgendwie… gut umgegangen. Deshalb mag ich ihn.«

»Er müsste für deinen Artikel doch die perfekte Quelle überhaupt sein. Er weiß doch am meisten über den Fall. Über den aktuellen Stand der Dinge.«

Kate lachte. »Aber das sagt er mir nicht alles. Das … darf er nicht.«

Das stimmte so nicht ganz. Er sagte ihr eine Menge. Weil sie eine Kollegin war und eben keine Journalistin. Aber plötzlich wusste Kate nicht mehr, wie sie den Bogen schlagen sollte.

»Aber du hast bestimmt versucht, von ihm Informationen zu bekommen? Ist dieser Alex Barnes immer noch sein Hauptverdächtiger?«

»Das weiß ich nicht so genau.«

»Es hat mich verwundert, dass er neulich zu mir kam. Ich fühlte mich so … verdächtigt.«

»Es war einfach eine Befragung all derer, die in der Geschichte eine Rolle spielten. Das ist bei Ermittlungen so. Man befragt alle wieder und wieder in der Hoffnung, irgendwo einen Fingerzeig zu bekommen, der die nächste mögliche Spur eröffnet.«

»Du weißt ziemlich gut Bescheid über Polizeiarbeit. Man merkt, dass du schon lange …«

Jetzt, dachte Kate, oder nie.

»David, ich …«

»Aber weißt du was?«, sagte er. »Ich bin froh, dass du nur über Kriminalfälle schreibst. Dass du nicht selbst bei der Polizei bist.«

Kate hatte das Gefühl, dass ihr das Herz in die Kniekehlen rutschte. »Aber … warum? Ich meine …« Sie versuchte, unbefangen zu wirken, hatte den Verdacht, dass ihr das nicht im Mindesten gelang. »Was hast du gegen die Polizei?«

Er nahm einen Schluck aus seinem Glas, überlegte. »Ich weiß nicht … Wahrscheinlich ist das etwas unreif. Für mich waren sie einfach immer die Gegner. Bei Demonstrationen und solchen Sachen … Immer die, mit denen man in Streit geriet.«

Sie bemühte sich, locker zu klingen. »Du hast dich mit Polizisten angelegt? Auf solchen Demonstrationen warst du?«

Er lachte. »Ich war jünger. Aber ja, auf solchen Demonstrationen war ich.«

Sie wusste genau, dass dies der richtige Moment wäre, in sein Lachen einzustimmen und ihm zu erklären, dass er lustigerweise seit ein paar Tagen in eine Polizistin verliebt war und doch zugeben müsse, dass sich das nicht so schlimm anfühlte, wie er vielleicht gedacht hatte. Sie hatte eine Ahnung, dass die Situation mit einer Menge Humor und Ironie zu retten wäre, aber das Schlimme war: Humor war absolut nicht ihre Stärke. Ironie auch nicht. Dafür war sie zu ernsthaft, zu schüchtern, zu vorsichtig. Und in gerade dieser Situation vor allem zu ängstlich. Sie verging geradezu vor Angst.

Wie soll ich es überleben, wenn er mir jetzt die Beziehung vor die Füße knallt?

Dabei würde sie es ihm sowieso sagen müssen. Sie konnte nicht in eine gemeinsame Zukunft mit ihm gehen und ihm dauerhaft verheimlichen, was sie beruflich machte. Sie kam sich vor wie ein kleines Kind, das die Augen zumacht und hofft, nicht gesehen zu werden.

Und trotzdem schaffte sie es nicht, die Augen zu öffnen und den entscheidenden Schritt zu tun.

»Und dann war da noch die Sache mit meinem Führerschein«, fuhr David fort. »Das hat mich damals wirklich getroffen. Ohne Auto ... monatelang ... man ist ja wie amputiert.«

Kate fürchtete, dass sie gouvernantenhaft klang, aber dennoch sagte sie: »Na ja, du hattest ja wohl wirklich getrunken und bist gefahren, und damit hast du auch andere Menschen gefährdet ...«

»Ich weiß. Klar. Es war dumm von mir. Die Beamten waren im Recht. Trotzdem, irgendwie hat es meine Einstellung zur Polizei nicht verbessert…« Er streckte den Arm über den Tisch, nahm ihre Hand. »Du hast sehr kalte Hände, Kate. Frierst du?«

Der Raum war eher überheizt. Dennoch fröstelte Kate. Tief von innen heraus. »Ich weiß nicht. Ich habe vielleicht eine leichte Erkältung.«

»Lass uns über etwas Angenehmeres reden«, schlug David vor. »Wie war dein Nachmittag? Du hast diese Frau besucht… Wie heißt sie noch mal?«

Lass uns über etwas Angenehmeres reden. Nicht über etwas so Unangenehmes wie Polizisten…

»Sheila«, sagte sie. »Sheila Lewis.«

»Stimmt. Die Freundin dieses verschwundenen Mädchens.«

»Hannah Caswell. Ja. Sheila war die Letzte, die mit ihr gesprochen hat. Telefonisch.« Kate hatte sie tatsächlich im Telefonbuch gefunden. Sheila lebte noch bei ihren Eltern, hatte die Schule aber mit sechzehn Jahren verlassen und eine Lehre als Friseurin absolviert. Sie arbeitete in einem Salon in der Fußgängerzone, war an diesem Tag jedoch daheim und versuchte einen hartnäckigen Schnupfen auszukurieren. Sie wohnte nicht weit vom Bahnhof.

Sie war ein Beispiel für etwas, dem Kate in all den Jahren ihrer beruflichen Tätigkeit immer wieder begegnet war: Für die anhaltende Verstörtheit und Verletztheit, die Menschen anhaftete, die in irgendeiner Weise in Berührung mit einem Verbrechen gekommen waren und sich von diesem Einschnitt in die Normalität nie oder nur schwer und über einen langen Zeitraum erholten. Sheila hatte mit Kate im Wohnzimmer gesessen, mit verfilzten Haaren, einem zerknäulten Taschentuch in den Händen und dicken Fellpantoffeln an den Füßen. Ihre Mutter brachte Tee und sagte zu Kate: »Er hat sie völlig fertiggemacht. Hannahs Vater, in der Zeit nach … Hannahs Verschwinden. Er hat ihr vorgeworfen, nach Hannahs Anruf nicht gleich irgendetwas unternommen zu haben – uns verständigt, ihn verständigt, die Polizei gerufen. Was weiß ich. Er gab ihr eine Mitschuld, und das wurde so schlimm, dass wir ihm schließlich gerichtlich den Kontakt zu unserer Tochter untersagen ließen. Er darf Sheila bis heute weder ansprechen noch anrufen noch sich ihr nähern.«

Auch Kevin Bent hatte eine gerichtliche Verfügung erwirkt. Ryan Caswell musste mit Anschuldigungen und Unterstellungen nur so um sich geworfen haben.

Sie berichtete David von dem Treffen, froh, das Thema wechseln zu können, aber mit einem dumpfen Gefühl von Bedrückung im Magen.

»Das Schlimme ist, Sheila fühlt sich wirklich schuldig«, sagte sie. »Weil sie damals Stillschweigen gewahrt hat. Wobei sie natürlich überhaupt nicht wissen konnte, dass eine Gefahr in Verzug war. Sie sah in Kevin Bent keinen triebgesteuerten Psychopathen, so wie Ryan Caswell das behauptet. Zudem war Hannah ja sicher und wohlbehalten am Bahnhof in Scarborough angekommen. Bent war weitergefahren. Es gab nicht den geringsten Grund für Sheila, ihre ganze Umgebung wegen dieser Situation aufzuschrecken.«

Wie sich herausstellte, gründeten sich Sheilas Schuldgefühle auch auf ihre eigenen Empfindungen, mit denen sie sich nach Hannahs Anruf konfrontiert sah.

»Ich war so neidisch«, sagte sie zu Kate und brach gleich darauf in Tränen aus. »Weil sie diese Verabredung mit Kevin Bent hatte. Er wollte sie mitnehmen zu dieser Puberöffnung. Meine Güte, Kevin Bent! Er sieht super aus, finden Sie nicht auch?«

Kate hatte Kevin sympathisch gefunden und, ja, auf jeden Fall attraktiv. Wenn er auch nicht ganz ihr Geschmack war. Deutlich zu jung, zu unreif.

»Er sieht gut aus«, stimmte sie Sheila zu.

»Jede hätte Gott weiß was gegeben für ein Date mit ihm«, sagte Sheila. »Und Hannah hatte tatsächlich eines in Aussicht! Ich meine... Hannah! Sie war noch so... kindlich. Und als wir das Gespräch beendet hatten, da dachte ich... da dachte ich...« Sheila schluchzte heftiger.

»Was dachten Sie?«, fragte Kate.

»Ich dachte, hoffentlich kommt irgendetwas dazwischen«, weinte Sheila. »Verstehen Sie? Ich hoffte, dass es aus irgendeinem Grund am Ende nicht klappen würde. Und dann hat es tatsächlich nicht geklappt. Aber ich wollte doch nicht... ich wollte nicht... dass ihr irgendjemand etwas antut! Bestimmt nicht! An so etwas habe ich nicht gedacht.«

»Natürlich nicht«, tröstete Kate. »Und es ist normal, dass man manchmal neidisch ist. Damit haben Sie diese unheilvolle Geschichte nicht in Gang gesetzt, ganz sicher nicht!«

Sheila hatte von diesem Moment an nicht mehr aufhören können zu weinen. Das Gespräch war schwierig und stockend verlaufen.

»Hast du denn irgendwelche neuen Erkenntnisse gewinnen können?«, fragte David. Inzwischen war das Essen serviert worden. Kate musste sich zwingen, ein paar Gabeln zu sich zu nehmen. Ihr Magen streikte einfach. Sie hatte das Gefühl, einen furchtbaren Fehler gemacht zu haben, und gleichzeitig zu viel Angst, ihn zu korrigieren.

Sie musste sich sehr anstrengen, um sich auf das Gespräch mit David zu konzentrieren. »Na ja, ein paar Informationen über Hannah«, antwortete sie auf seine Frage. »Aber eigentlich nur solche, die ein Bild abrunden, das ich ohnehin schon hatte. Sheila hält es für ausgeschlossen, dass Hannah weggelaufen ist. Obwohl sie unter ihrem Vater gelitten hat, weil er sie so einengte. Trotzdem muss sie viel zu zaghaft gewesen sein, um einen solchen Schritt zu tun. Das deckt sich mit allem, was ich sonst gehört habe.«

David nickte nachdenklich. »Eigentlich ... nicht gut. Ich meine, damit schwindet jegliche Hoffnung, dass sie noch am Leben ist, oder? Denn dann muss sie entführt worden sein, und nach all den Jahren ...«

»Ja. Ich fürchte das auch. Es ist kaum noch mit einer positiven Wendung zu rechnen. Übrigens teilt Sheila keineswegs Ryan Caswells Ansicht, Kevin Bent könnte der Täter sein. Sie kennt ihn nicht näher, aber sie findet, er wirkt überhaupt nicht wie jemand, der so etwas tut.«

»Finde ich auch nicht«, bestätigte David, und als Kate ihn überrascht anblickte, fügte er hinzu: »Ich habe in den letzten Jahren öfter in seinem Pub am Hafen gegessen. Er macht ja den Service, während sein Bruder hauptsächlich in der Küche ist. Ich fand Kevin Bent sehr freundlich und zuvorkommend, und ...« Er machte eine abwehrende Handbewegung, als Kate den Mund öffnete. »Ich weiß. Auch offenkundig sehr nette Menschen können böse Dinge tun. Aber Kevin Bent? Ich meine, der Mann sieht wirklich extrem gut aus und hat sehr viel Charme. Ich kann mir nicht vorstellen, dass er es nötig hätte, ein Mädchen zu verschleppen. Er braucht doch nur mit dem Finger zu schnippen, und jede geht freiwillig mit!«

»Es gibt etliche denkbare Szenarien«, meinte Kate. »Zum Beispiel kann Hannah, nachdem er umgekehrt war, durchaus freiwillig erneut in sein Auto gestiegen sein. Sie kann sogar freiwillig Sex mit ihm gehabt haben. Aber ihm geht hinterher auf, dass sie erst vierzehn ist und dass er ein massives Problem bekommt, wenn sie es Gott und der Welt erzählt, um mit dieser Erfahrung anzugeben. Auch das kann ein Grund sein, jemanden zum Schweigen zu bringen. Allerdings ... ich finde auch nicht, dass er kriminell wirkt. Wie jemand, der so etwas fertigbringt.«

David sah sie an, schien ihren Worten nachzuhängen. »Ja«, sagte er, »genau. Das ist es, womit ich ein Problem habe. Jemand will nichts Böses. Es passiert etwas ... irgendetwas ... das Verhältnis eines erwachsenen Mannes mit einer Vierzehnjährigen. Es ist nicht in Ordnung, natürlich nicht, aber der Typ ist kein Schwerverbrecher. Aber Gesetz und Ordnung und die Gesellschaft treiben ihn in eine Ecke, in der er so sehr mit dem Rücken zur Wand steht, dass er ... Dinge tut, die er normalerweise nie tun würde. Er wird dann wirklich zum Verbrecher. Das Gesetz und diejenigen, die seine Einhaltung überwachen, treiben ihn dorthin.«

»Ich glaube«, sagte Kate, »das sehen wir beide sehr unterschiedlich.« Sie schob ihren Teller von sich. »Ich kann einfach nichts mehr essen.«

»Du hast fast nichts angerührt!«

»Tut mir leid. Es liegt nicht am Essen. Ich kann einfach nicht.«

Er musterte sie besorgt. »Hoffentlich hast du dich nicht angesteckt. Bei Sheila Lewis mit ihrem Schnupfen, meine ich.«

»So schnell geht das, glaube ich, nicht«, meinte Kate. »Ich war ja erst vor ein paar Stunden bei ihr.«

»Wir gehen jetzt nach Hause«, bestimmte David. »Und dann legst du dich ins Bett. Ich mache dir einen Tee und wärme dir die Füße. Weißt du, was ich denke? Ich denke, das Herumstochern in dieser ganzen Geschichte tut dir nicht gut. Du leidest zu sehr mit den Beteiligten. Du schaffst es nicht, dich innerlich abzugrenzen. Ich finde, das spricht für dich – aber es tut dir nicht gut.«

Kate fragte sich, ob er recht hatte. Ja, die ganze Sache ging ihr an die Nieren. Aber viel mehr als das war es im Augenblick David selbst, der ihr zu schaffen machte. Die Beziehung. Das, was daran schieflief und was sie selbst in diese Schieflage gebracht hatte.

Sie wollte ihn nicht verlieren. Sie wollte nicht für immer eine Situation wie diese verlieren, in der ein Mann sie über das Licht einer Kerze hinweg anlächelte und ihr versprach, Tee für sie zu machen und ihre Füße zu wärmen. Sie hatte kaum noch gewusst, wie es sich anfühlte, umsorgt zu werden, zuletzt hatte sie das als Kind bei ihrer Mutter erlebt, ein bisschen auch später noch bei ihrem Vater. Es war wundervoll. Es war wie nach Hause kommen. Wie ankommen. Im eigenen Leben und bei sich selbst. Das war das Entscheidende, dieses Gefühl, dass alles richtig war. Das Leben. Die Menschen. Sie selbst. Sie betrachtete sich durch Davids Augen und war zum ersten Mal, seit sie erwachsen war, mit sich einverstanden.

»Ja, lass uns gehen«, sagte sie. »Vielleicht brauche ich einfach etwas Schlaf. Morgen sieht dann alles anders aus.«

Das stimmte nicht, und sie wusste es. Aber für den Moment sehnte sie sich tatsächlich nur nach dem Schlaf. Und dem Vergessen.

DONNERSTAG, 16. NOVEMBER

1

Es war zehn Minuten nach Mitternacht, aber in Caleb Hales Wahrnehmung hätte es genauso gut heller Tag sein können. Er war wach, geradezu überwach. Das Adrenalin musste ihn in Strömen überschwemmen. Er saß in einem kleinen Zimmer des Motels, in dem die Kollegen der Greater Manchester Police einige Stunden zuvor mit einer bewaffneten Einheit Alex Barnes überwältigt und Amelie Goldsby befreit hatten.

Wobei die Begriffe nicht wirklich stimmten: Alex Barnes war unbewaffnet gewesen und hatte sich nicht zur Wehr gesetzt, insofern hatte er eigentlich gar nicht *überwältigt* werden müssen. Er hatte sich sofort ergeben, entsetzt und geschockt, weil plötzlich lauter bewaffnete Männer in schwarzer Kleidung in sein Zimmer gestürmt waren.

Wie sich herausstellte, passte auch der Begriff *Befreiung* nicht wirklich, was Amelie Goldsby anging. Sie hatte friedlich schlafend neben Alex Barnes im Bett gelegen und sich schreiend an ihn geklammert, als die Polizisten den Raum gestürmt hatten. Das alleine wäre noch nicht verwunderlich und mit Schrecken und Schock erklärbar gewesen, aber nachdem man sie in Sicherheit gebracht, das hieß:

von Barnes getrennt hatte, hörte sie nicht auf, nach ihm zu rufen, und schließlich war sie in Tränen ausgebrochen.

»Ich will zu ihm«, schluchzte sie. »Bitte, lasst mich zu ihm.«

Sie saß jetzt bei Caleb in dem kleinen Zimmer, das ihnen ein ziemlich schockierter Hotelbesitzer zur Verfügung gestellt hatte. Sie war unbekleidet gewesen, als die Polizei sie aus Alex' Bett holte, man hatte nur schnell eine Decke über sie geworfen, aber inzwischen hatte sie die Gelegenheit bekommen, sich anzuziehen. Klein, blass und dünn kauerte sie in einem klobigen Sessel, schmiegte sich in ihren Pullover, zitterte am ganzen Körper. Caleb hatte die Heizung in dem Raum inzwischen bis zum äußersten Anschlag hochgedreht und bereits sein Jackett abgelegt, weil ihm so heiß war, als brate er unter einer südlichen Sonne. Amelie schien das alles nichts zu nützen, sie hörte nicht auf zu zittern. Wahrscheinlich stand sie unter Schock. Ein Arzt hatte bereits nach ihr gesehen und ihr etwas zur Beruhigung gegeben. Es schien nicht wirklich gut zu wirken.

»Deine Eltern sind auf dem Weg hierher«, sagte Caleb. »Und Sergeant Helen Bennett ebenfalls. Mit Helen hast du ja schon oft gesprochen. Vielleicht möchtest du warten, bis sie alle da sind, bevor du erzählst, was ... ja, was passiert ist.«

Bislang hatte Amelie zu allem geschwiegen, was Caleb sagte, nun hob sie erstmals den Kopf und sah ihn an. »Nein. Ich möchte nicht mit meinen Eltern reden.«

»Weshalb nicht?«

Sie schien sich in ihren Pullover förmlich verkriechen zu wollen. »Ich will sie nicht sehen.«

»Sie werden jeden Moment hier sein. Sie werden dich sehen wollen.«

Sie begann wieder zu weinen. »Nein«, schluchzte sie. »Bitte nicht!«

Caleb neigte sich vor. »Amelie. Was ist das mit … dir und Alex Barnes?«

»Ich will zu ihm.«

»Er hat dich entführt. Aus der Tankstelle.«

»Nein.«

»Sondern?«

»Ich habe ihn angerufen. Nachdem ich aus dem Fenster geklettert war und über den Zaun entkommen bin.«

»Da hast du Alex Barnes angerufen?«

»Ja.«

»Und dann?«

»Dann kam er und hat mich mitgenommen.«

Die ganze Zeit über, seit er Amelie Alex' Namen hatte rufen hören, formierte sich die Erkenntnis in Calebs Kopf, eine unschöne Erkenntnis, gegen die er sich sträubte, die jedoch mehr und mehr Gestalt annahm und alles, wirklich alles, seine ganze Ermittlung und sämtliche Erkenntnisse, wieder auf *Los* zurückstellte.

Er formulierte abwartend und vorsichtig. »Du und Alex Barnes … Ihr kennt einander nicht erst, seitdem er dich aus dem Wasser gerettet hat? Ihr … kennt euch schon länger?«

Sie erwiderte nichts, nickte jedoch kaum merklich.

»Ihr habt auch schon länger … eine Beziehung?«

Sie nickte wieder, dann sah sie Caleb erneut an. »Ja. Ich liebe ihn.«

»Er ist ein einunddreißigjähriger Mann. Du bist vierzehn!«, sagte Caleb und biss sich gleich darauf auf die Zunge. Als ob das ein Argument war für Amelie. Als ob sie auch nur in Ansätzen nachvollziehen konnte, was er meinte.

»Ich liebe ihn«, wiederholte sie.

»Okay«, sagte Caleb. »Okay.«

Er überlegte. Alex Barnes war der Scheißkerl in dem Spiel, indem er mit einer Vierzehnjährigen schlief und das Mädchen dabei ganz offenbar in eine völlige mentale Abhängigkeit von sich gebracht hatte. Aber allem Anschein nach war er kein Entführer oder Mörder. Vor allem: So, wie sich diese ganze Sache langsam herauskristallisierte, hing der Fall Amelie Goldsby nicht mit dem Fall Saskia Morris zusammen.

»Du wurdest nie entführt, nicht wahr? Schon im Oktober nicht.«

Wieder das angedeutete Kopfnicken.

Er seufzte. Verdammt, verdammt, verdammt.

»Ich will meine Eltern nicht sehen«, wiederholte Amelie mit leiser Stimme.

»Du wirst sie sehen müssen«, sagte Caleb. Er merkte, dass er schroff klang, aber er konnte seinen Ärger nicht unterdrücken. Es ging dem Mädchen vor ihm nicht gut, und ja, sie war erst vierzehn, aber trotzdem … Es war ein übles Spiel, bei dem sie mitgemacht hatte. Sie hatte nicht nur ihre Eltern und die Polizei über Wochen belogen, sie hatte dadurch auch dafür gesorgt, dass die Fahndung nach dem Mörder von Saskia Morris in eine falsche Richtung lief.

»Das Phantombild des Täters«, sagte er, »das war dann reine Fantasie?«

Nicken.

»Ihr steckt ziemlich tief im Schlamassel«, sagte er, »du und dein Freund. Er noch ein ganzes Stück tiefer, weil er Sex mit einem Mädchen unter sechzehn Jahren hatte. Er wird mehr Ärger bekommen, als ihr beide euch jetzt vorstellen könnt.«

In ihren Augen flackerte Angst. »Muss Alex ins Gefängnis?«

Caleb nickte. »Davon kannst du sicher ausgehen.«

Zum Glück. Es gab in diesem Moment niemanden, den

er so dringend hinter Schloss und Riegel wünschte wie Alex Barnes.

»Seit wann kennst du Alex?«, fragte er.

Er sah ihr an, dass sie kurz überlegte, ob sie ihm überhaupt antworten wollte, aber dann dachte sie vielleicht, dass Kooperation ihre Lage verbessern würde. »Seit fast einem Jahr. Ich habe ihn im Januar kennengelernt.«

»Wo?«

»Ich habe im *Sea Life Sanctuary* gejobbt. An den Wochenenden. Und er hatte da auch gerade eine Arbeit. Da sind wir uns begegnet.«

»Und seit wann habt ihr eine Beziehung?«

»Seit Februar.«

Caleb seufzte. Alex Barnes hatte nicht lange gefackelt.

Vom Gang draußen waren Schritte und Stimmen zu hören, gleich darauf wurde die Tür aufgerissen. Deborah und Jason kamen in das Zimmer, gefolgt von Helen, die so aussah, als hätte man sie direkt aus dem Bett geholt: Sie trug eine grüne Hose und einen gelben Pullover, und die beiden Farben bissen einander fast schmerzhaft. Wahrscheinlich hatte sie sich im Dunkeln angezogen. Ihre Haare waren ungebürstet und standen in jede Himmelsrichtung vom Kopf ab.

Deborah und Jason hingegen waren vermutlich gar nicht im Bett gewesen. Angesichts des erneuten Verschwindens ihrer Tochter war an Schlaf kaum zu denken gewesen. Sie wirkten vollkommen übernächtigt, bleich, fast grau in den Gesichtern. Caleb fragte sich, ob dieser ebenso gestörte wie rücksichtslose Teenager in dem Sessel vor ihm auch nur in Ansätzen kapierte, was er seinen Eltern angetan hatte.

»Amelie!«, rief Deborah. Sie lief zu ihrer Tochter hin, wollte sie in die Arme schließen, aber Amelie drückte sich tiefer in den Sessel und machte eine so abwehrende Geste, dass

Deborah zurückwich. Sie starrte Amelie an, dann wandte sie sich hilfesuchend an Caleb. »Ist alles in Ordnung?«

»Ihre Tochter lebt und ist gesund«, sagte Caleb. »Aber das ist so ziemlich das Einzige, was in Ordnung ist.«

Jason sah sich aus wilden Augen um, so als erwartete er, Alex Barnes in irgendeiner Ecke des Zimmers zu entdecken. »Es war Barnes, oder? Er hatte sie. Er hatte sich hier mit ihr versteckt? In diesem Hotel? Was hat er…«

»Es war Barnes, aber es war nicht ganz so, wie Sie denken«, unterbrach Caleb.

»Nein?«, fragte Jason.

»Amelie sollte uns die ganze Geschichte erzählen«, sagte Caleb. »Möchten Sie einen Anwalt hinzuziehen?«

Er erntete entgeisterte Blicke für diese Frage.

»Einen Anwalt?«, fragte Deborah in einem Ton, als könnte sie sich kaum etwas unter diesem Begriff vorstellen.

»Ihre Tochter hat sich in große Schwierigkeiten gebracht«, sagte Caleb, »deshalb ist es meine Pflicht, Sie darauf hinzuweisen, dass.:.«

Jason fiel ihm ins Wort. »Wir brauchen keinen Anwalt. Ich will jetzt wissen, was los ist. Sofort. Was ist, verdammt noch mal, passiert?«

2

Alex Barnes hatte im Verlauf der Ereignisse ein wenig von seiner unverschämten, provozierend lässigen Attitüde eingebüßt. Er saß an diesem Morgen Caleb Hale im Polizeipräsidium in Scarborough gegenüber und schien kleiner geworden zu sein, in sich zusammengesunken. Er hatte begriffen, dass es nichts mehr gab, was ihn retten würde.

»Sie wollte das alles«, sagte er bereits zum wiederholten Mal. »Amelie. Ich wollte längst aus der ganzen Geschichte mit ihr aussteigen. Sie hat mich einfach nicht losgelassen. Sie war besessen von unserer Beziehung. Ich habe versucht, den Kontakt abzubrechen, aber sie war wie wild hinter mir her. Egal, wie oft ich ihr erklärt habe, dass wir das alles beenden müssen, sie hat nicht aufgehört, mich mit WhatsApps und Anrufen zu bombardieren. Sie kreuzte immer wieder vor meiner Wohnungstür auf, heulte, drohte mit Selbstmord, wenn ich sie nicht reinlasse. Was hätte ich ...«

»Hören Sie doch auf«, sagte Caleb. Alex' Versuche, sich reinzuwaschen und Amelie die Verantwortung für den Gang der Ereignisse aufzubürden, widerten ihn an. »Als die Manchester Police Sie gestern Abend in diesem Motel am Flughafen mit der *vierzehnjährigen* Amelie Goldsby im Bett antraf, vermittelten Sie nicht den Eindruck, das wehrlose Opfer in einer von Ihnen keineswegs gewollten Situation zu sein. Also versuchen Sie jetzt nicht so zu tun, als sei Ihnen etwas zugestoßen, was von Ihnen nicht kontrollierbar gewesen wäre.«

»In gewisser Weise war es tatsächlich nicht zu kontrollieren«, sagte Alex sofort. »Amelie hatte mich angerufen, nachdem sie an dieser Tankstelle aus dem Toilettenfenster geklettert war. Sie war aufgelöst und vollkommen hysterisch. Was hätte ich tun sollen? Ich bin gleich zu ihr gefahren und habe sie buchstäblich von der Straße aufgesammelt. Ich ...«

»Was Sie hätten tun sollen?«, unterbrach ihn Caleb. »Sie hätten spätestens dann sofort zur Polizei mit ihr gehen müssen. Anstatt eine chaotische und sinnlose Flucht anzutreten und alles zu verschlimmern. Abgesehen davon hätten Sie sich nie, *niemals*, überhaupt mit ihr einlassen dürfen. Als

Sie eine sexuelle Beziehung mit Amelie Goldsby eingingen, im Februar dieses Jahres, war das Mädchen dreizehn. Seit Juli ist sie vierzehn. Dafür alleine, Mr. Barnes, gehen Sie mindestens zwei Jahre ins Gefängnis!«

Alex sah aus, als würde er jeden Moment in Tränen ausbrechen. »Ich wusste das nicht. Sie hatte behauptet, sechzehn zu sein. Sie hätten sie sehen müssen, wie geschminkt sie war, wie sie … Sie sah wirklich aus wie sechzehn! Erst an ihrem Geburtstag im Juli habe ich mitbekommen, dass sie vierzehn wurde. Ich wollte mich sofort von ihr trennen, aber … sie hat ja nicht von mir abgelassen!«

»Sie Ärmster«, sagte Caleb.

Alex atmete tief. »Sie war wie von Sinnen. Hat ständig gedroht, sich umzubringen, wenn ich mich nicht weiter mit ihr treffe. Ich hatte Angst, sie macht es wirklich.«

»Und da haben Sie sich heldenhaft geopfert und sind weiterhin mit ihr ins Bett gegangen. Sie sind wirklich ein selbstloser Charakter«, sagte Caleb.

Alex presste die Lippen aufeinander und erwiderte nichts.

Caleb kannte die ganze Geschichte bereits von Amelie. Sie hatte sie noch in der Nacht erzählt, im Beisein ihrer fassungslosen Eltern. Deborah und Jason hatten nach Amelies erneutem Verschwinden geglaubt, dass es nicht schlimmer für die Familie kommen könnte. Sie waren eines Besseren belehrt worden.

»Am 14. Oktober hat Amelie Sie angerufen«, sagte Caleb. »Sie hatte das Auto ihrer Mutter auf dem *Tesco*-Parkplatz verlassen und war ein Stück die Burniston Road hinuntergegangen.«

»Ja, es war einer ihrer üblichen Anrufe. *Ich will weg von zu Hause, ich will zu dir, bitte komm sofort, ich bringe mich sonst um*… Ich habe ihr gesagt, okay, komm zu mir. Ich bin ihr entgegengegangen. Über den Cleveland Way. Wir

haben uns auf halber Strecke zwischen Nord- und Süd-
bucht getroffen. Sie war hysterisch, weil sie nicht auf die
Klassenfahrt mitwollte. Und sie wollte nicht mehr bei ihren
Eltern, sondern bei mir leben.«

»Und da haben Sie sie mit in Ihre Wohnung genommen.«

»Ja, klar. Ich konnte sie in diesem Zustand nicht draußen
stehen lassen.«

»Und es gelang Ihnen nicht, sie dazu zu überreden, wieder nach Hause zu gehen?«

»Nein. Keine Chance. Sie wollte das nicht.«

»Weshalb haben Sie nicht die Eltern angerufen? Ihnen
musste klar sein, was die beiden durchmachten!«

Alex zuckte hilflos mit den Schultern, murmelte irgendetwas Unverständliches.

Caleb neigte sich vor. »Ich sage Ihnen, weshalb Sie die
Eltern nicht verständigt haben. Ihnen ging der Arsch auf
Grundeis, Mr. Barnes. Sie hatten sich mit diesem sehr jungen Mädchen eingelassen und damit strafbar gemacht, und
nun wurden Sie die Kleine nicht mehr los. Amelie Goldsby
hatte sich wirklich in Sie verliebt und war überdies meiner
Ansicht nach in eine psychische und sexuelle Abhängigkeit
geraten. Sie einfach nach Hause zu schicken hätte bedeutet, dass sie ihren Eltern womöglich alles erzählt hätte. Am
Ende hat sie sogar damit gedroht. Sie hatten sich in eine
richtig verfahrene Lage manövriert, Mr. Barnes. Ich nehme
Ihnen durchaus ab, dass Sie gerne ausgestiegen wären, aber
das ließ Amelie nicht zu. Doch anstatt eine Form der Scha-
densbegrenzung zu betreiben und freiwillig zur Polizei zu
gehen, beschlossen Sie, da die Lage ja nun so oder so ziemlich katastrophal für Sie war, dass man zumindest noch ein
bisschen Geld mit alldem verdienen könnte.«

»So war es nicht«, sagte Alex sofort. »Amelie fing damit
an.«

»Womit?«

»An dem Tag, an dem sie weglief … da wurde doch die Leiche dieses Mädchens gefunden. Saskia Morris. Überall sprach man vom *Hochmoor-Killer*. Und Amelie meinte gleich, dass ihre Eltern bestimmt denken würden, dass sie ein Opfer des *Hochmoor-Killers* geworden sei. Und so war es dann ja auch. In allen Zeitungen stand, dass das vermutet wird. Auch von Seiten der Polizei.«

»Das wurde Ihnen dann aber doch etwas zu heiß«, vermutete Caleb.

Alex nickte. »Ich meine … oh Gott! Da trieb sich ein Typ herum, der ein Mädchen ermordet hatte, und das nächste vermisste Mädchen war bei mir. Ich wusste nicht … Sie konnte ja nicht ewig bleiben. Ihr Bild war in allen Zeitungen. Sie durfte meine Wohnung nicht mehr verlassen. Wenn es klingelte, geriet ich in Panik. Ich wusste absolut nicht, was ich tun sollte.«

»Amelie musste nach Hause zurück, ohne dass jemand erfuhr, was tatsächlich geschehen war. Und etwas Geld dabei abzustauben erschien Ihnen auch nicht schlecht. Ihnen kam diese unsägliche Idee der scheinbaren Rettung aus dem Meer. Die Flucht vor dem Entführer in dem ominösen Auto. Die Verfolgung. Amelie rettet sich ins Meer, dann kommen Sie zufällig vorbei und fischen sie an Land. Sie stehen als heldenhafter Retter da, und Amelies Eltern sind Ihnen zu lebenslanger Dankbarkeit verpflichtet. Was Sie dann ja auch sehr gewinnbringend genutzt haben, um etliche Zuwendungen und am Ende auch eine ganz schöne Stange Geld zu kassieren.«

Alex schwieg.

»Dabei war es Ihnen egal, dass Sie die Polizei auf eine völlig falsche Fährte brachten«, fuhr Caleb fort. »Die Polizei, die unter Hochdruck nach dem brutalen Mörder der jungen

Saskia Morris fahndete. Diese Polizei wurde getäuscht mit der falschen Schilderung eines Tathergangs, mit einer falschen Täterbeschreibung, mit der falschen Schilderung einer Flucht. Das Auto, der ominöse Besucher, in dessen Wagen sich Amelie versteckte, das alles stimmte von vorne bis hinten nicht. Das Alter des Entführers, seine Vorgehensweise, die Entfernungen, die er zurücklegte – alles Dinge, die für uns zu wichtigen Anhaltspunkten in der Ermittlung wurden – waren vollkommen erfunden und erlogen. Mr. Barnes, haben Sie irgendeine Vorstellung davon, *wie tief* Sie in der Bredouille stecken?«

»Es war nicht alleine mein Plan. Ich …«

»Hören Sie auf. Hören Sie auf, alles, was passiert ist, auf den Schultern einer vollkommen unreifen Vierzehnjährigen abladen zu wollen. Sie sind ein erwachsener Mann. Sie hätten wissen müssen, was Sie da tun!«

Alex blickte zu Boden.

»Dieses Auto, das Sie damals gemietet hatten, um Ihrem Freund beim Umzug zu helfen …«

Alex blickte auf. »Das stimmte wirklich. Ich hatte ihm schon wochenlang vorher versprochen, ihm zu helfen. Und ich habe es auch getan. Ich …«

Caleb winkte ab. »Geschenkt. Es gibt Zeugen, die haben Sie gesehen, wie Sie Kisten schleppten. Aber außerdem nutzten Sie das Auto, um in die Hochmoore zu fahren und Amelies Tasche mit ihren Papieren und ihren Kosmetikbeutel in der Nähe eines Parkplatzes im Gras zu entsorgen. Ein sehr ähnliches Szenario wie damals, als wir direkt nach ihrer Entführung die Habseligkeiten von Saskia Morris fanden. Da das gerade wieder in allen Zeitungen hochgekocht wurde, hatten Sie praktisch die detaillierte Anleitung vorliegen, wie Sie nun am besten vorgingen. Sie haben sehr gezielt die falsche Spur gelegt.«

Wieder antwortete Alex nicht.

»Amelies Handy haben Sie sich natürlich anderweitig vom Hals geschafft. Ich nehme an, dass Sie es noch am vierzehnten Oktober ins Meer warfen. Oder in irgendeinen Tümpel. Es sollte ja nicht geortet werden. Außerdem durfte die Vielzahl an Nachrichten, die Sie und Amelie *vor* der vermeintlichen Entführung über dieses Handy ausgetauscht hatten, ja nie in die Hände der Polizei gelangen. Aus demselben Grund haben Sie später Ihr eigenes Handy ins Meer geworfen und dann erklärt, es sei Ihnen aus der Tasche gefallen, während Sie Amelie festhielten. Sie hatten übrigens Glück, dass Sie sich nie E-Mails geschrieben haben, es war nichts dergleichen auf Amelies Computer zu finden. Wahrscheinlich hatten Sie sie selbst davor gewarnt, weil Sie fürchteten, die Eltern könnten den Computer kontrollieren, während die Tochter in der Schule war.«

Schweigen.

»Was ich gerne noch in Ihrer Version hören würde«, sagte Caleb, »ist, wie Sie Amelie dazu gebracht haben mitzuspielen. Abgesehen davon, dass Ihnen das Mädchen hörig ist und wahrscheinlich alles tut, was Sie sagen: In diesem Fall führte der Plan aber dazu, dass Amelie ja am Schluss wieder nach Hause musste. Was sie ja unter keinen Umständen wollte. Wie haben Sie es geschafft, dass sie mitmachte?«

Alex schwieg erneut, ihm war anzusehen, dass die Gedanken hinter seiner Stirn hin- und herjagten. Schließlich sagte er: »Ich möchte einen Anwalt.«

Caleb nickte. »Keine dumme Idee in Ihrer Lage. Allerdings wird kein Anwalt der Welt Sie aus diesem Schlamassel herausholen, das kann ich Ihnen versichern.«

Alex warf ihm einen hasserfüllten Blick zu, erwiderte aber nichts.

»Ich weiß«, sagte Caleb, »dass Sie Amelie leere Versprechungen gemacht haben, um sie zur Kooperation zu bewegen. Nach allem, was Amelie gestern ihren Eltern erzählte, ging sie davon aus, dass Sie gemeinsam mit ihr weggehen würden, sowie Sie genug Geld hätten, um für Sie beide eine Flucht und eine erste Durststrecke an irgendeinem Ort außerhalb Großbritanniens finanzieren zu können. Amelie erwähnte die griechischen Inseln. Oliven anbauen, das einfache Leben in der Sonne, am Meer. Das ist der Schwachsinn, den Sie ihr verkauft haben. Sie hatten das wahrscheinlich nie vor, Amelie war längst zu einer Last geworden, aber sie musste zunächst ruhiggestellt werden. Sie zogen die Nummer mit der Rettung aus dem Meer durch, Amelie kehrte nach Hause zurück, und Sie gingen dann daran, den Eltern möglichst viel Geld aus den Rippen zu leiern. Was sich als schwieriger erwies als erwartet. Das schöne große Haus in guter Lage … Ich nehme an, Sie waren von sehr soliden finanziellen Verhältnissen der Familie ausgegangen. In Wahrheit hatten sich die Goldsbys mit dem Kauf des Hauses ziemlich übernommen, wovon aber nicht einmal Amelie etwas wusste, weil die Eltern sie nicht beunruhigen wollten. Daher kam man Ihnen zwar voller Dankbarkeit entgegen, und Deborah Goldsby bemühte sich, Ihnen bei der Suche nach einer Arbeit zu helfen – wobei Arbeit das Letzte war, was Sie wollten –, aber der ersehnte Geldregen blieb erst einmal aus. Bis Sie schließlich mit einer ziemlich unverschämten konkreten Forderung an die Goldsbys herantraten. Zu diesem Zeitpunkt hatten Sie sich schon so unbeliebt gemacht, dass Dr. Goldsby bereit war, seinen Kreditrahmen, der ihm ohnehin schon schlaflose Nächte bereitete, noch einmal zu erweitern und Sie für die Rettung seiner Tochter finanziell zu entlohnen. Dreißigtausend Pfund. Kein ganz schlechtes Startkapital.«

»Ich will einen Anwalt.«

»Den bekommen Sie, keine Sorge.« Caleb spielte mit einem Kugelschreiber herum. Er hatte Kopfschmerzen, der Fall schien ihm komplett entglitten zu sein, er hatte sich wochenlang von dem Typ auf der anderen Seite des Tisches an der Nase herumführen lassen... und er stand mit völlig leeren Händen da, was Saskia Morris anging. Hinter der kühlen, sarkastischen Art, mit der er Alex Barnes klarmachte, dass er bis zum Hals in Schwierigkeiten steckte und dass er sich auf eine lange Zeit hinter Gittern einstellen konnte, lauerte schiere Verzweiflung. Die Erkenntnis, dass Zeit und Kraft, Einsatz, Geld, einfach alles umsonst gewesen war. Man würde ihn verantwortlich machen. Er würde erklären müssen, wie ihm das passieren konnte. Ihm drohte kein Gefängnis, aber ihm drohte jede Menge Ärger, und er wusste, dass er absolut keinen Grund hatte, sich besser zu fühlen als die in sich zusammengesunkene Elendsgestalt, die ihm gegenübersaß.

»Das Schwierige war«, fuhr er bemüht souverän fort, »dass Amelie immer unruhiger wurde. Sie saß zu Hause und wurde mit jedem Tag depressiver, wartete verzweifelt, dass Sie sie kontaktieren würden, um die gemeinsame Flucht zu beginnen. Sie war, was Sie betraf, wie eine kleine Zeitbombe. Dabei hatten Sie noch ziemlich viel Glück: Nach Ansicht unserer Polizeipsychologin hat der Sprung ins Wasser und die Tatsache, dass Sie Amelie offenbar tatsächlich nicht alleine rausziehen konnten, wirklich zu einer Traumatisierung geführt. Der Plan war, dass Sie Amelie umgehend aus ihrer misslichen Lage befreien, aber das gelang nicht, und für einen quälend langen Zeitraum schien keine Hilfe in Sicht. Sie konnten Amelie kaum noch halten, und Amelie durchlitt echte Todesangst. Das ließ sie später ausgesprochen glaubwürdig agieren, als sie wieder und wieder von der Situation im Wasser sprach. Niemand hat ihre Geschichte angezweifelt.«

»Tja«, sagte Alex. Er gewann ein wenig an Sicherheit zurück. Am Anfang hatte er sich völlig vernichtet gefühlt. Inzwischen witterte er, dass es dem DCI nicht viel besser ging. »Dumm gelaufen für Sie, Inspector.«

Caleb umklammerte seinen Kugelschreiber fester. Bleib ruhig, ermahnte er sich.

»Amelie verlor langsam die Nerven und verzehrte sich außerdem vor Sehnsucht nach Ihnen«, fuhr er fort. »Daher die Flucht aus dieser Tankstelle und der Anruf bei Ihnen. Sie hatte mehr aufgeschnappt, als alle dachten, und hatte daher mitbekommen, dass ihre Eltern einen größeren Geldbetrag an Sie gezahlt hatten. Sie wollte endlich mit Ihnen zusammen abhauen. Dummerweise hatten Sie schon längst nicht mehr vor, sie mitzunehmen. Warum haben Sie sie trotzdem erneut aufgesammelt?«

Alex schwieg.

»Ich sage es Ihnen«, sagte Caleb. »Sie wussten, wenn Amelie verschwindet, setzt sich sofort der gesamte Polizeiapparat in Bewegung, und als Erstes stehen Sie im Visier. Sie fuhren zu ihr, um sie zu überreden, nach Hause zu gehen, weiterhin zu warten, Ihnen zu vertrauen. Lauter Zeugs, um sie ruhigzustellen, nur dass es nicht mehr funktionierte. Amelie wollte nicht länger warten, sie weigerte sich, zu ihren Eltern zu gehen. Sie klebte an Ihnen, gnadenlos. Ihnen war klar, dass es nicht mehr lange dauern würde und die Polizei würde vor Ihrer Haustür stehen, und es würde ziemlich ungünstig für Sie sein, wenn man dann Amelie Goldsby in oder vor Ihrer Wohnung antraf.«

»Sie war eine Zecke«, sagte Alex. Er spuckte das Wort *Zecke* geradezu aus. »Eine richtige Zecke!«

»Also flohen Sie mit ihr zusammen. Ein idiotischer Plan, es konnte überhaupt nicht gutgehen. Natürlich fanden wir sofort heraus, dass Sie inzwischen ein eigenes Auto besaßen, und natürlich kannten wir das Kennzeichen. Es war eine Frage der Zeit, wann man Sie schnappen würde.«

Alex sagte nichts.

»Andererseits«, fügte Caleb hinzu, »was blieb Ihnen übrig? Es war die letzte Chance, freiwillig zur Polizei zu gehen und alles zu gestehen, aber den Mut brachten Sie nicht auf. Also rannten Sie davon. Mit dem Mädchen im Schlepptau, zwangsläufig. Was hatten Sie mit ihr vor? Sie irgendwann zu entsorgen?«

»Ich bin kein Killer«, sagte Alex.

Caleb nickte. »Sie hätten sie loslassen können. Damals, an jenem stürmischen Abend, als sie verzweifelt an der Kaimauer in den tosenden Wellen hing. Sie haben mit dem Gedanken gespielt, stimmt's? Kleines Restrisiko, dass sie lebend irgendwo an Land gespült wird, aber die Wahrscheinlichkeit war gering. Es hätte alle Ihre Probleme gelöst.«

»Ich habe doch gesagt, ich bin kein Killer«, entgegnete Alex heftig. »Das hätte ich nicht fertiggebracht. Ja, verdammt, ich wäre sie gerne losgeworden, ich wäre die ganze Geschichte gerne losgeworden. Amelie Goldsby hatte begonnen, sich zu meinem ganz persönlichen Albtraum zu entwickeln, aber ich hätte sie nicht umgebracht. Nie. Egal, was Sie von mir denken, aber ich habe nicht einmal darüber nachgedacht. Ich habe sie zum Teufel gewünscht, aber nie hätte ich sie getötet. Niemanden. Ich kann das nicht.«

Caleb sah ihn unbeweglich an. Er hielt Alex für einen notorischen Lügner und Betrüger, aber in diesem Punkt glaubte er ihm. Alex war kein Gewaltverbrecher. Er war arbeitsscheu, gerissen, verlogen, auf seinen Vorteil bedacht, skrupellos, wenn es um die Befindlichkeiten und Gefühle anderer Menschen ging, berechnend und heimtückisch, aber er war kein Mörder. Nicht einmal eine Körperverletzung hätte in seine Wesensstruktur gepasst.

»Das zumindest«, sagte Alex, »muss doch zu meinen Gunsten gewertet werden, oder? Vor Gericht?«

Caleb erhob sich. »Mr. Barnes, unsere Gesellschaft sieht es eigentlich als ziemlich selbstverständlich an, dass Morde *nicht* begangen werden. Es wird daher selten als ausdrücklicher Pluspunkt eines Menschen gewertet, wenn er kein Mörder ist. Sie können von Glück sagen, dass ich nicht Ihr Richter bin, ich würde in meinem Urteilsspruch bis an die äußerste Grenze des Strafmaßes gehen, das das Gesetz in Ihrem Fall zulässt. Aber auch so werden Sie nicht auf allzu viel Gnade und Verständnis hoffen können. Ich werde zu denen gehören, die gegen Sie aussagen, und ich werde kein gutes Haar an Ihnen lassen, davon können Sie getrost ausgehen.«

Auch Alex stand auf. Er schaute Caleb verächtlich an. »Sie sind so wütend. Und so frustriert. Was haben Sie an Zeit und Geld vergeudet! Sie wollten den Mörder von Saskia Morris finden und haben sich in mich verbissen, in die völlig falsche Person. Sie haben wochenlangen Personenschutz für Amelie organisiert, total umsonst. Überflüssig. Ich habe in mich reingelacht, wenn ich die beiden Hampelmänner da in dem Auto vor dem Haus der Goldsbys gesehen haben, wie sie ihre Stunden absaßen, obwohl niemand, wirklich absolut niemand Amelie nach dem Leben trachtete. Es war so absurd. Und das Schöne ist, dem echten Mörder sind Sie dabei keinen noch so winzigen Schritt näher gekommen. Der hat vermutlich in der Zwischenzeit in aller Seelenruhe nach dem nächsten Opfer Ausschau gehalten. Vielleicht hat er es sogar schon geschnappt. Zeit genug hatte er ja. Großartig, *Detective Chief Inspector* Caleb Hale! Das haben Sie wirklich perfekt hinbekommen. An Ihrer Stelle würde ich jetzt erst einmal einen Schnaps trinken. Ich habe gehört, der wirkt bei Ihnen wahre Wunder.

Vielleicht kommt Ihnen dann eine Idee, wie Sie den Karren wieder aus dem Dreck ziehen können!«

3

Trescott Hall, das Pflegeheim für Senioren, sah auf den ersten Blick wie ein hochherrschaftliches Gemäuer aus, ein Herrenhaus aus der Tudor-Zeit, gemauert aus dunklem Stein und mit einer Vielzahl hoher Bogenfenster versehen, in deren Scheiben sich die weißgelbe Sonne spiegelte, die dieser Herbsttag hervorbrachte. Der weitläufige Gebäudekomplex lag am Stadtrand von Hull, auf der Seite zum Landesinneren hin und mit Blick auf eine eher langweilige, hügelige Landschaft. Das Meer war ein gutes Stück entfernt, das pulsierende Leben der Innenstadt auch. Hierher kamen Menschen für ihre letzten Jahre oder auch nur ihre letzten Monate. Kate hätte ihnen gewünscht, beim Blick aus den Fenstern mehr zu sehen als diese leblos wirkende Gegend.

Aber vielleicht lag es auch an der Jahreszeit. An den kahlen Bäumen und zerzausten Sträuchern, an denen nur hier und da noch vereinzelt ein paar gelbe Blätter hingen.

Kate hatte ihr Auto auf dem Parkplatz vor dem Eingang abgestellt. Beim Näherkommen bemerkte sie, dass das Haus heruntergekommener war, als es zunächst den Anschein gehabt hatte. Risse im Mauerwerk. Nasse Flecken unterhalb der Fenster. Aus der Dachrinne war ein Stück herausgebrochen. An der Westseite wuchs Efeu bis zum Dach und stieß durch die Ziegel, weil ihn offenbar niemand zurückschnitt.

Es gab eine Klingel an der großen, schweren Eichenholztür. Kate klingelte und wartete. Es dauerte eine Minute, dann ertönte ein elektrischer Summton. Kate drückte die Tür auf und trat in die Eingangshalle.

Ihr erster Eindruck war: dunkel. Ungeheizt. Der Geruch irgendeines antiseptischen Sprays.

Sie sandte ein sekundenlanges Stoßgebet zum Himmel: Niemals an einem Ort wie diesem zu landen, wenn sie alt wäre.

Eine junge Frau eilte auf sie zu, aus irgendeinem der Gänge kommend, die sternförmig auf diese dunkle Eingangshalle zuzulaufen schienen.

»Ja?«, fragte sie atemlos.

Kate hatte sich für diesen Besuch gegen die Version der Journalistin entschieden, da es ihr fraglich schien, ob man sie dann zu einer alten, vielleicht kranken und zeitweise verwirrten Frau vorlassen würde. Sie würde diesmal das Verbotene tun: sich als die ausgeben, die sie war.

Sie zückte ihren Ausweis. »Detective Sergeant Kate Linville. Metropolitan Police.«

Ihrer Ansicht nach ging sie ein relativ geringes Risiko ein. Die Polizei hatte den Fall Hannah Caswell zu den Akten gelegt, und selbst wenn Caleb Hale ihn wieder hervorkramen würde, würde er wahrscheinlich von einer erneuten Befragung der alten Mrs. Caswell absehen.

Wie üblich verfehlte die Nennung der prominenten Londoner Behörde nicht ihre Wirkung. Die junge Frau bekam große Augen. »Oh!« Sie betrachtete Kate mit Ehrfurcht.

»Ich möchte zu Mrs. Caswell. Ich muss sie kurz sprechen.«

»Zu Mrs. Caswell… Es geht ihr nicht gut, wissen Sie. Ich kann auch nicht sagen, ob…«

»Ich habe zwei oder drei Fragen an sie. Mehr nicht.«

»Wegen… der Sache damals? Mit ihrer Enkelin?«

»Sie wissen davon?«

»Ja. Mrs. Caswell kam ein Jahr, nachdem es passiert war, zu uns. Das Jahr, nachdem das Mädchen verschwunden war. Sie hat von nichts anderem gesprochen, Tag und Nacht. Es hat sie furchtbar belastet. Zuvor hatte sie ja in einer eigenen Wohnung in Hull gewohnt und war wohl ganz rüstig, aber diese Geschichte hat sie so mitgenommen, dass sie innerhalb kurzer Zeit zu einer gebrechlichen, kranken Frau wurde, die man nicht mehr sich selbst überlassen durfte. Ihr Sohn hat sie hierhergebracht.«

»Besucht er sie oft?«

Die Frau verzog verächtlich das Gesicht. »Sie ist seit drei Jahren bei uns. In der Zeit hat er sich genau ein einziges Mal blicken lassen.«

»Ich werde Mrs. Caswell nicht unnötig aufregen«, versprach Kate. »Aber es wäre wirklich wichtig, kurz mit ihr zu sprechen.«

Die junge Frau überlegte einen Moment. Kate war heilfroh, sich nicht als Journalistin ausgegeben zu haben. Damit wäre sie nie durchgekommen.

»In Ordnung«, sagte die andere schließlich. »Aber seien Sie wirklich vorsichtig. Mrs. Caswell ist manchmal sehr verwirrt, und wenn man sie dann bedrängt, fängt sie an zu weinen.«

»Keine Sorge. Ich werde sie nicht aufregen.« Da war sich Kate in Wahrheit nicht sicher. Sie würde über Hannah sprechen müssen, und das war sicher kein Thema, bei dem die Großmutter ruhig blieb.

Sie folgte der jungen Frau über lange, dunkle Gänge, die wie ausgestorben wirkten und von denen rechts und links eine Vielzahl von Türen abging.

Vor einer Tür blieb die junge Frau stehen, klopfte an, trat

aber ein, ohne dass von drinnen eine Reaktion gekommen wäre.

»Mrs. Caswell«, sagte sie, »Besuch für Sie!«

»Mir ist so kalt«, sagte Leonore Caswell nun schon zum wiederholten Mal. Sie saß zusammengekrümmt in ihrem Lehnstuhl am Fenster, eine Wolldecke über den Beinen und eine weitere Decke um die Schultern gelegt, und offensichtlich konnte sie trotzdem nicht aufhören zu frieren. Sie hatten sie zitternd vor Kälte angetroffen, was der Betreuerin sichtlich peinlich gewesen zu sein schien. Sie hatte daraufhin die beiden Decken geholt, aber die alte Frau war wohl bereits zu ausgekühlt. Sie hatte noch immer bläuliche Lippen.

Auch Kate fand es kalt. Hier wurde sehr sparsam geheizt, vielleicht war es aber auch schwer bis nahezu unmöglich, dieses riesige alte Gebäude mit den extrem hohen Räumen einigermaßen warm zu bekommen. In dem Zimmer, das Leonore Caswell bewohnte, standen ein Bett, ein Kleiderschrank, ein Tisch und zwei Stühle. Kein Teppich bedeckte den steinernen Fußboden, und es hingen auch keine Bilder an den Wänden. So ähnlich stellte sich Kate eine Mönchszelle vor, in irgendeinem für seine Kargheit und Strenge bekannten Kloster. Der Blick aus dem Fenster ging auf einen Innenhof. Dann wieder Mauern mit Fenstern. Leonore Caswell saß hier Tag für Tag, Stunde um Stunde alleine in diesem Raum und starrte in diesen Hof. Wenn man nicht wahnsinnig war, wurde man es hier. Wütend dachte Kate, dass Ryan Caswell tatsächlich ein erbärmlicher Mensch war. Ganz sicher hätte es bessere Unterbringungsmöglichkeiten für seine Mutter gegeben, nicht teurer und luxuriöser, aber lebendiger. Und wärmer. Es konnte nicht sein, dass alte

Menschen so frieren mussten. Aber wenn er Leonore ein einziges Mal in drei Jahren besucht hatte, bekam er nichts von alldem mit. Sie war versorgt, irgendwie. Mehr interessierte ihn wahrscheinlich nicht.

Es war schwierig, mit Leonore Caswell ins Gespräch zu kommen. Die alte Frau schien geistig in einer eigenen Welt zu leben. Auf den Begriff *Polizei* hatte sie nicht reagiert. Sie hatte nur ständig wiederholt, dass ihr kalt sei. Die Betreuerin war nun verschwunden mit der Ankündigung, einen heißen Tee zu bringen. Kate hoffte, in der Zwischenzeit ein Stück weiterzukommen. Sie hatte sich den zweiten Stuhl herangezogen und saß Mrs. Caswell gegenüber. Ihren Mantel behielt sie an.

»Mrs. Caswell… Es geht um Hannah. Ihre Enkelin. Sie erinnern sich an sie?«

Leonore blickte hoch. »Hannah?«

»Ihre Enkelin.«

»Hannah ist meine Enkelin.«

»Ja, ich weiß. Sie ist… sie war längere Zeit nicht hier, nicht wahr?«

»Sie war nicht hier.«

»Sie vermissen sie, oder?«

Leonore wandte sich ab, blickte wieder in den Hof hinaus. Kate hatte gefürchtet, sie werde auf die Erwähnung von Hannah hin womöglich in Tränen ausbrechen, aber es gestaltete sich noch schwieriger: Im Moment begriff sie nicht recht, worum es ging.

Sie musste deutlicher werden. »Sie wissen, dass Hannah verschwunden ist? Seit vier Jahren?«

»Hannah ist verschwunden.«

»Ja. Schon sehr lange. Zuletzt war sie bei Ihnen. In Ihrer Wohnung in Hull. Sie wohnten damals noch nicht hier.«

»Hannah ist verschwunden.«

Die Frau sprach langsam und etwas schleppend. Kate nahm an, dass sie unter Medikamenten stand. Starke Antidepressiva vermutlich und Beruhigungsmittel. Der Besuch hier in Hull würde nicht viel bringen. Leonore Caswell war zu benommen, und sie hatte sich wahrscheinlich inzwischen auch einen gut funktionierenden Selbstschutz aufgebaut.

Sie versuchte es mit der Erwähnung eines anderen Namens. »Ich war bei Ryan. Ihrem Sohn.«

»Er ist ein guter Junge«, sagte Leonore.

Kate war anderer Meinung, behielt das aber für sich. »Wie war er als Vater? Als Hannahs Vater? Erinnern Sie sich daran?«

Leonore schien ein wenig wacher und klarer zu werden, wie man am Ausdruck ihrer Augen erkennen konnte. Vermutlich brauchte sie eine Anlaufzeit. Kein Wunder bei jemandem, der Tage, Wochen und Monate in einem Lehnstuhl verdämmerte und vielleicht nicht mehr als ein *Guten Morgen* und *Guten Abend* jeden Tag hörte.

»Ryan hat Hannah geliebt. Sehr geliebt.«

»Ich habe gehört, dass er ihr wenig Freiraum ließ?«

»Er hat sie geliebt.«

»Mrs. Caswell, könnte es Ihrer Meinung nach sein, dass Hannah weggelaufen ist? Weil sie sich eingesperrt fühlte?«

Leonore sortierte die Frage im Kopf. Dann entgegnete sie: »Nein. Hannah ist nicht weggelaufen.«

»Was glauben Sie, was geschehen ist?«

»Ich weiß es nicht.«

»Aber Sie haben sich bestimmt Gedanken gemacht? Sie haben Hannah erlebt an jenem Tag. Wie war sie?«

»Freundlich. Wie immer. Sehr freundlich.«

»Hatte sie Angst? Vor ihrem Vater?«

Leonore schüttelte den Kopf. »Nein.«

»Vor sonst irgendjemandem?«

»Nein.«

»Kennen Sie Kevin Bent?«

Leonore runzelte die Stirn. Sicher hatte auch sie diesen Namen im Zusammenhang mit dem Verschwinden ihrer Enkelin gehört, aber sie konnte ihn nicht mehr einordnen. »Ich … weiß nicht …«

»Hat Hannah damals bei Ihnen irgendetwas Besonderes erwähnt? Oder irgendjemanden? Einen Freund? Oder eine Freundin?«

»Nein.«

Kate überlegte. So kam sie an keine wirklich neuen Informationen heran. Entweder weil es keine gab. Oder weil Leonore viel zu vieles aus jener traumatischen Zeit verdrängt hatte.

»Ryan ist kein schlechter Mensch«, sagte Leonore plötzlich. »Er hat nie etwas Böses getan.«

»Weshalb sollte er etwas Böses getan haben?«, fragte Kate. »Gibt es jemanden, der das behauptet?«

Der Blick der alten Frau glitt in die Ferne. »Chamberfield«, sagte sie.

»Chamberfield? Ist das der Name einer Person? Oder einer Institution?«

»Er war nicht böse.«

Kate zog einen Block und einen Stift aus ihrer Handtasche und notierte den Begriff. *Chamberfield*. Irgendetwas löste der Name in ihr aus, sie hatte ihn schon einmal gehört. Sie kramte nach ihrem Smartphone, um ihn zu googeln, stellte aber fest, dass sie keinen Empfang hatte.

»Wer oder was ist Chamberfield, Mrs. Caswell?«

»Er war dort.«

»Wer? Ryan?«

»Ryan war in Chamberfield.«

»Wann? Wann war er dort?«

Leonores abschweifender Blick gewann wieder an Klarheit. »Das ist lange her. Lange. Noch bevor Hannah zur Welt kam.«

»Okay. Was hat er dort getan?«

»Er war nicht böse.«

»Nein, bestimmt nicht. Aber was hat er dort getan?«

Leonore seufzte tief, antwortete aber nicht.

»Mrs. Caswell! Erinnern Sie sich? Was hat Ryan in Chamberfield getan? Weshalb war er dort?«

Keine Antwort.

»Was ist Chamberfield?«

Leonore gab erneut keine Antwort. Ihre Augen, in denen kurzfristig ein Anflug von Klarheit und Leben gestanden hatte, verschlossen sich wieder. Sie entglitt. Irgendwohin, in eine Welt, in der sie die Ängste und Schmerzen des Lebens nicht erreichen konnten.

Die Tür ging auf, und die junge Frau, die Kate am Eingang in Empfang genommen hatte, erschien. Sie brachte ein Tablett mit zwei Bechern, aus denen es nach einer Früchteteemischung roch. Dazu einen Teller mit bröseligen Keksen.

»Eine kleine Stärkung«, sagte die junge Frau und lächelte.

Kate umfasste dankbar den heißen Becher. Wärme floss in ihre Hände. Leonore rührte ihren Tee nicht an, sie bemerkte gar nicht, dass er vor ihr stand. Sie starrte zum Fenster hinaus und befand sich an einem Ort in weiter Ferne.

»Wissen Sie zufällig, was *Chamberfield* ist?«, fragte Kate. »Mrs. Caswell erwähnte gerade, dass ihr Sohn dort gewesen sei, aber ich habe keine Ahnung, worum es sich ...«

»Chamberfield?«, gab die Frau zurück. »Du liebe Güte! Ryan Caswell war dort?«

»Offenbar. Was ist das denn?«

»Ein Irrenhaus. Ein wirklich berüchtigtes Irrenhaus.«

Kate zuckte vor dem Begriff zurück, der völlig unüblich geworden war, den ihr Gegenüber aber mit einem fast… hasserfüllten Unterton in der Stimme benutzte. Jetzt fiel auch ihr ein, dass sie den Namen in genau diesem Zusammenhang zwei- oder dreimal gehört hatte. Eine psychiatrische Klinik, in der schwere Fälle untergebracht waren.

»Bei Newcastle oben«, sagte sie. »Ich erinnere mich. Natürlich. Chamberfield.«

»Das sind massiv gestörte Patienten dort«, sagte die junge Frau, und es war deutlich, dass sie solche Menschen nicht mochte. Wahrscheinlich fürchtete. »Wenn Mr. Caswell dort war… mein Gott!«

»Wir wissen natürlich nicht, weswegen er dort war«, sagte Kate beschwichtigend. »Es könnten auch schwere Depressionen der Grund gewesen sein, Suizidgefahr womöglich… Also nichts, wodurch er eine Bedrohung für andere darstellen würde.« Aber in Wahrheit rasten ihre Gedanken. Sie musste unbedingt herausfinden, weshalb Caswell in einer psychiatrischen Klinik gewesen war. Er war offenbar nicht nur schroff, eigenbrötlerisch und manchmal schwer erträglich – er war krank. Psychisch krank.

Die Tochter dieses psychisch kranken Mannes war spurlos verschwunden, und für den Zeitraum ihres Verschwindens hatte ihr Vater kein Alibi. Es verwunderte sie ein wenig, dass Caleb Hale bei seinen damaligen Ermittlungen nicht auf diesen Punkt in Caswells Biografie gestoßen war. Hätte er es ihr gegenüber erwähnt? Zumindest hätte es doch Caswell verstärkt in seinen Fokus gerückt. Oder hatte er es herausgefunden, war der Geschichte nachgegangen, und sie hatte sich als nicht relevant erwiesen?

Er war nicht böse, hatte Leonore mehrfach beteuert. Also hatte es irgendetwas gegeben. Etwas, weshalb er eingewiesen worden war. Etwas Schlimmes. Was seine Mutter dazu brachte, sich schützend vor ihn zu stellen und einer Fremden zu erklären, dass er trotz allem ein guter Mensch war.

Am liebsten hätte sie Caleb sofort angerufen und ihn gefragt, ob er davon wusste und auf welche Spuren er möglicherweise gestoßen war, aber sie wusste, dass sie das nicht tun konnte. Er würde ausrasten. Schlimm genug, dass er am Montagabend schon mitbekommen hatte, dass sie sich als Journalistin ausgab und mit Menschen, die in einem Zusammenhang mit dem Verschwinden von Amelie Goldsby standen, Kontakt aufnahm. Sie wartete ohnehin ständig darauf, dass er sie anrief und mit Vorwürfen traktierte. Es war besser, sie sagte ihm nicht, in welchem Umfang sie recherchierte.

Sie mochte Caleb. Sie wollte ihn als Freund nicht verlieren.

Sie musste nach Chamberfield fahren. Gespräche mit Ärzten waren schwierig, das wusste sie, selbst für Scotland Yard. Aber sie würde versuchen, dem Geheimnis von Ryan Caswell auf die Spur zu kommen. Von Anfang an war sie gedanklich um ihn gekreist. Vielleicht hatte sie den richtigen Instinkt bewiesen.

Sie schaute auf ihre Uhr, stellte den Teebecher ab und stand hastig auf. Sie musste nach Hause, der Makler würde um vier Uhr mit Interessenten bei ihr auftauchen. Chamberfield stand dann für den nächsten Tag auf dem Programm.

Sie verabschiedete sich von Leonore Caswell, die keinerlei Reaktion zeigte, dann ließ sie sich von der jungen Betreuerin durch die vielen langen Gänge zum Ausgang bringen. Sie atmete tief und befreit auf, als sie draußen stand. Die Atmosphäre in dem Haus war allzu beklemmend gewesen. Sie musste ständig daran denken, wie heftig Leonore vor Kälte gezittert hatte. Sie überlegte, wie ihr eigenes

Alter wohl aussehen würde, schob den Gedanken dann aber entschlossen beiseite. Wenn sie jetzt, mit den frischen Eindrücken von *Trescott Hall*, darüber nachdachte, würde sie für den Rest des Tages depressiv sein.

Sie fuhr ein Stück in Richtung Stadt, hielt dann in einer Parkbucht und checkte ihr Handy. Eine WhatsApp-Nachricht von David.

Ich freue mich auf den Abend mit dir!

Sie lächelte. Ein warmes Glücksgefühl durchströmte sie.

Die zweite Nachricht war von Colin, zusammen mit einem Selfie, auf dem er sehr grimmig dreinblickte.

Ich verstehe nicht, weshalb du unseren Kontakt einfach beendet hast. Du sagst, es gibt einen anderen Mann. Komisch, woher hattest du den so schnell? Bist du die ganze Zeit zweigleisig gefahren und hast einfach mal geschaut, wer dir am Ende passender erscheint? Vielleicht hat er mehr Geld als ich. Frauen fahren ja immer total auf Geld ab. Ich verdiene nicht schlecht, aber bestimmt hast du dir gesagt, dass du anderswo noch jemand Besseres finden könntest. Ich hasse es, wie Frauen mit Männern umgehen. Es ist euch egal, ob jemand nett ist und es gut mit euch meint, für euch zählen nur Geld und ein großartiger Beruf. Was macht denn dein Neuer beruflich? Ich finde es total mies von dir, dass du ...«

Kate klickte die Nachricht weg. Das ging endlos so weiter, und sie hatte keine Lust, das noch länger zu lesen. Colin könnte zu einem Problem werden, aber sie war entschlossen, sich nicht einschüchtern zu lassen. Der Mann tickte nicht ganz richtig, sie hatte ihm nie den Eindruck vermittelt, aus ihnen beiden könnte ein Paar werden. Wenn er ihre höflichen Antworten auf seine Nachrichten anders gedeutet hatte, dann war das sein Fehler, nicht ihrer.

Sie schrieb eine Antwort an David. *Ich habe jetzt noch einen Termin mit dem Makler. Danach komme ich zu dir. Ich freue mich so sehr auf dich!*

Dahinter stellte sie ein rotes Herz und grinste. Es war wunderbar, verliebt und einfach ein wenig verrückt und kitschig und überschwänglich zu sein.

Vor allem, wenn man es nie zuvor im Leben gewesen war.

4

Ihr rechtes Handgelenk war eine einzige blutige, schmerzende, offene Wunde. Mandy hatte mehr als achtundvierzig Stunden zuvor begonnen, es mit einem aus der leeren Wasserflasche herausgebrochenen, scharfkantigen Stück Plastik zu bearbeiten. Es war nicht leicht gewesen, die Flasche kaputt zu machen, erstaunlich schwer sogar. Mandy mutmaßte, dass das mit ihrer wachsenden körperlichen Schwäche zu tun hatte. Sie hatte schreienden Hunger und quälenden Durst und zitterte zeitweise am ganzen Körper.

Zu Anfang war sie viel zu halbherzig vorgegangen. Es erforderte große Überwindung, sich selbst erheblich und schmerzhaft zu verletzen, besonders, wenn man sich ohnehin schon krank und matt fühlte. Zwischendurch war sie immer wieder erschöpft eingeschlafen, war dann elend und frierend aufgewacht und hatte sich in derselben erbärmlichen Situation wiedergefunden, aus der sie für ein paar Stunden in irgendwelche wirren, aber trotzdem willkommenen Träume entglitten war. Die Realität schockierte sie jedes Mal von Neuem. Der Arm mit der Brandverletzung pochte. Sie schaute sich die Stelle nicht mehr an, der Anblick erschreckte und demotivierte sie. Sie musste einfach sehen, dass sie hier rauskam. Nichts anderes zählte.

Jenseits der Fenster brach die Dunkelheit herein. Mandy hatte den halben Tag über geschlafen, war dann hochgeschreckt und fand sich zwischen Kälte, Schmerzen, Hunger und Durst wieder. Sie hing immer noch an der Wand fest. Sie musste sehen, dass sie vorankam; war es erst dunkel, würde sie kaum noch erkennen können, was sie tat.

Ihr gehäutetes Handgelenk und Teile der Hand sahen entsetzlich aus, dennoch griff sie nach der Plastikscherbe und fuhr fort, sich selbst zu bearbeiten. Das Blut war geronnen, während sie schlief, es war zu einer braunen Kruste geworden, und das war der gegenteilige Effekt dessen, was sie erreichen wollte. Verkrustetes Blut blockierte.

Als das Blut wieder warm über ihren Arm floss, strich sie es nach oben über die Hand und zerrte erneut an der Handschelle. Es tat so weh, dass ihr die Tränen über das Gesicht liefen, aber sie biss die Zähne zusammen. Sie musste hier raus, jetzt, sie musste einfach. Noch eine Nacht, das spürte sie, und ihr würde jegliche Kraft fehlen, sie würde sich dann in ihr Schicksal ergeben und gefesselt an der Wand sterben. Sie fühlte, dass sie Fieber hatte. Der Arm hatte sich infiziert, das Handgelenk würde es über kurz oder lang auch tun. Alleine schon durch das Fieber wäre sie bald in einem Zustand, kaum noch zu wissen, was sie eigentlich wollte und was nicht.

Mit einem letzten schmerzhaften Ruck glitt ihre Hand durch den Eisenring.

Sie war frei.

Ein paar Minuten lang starrte Mandy im düsteren Licht des Nachmittages ihre Hand an, die, blutig und skalpiert, gar nicht mehr zu ihr zu gehören schien.

Dann erhob sie sich langsam, stand auf wackeligen Beinen neben dem Lager, auf dem sie liegend, sitzend, kauernd fünf oder sechs oder sieben Tage oder noch viel länger verbracht hatte. Sie wusste es nicht mehr. Ihr Kreislauf war in desolatem Zustand, sekundenlang drehten sich die Wände um sie herum, ihre Beine zitterten und schienen unter ihr nachgeben zu wollen. Dann jedoch stabilisierte sie sich langsam. Es war ein Glück, jung zu sein. Mandy hatte eine Ahnung, dass ein älterer Mensch längst tot oder zumindest nicht mehr handlungsfähig wäre. Sie lief zum Fenster hinüber und blickte hinaus. Gitterstäbe, das hatte sie ja schon gesehen. Dahinter genau das, was sie befürchtet hatte: vollkommene Einsamkeit. Eine Ebene, über die der Wind gejagt kam. Flachgedrücktes, fahlgelbes Gras. Irgendwo in der Ferne berührten Himmel und Erde einander, war letztes Tageslicht hinter den Wolkenbänken erkennbar. Westen also. Die Erkenntnis nützte jedoch nichts. Kein Haus, keine Hütte, nichts. Nirgendwo das geringste Anzeichen dafür, dass es hier Menschen gab. Außer ihr.

Sie ging zur Haustür, rüttelte daran, aber nichts bewegte sich. Sie fragte sich, ob sie das Schloss mithilfe ihrer Plastikscherbe möglicherweise würde aufbrechen können. Vermutlich nicht, aber vielleicht fand sie noch irgendwo besseres Werkzeug.

Der andere Gang führte Mandy in zwei weitere Räume. Probehalber betätigte sie die verschiedenen Lichtschalter, aber nichts geschah. Kein Strom. Diese verdammte Hütte war vor Jahren von wem auch immer verlassen worden, und seither funktionierte hier nichts mehr. Sicher war das Wasser wirklich abgestellt, sonst hätte es ja nicht immer angeschleppt werden müssen. In dem kleinen Raum, der einmal eine Küche gewesen sein musste, drehte Mandy dennoch am Wasserhahn.

Nichts.

Sie sah sich um. Ein paar Hängeschränke an den Wänden, darunter die Spüle, ein Herd. Ein einsamer Stuhl.

Übereinandergestapelte Getränkekisten. Mandy hob eine nach der anderen hoch, untersuchte akribisch die Flaschen. Alle leer. Zurückgebliebene Tropfen waren längst eingetrocknet.

Sie öffnete alle Schubladen, aber sie waren leer bis auf ein paar Plastikverschlüsse für Flaschen, Gummibänder, Trinkstrohhalme, eine zusammengerollte Lichtergirlande mit kleinen bunten Glühbirnen.

»Was für ein bescheuertes Haus ist das hier eigentlich?«, fragte Mandy laut.

Sie kam auf die Idee, auch aus diesem Fenster zu schauen, und sah das Meer. Dunkel, kleine Schaumkronen auf den Wellen tragend. Sie musste sich hoch oberhalb einer Bucht befinden. Der Gedanke, dass dies hier ursprünglich ein Rastplatz für Wanderer gewesen war, verfestigte sich. Man konnte sich hier hinsetzen, die Aussicht genießen, etwas zu trinken und zu essen kaufen. Die Leute wanderten ja in Scharen im Sommer diese verdammten Küstenpfade entlang. Aber jetzt war Herbst. Es wurde immer früher dunkel. Wenig Hoffnung auf Wanderer.

Sie überlegte, ob sie versuchen sollte, das Küchenfenster mithilfe einer der Getränkekisten einzuschlagen. Es war ebenfalls vergittert, was bedeutete, sie konnte nicht nach draußen klettern, aber sie könnte sich durch Rufen bemerkbar machen, falls sich doch ein einzelner Wanderer um diese Jahreszeit noch hierher verirrte. Dann jedoch verwarf sie den Plan zunächst. Hier drinnen war es sowieso schon unerträglich kalt. Wenn das Fenster kaputt wäre, würde sie wahrscheinlich erfrieren. Zumal es im Inneren keine Tür gab, die sie gegen den hereinfegenden Wind hätte schließen können. Bis zum nächsten Morgen käme sowieso garantiert niemand vorbei. Im Laufe des Tages konnte sie erneut überlegen, ob es Sinn machte, die Scheibe zu zerstören.

Im zweiten Raum befanden sich eine Toilette, ein Waschbecken und eine winzige Duschkabine aus Plastik. Durch einen schmalen Fensterspalt hoch oben an der Decke sickerte nur wenig Licht. Nicht einmal hier gab es eine Tür, aber Scharniere, die darauf hinwiesen, dass ursprünglich eine hier gewesen war. Warum hatte man sie ausgehängt? Um die Kontrolle zu behalten. Niemand sollte sich hier einschließen und verbarrikadieren können.

»So krank das alles«, murmelte Mandy.

Im letzten Licht des verdämmernden Tages untersuchte sie verzweifelt das kleine Badezimmer nach irgendeiner Wasserquelle. Aus den Wasserhähnen am Waschbecken kam nichts, aus dem Brausekopf der Dusche auch nicht. In der Dusche wuchs der Schimmel in allen Ecken. Es sah so widerlich aus, dass Mandy schnell die Kabinentür zuschlug und sich vergewisserte, dass sie dicht abschloss. So, als könne der Schimmel herausgekrochen kommen und sie verschlingen.

»Oh Gott«, murmelte sie, »oh Gott.«

Ihre letzte Hoffnung war der Spülkasten der Toilette. Spülkästen füllten sich automatisch immer wieder, wenn zum letzten Mal gespült worden war. In dieser blöden Hütte war zwar das Wasser abgestellt, aber vielleicht hatte der Kasten vorher noch zulaufen können. Völlig verdreckt, wie er schon von außen aussah, lud er nicht ein, aus ihm zu trinken, aber Mandy hatte solchen Durst, dass sie sich darüber hinweggesetzt hätte. Doch er war leer. Leer und staubtrocken.

»Verdammt«, sagte sie. Es tat ihr gut, ab und zu mit sich selbst zu sprechen. Es war dann nicht ganz so einsam hier.

Wenn sie es sich richtig überlegte, war der Spülkasten die *vorletzte* Hoffnung gewesen. Es gab noch die Toilette selbst. Grauenhafteste aller vorstellbaren Möglichkeiten, aber besser, als zu verdursten. Sie klappte den Deckel hoch.

Nichts. Kein Tropfen Wasser.

Vielleicht war alles verdunstet.

»Oder jemand anderes hat es leer getrunken«, sagte Mandy. Es gab keinen Spiegel in diesem Badezimmer, aber sie war überzeugt, gäbe es ihn, sie hätte gerade zusehen können, wie sie leichenblass wurde.

Sie war am Ende gar nicht die Erste, die hier gefangen gehalten wurde. Dieser Gedanke kam ihr zum ersten Mal, und schon Sekunden später konnte sie nicht verstehen, weshalb ihr diese naheliegende Möglichkeit bislang nicht in den Sinn gekommen war.

Was war aus den anderen geworden?

5

»Also, gegen *diese* Leute können Sie nun wirklich nichts haben«, sagte der Makler mit leiser Ungeduld in der Stimme, denn er spürte in Kate noch immer einen Hauch von Unentschlossenheit. »Die haben sich ja geradezu in Ihr Haus verliebt!«

Kate nickte. Das stimmte. Zwei Frauen, die gemeinsam ein dreijähriges Mädchen aus Russland adoptiert hatten, inmitten eines zweiten Adoptionsverfahrens standen und ein Haus mit Garten suchten. Sie waren begeistert gewesen, fanden das Haus entzückend, den Zuschnitt der Zimmer für ihre Vorstellungen perfekt, den Garten herrlich. Sie hatten bereits angefangen, das Gemüse zu planen, das sie anbauen wollten, und darüber nachgedacht, wo eine Schaukel Platz hätte. Keine Frage, sie wären würdige Nachfolger der Familie Linville.

»Könnten Sie mir spätestens am Montag sagen, ob Sie den beiden das Haus verkaufen wollen?«, hakte der Makler nach. »Falls Sie wirklich noch ein Wochenende brauchen, um sich darüber klar zu werden.«

»Ich melde mich bei Ihnen«, versprach Kate. Sie verabschiedete den Makler, ging dann in die Küche, lehnte sich an die Tür und blickte in den Garten hinaus, von dem sie nur noch Umrisse wahrnahm. Die Dunkelheit kam jetzt schnell.

Sie würde das Problem bei David ansprechen müssen, und sie fürchtete sich davor. Es würde so aussehen, als wolle sie ihn schnell und übereilt in eine Entscheidung drängen – für sie, für ihre Beziehung, für die Zukunft. Aber sie konnte die Schwierigkeit, die sich für sie aus dem Verkauf des Hauses ergeben würde, nicht ignorieren und auch kaum alleine lösen. Wenn das Haus weg war, hatte sie keine Möglichkeit mehr, in Scarborough zu wohnen, einen Wohnortwechsel anzusteuern, wenn sie sich tatsächlich hier für einen Job bei der Polizei bewarb. Natürlich konnte sie etwas anderes kaufen oder mieten, aber das kam ihr absurd vor angesichts der Tatsache, dass sie bereits ein Haus besaß und sich ohnehin nur schweren Herzens davon losreißen konnte. Wenn sie eine längerfristige Verbindung mit David anstrebte, würde es Sinn machen, das Haus zu behalten und überdies eine berufliche Veränderung in den Norden in die Wege zu leiten. Aber dazu musste sie mit ihm reden. Und ihm überdies auch endlich reinen Wein einschenken, was ihren Beruf anging. Das Haus einfach leer stehen zu lassen und abzuwarten war ein zu teures Vergnügen. Sehr lange konnte sie sich das keinesfalls leisten.

Sie seufzte. Neben allem anderen spürte sie ein Unbehagen, das sie geradezu verzweifelt zu verdrängen suchte, ein inneres Fragezeichen, das ihr Angst machte, sowie sie es auch nur einen Moment lang anschaute. Die Frage, die sie derart irritierte, war: *Weshalb sprach David das Problem nicht an?* Er wusste, dass sie ihr Haus verkaufen wollte. Er wusste, dass sie gerade an diesem Nachmittag erneut Interessenten traf. Er wusste, dass es jeden Moment zu einem Verkauf kommen konnte und dass Kate dann ihren Hafen in Scarborough verlor. Dass sie so oder so nach London zurückmusste. Was dachte er sich? Dass sie einander an den Wochenenden sahen, entweder bei ihr in London oder bei ihm in Scarborough? Für beide jedes Mal eine zeit- und kräfteraubende Reise. Andererseits gab es eine Menge Paare, die so lebten und bei denen es gut funktionierte. Kate dachte jedoch, dass David es zumindest *ansprechen* könnte. Er tat so, als gäbe es kein Problem, als würde das Leben, das sie im Moment führten, ewig weitergehen. Sie hatte das Gefühl, dass er sich den Schwierigkeiten nicht stellte und sie damit alleine ließ.

Weil er keinerlei Konsequenzen wollte? Weil ihm die Beziehung nicht so ernst war wie ihr? Oder weil er einfach ein anderer Typ war als sie. Leichter, lockerer, jemand, der davon ausging, dass sich Probleme irgendwie von selbst lösten, wenn man sie lange genug ignorierte.

Aber sie lösen sich nicht immer von selbst, sagte ihr eine innere Stimme, das müsste auch er zumindest in diesem Fall wissen, und das alles sollte ihm zu wichtig sein, als so zu tun, als ginge es ihn nichts an.

Kurz presste sie ihre heiße Stirn gegen die kühle Glasscheibe der Verandatür. Eigentlich musste sie das Thema noch heute Abend anschneiden. Ihr graute davor.

Sie zuckte heftig zusammen, als es plötzlich an der Haustür klingelte. Sie sah auf die Uhr: gleich fünf. Wer kam jetzt bei ihr vorbei?

Sie ging nach vorne und öffnete.

Caleb Hale stand vor ihr. »Hallo, Kate. Kann ich kurz reinkommen?«

Sie hatte wenig Lust auf ein Gespräch mit ihm, denn natürlich würde er ihr Vorwürfe machen. Halbherzig trat sie einen Schritt zurück. »Ich wollte eigentlich gleich weg …«

»Zehn Minuten«, sagte Caleb.

Sie führte ihn in das leere Wohnzimmer und wies auf einen der beiden Campingstühle vor dem Kamin. »Bitte. Mehr kann ich Ihnen leider nicht anbieten.«

Er blieb stehen und sah sich um. »Sie machen Ernst. Sie verkaufen wirklich.«

»Natürlich«, sagte Kate, obwohl das angesichts der Entwicklungen in ihrem Privatleben gerade nicht mehr allzu natürlich war. »Es waren eben Interessenten da, denen ich höchstwahrscheinlich den Zuschlag gebe.«

Er nickte langsam. »Und ich hätte vermutet, dass es für Sie inzwischen zwingende Gründe gibt, zumindest einen Fuß in Scarborough zu behalten.«

»Für einen Fuß ist ein leer stehendes Haus zu teuer«, sagte Kate. »Das kann ich mir leider nicht leisten.«

Er nickte wieder. Dann sagte er: »Sie haben David Chapland natürlich nicht zufällig kennengelernt. Und es hat auch einen Grund, weshalb er denkt, Sie seien eine Journalistin.«

Sie erwiderte nichts.

»Sie können es nicht lassen, oder?«, fragte Caleb.

Wieder sagte sie nichts. Sie war müde. Deprimiert. Sie wollte kein Gespräch, bei dem es um das Überschreiten ihrer Kompetenzen ging. Sie mochte sich nicht erklären, nicht rechtfertigen. Sie hatte so viele andere Probleme.

»Na ja«, sagte Caleb, »zumindest kann ich Ihnen eine gute Nachricht überbringen: Falls es in Ihnen irgendwo noch einen Verdacht oder die Befürchtung gab, David Chapland könnte in irgendeiner Weise in den Fall Amelie Goldsby verwickelt sein, dann können Sie das beruhigt abhaken. Es gibt im Prinzip keinen Fall Amelie Goldsby.«

Obwohl sie so müde war, hatte er es geschafft, sie aufhorchen zu lassen. »Nein?«

»Zumindest nicht in der Form, wie wir bisher dachten. Ich weiß das seit der vergangenen Nacht.«

»Ist Amelie wieder aufgetaucht?«

»Ja.«

»Gott sei Dank!«, sagte Kate inbrünstig.

Caleb ließ sich endlich in einen der Campingstühle fallen. »Haben Sie zufällig etwas zu trinken? Etwas *Richtiges*, meine ich.«

»Caleb, ich weiß nicht, ob das ...«

»Haben Sie oder haben Sie nicht?«

Sie ging in die Küche, kehrte mit einer Flasche Whisky und zwei Pappbechern zurück, schenkte ein und setzte sich Caleb gegenüber. Caleb leerte seinen Becher in einem Zug.

Dann erzählte er alles über Amelie Goldsby. Und über Alex Barnes. Über die Rettung aus dem Meer. Und alles andere.

Kate war völlig perplex. »Das gibt es doch nicht. Nichts stimmte! Nichts von alldem stimmte! Du lieber Gott. Die armen Eltern.«

»Man hätte nicht gedacht, dass es für sie noch schlimmer kommen könnte«, meinte Caleb. »Aber tatsächlich hat sie das nun völlig erschüttert. Die Angst, der Kummer, die Verzweiflung ... all das hat ihnen ihre eigene Tochter angetan. Ohne mit der Wimper zu zucken.«

»Sie war verliebt«, sagte Kate. »Abhängig vermutlich.«

»Barnes ist ein gewissenloser Kerl. Unfassbar, wie er dann noch Geld aus allem herausgeschlagen hat. Abgesehen davon war ihm die Sache völlig über den Kopf gewachsen. Er wollte Amelie schon lange loswerden, aber ohne dass sie sich das vermutlich wirklich klarmachte, hatte sie ihn in der Hand. Er konnte sie nicht einfach abschütteln, das Risiko, dass sie sich in ihrer Verzweiflung irgendjemandem anvertraute, war einfach zu groß. In seiner Überforderung manövrierte er sich immer tiefer in den Schlamassel. Er wird für einige Zeit ins Gefängnis gehen.«

»Amelie wird auch nicht ganz ungeschoren davonkommen«, sagte Kate.

»Nein. Alleine die Behinderung der Polizeiarbeit… Die falsche Geschichte um ihre Entführung, das falsche Phantombild des angeblichen Täters… Wir sind wochenlang von völlig falschen Voraussetzungen ausgegangen, sind falschen Spuren gefolgt…« Er hielt kurz inne. »*Ich* bin falschen Spuren gefolgt«, sagte er dann müde, »*ich* habe nicht bemerkt, dass da ein Spiel gespielt wurde. Ich habe das zu verantworten.«

»Niemand hat gemerkt, dass Amelie Lügengeschichten erzählte«, sagte Kate, »nicht einmal die Psychologin, die täglich mit ihr gesprochen hat. Machen Sie sich deswegen keine Vorwürfe, Caleb.«

»Es ist offensichtlich so, dass Amelie tatsächlich eine tiefe Traumatisierung davongetragen hat, als sie im Wasser hing und es Alex Barnes nicht gelang, sie herauszuziehen«, sagte Caleb. »So dramatisch war das ja nicht geplant, aber es lief schief, und Amelie durchlitt tatsächlich Todesangst. Dadurch war sie in ihren Gesprächen mit der Psychologin so echt. Dieser Teil ihrer Geschichte war nicht erlogen. Sie kam über die Albtraumsituation in dem tosenden Meer nicht hinweg. Sie war so absolut glaubwürdig, weil sie tatsächlich ihre innersten Gefühle und Ängste wiedergab. Und dahinter konnte sie großartig den Rest der Geschichte verstecken. Ich vermute, hätte sie sich genauer zu ihrer Entführung geäußert, wären wir ziemlich schnell auf Widersprüche und Ungereimtheiten gestoßen. Aber so weit drangen wir ja gar nicht vor.«

»Ziemlich durchtrieben, dieses junge Mädchen«, sagte Kate.

»Das kann man sagen«, stimmte Caleb zu. Kate gewahrte seinen sehnsüchtigen Blick auf die Whiskyflasche, aber sie tat so, als hätte sie das nicht gesehen. Caleb musste manchmal vor sich selbst beschützt werden.

»Wir stehen völlig am Anfang«, sagte Caleb. »Wir wissen nicht, wer Saskia Morris ermordet hat. Von einem Serientäter kann man ja nun auch eigentlich nicht mehr sprechen. Das heißt, wir müssen davon ausgehen, dass die Entführung und Ermordung von Saskia Morris möglicherweise zielgerichtet war, dass sie also nicht von irgendeinem Typen, der es auf sehr junge Mädchen abgesehen hat, geschnappt wurde und nur zufällig im falschen Moment am falschen Ort war. Wir müssen ihr familiäres Umfeld noch einmal genau durchleuchten.« Er schwieg einen Moment und fügte dann düster hinzu: »Was wir allerdings schon damals getan haben, direkt nach ihrem Verschwinden. Ohne Ergebnis.«

»Es gibt noch Hannah Caswell«, erinnerte Kate vorsichtig. »Und vielleicht noch mehr.«

»Mandy Allard?«

»Wer ist Mandy Allard?«

»Ein Mädchen, das vermisst wird. Allerdings ein völlig anderer Fall. Sie ist nach einem tätlichen Angriff durch ihre Mutter von daheim weggelaufen. Wir hatten sie kurz auf dem Radar, aber letztlich gab es keine Hinweise darauf, dass sie in einer Verbindung mit dem Fall Saskia Morris steht. Wie es aussieht, ist sie bewusst untergetaucht und will nicht nach Hause. Was angesichts ihrer familiären Situation sehr nachvollziehbar ist.«

»Aber aus irgendeinem Grund sind Sie ja dieser Sache erst einmal nachgegangen. Weshalb?«

Er schüttelte den Kopf. »Hat sich erledigt. Wirklich. Außerdem … Das ist alles nicht Ihre Sache, Kate. Nicht dass ich bislang großartige Arbeit geleistet hätte, aber es ist trotzdem mein Fall.«

»Ich weiß«, sagte Kate. Ihr kurz aufgeflammter Impuls, ihm von Ryan Caswells Aufenthalt in einer psychiatrischen Klinik zu berichten, fiel wieder in sich zusammen. Er war nicht in der Verfassung, sich auf ein Gespräch darüber einzulassen, wahrscheinlich würde er ärgerlich werden.

Ich werde dem nachgehen, und dann kann ich ihn immer noch informieren, dachte sie.

Caleb sah ein, dass er keinen Whisky mehr bekommen würde, und stand auf. »So, ich wollte Ihnen nur berichten, wie der Fall Amelie Goldsby ausgegangen ist«, sagte er. »Vielleicht besuchen Sie die Eltern mal, Kate. Ich glaube, sie können Trost brauchen.«

Kate begleitete ihn zur Haustür. »Ich werde das machen«, versprach sie. »Und wirklich, Caleb, quälen Sie sich jetzt nicht so sehr. Sie konnten nicht bemerken, welche Show Amelie abzog. Und in einem Punkt lagen Sie absolut richtig: Sie haben Alex Barnes tief misstraut. Sie haben nie den edlen Retter in ihm gesehen, sondern die ganze Zeit über vermutet, dass mit ihm irgendetwas faul ist. Und Sie hatten recht. Ihr Instinkt hat Sie nicht getrogen.«

»Nett, dass Sie das sagen, Kate. Ich werde versuchen, mich daran hochzuziehen.«

Sie sah ihm nach, wie er zu seinem Auto ging. Schweren Schrittes und so, als läge eine unsichtbare Last auf seinen Schultern. Kate wusste auch, welche das war: der ungelöste Fall Saskia Morris. Und die Tatsache, dass er sich gegenüber vorgesetzten Stellen würde verantworten müssen. Für Zeit und Kosten, die umsonst verbraucht worden waren. Seine Situation war alles andere als beneidenswert.

Sie schloss die Tür und ging in die Küche. Sie riss ein Blatt von einem kleinen Block auf dem Fensterbrett ab und notierte einen Namen.

Mandy Allard.

Sie las ihn immer wieder. Nachdenklich.

Es ist nicht so, dass sie mir nicht leidtäte. Mandy. Im Gegenteil. Ich muss ziemlich viel an sie denken und daran, wie es ihr wohl geht. Angekettet an die Wand … hungrig … durstig … frierend …

Das arme Mädchen.

Mich plagen Schuldgefühle, aber wenn ich dann genauer über das alles nachdenke, muss ich sagen, dass Mandy an ihrer Situation wirklich selbst schuld ist. Sie hätte mich nicht derart brüsk und verletzend zurückweisen müssen. Wenn ich nur überlege, wie unflätig sie mich beschimpft hat…. Ich habe ihr eine wunderbare, sichere Zukunft angeboten, und sie hat mich mit Füßen getreten. Sie muss sich nicht wundern, dass ich mich jetzt zurückgezogen habe und dass ich nichts mehr mit ihr zu tun haben will. Ich habe viel Verständnis und Geduld, aber ich bin auch nur ein Mensch. Ich mag mich nicht andauernd schlecht behandeln lassen.

Natürlich, sie geht jetzt keinen einfachen Weg. Manchmal habe ich schon gedacht, ob man diesen Teil nicht abkürzen könnte. Ich bin kein Sadist. Ich stelle es mir nicht angenehm vor, langsam zu verhungern und zu verdursten. Aber was soll ich tun? Ich kann sie schlecht mit einer Axt erschlagen. Das würde ich kaum fertigbringen.

Obwohl … geschwächt, wie sie wahrscheinlich schon ist … absolut wehrlos … Sie würde vermutlich nicht viel Widerstand leisten. Das würde es einfacher machen. Vielleicht.

Ich wandere umher, gehe in die Küche. Betrachte den Messerblock neben dem Herd. Die Messer sind groß und scharf. Es wäre einfach, sie mit einem davon zu erledigen. Ein schneller Schnitt durch die Kehle, und es wäre vorbei.

Ich gehe wieder aus der Küche, kehre aber im Wohnzimmer um und gehe zurück. Die Idee mit dem Messer ist Blödsinn, theatralisch und überzogen. Und ich bin nicht der Typ dafür. Ich betrachte meine Hände. Schaue mich in der Küche um, gehe wieder ins Wohnzimmer zurück, schaue mir alles an, was infrage kommen könnte. Einen Menschen zu töten. Irgendwie beginnt sich der Gedanke in mir festzusetzen. Vielleicht habe ich auch auf Mandy eine besondere Wut. Sie hat mir so schlimme Kränkungen an den Kopf geworfen, mich mit hässlichen, bösartigen, abwertenden Bemerkungen tief verletzt. Ich stelle mir vor, wie ich zu dem Haus fahre. Die Haustür aufschließe. Mandy richtet sich auf, hoffnungsvoll. Ihr Denken kreist vermutlich schon lange nur noch um Nahrung und vor allem um Wasser. Sie wird denken, beides bringe ich ihr. Sie kauert an der Wand, der eine Arm hängt fest an der Kette, sie blickt mir entgegen, hoffnungsvoll, erwartungsvoll. Vielleicht erkenne ich zum ersten Mal so etwas wie … Dankbarkeit in ihren Augen. Vielleicht ist sie endlich einmal glücklich, mich zu sehen.

Der Gedanke belebt mich. Es wird ein gutes Gefühl sein, ein sehr gutes.

Aber ich habe ihr nicht verziehen. Das wird ihr klar werden, wenn ich auf sie zukomme. Sie wird es in meinen Augen sehen.

Sie wird schreien. Betteln. Flehen. Buchstäblich in die Wand zurückweichen. An der Kette zerren.

Sie ist wehrlos. Vollständig wehrlos.

Und letzten Endes tue ich ihr einen Gefallen. Das kapiert sie vielleicht nicht und weiß es nicht zu schätzen, aber es ist trotzdem so. Deshalb muss ich mir keine Schuldgefühle machen.

Es ist eine gute, eine barmherzige Tat.

Ich schaue aus dem Fenster. Die Dunkelheit bricht ein. Und da draußen ist kein Licht, kein Strom.

Ich werde bis morgen warten.

Der Keller. Vielleicht gehe ich runter, wenn ich bei Mandy war.

FREITAG, 17. NOVEMBER

1

Sie hatte die ganze Zeit über ein Lächeln auf dem Gesicht und dachte, dass jeder, der sie zufällig sah, denken musste, dass sie verrückt war. Eine zweiundvierzigjährige Frau, die an einem Tag, der nicht wirklich hell wurde, über immer einsamere Straßen in Richtung Norden fuhr und dabei die ganze Zeit von einem Ohr zum anderen grinste. Aber sie konnte nicht damit aufhören. Immer wenn sie an den vergangenen Abend und an die vergangene Nacht dachte – und das tat sie praktisch ständig –, vertiefte sich das Lächeln auf ihrem Gesicht.

Abgesehen davon, dass die Nacht wundervoll und leidenschaftlich und aufregend gewesen war, hatte vor allem der Abend alle Sorgen und Ängste zerstreut, die ihr auf der Seele gelegen hatten. Sie hatte angesprochen, was sie bedrückte – zumindest fast alles. Sie hatte immer noch nicht gesagt, welchem Beruf sie in Wahrheit nachging. Das war ein kleiner Wermutstropfen, doch sie hatte die Situation nicht überlasten wollen. Aber sie hatte ihm gesagt, dass nun ernsthafte Interessenten für das Haus aufgetaucht waren und dass sie eine Entscheidung treffen musste.

»Es sind nette Leute. Sie würden den Kaufpreis zahlen, den ich mir vorstelle. Ich sollte bis Montag wissen, was ich tue.«

David hatte sie erstaunt angesehen. »Das klingt doch gut. Was lässt dich zögern?«

Sie fasste sich ein Herz. »Wir. Unsere Beziehung. Ich lebe und arbeite in London. Ich habe dann hier nichts mehr, wo ich wohnen kann.«

»Du wohnst bei mir, das ist doch klar«, sagte er.

»David, das ist nicht so klar. Wir wissen doch gar nicht…«

Er hatte über den Tisch nach ihrer Hand gegriffen. »Verkauf das Haus, Kate. Spring doch einfach mal. Vertraue darauf, dass alles gut wird.«

Dann war er um den Tisch herumgekommen und hatte sie in seine Arme gezogen. Geküsst. Dann in Richtung Schlafzimmer gedrängt. Und dann hatten sie nicht mehr geredet. Aber eigentlich war auch alles gesagt gewesen.

Jetzt dachte sie: Ich bewerbe mich beim CID Scarborough. Caleb und ich werden gut zusammenarbeiten.

Sie musste unwillkürlich lachen bei der Vorstellung, dass dann endlich auch das einzig störende Thema in der Beziehung zwischen Caleb und ihr vom Tisch wäre, ihr Hang, sich in seine Fälle einzumischen. Sie wären ganz offiziell Kollegen, würden die Fälle gemeinsam bearbeiten. Auch diese Vorstellung erfüllte sie plötzlich mit einem Glücksgefühl. Ein Neuanfang. In jeder Hinsicht. Ein neuer Job, eine Beziehung…

»Wer hätte das gedacht, Kate«, sagte sie und betrachtete im Rückspiegel staunend ihr strahlendes Gesicht. »Du hättest das nie für möglich gehalten, wenn du ehrlich bist!«

Der Gedanke an den neuen Job ließ sie innehalten. Sie betrachtete die Gegend ringsum. Sie war schon an Newcastle vorbei und fuhr über eine Landstraße. Selten nur kam ihr ein anderes Fahrzeug entgegen. Ringsum eine karge, eintönige Landschaft.

Was tat sie hier eigentlich? Sie recherchierte über Ryan Caswell und die Klinik, in der er untergebracht gewesen war, und trampelte damit in Calebs Fall herum, der sie nichts anging. Sie fragte sich plötzlich, ob das so geschickt war angesichts der Tatsache, dass sie sich bei ihm bewerben wollte. Vielleicht war es besser, sich aus der ganzen Sache zurückzuziehen. Der Fall Amelie Goldsby war gelöst. Der Fall Hannah Caswell ließ sich vielleicht ohnehin nicht mehr lösen nach all den Jahren. Der Mörder von Saskia Morris lief noch frei herum, aber Caleb und seine Leute würden alles daransetzen, ihn ausfindig zu machen und aus dem Verkehr zu ziehen. Dafür brauchten sie Kate vielleicht gar nicht.

Sie hatte genug in ihrem eigenen Leben zu tun, worum sie sich jetzt kümmern musste. Vielleicht sollte sie die Arbeit an diesem Fall denen überlassen, die dafür verantwortlich waren.

Sie hielt bereits Ausschau nach einer Wendemöglichkeit, da sah sie das Schild. *Chamberfield Clinic, three Miles.*

Sie zögerte. Sie war fast da. Sie war lange gefahren…

Okay. Sie würde hinfahren. Sich nach Ryan Caswell erkundigen. Und dann war es das. Sie würde sich danach zurückziehen.

Chamberfield lag ebenso einsam und isoliert wie Trescott Hall, das Pflegeheim für alte Menschen, aber ansonsten war es von ganz anderer Anmutung. Zwar nicht wirklich modern, aber auch keineswegs alt und heruntergekommen. Der Bau, schnörkellos, sachlich, praktisch, musste aus den siebziger Jahren des vergangenen Jahrhunderts stammen. Etwas trostlos in seiner ausschließlich auf Funktionalität ausgerichteten Bauweise, aber insgesamt gepflegt und sauber mit den frisch verputzten Außenmauern und den großen Glasfenstern, die sicherlich viel Licht nach innen ließen und höchstwahrscheinlich besser schlossen als die klapprigen Fenster in Trescott Hall. Vor dem Gebäude gab es einen großen asphaltierten Parkplatz, auf dem etliche Autos standen. Nach hinten hin gewahrte Kate eine Parkanlage, von der ein Bereich mit einem mehrere Meter hohen Zaun umschlossen wurde. Nach Chamberfield kamen schwerkranke Patienten, zudem gab es einen Bereich, in dem Menschen untergebracht wurden, die zu einer Sicherheitsverwahrung verurteilt worden waren. Sie fragte sich, ob Ryan Caswell in diesem abgeschotteten Teil der Klinik gewesen war, konnte es sich aber nur schwer vorstellen. Das hätte Caleb Hale bei seinen Ermittlungen zum Fall Hannah damals sofort erfahren, und es wäre vermutlich auch von den Medien entdeckt und ausgeschlachtet worden. Ryan war höchstwahrscheinlich also nicht aufgrund eines Gerichtsurteils hier gewesen. Was nicht hieß, dass er nicht schwer gestört sein konnte.

Sie parkte und stieg aus. Ein schneidender Wind jagte ihr sofort durch alle Knochen, frierend zog sie ihren Mantel enger um sich. Ihr Handy piepte, und sie schaute darauf, hoffte auf eine Botschaft von David. Tatsächlich war es wieder einmal Colin, der ihr eine WhatsApp-Nachricht schickte.

»Findest du es richtig, mir nicht zu antworten? Es ist eine sehr bequeme Lösung, sich einfach in Schweigen zu hüllen, nach allem, was zwischen uns...«

Sie seufzte und klickte seine Nachricht weg. Seine üblichen Wuttiraden.

»Zwischen uns war nichts, verdammt noch mal«, sagte sie laut.

Sie überquerte den Parkplatz, wollte die große gläserne Eingangstür des Gebäudes öffnen, stellte aber fest, dass man klingeln musste.

Nach einer Minute erklang die Stimme eines Mannes aus der Gegensprechanlage. »Ja?«

»Detective Sergeant Kate Linville. Metropolitan Police.« Ihre einzige Chance. Sie wusste, diese Tür würde sich sonst nicht öffnen. Und niemand würde ihr eine Auskunft geben.

»Metropolitan Police? Scotland Yard?«

»Ja. Können Sie bitte öffnen?«

»Worum geht es denn?«

»Öffnen Sie doch bitte die Tür.«

Nach ein paar Sekunden ertönte der Summer. Kate trat in die Eingangshalle. Siebziger Jahre, eindeutig. Holztäfelung an Decken und Wänden. Große, kugelförmige orangefarbene Lampen. Grünes Linoleum auf dem Fußboden. Immerhin war es warm hier drinnen. Und es roch nach Desinfektionsmitteln und irgendeinem Raumspray. Lavendel, wenn Kate das richtig erkannte. Die Mischung war seltsam, aber nicht unangenehm. Zumindest hatte man den Eindruck von Sauberkeit und Frische, und das passte an einen Ort wie diesen.

Es war ein älterer Mann, der ihr entgegenkam, er sah sehr müde aus und so, als würde er von Sorgen gequält, die zu lösen er schon vor langer Zeit aufgegeben hatte. Sie hatten sich in seinen Zügen tief eingegraben. Ein Schild am Revers seines Jacketts wies ihn als *Dr. Stephen Alscott* aus. Ein Arzt. Vielleicht sah man irgendwann chronisch bedrückt aus, wenn man es sein ganzes Leben lang mit psychisch Kranken zu tun hatte.

»Sergeant Linville?«

Sie zeigte ihm ihren Ausweis, aber er warf nur einen flüchtigen Blick darauf.

»Ich bin Dr. Alscott. Was kann ich für Sie tun?«

Er schien nicht vorzuhaben, sie in ein Büro zu bitten oder irgendwohin, wo es eine Sitzgelegenheit gab. Sie blieben stehen, einander gegenüber in der menschenleeren Eingangshalle. Wahrscheinlich hatte er keine Zeit.

»Es geht um einen früheren Patienten von Ihnen«, sagte Kate. »Ryan Caswell.«

Dr. Alscott schüttelte leicht den Kopf. »Wir können keine Auskünfte zu Patienten geben. Wir unterliegen der Schweigepflicht.«

»Es ist möglicherweise Gefahr in Verzug.«

»Dennoch. Ohne richterlichen Beschluss… und selbst dann…«

Kate als nicht Zuständige für den Fall würde nie im Leben einen richterlichen Beschluss bekommen. »Ich will keine Einzelheiten wissen. Zu seiner Behandlung und so weiter. Ich möchte nur wissen, weshalb er hier war. Und wie lange.«

Alscott sah gequält aus. »Auch das darf ich eigentlich nicht…«

»Dr. Alscott, es geht um ein Mädchen, das entführt und ermordet wurde. Es ist wirklich wichtig zu wissen, weshalb Ryan Caswell hier war.«

Alscott überlegte, dann runzelte er die Stirn. »Ryan Caswell… Der war gar nicht als Patient hier. Natürlich, ich konnte den Namen nicht sofort einsortieren. Ryan Caswell war hier als Hausmeister angestellt.«

»Ach«, sagte Kate perplex. Auf diese Variante war sie überhaupt nicht gekommen, dabei war das natürlich eine naheliegende Möglichkeit gewesen. Dass Ryan hier gearbeitet hatte, kein Insasse gewesen war.

»Das ist allerdings schon sehr lange her«, fuhr Dr. Alscott fort. »Ungefähr zwanzig Jahre.«

Kate dachte nach. *Er hat nichts Böses getan,* hatte Ryans Mutter im Zusammenhang mit der Klinik gesagt. Um darauf hinzuweisen, dass ihr Sohn nicht wegen irgendeiner Verfehlung dort eingesessen, sondern dort gearbeitet hatte? Oder weil da doch irgendetwas gewesen war... ein Verdacht... irgendetwas.

»Weshalb ging er damals von hier weg?«, fragte Kate.

Alscott überlegte. »Ich fing gerade erst hier an, als er schon entlassen wurde. Es hatte etwas gegeben... eine Patientin betreffend...«

Kate spürte, dass ihr Herz schneller schlug. Sie hatte es gewusst, da war etwas Seltsames an Ryan Caswell, etwas, das ihr nie gefallen hatte. Jenseits seiner schroffen, abweisenden Art. Hatte er eine Affäre mit einer Patientin gehabt? War die Patientin sehr jung gewesen? Unerheblich älter als Hannah bei ihrem Verschwinden? Saskia? Hatte Ryan Caswell einen Hang zu sehr jungen Mädchen?

»Ich frage mal Dr. Mannering«, sagte Alscott plötzlich. »Er ist schon ewig hier. Er wird mehr darüber wissen.«

Er verließ die Eingangshalle und kehrte wenige Minuten später mit einem anderen Mann zurück, der noch älter war, aber weit weniger erschöpft und angeschlagen wirkte. Er drückte Kate kräftig die Hand. »Sie sind von Scotland Yard, sagt mein Kollege? Ich bin Dr. Mannering, das Urgestein dieser Klinik. Womit kann ich Ihnen helfen?«

»Es geht um Ryan Caswell«, erläuterte Alscott. »Die Polizei sucht ihn und...«

»Wir suchen ihn nicht«, stellte Kate richtig. »Er hat einen festen Wohnsitz und hält sich dort auch auf. Es geht nur darum, etwas zu überprüfen. Im Zusammenhang mit seiner Zeit in dieser Klinik hier.«

»Seltsam, dieses plötzliche Interesse von allen Seiten«, sagte Mannering. »An Caswell und der Geschichte damals.

Jahrzehntelang nichts ... und dann plötzlich innerhalb weniger Tage zwei Anfragen.«

Kate runzelte die Stirn. Zwei Anfragen? War Caleb hier gewesen oder einer seiner Leute?

»Wer hat denn noch gefragt?«, wollte sie wissen.

»Ein Verwandter der Patientin, derentwegen Caswell damals rausgeflogen ist«, sagte Mannering. »Ein noch relativ junger Mann.«

»Er hat Fragen zu Ryan Caswell gestellt?«

»Eigentlich hat er eher nach ihr gefragt. Nach der Patientin, seiner entfernten Cousine. Nach ihrer Erkrankung. Insofern hatte er nicht exakt dasselbe Interesse wie Sie, Sergeant. Auskünfte hat er von uns natürlich nicht bekommen.«

Kate versuchte all das, was sie in den letzten beiden Minuten gehört hatte, irgendwie zu sortieren. Alles war komplizierter als gedacht, aber sie spürte, dass sie sich der Lösung näherte. Dass sie den Anfang des Knäuels gefunden hatte. Oder zumindest: dass er in Griffweite lag.

»Caswell musste wegen einer Patientin gehen? Ich vermute, er hatte eine Beziehung mit ihr begonnen?«

»Richtig. Das war natürlich völlig unmöglich. Eine sehr junge Frau, siebzehn Jahre alt. Manisch-depressiv. So etwas geht nicht, es ist vollkommen ausgeschlossen. Dass irgendjemand vom Personal ein Verhältnis mit einer Patientin anfängt. Als wir dahinterkamen, konnte Caswell sofort seine Sachen packen. Wir haben von einer Strafanzeige abgesehen, um ihm nicht das Leben zu verbauen. Aber er wurde fristlos entlassen.«

»Verstehe. Wer war die Patientin?«

»Ich kann Ihnen den Namen nicht nennen.«

»Sie war siebzehn, sagen Sie? Haben Sie auch Jugendliche hier?«

»Wir sind eigentlich keine psychiatrische Klinik für Jugendliche«, sagte Mannering, »aber es gibt gelegentlich Ausnahmen. Diese Patientin hatte einen Therapeuten, der sich irgendwann bei uns bewarb und hier eingestellt wurde, und er hat sie mitgebracht.«

»Wie lange war sie hier?«

»Zwei Jahre.«

»Wollte sie die Beziehung mit Caswell? Oder hat er sie bedrängt?«

Mannering zögerte. »Sie wollte die Beziehung. Aber sie war zu krank und stand zu sehr unter Medikamenten, als dass man von einer wirklich freien Entscheidung hätte sprechen können. Sie konnte in ihrem Zustand Dinge nicht überblicken.«

Kate gewann immer mehr das Gefühl, dass sie der Lösung nahe war, dass sie nur die richtigen Schlüsse ziehen, die richtigen Bezüge herstellen musste, und sie würde wissen, was los war. Aber noch lag ein Dickicht vor ihr. Undurchdringlich.

»Der Therapeut, der die Patientin mitgebracht und vermutlich dann auch hier behandelt hat«, sagte sie, »kann ich mit ihm sprechen?«

»Er ist bereits im Ruhestand«, sagte Mannering. »Aber ich kann Ihnen seinen Namen und seine Adresse geben. Ich glaube, dass er immer noch in Newcastle lebt.«

»Das wäre sehr nett, danke. Was Ryan Caswell betrifft …« Sie machte eine Pause, suchte nach einer Formulierung.

Die beiden Männer blickten sie erwartungsvoll an. Oder ungeduldig? Sie hatten Wichtigeres zu tun, als hier mit ihr herumzustehen.

»Er war ja nicht Ihr Patient. Ihm gegenüber haben Sie also keine Schweigepflicht.«

»Das stimmt«, sagte Alscott.

»Welchen Eindruck hatten Sie von Caswell? Ich meine, jenseits dieser Geschichte mit der Patientin. Gab es sonst irgendwelche Probleme mit ihm?«

Mannering und Alscott überlegten. »Ehrlich gesagt«, sagte Mannering, »haben wir uns nicht allzu viel mit ihm beschäftigt. Wir haben hier genug mit den Patienten zu tun. Er war … na ja, er war der Hausmeister. Was ich sagen kann, ist, dass er zuverlässig war. Er hat sich um alles gekümmert, Schäden wurden sofort repariert, alles war immer in Ordnung. Er hat seinen Job gut gemacht.«

»Und er fiel durch nichts auf? Irgendwelche sonstigen Geschichten mit Frauen? Oder sehr jungen Mädchen?«

»Mit sehr jungen Mädchen?«, fragte Mannering irritiert.

»Ja. Kann es sein, dass er einen Hang zu Teenagern hatte?«

»Wenn, dann haben wir das nicht mitbekommen«, sagte Mannering. »Was er privat machte, wussten wir nicht. Ging uns ja auch nichts an.«

»Wissen Sie, ob er in einer festen Beziehung lebte?«

Mannering zuckte die Schultern. »Keine Ahnung. Er kreuzte hier nie mit einer Frau auf. Er erwähnte auch keine. Insofern … ein wenig kauzig wirkte er vielleicht schon. Einsam sicherlich. Gab nichts von sich preis. Allerdings fragte ihn ja auch nie jemand. Ich weiß es einfach nicht. Ryan Caswell, so unschön das klingt, drang als Mensch erst richtig in unser Bewusstsein, als die Sache mit der Patientin passierte.«

»Wie flog das auf?«

»Sie erzählte es ihrem Therapeuten.«

Kate nickte. Der Therapeut war wichtig. »Kann ich dann seinen Namen haben? Und die Adresse?«

Eine knappe Stunde später saß sie Dr. Ben Russell gegenüber. Er wohnte zum Glück noch immer unter der Adresse, die man in Chamberfield kannte, und er war zu Hause. Ein kleiner, dünner Mann mit lebhaften, wachen Augen. Er sah intelligent und wissend aus. Fast ein wenig verunsichernd. Kate hatte das Gefühl, dass er sie anschaute und sofort wusste, wo ihre Probleme lagen. Aber vielleicht bildete sie sich das auch nur ein, weil sie wusste, dass es sein Beruf gewesen war, in das Innere der Menschen zu blicken und es zu analysieren.

»Ja, ja, ich erinnere mich gut an diese Sache damals«, sagte er. Er saß Kate in seinem kleinen Wohnzimmer gegenüber, dessen Wände mit Bücherregalen bis unter die Decke zugestellt waren. Er hatte ihr einen Tee angeboten, den sie dankbar annahm. Sie hatte in einiger Entfernung parken müssen, war lange durch die Kälte gelaufen und fühlte sich halb erfroren. Nun hatte sie einen Becher mit heißem Wasser vor sich, in dem ein Beutel mit Kamillentee hing. Nicht unbedingt ihr Geschmack, aber wenigstens warm.

Sie hatte sich auch hier als Kriminalbeamtin ausgewiesen und war sofort eingelassen worden.

»Ja, ich erinnere mich«, wiederholte Russell, »sehr gut sogar. Das alles sorgte für ein unglaubliches Drama in Chamberfield. Zu Recht natürlich. Caswell wurde fristlos gekündigt.«

»Hatte sich Caswell sehr um diese Frau bemüht?«

Dr. Russell überlegte. »Er war, glaube ich, ganz schön vernarrt in sie. Und endlich einmal wies ihn eine Frau nicht sofort zurück. Er konnte diese Gelegenheit wohl einfach nicht ungenutzt verstreichen lassen.«

»Er hatte Probleme mit Frauen?«

»Ich weiß nicht, ob es Probleme waren. Aber er war jedenfalls kein Typ, zu dem sich Frauen hingezogen fühlten.

Zu unwirsch, zu schweigsam, zu sehr in sich gekehrt. Nicht besonders attraktiv obendrein.«

»Als die Sache mit jener Patientin begann, gab es keine andere Frau in seinem Leben?«

Russell schüttelte den Kopf. »Nein. Da bin ich ziemlich sicher. Einmal verließ ich die Klinik sehr spät am Abend und traf Caswell noch an, der irgendwelche Lampen im Eingangsbereich reparierte. Ich machte irgendeine scherzhafte Bemerkung in der Art, dass er wohl keine Lust habe, nach Hause zu gehen, was denn seine Frau dazu sage? Und er sah mich nur missmutig an und meinte, da sei niemand und es sei völlig egal, wann er nach Hause gehe, und wenn er es gar nicht täte, würde es auch keiner merken. Es war...« Er zögerte.

»Ja?«, fragte Kate.

»Es war eine sehr frustrierte Antwort auf eine scherzhafte Frage«, sagte Russell. »Verbitterung schwang darin mit. Verletztheit. Enttäuschung. Ich hatte nicht den Eindruck, dass dieser Mann gerne alleine lebte. Aber es funktionierte mit Frauen einfach nicht, und das lag an ihm. Trotzdem konnte er es nicht ändern. Wir können ja alle nur sehr bedingt aus unserer Haut. Wenn überhaupt.«

Kate nickte. Wem sagte er das.

»Es war nicht so, dass er zum Charmeur wurde, als er dann endlich eine Beziehung hatte«, fuhr Russell fort. »Aber er lebte ein wenig auf. Er sah wohl plötzlich eine Zukunft für sich. Während alle Ärzte in der Klinik sein Verhalten einfach empörend fanden, hatte ich eher Mitleid. Und fast so etwas wie... Verständnis. Er war kein skrupelloser Typ, der die Hilflosigkeit einer psychisch kranken Frau ausnutzte. Er sehnte sich wirklich nach Liebe. Allerdings glaube ich nicht, dass er je wirklich beziehungsfähig wurde. Ich habe ja beide dann aus den Augen verloren.«

»Beide?«

»Ja, er wurde, wie gesagt, gekündigt, und sie verließ etwa vier Wochen später die Klinik und zog zu ihm.«

»Konnte sie das einfach so? Die Klinik verlassen?«

»Sie wurde vier Wochen später achtzehn. Sie war volljährig. Und sie war nicht zwangseingewiesen worden. Sie war manisch-depressiv und hatte sich freiwillig auf meinen Rat dorthin begeben. Sie konnte natürlich jederzeit gehen.«

»Und sie zog zu ihm?«, fragte Kate. Etwas in ihrem Kopf nahm Gestalt an, ein Bild, ein Zusammenhang.

»Ja. Soweit ich weiß, gingen sie mehr oder weniger zeitgleich aus der Gegend hier weg und begannen ein neues Leben. Sie hat sich dann allerdings nie mehr bei mir gemeldet.«

»Kann es sein, dass sie ihn geheiratet hat?«

»Ich weiß es nicht. Aber es wäre denkbar, ja.«

Sie grub in ihren Erinnerungen. Zeitungsartikel zum Fall Hannah Caswell, die sie studiert, Recherchen, die sie betrieben, Gespräche, die sie geführt hatte. Der Name …

»Linda«, sagte sie. »Hieß sie Linda?«

Er schien überrascht, nickte aber. »Ja.«

»Dann hat sie ihn geheiratet«, sagte Kate. Sie überlegte fieberhaft. »Dr. Russell, haben Sie das vielleicht auch mitbekommen? Diesen Fall des verschwundenen vierzehnjährigen Mädchens in Scarborough. Hannah Caswell. Sie verschwand vor vier Jahren eines Abends spurlos. Und tauchte nicht mehr auf.«

Russell dachte nach. »Dunkel entsinne ich mich. Ja. Stimmt!« Er sah Kate aus großen Augen an. »Natürlich. Caswell hieß sie. Ist sie …?«

»Sie ist die Tochter von Ryan und Linda Caswell. Ja.«

»Du liebe Güte!«

»Linda hat ihre Familie verlassen, als Hannah vier Jahre

alt war. Hat sich angeblich bei Nacht und Nebel aus dem Staub gemacht und ihren Mann mit dem kleinen Kind sitzengelassen. Hannah blieb alleine bei ihrem Vater zurück. Als sie vierzehn war, verschwand auch sie.«

»Das ist sehr merkwürdig«, sagte Russell verstört.

»Ja«, sagte Kate, »das ist es. Sie beschreiben Caswell als kauzig. Verbittert. Enttäuscht. Halten Sie ihn darüber hinaus für gestört?«

»Was meinen Sie mit ›gestört‹? Wir sind alle, wenn man so will, irgendwo gestört.«

»Klar. Aber es gibt ja Unterschiede, welcher Art die Störungen sind. Ob sie uns im Alltag schwer zu schaffen machen. Oder den Menschen, die mit uns zurechtkommen müssen. Oder ob sie uns sogar zu einer Gefahr werden lassen.«

»Sie möchten wissen, ob Caswell auf eine Weise gestört war, die ihn gefährlich machte?«, folgerte Russell. »Wissen Sie, Sergeant Linville, ich habe mich nicht allzu intensiv mit ihm beschäftigt. Ich denke, dieser Mann hatte und hat sicherlich größte Schwierigkeiten mit sich selbst. Er hat ein Beziehungsproblem, und zwar generell mit anderen Menschen, nicht nur in Partnerschaften. Er kann einfach mit anderen Menschen nicht umgehen. Er stößt Leute mit seiner schroffen Art vor den Kopf. Sehnt sich aber irgendwo im Inneren nach Freundschaft, Zusammengehörigkeit. Wärme. Das ist seine Tragik. Aber macht ihn das gefährlich? Ich weiß es nicht.«

»Seine ehemaligen Nachbarn sagen, Linda hätte es nicht mehr mit ihm ausgehalten. Wegen der Eigenschaften, die Sie gerade beschrieben haben.«

»Das kann ich mir gut vorstellen. Ich habe nie gedacht, dass Ryan der richtige Partner für sie sein könnte. Er zog sie runter, anstatt dass er sie aufbaute.«

»Passt es zu Linda, dass sie ihr vierjähriges Kind zurück-lässt?«

»Hm. Passt das zu irgendeiner Frau?«

»Sie sind der Psychologe«, sagte Kate.

»Linda hatte schwer mit ihrer seelischen Erkrankung zu kämpfen. Ich könnte mir vorstellen, dass es sie überfordert hätte, wegzugehen und für sich *und* ein kleines Kind zu sorgen. Dass es ein Akt der Vernunft und des Verantwortungs-gefühls war, das Kind nicht mitzunehmen.«

»Und es stattdessen bei *diesem* Vater alleine zurückzulassen?«

»Er war ja kein Unmensch.«

»Aber gut für ein Kind?«

Er musterte sie. »Worauf wollen Sie hinaus?«

»Ich versuche mir nur ein Bild zu machen«, sagte Kate. Sie stand auf. »Ich danke Ihnen für Ihre Zeit, Dr. Russell. Ich lasse Ihnen meine Karte da. Falls Ihnen noch etwas einfällt.«

Er nahm die Karte. »In Ordnung. Danke.«

Sie verabschiedeten sich an der Haustür, und gleich da-rauf stand Kate wieder in der schmalen Gasse in der Alt-stadt von Newcastle, durch die der Wind fegte. Aber jetzt merkte sie es kaum. Ihr war warm. Vor Erregung, und weil sie noch mehr als zuvor in der Klinik das Gefühl hatte, ganz dicht an der Lösung zu sein.

An einer, die ihr Blut schneller fließen ließ.

Warum war das keinem aufgefallen? Linda Caswell war verschwunden. Plötzlich, aus heiterem Himmel. Wie Han-nah. Jeder hatte sich mit der Version zufriedengegeben, dass sie ihren ungeliebten Ehemann verlassen hatte, und jeder hatte das nachvollziehen können.

Aber wenn man dieses unbewiesene Motiv beiseiteließ, was blieb dann? Als einziger Fakt der, dass Linda Caswell verschwunden war. Spurlos.

Kate war immer wieder zu Hannah zurückgekehrt. In dem festen Glauben, man müsse an den Anfang gehen, um das Knäuel zu entwirren.

Aber Hannah war gar nicht der Anfang.

Linda war es.

Zwei Tage zuvor war ein junger Mann in Chamberfield gewesen und hatte sich nach Linda erkundigt. Sie musste noch einmal zurück und den beiden Ärzten auf die Nerven gehen.

Sie brauchte den Namen dieses Mannes. Und musste wissen, weshalb er sich für Linda Caswell interessierte.

Ryan Caswell war womöglich nicht einfach nur wortkarg und verschlossen und freudlos und unfreundlich.

Er war vielleicht nicht nur ein vom Leben enttäuschter Mann, der sich in seine Einsamkeit zurückgezogen hatte und auf den Tod wartete.

Er war unter Umständen auch damals nicht der harmlose, zuverlässige Hausmeister gewesen. Für Ryan mochte Linda die erste Frau gewesen sein, die sich auf ihn eingelassen hatte, und er konnte durchgedreht sein, als sie irgendwann von ihm wegstrebte. Er konnte bereit gewesen sein, alles zu tun, um zu verhindern, dass sie ihn verließ.

Er konnte erneut durchgedreht sein, als Hannah zum Teenager wurde und eigene Wege beschreiten wollte. Er konnte weitergemacht haben. In seinem Versuch, die eine Frau zu finden, die zu ihm gehörte.

Zurück nach Chamberfield.

2

»Ich will zu ihm«, sagte Amelie. Sie sagte diese vier Worte zum hundertsten Mal an diesem Tag. Oder zum tausendsten. Deborah hatte nicht mitgezählt. Es war auch egal, die Botschaft verstand sie so oder so:

Ich. Will. Zu. Ihm.

Was anders gesagt hieß: Ich will keinesfalls bei euch bleiben.

»Du kannst nicht zu ihm«, sagte Jason. Seine Stimme klang scharf. »Alex Barnes sitzt in Untersuchungshaft. Und von dort wird er nahtlos eine mehrjährige Haftstrafe antreten. Vergiss ihn, Amelie!«

»Jason!«, mahnte Deborah leise. Es brachte nichts, so mit Amelie zu reden. Wobei Verständnis und ein Eingehen auf sie auch nichts zu bringen schienen. Amelie war im Grunde nicht ansprechbar.

»Warum sollen wir ihr etwas vormachen?«, fragte Jason wütend. »Dieser Barnes hat sich sowieso nie wirklich etwas aus Amelie gemacht. Sie war Mittel zum Zweck. Anfangs hat er sich einfach mit ihr vergnügt, später hat er dann versucht, über sie an unser Geld zu kommen. Und bei beidem hat sie ihn ja auch hingebungsvoll unterstützt.«

»Ich will zu ihm«, sagte Amelie.

Deborah barg stöhnend das Gesicht in den Händen. Wie viel schlimmer konnte dieser Albtraum noch werden? Sie hatte gedacht, keine Situation ihres Lebens könnte entsetzlicher sein als jene Stunden und Tage, in denen Amelie spurlos verschwunden war und man sie, beim ersten wie beim zweiten Mal, in der Gewalt eines Killers wähnte. Jetzt war Amelie da, saß vor ihr, war in Sicherheit, und dennoch schien alles noch schlimmer geworden zu sein. Ihre Tochter war ihr vollkommen fremd. Gefangen in ihren Empfindungen für einen Mann, der sie auf jeder nur denkbaren Ebene missbraucht und benutzt hatte. Mit dem sie gemeinsame Sache gegen ihre Eltern gemacht hatte – ohne Skrupel, ohne Gefühle.

Ja, das war es, was das tiefe Grauen in ihr auslöste: Das Fehlen wirklicher Gefühle. Die Leere, die sie in Amelies Augen sah. Da war nichts. Der Blick dunkel. Und ganz weit weg.

Ihre Tochter wirkte gestört. Unerreichbar.

»Amelie«, sagte sie, »bitte, versuch es doch zu verstehen. Alex Barnes ist nicht gut für dich. Was er getan hat ...«

»Was sie *beide* getan haben«, unterbrach Jason. Er lehnte an der Wand. Zu wütend, um sich hinzusetzen. Zu wütend, um endlich den Mund zu halten.

Irgendwie beneidete Deborah ihn. Er konnte wenigstens wütend sein. Das half ihm. Sie selbst spürte nur abgrundtiefe Verzweiflung. Entsetzen. Hilflosigkeit. Eine ganze Kaskade furchtbarer Gefühle, die sich am Ende immer wieder zu dem Gedanken aufbauten: Das ist das Ende unserer Familie. Wir werden nie zu dem zurückfinden, was wir hatten. Was wir waren.

Wie hatte Amelie ihr so entgleiten können? Sie hatte monatelang eine heftige Affäre mit einem erwachsenen Mann gehabt, und sie, ihre Mutter, hatte nichts bemerkt. Sie hatte in völliger emotionaler Abhängigkeit von diesem Mann gelebt, und Deborah hatte geglaubt, das seltsame, abweisende Verhalten des Mädchens habe einfach mit der Pubertät zu tun. Amelie hatte einen regelrechten Hass auf ihre Eltern entwickelt, und Deborah hatte sich eingeredet, das sei alles normal und werde vergehen.

»Hast du keine Sekunde darüber nachgedacht, was du uns damit antust?«, fragte sie. »Als du verschwunden bist, als wir denken mussten, du bist entführt worden. Du musstest doch wissen, durch welche Hölle wir gehen würden!«

Amelie sah sie ausdruckslos an. »Ich will zu ihm.«

»Schmink dir das ab«, sagte Jason.

Sie waren alle im Wohnzimmer. Helen Bennett hatte Deborah und Jason geraten, Amelie möglichst selten alleine zu lassen.

»Sie muss raus aus dieser Welt, in die sie sich geflüchtet hat«, hatte sie gesagt. »Diese Welt, in der sie ein glückliches Leben mit Alex Barnes führt und sozusagen eine erwachsene Frau ist. Das wird schwer. Es ist wie ein Entzug, den sie jetzt durchmacht.«

Du hast auch nichts gemerkt, hatte Deborah gedacht und sekundenlang zumindest auch so etwas wie Wut gespürt. Eine großartige Psychologin bist du. Redest täglich mit ihr, wochenlang, und kriegst *nichts* raus von dem, was *wirklich ist*.

Amelie würde in eine Klinik kommen. Eine jugendpsychiatrische Einrichtung. Normalerweise stand man monatelang auf Wartelisten, aber irgendwie hatte es Helen geschafft – das musste man ihr ja zumindest lassen –, für Amelie sofort einen Platz zu bekommen. Amelie würde sich zudem vor einem Jugendrichter verantworten müssen, aber es stand zu erwarten, dass er genau das anordnen würde, was jetzt sowieso geschah: Unterbringung in einer Klinik, in der sie rund um die Uhr psychologisch betreut wurde.

»Das ist schrecklich«, hatte Deborah zu Jason gesagt. »Unser Kind in der Psychiatrie! Das ist … so unvorstellbar!«

»Sei froh, dass es solche Plätze gibt«, hatte Jason erwidert. »Wir beide wären vollständig überfordert, wenn man uns mit diesem Problem alleine ließe.«

Im Grunde wusste das Deborah auch. Amelie hatte sich meilenweit entfernt, von ihrer Familie, von ihrem normalen

Leben. Undenkbar, dass sie nun einfach wieder zur Schule gehen und einen ganz gewöhnlichen Alltag leben würde, als sei nichts geschehen. Dass sie in den Schoß ihrer Familie zurückkehren und wieder Deborahs umsorgtes Kind sein könnte. Das war vorbei. Sie konnten froh sein, wenn sie Splitter davon zurückholen und zu einem neuen Familienbild zusammensetzen konnten, mit dem sie alle halbwegs würden leben können.

»Ich werde mich allmählich um das Mittagessen kümmern«, sagte Deborah jetzt. Sie konnten ja nicht ewig hier nur sitzen und warten, dass der Abend kam – und wissen, dass der nächste Tag genauso schrecklich sein würde. »Was möchtest du denn gerne essen, Amelie?«

Amelie zuckte mit den Schultern. Sie sah erschreckend schlecht aus. Mager, bleich. Hohläugig. Ihre Haare waren struppig und ungewaschen.

»Makkaroni mit Käse?«, fragte Deborah. »Das magst du doch so gerne.«

»Egal«, sagte Amelie.

»Aber ...«

»Nun lass doch«, ging Jason dazwischen. »Es ist ihr egal, kapier das doch. Insistiere doch nicht immer. Lass sie.«

»Ich wollte nur ...«

»Ja, du wolltest immer nur. Du wolltest immer, dass alles friedlich ist. Dass Amelie ihr Lieblingsessen bekommt und ein rosa tapeziertes Zimmer und dass sie hübsch aussieht und dass wir dieses schöne Haus haben und dass dein Mann einen Beruf hat, der sich gut macht in den Augen der Leute ... Und niemand durfte hier laut werden oder streiten oder keine Lust haben oder ausflippen. Du hast nie bemerkt, dass ...«

»Was?«, fragte Deborah, als er innehielt. Sie merkte, dass ihre Stimme schrill klang. »Was habe ich nicht bemerkt?«

»Ach, egal.«

»Was?«

»Du hast Amelie noch diese blöden Schokoladeneier mit den Barbiegesichtern drauf und den Barbieutensilien darin gekauft, da malte sie sich schon das Gesicht an und hatte, wie wir heute wissen, völlig andere Interessen, aber du wolltest das kleine Mädchen behalten, das mit dir einkaufen geht und in der Fußgängerzone Kakao trinkt und dir am Muttertag das Frühstück ans Bett bringt. Du warst komplett blind dafür, dass sie meilenweit davon entfernt war und jeden Tag einen Schritt weiter ging.«

»Du hast es doch auch nicht gemerkt!«, sagte Deborah. Sie hatte Tränen in den Augen, Tränen der Fassungslosigkeit. *Er auch.* Er stellte sich auch gegen sie.

»Ich bin den ganzen Tag weg. Du bist den ganzen Tag da!«

Sie fing an zu weinen. Es war klar, das hatte ja kommen müssen. Gegenseitige Schuldzuweisungen. Wer hatte es zu verantworten, dass das Leben zu einem Albtraum geworden war? Und es würde weitergehen. Bei allem, was die nächsten Jahre brachten. Es würde immer um die Frage gehen, wer wann welche Fehler gemacht hatte.

»Tut mir leid«, sagte Jason betroffen.

»Schon gut«, sagte sie und wischte sich die Augen ab.

Natürlich war nichts gut.

»Ich will zu ihm«, sagte Amelie.

Deborah kramte ein Taschentuch hervor, putzte sich die Nase. »Eines wüsste ich so gerne«, sagte sie zu ihrer Tochter. »An dem Samstag, als wir vor dem *Tesco* parkten, als ich einkaufen ging und zurückkam und du warst weg, als dieser ganze furchtbare Albtraum begann – was war es da? Was war genau der Auslöser? Warum bist du weggelaufen, egal, durch welche Hölle du uns schicken würdest?«

Amelie zuckte wieder mit den Schultern. Der Blick: empfindungslos.

»Warum?«, schrie Deborah. Es war keine Wut, die sie schreien ließ, immer noch nicht. Sondern Verzweiflung. So abgrundtief, dass sie spürte, sie würde nie wieder, für den Rest ihres Lebens nicht, davon frei werden. »*Warum?*«

Amelie wandte sich ihr zu. In ihren Augen stand noch immer kein Gefühl.

»Ich wollte nicht auf die Klassenfahrt«, erwiderte sie. »Das hatte ich euch doch gesagt.«

Dann schaute sie wieder zum Fenster hinaus, irgendwohin in die Ferne.

»Ich will zu ihm«, sagte sie.

3

Das Leck an der Decke war es, was Mandy davor bewahrt hatte, in der Nacht zu sterben. Jedenfalls glaubte sie das. Vielleicht wäre sie auch nicht gleich gestorben, aber sie hätte das Bewusstsein verloren. Oder sich einfach vor Schwäche nicht mehr erheben können, und dann hätte sie sich unter ihrer Decke zusammengerollt und wäre nicht mehr aufgestanden. Im allerletzten Licht des gestrigen Tages hatte sie es entdeckt. In der ehemaligen Küche. Vielleicht war es kein Leck, vielleicht auch nur irgendeine Art von undichter Stelle. Egal. Da war ein nasser Fleck. Oben über dem Fenster.

Sie hatte den Stuhl unter die Stelle gezogen und war mit wackeligen Beinen hinaufgeklettert, ängstlich darauf bedacht, nur ja nicht das Gleichgewicht zu verlieren. Ein

Sturz war das Letzte, was sie jetzt noch brauchte, am Ende noch den einen oder anderen gebrochenen Knochen. Sie war ohnehin fast am Ende. Der Arm mit der Brandverletzung schmerzte höllisch, und ihre rechte Hand und das dazugehörende Gelenk sahen so aus, dass sie… ja, dass sie vorsichtshalber gar nicht mehr hinschaute. Eine einzige Wunde, die zunehmend schlecht roch. Sie hätte dringend mit irgendetwas umwickelt werden müssen, aber Mandy hatte nichts, nicht den kleinsten Fetzen Stoff. Wenn es noch schlimmer wurde, wollte sie ihr Unterhemd ausziehen und in Streifen reißen, aber noch zögerte sie, weil sie so entsetzlich fror und eigentlich absolut nichts von ihrer Kleidung hergeben mochte. Wahrscheinlich war das eine Frage der Relation: Irgendwann wäre die Hand schlimmer als die Kälte, und dann würde sie es machen.

Die Küche in dem Häuschen war niedrig, und mithilfe des Stuhles reichte Mandy tatsächlich bis unter die Decke. Sie öffnete den Mund mit den rissigen, spröden, verdorrten Lippen und leckte die Feuchtigkeit direkt vom Putz. Es schmeckte merkwürdig, nach Kalk, aber *es war nass.* Es war Wasser. Da es draußen nicht regnete, handelte es sich vermutlich um Luftfeuchtigkeit, die auf dem Dach kondensierte, weil das Haus – obwohl das angesichts der Kälte, die im Inneren herrschte, kaum vorstellbar war – eine gewisse Wärme abgab. Vielleicht deshalb, weil es immerhin ein paar Tage lang mit dem Propangas geheizt worden war. Das Kondenswasser sickerte nach innen. Sie leckte und leckte, konnte überhaupt nicht mehr aufhören. Nie war ihr etwas so köstlich erschienen. Nie hatte sie ein solches Gefühl der Erleichterung gespürt. Nie hatte sie eine solche Empfindung gehabt: dass die Lebenskräfte, die sich mehr und mehr auf einem Rückzug aus ihrem Körper befanden, ganz langsam wieder zurückkehrten.

Es war tatsächlich verrückt: Das wenige Wasser, das Mandy von der Küchendecke lecken konnte, stärkte sie tatsächlich. Sie fühlte sich besser. Sie konnte klarer denken. Sie hatte nicht mehr den Eindruck, jeden Moment für immer einzuschlafen.

Irgendwann kletterte sie wieder hinunter und sandte ein Stoßgebet zum Himmel, dass er ihr weiteres Kondenswasser schicken möge. Sie wusste: Dieser verdammte kleine nasse Fleck dort oben entschied darüber, ob sie eine Chance auf Überleben hatte oder nicht.

Während der ganzen Nacht stand sie in regelmäßigen Abständen auf und schleppte sich durch die Dunkelheit, in ihre Wolldecke gehüllt, in die Küche hinüber, kletterte auf den Stuhl, holte sich ein klein wenig Feuchtigkeit. Sie spürte, dass sie Fieber hatte, aber auch, dass sie es halbwegs in Schach hielt. Es sank nicht, aber es stieg auch nicht. Dennoch, da machte sie sich nichts vor: Sie musste so schnell wie möglich hier raus. Das Wasser hatte ihre Lebensgeister geweckt, aber es reichte natürlich nicht. Sie lief auf Reserve, und bald würde ihr System nicht mehr funktionieren. Dafür war sie zu schwer verletzt. Und zu hungrig.

Den nächsten Vormittag verbrachte Mandy damit, ihre seltsame Behausung systematisch nach einer Möglichkeit zu untersuchen, irgendwie zu entkommen. Die Haustür, die Fenster, die Wände, den Fußboden, die Decke. Gab es einen Keller? Gab es lockere Leisten? Gab es wackelige Scharniere? Gab es Gitterstäbe, die nicht mehr fest in ihrer Verankerung hingen? Gleichzeitig suchte sie nach Werkzeug. Sie wusste nicht genau, welche Art von Werkzeug sie brauchte, aber sie hoffte, sie würde es erkennen, wenn sie es in der Hand hielt. Aber tatsächlich, da war nichts. Absolut nichts. Weder etwas, das sich als Hilfsmittel nutzen ließ, noch irgendeine Stelle im Haus, die man in der Hoffnung, einen Durchschlupf zu bauen, hätte bearbeiten können. Sie war wie eingemauert. Sie hatte seltsame braune Spuren neben der Tür entdeckt, und stellenweise war die Tapete von den Wänden gekratzt. Das konnte darauf hindeuten, dass hier schon einmal jemand darum gekämpft hatte zu entkommen. Derjenige hatte auch den Spülkasten der Toilette leer getrunken.

Sie mochte nicht darüber nachdenken. Zu schlimm.

Immer wieder starrte sie zu den Fenstern hinaus, suchte die Umgebung mit den Augen ab. Sie hatte beschlossen, das Fenster sofort mithilfe des Küchenstuhls einzuschlagen, sollte sie irgendwo einen Menschen entdecken, und dann um Hilfe zu rufen. Aber da war niemand, weit und breit nicht.

In den Taschen ihrer Jeans fand sie die Schachtel mit Streichhölzern, die sie gekauft hatte, als sie in dem Gartenhaus untergeschlüpft war und sich auf einem Gaskocher Konserven erwärmt hatte. Wie lange war das her? Eine Unendlichkeit. Sie betrachtete die Streichhölzer, aber ihr fiel nicht ein, was man damit hätte tun können. Ein Feuer an der Tür nach draußen legen? Die Flammen würden nach innen übergreifen, nicht nach draußen. Die Gefahr, elend bei lebendigem Leibe zu verbrennen, war zu groß.

Am Mittag war Mandy den Tränen nahe, weil sie langsam begriff, dass sie keinen Weg finden würde. Es war hoffnungslos. Es gab keinen einzigen Quadratzentimeter in dieser Hütte mehr, den sie nicht abgesucht hatte, und es war illusorisch zu glauben, sie würde in den nächsten Stunden etwas finden. Es gab einfach nichts.

»Denk nach«, sagte sie zu sich, »denk nach. Du hast auch gedacht, du würdest ganz schnell verdursten, und dann war das Wasser da. Manchmal tauchen Möglichkeiten auf.«

Aber sie wusste auch, dass sie mit dem Wasser extremes

Glück gehabt hatte und dass sich derartige Fügungen nicht unbegrenzt wiederholten. Abgesehen davon: Sie hatte ja nun alles durchsucht. Es *konnte* nach menschlichem Ermessen nichts mehr auftauchen, was ihr Hilfe bot.

»Ich werde sterben«, sagte sie. Die Worte klangen seltsam. So ruhig. Sachlich. Sie lauschte ihnen nach. Sagte sie das so emotionslos, weil sie in Wahrheit einfach nicht glaubte, dass es wirklich passieren würde? Oder war sie zu schwach, sich aufzuregen? Sie hatte das Gefühl, weinen zu wollen, und das ging auch nicht. Wahrscheinlich war sie zu ausgetrocknet, um noch Tränen produzieren zu können.

Sie kletterte noch einmal nach oben und leckte ein paar Tropfen von der Decke, aber es ergab sich nicht mehr das Gefühl der Kräftigung vom Vortag. Letztlich reichte es nicht. Es benetzte Zunge und Lippen ein wenig, das war schon alles. Gestern hatte es wahrscheinlich ihrem Körper eine Illusion signalisiert, und das hatte letzte Kräfte geweckt. Heute ließ er sich nicht mehr täuschen.

Sie kletterte nach unten, schleppte sich ins Wohnzimmer zurück, wickelte sich in ihre Decke. Ihre Hand roch nicht mehr nur, sie *stank* inzwischen. Mandy schälte sich mit einiger Mühe aus ihrer Jacke und ihrem Pullover und zog dann ihr Unterhemd aus. War danach so schwach, dass sie minutenlang warten musste, ehe sie Pullover und Jacke wieder anzog. In dieser Zeit zitterte sie vor Kälte. Gleichzeitig war ihr im Inneren heiß, und auch ihr Gesicht glühte. Das Fieber begann zu steigen.

Sie hatte vorgehabt, das Unterhemd in ordentliche Streifen zu reißen und damit sowohl den brandverletzten Arm als auch das gehäutete Handgelenk und die Hand zu verbinden, aber sie stellte fest, dass sie dafür viel zu wenig Kraft hatte. Also wickelte sie das ganze Hemd um ihre Hand, in einem unförmigen, dicken, schlampig verknoteten Knäuel.

Vermutlich nutzte es sowieso nichts mehr. Gar nichts nutzte mehr irgendetwas.

Sie rollte sich zusammen. Überließ sich dem Fieber, das in heißen Schauern durch sie zu fluten schien, wellenförmig, und langsam Wärme in ihrem ganzen Körper erzeugte. Sie empfand Dankbarkeit, weil die Kälte weniger wurde. Ihre Verletzungen pochten im Rhythmus ihres hart und schnell schlagenden Herzens, aber sie taten nicht mehr so weh.

Wahrscheinlich war Sterben gar nicht so schlimm. Sie würde einschlafen. Sie würde hinübergleiten.

Sie lächelte.

Sie hörte das Auto.

Trotz Fieber, trotz namenloser Schwäche war Mandy von einer Sekunde zur nächsten hellwach. Sie setzte sich auf, fragte sich, ob sie sich etwas eingebildet hatte. Nein, sie hörte es wieder. Ein Auto kam auf das Haus zu. Und sie kannte den Motor. Es war nicht irgendjemand, der zufällig vorbeikam und von dem sie Rettung erhoffen konnte.

Ihr Kopf arbeitete plötzlich erstaunlich klar. Vor ein oder zwei Stunden – oder war es nicht so lange her? Sie hatte kein Zeitgefühl mehr – hatte sie noch versucht, eine letzte fast völlig versickerte Quelle positiven Denkens in sich zu aktivieren. Dass sich Gelegenheiten, Chancen, Möglichkeiten ganz unerwartet auftun konnten. Anders als gedacht. Aber real und vielversprechend.

Okay. Noch ein, zwei Minuten, dann würde die Tür aufgehen. Sie hatte einen großen Vorteil: Sie war nicht mehr an die Wand gekettet, sie konnte sich frei bewegen. Und sie hatte dadurch das Überraschungsmoment auf ihrer Seite.

Blitzschnell wickelte sie sich aus ihrer Decke, vom Adrenalin durchströmt und plötzlich im Besitz neuer, wahrscheinlich *allerletzter* Kräfte, drapierte die Decke so auf dem Boden, dass man annehmen konnte, sie liege darunter.

Natürlich fiel auf, dass ihr Arm nicht herausragte und an der Wand festgekettet war, aber die Decke brachte ihr vielleicht trotzdem ein paar Sekunden Vorsprung ein. Mehr brauchte sie nicht, wenn alles gutging.

Sie huschte in die Küche hinüber. Sie schmiedete den Plan aus dem Augenblick heraus, denn tatsächlich hatte sie *diese* Variante nicht ein einziges Mal vor Augen gehabt, bei all den Möglichkeiten, die sie immer wieder durchgegangen war.

Unvorhergesehen. Wie die meisten wichtigen, weichenstellenden Momente des Lebens.

Aus den übereinandergestapelten Kisten mit Leergut zog sie eine Flasche und zerschlug sie an der Spüle. Perfekt.

Sie besaß eine scharfzackige Waffe. Sie war in der Lage, einem anderen Menschen die Kehle durchzuschneiden, wenn es sein musste.

Und sie war entschlossen. Entschlossener, als sie es je in irgendeiner Situation oder zu irgendeinem Zeitpunkt ihres Lebens gewesen war. Denn das jetzt war ihre einzige Chance.

Sie wartete wie ein Tier, das auf seine Beute lauert.

Lautlos. Hellwach. Angespannt. Sprungbereit.

Sie hörte den Schlüssel in der Tür.

4

Kate parkte vor dem schmucklosen Haus in der Victoria Road, zog ihr Handy hervor und rief David an. Er meldete sich nicht, aber sie hinterließ ihm eine Nachricht auf der Mailbox. »Ich bin's, Kate. Es ist gleich zwei Uhr, ich bin wieder in Scarborough und habe hier jetzt noch ein Gespräch. Dann fahre ich nach Hause und hole Messy ab, und wir kommen zu dir, okay?« Sie lauschte ihrer Stimme nach, diesen magischen Worten: *Wir kommen zu dir…*

Sie lächelte, hob den Kopf, betrachtete kurz ihr Gesicht im Rückspiegel. Sie fand, dass ihre Augen irgendwie größer wirkten und dass sie strahlten. Sie sah hübscher aus. Sie würde nie eine Schönheit sein, aber das innere Leuchten machte ihre Züge weich, entspannt, lebendig. Sie verlor den Ausdruck tiefster Verschlossenheit, der immer charakteristisch für sie gewesen war und der andere Menschen angewiesen hatte, Abstand zu halten. Sie wirkte warm und offen.

Sie lächelte sich selbst noch einmal zu – etwas, das sie noch nie getan hatte –, dann wollte sie aussteigen, aber ihr Handy piepte. Eine WhatsApp-Nachricht. Sie schaute sofort nach, weil sie dachte, dass David bereits auf ihren Anruf reagierte, aber die Nachricht war von Colin. Sie seufzte.

Ich lasse mich so nicht von dir behandeln, Kate. Du willst nichts mehr mit mir zu tun haben? Gut, okay. Aber du solltest den Anstand haben, mir das zu sagen, anstatt dich einfach nur stillschweigend zurückzuziehen. So geht man mit anderen Menschen nicht um. Ich bin auf dem Weg nach Scarborough, werde irgendwann am späteren Nachmittag ankommen. Adresse habe ich von der Auskunft. Wir müssen reden. Bitte weiche mir nicht schon wieder aus. Ich habe ein Recht darauf zu erfahren, weshalb du dich von mir getrennt hast.

»Das habe ich dir, verdammt noch mal, längst gesagt!«, sagte Kate laut. Sie hatte ihm von David schließlich erzählt. Behutsam, um ihn nicht zu verletzen, obwohl sie fand, dass er darauf nicht wirklich einen Anspruch gehabt hätte.

Und jetzt würde er irgendwann am Spätnachmittag vor ihrer Tür stehen. Möglicherweise war sie dann schon nicht mehr da, sondern bereits bei David, aber vielleicht auch nicht, und sie wollte sich deswegen jetzt nicht wie eine Verrückte beeilen. Er sollte es nicht schaffen, sie zu drangsalieren. Vielleicht war es auch gut, wenn sie ihn mit den Tatsachen konfrontierte. Ihm ein für alle Mal klarmachte, dass sie an keinem weiteren Kontakt interessiert war. Keine lange Aussprache. Ein paar wenige Sätze, die ihn kapieren ließen, dass sie nichts von ihm wollte.

Einfach lästig, dachte sie.

Dann stieg sie aus und verriegelte das Auto. Schaute an der Fassade des Hauses hoch. Fünfziger Jahre des letzten Jahrhunderts, sehr einfach, etwas schäbig. Grauer Putz. Abgeblätterte Fensterrahmen. Ansonsten solide.

Sieht irgendwie aus wie ich, dachte sie, korrigierte sich aber: bevor ich mit David zusammenkam.

Es war die Adresse, die sie sich im Telefonbuch herausgesucht hatte, nachdem ihr ein etwas entnervter Dr. Mannering den Namen des Mannes genannt hatte, der sich nach Linda Caswell in der Klinik erkundigt hatte. Er war nicht ganz sicher gewesen, meinte aber, dass er erwähnt hatte, in Scarborough zu wohnen. Was sich zum Glück als richtig erwiesen hatte. Mannering hatte unverhohlen tief geseufzt, als Kate erneut vor ihm stand. Aber was das betraf, hatte sie ein einigermaßen dickes Fell. Ermittler gingen anderen Menschen manchmal auf die Nerven. Das war nun einmal so.

»Brendan Saunders?«, fragte sie und lächelte liebenswürdig. Sie war wieder Kate, die Journalistin. Sie hätte nicht erklären können, weshalb, es war ein Instinkt, der ihr sagte, dass es hier die bessere Variante war. Gegenüber diesem Mann hätte die Erwähnung der Polizei die Jalousien heruntergehen lassen. Das hatte sie in der Sekunde gewusst, da er ihr die Wohnungstür geöffnet hatte, und auch erst in dieser Sekunde hatte sie entschieden, wer sie war.

»Ja?«, gab Saunders zurück. Er wirkte nervös, misstrauisch. Unruhig. Es schien nicht allzu oft vorzukommen, dass Menschen an seiner Tür klingelten. Er wirkte fast ein wenig erschrocken.

»Kate Linville. Ich bin Journalistin.«

»Ja?«, fragte er erneut. Sein linkes Auge zuckte.

»Ich würde Sie gerne kurz sprechen.«

Er machte keine Anstalten, sie hereinzubitten. »Ja?«, sagte er nur zum dritten Mal.

Vielleicht hätte man ihn doch mit Scotland Yard überrollen sollen, aber nun war es zu spät. Wechselte sie jetzt ihre Identität, wäre er völlig verstört und würde nicht einmal mehr ein *Ja?* herausbringen.

»Mr. Saunders, ich habe Ihren Namen von Dr. Mannering bekommen. Er ist Arzt in der Chamberfield Clinic. Oben bei Newcastle.«

»Ja?«

Ob er überhaupt noch ein anderes Wort kannte?

»Ich war dort, weil ich einen Artikel schreibe. Über Mädchen, die spurlos verschwinden. Genauer gesagt: über eine ganze Serie verschwundener Mädchen hier in Scarborough. Saskia Morris. Hannah Caswell. Linda Caswell.«

Es war ihm anzusehen, dass er sich mit einiger Mühe zusammenriss. Ihm ging wohl selbst auf, dass er nicht ständig dastehen und einfach nur *Ja* sagen konnte. »Wie ... äh, wie kommen Sie da auf mich?«

»Ich war in Chamberfield. Ich habe Erkundigungen eingezogen über Ryan und Linda Caswell. Dabei erfuhr ich, dass Sie vor einigen Tagen dort waren und sich ebenfalls nach Linda Caswell erkundigt haben. Sie wollten alles über die Symptome ihrer Erkrankung wissen. Natürlich hat man Ihnen keine Auskunft gegeben, das dürfen Ärzte ja nicht.«

»Leider.«

Kate lächelte erneut. »Mr. Saunders, dürfte ich wohl kurz reinkommen? Ich hätte ein paar Fragen, besonders zu Ryan Caswell.«

Er zögerte. Er hatte eindeutig keine Lust, länger mit ihr zu reden, aber ihm fiel keine Ausrede ein. Widerwillig trat er einen Schritt zurück. »Okay. Ich bin allerdings am Arbeiten ...«

»Ich bleibe nur kurz. Was arbeiten Sie denn?«

»Ich bin Schriftsteller.«

Kate hatte seinen Namen nie gehört oder auf einem Cover gelesen. »Interessant. Was schreiben Sie denn?«

»Ich schreibe an einem großen Roman. Über den Brexit.«

»Das ist zweifellos ein sehr aktuelles Thema.«

Er bat sie in sein Wohnzimmer, räumte rasch ein paar Zeitungsstapel von einem Sessel. »Bitte. Setzen Sie sich.«

Er kauerte sich ihr gegenüber auf einen kleinen Hocker. Er war noch nervöser als zu Beginn, angespannt und sehr unruhig. Ständig verknotete er seine Hände ineinander. Irgendetwas fand Kate an diesem Typ komisch. Aber vielleicht war er einfach sehr vertieft in seine Arbeit gewesen und kam mit dem überraschenden Besuch nicht klar. Schriftstellern sagte man ja nach, dass sie manchmal kompliziert waren.

»Ja, also, wie kann ich Ihnen helfen?«, fragte er. Er schien sich ein wenig gefasst zu haben.

»Wie gesagt, ich schreibe an dieser Geschichte«, sagte Kate, »und ich bin an absolut jeder Information interessiert. Ich wollte zum Anfang zurückgehen, zu dem ersten Mädchen, das verschwunden ist. Hannah Caswell. Aber dann fand ich heraus, dass Jahre zuvor bereits ihre Mutter verschwunden ist. Linda Caswell. Spurlos. Von einem Tag auf den anderen.«

»Sie ist weggegangen von ihrer Familie.«

»Offiziell hieß es so, ja. Aber wissen wir das? Gab es je wieder irgendein Lebenszeichen von ihr?«

Er zuckte mit den Schultern. »Keine Ahnung. Nein, ich glaube nicht.«

»In welchem Verwandtschaftsverhältnis stehen Sie zu ihr?«

Er überlegte. »Keine sehr nahe Verwandtschaft. Cousin fünften Grades oder so? Mich hat das einfach wegen der Depressionen interessiert.«

»Linda Caswell war manisch-depressiv«, sagte Kate. »Weshalb hat Sie das so genau interessiert?«

»Ich bin selbst depressiv. Deshalb.«

»Verstehe. Das tut mir leid, Mr. Saunders. Wissen Sie, ich kann mir vorstellen, dass eine Frau ihre Familie verlässt, sogar ihr kleines Kind. Wenn sie in ihrer Ehe unglücklich ist, sich krank und überfordert fühlt und weiß, sie würde für das Kind nicht wirklich sorgen können. Aber dass sie sich niemals wieder nach ihrer Tochter erkundigt? Und dann verschwindet das Kind. Wird, nach Ansicht des Vaters und nach der mehrerer Medien, Opfer eines Sexualverbrechens. Wahrscheinlich ermordet. Das ging durch alle Zeitungen. Oder zumindest durch viele. Nicht einmal da taucht die Mutter aus ihrer Versenkung auf?«

»Vielleicht ist sie im Ausland. Weit weg.«

»Ich weiß. Australien war im Gespräch, weil sie da Verwandte hatte. Aber auch Australien ist nicht aus der Welt. Sie hätte sich doch sicher wenigstens *ein Mal* nach ihrem Kind erkundigt?«

»Worauf wollen Sie hinaus?«, fragte Saunders.

»Ich frage mich, ob Linda Caswell überhaupt noch lebt.«

Er sah sie aus schmalen Augen an. »Wie meinen Sie das?«

»Genau genommen«, präzisierte Kate, »frage ich mich, ob sie jemals weggegangen ist. Ob die Geschichte stimmt.«

»Welche Geschichte?«

»Die unglückliche Ehe, und eines Tages reicht es Linda, und sie packt ihre Sachen, und weg ist sie. Lässt Mann und Kind zurück und verschwindet vollständig von der Bildfläche.«

»Solche Dinge passieren«, sagte Saunders.

»Ich weiß. Und ich weiß auch, dass die Ehe der Caswells tatsächlich nicht besonders glücklich war. Das habe ich von mehreren Menschen gehört, die die beiden kannten. Ryan Caswell mit seiner ewig schlechten Laune, seiner Verschrobenheit, seiner Unfähigkeit, sich auf Menschen einzulassen, war ganz sicher nicht der richtige Partner für diese sehr junge Frau, die noch dazu unter großen psychischen Schwierigkeiten litt. Er ist ihren Problemen vermutlich mit nur wenig Verständnis begegnet. Im Gegenteil. Insofern hat es ja auch niemanden wirklich gewundert, dass sie ihn verlassen hat.«

»Das sehe ich auch so«, sagte Saunders. »Also, dass es nichts ist, worüber man sich wundern könnte.«

»Sie kennen Ryan Caswell?«

»Flüchtig.«

»Nur flüchtig? Er war der Mann Ihrer Cousine.«

»Cousine fünften Grades«, berichtigte Saunders. »Wir sind über viele Ecken verwandt. Ich weiß nicht mal, ob *Cousine* der richtige Begriff ist. Ich habe Ryan Caswell einmal bei einem Familientreffen erlebt, aber ich habe ihm nur kurz die Hand geschüttelt. Wir haben außer *Guten Tag* kein Wort miteinander gewechselt.«

»Aber welchen Eindruck hatten Sie von ihm?«

»Ich fand ihn unsympathisch. Unfreundlich. Irgendwie ... gestört.«

»Gestört?«

»Na ja, in dem Sinne, dass er überhaupt nicht mit anderen Menschen kommunizieren konnte. Er wirkte fast autistisch auf mich. Und dann diese missmutige Miene… diese unbändig schlechte Laune… Ich fragte mich, wie Linda auf die Idee hatte kommen können, ihn zu heiraten. Die bildschöne, junge Linda! Diesen viel älteren, verschrobenen Typen. Unbegreiflich.«

»Und zu welchem Schluss kamen Sie? Was meinen Sie, weshalb hat sie ihn geheiratet?«

Saunders schüttelte den Kopf. »Schwer zu sagen. Sie hat ihn ja in Chamberfield kennengelernt. Vielleicht war sie an einem totalen Tiefpunkt. Psychiatrische Klinik… Sie war sechzehn, als sie dort hinkam. In dem Alter amüsieren sich die Mädchen doch eigentlich, gehen aus, haben Freunde, schminken sich und kaufen tolle Klamotten… Sie sitzen nicht in psychiatrischen Kliniken und schlucken haufenweise Antidepressiva. Vielleicht sah sie in Caswell einen Ausweg. Einen Halt. Sie verließ ja dann auch schnell die Klinik und zog zu ihm. Ich glaube, sie dachte, mit ihm findet sie aus dem ganzen Schlamassel hinaus. Aber genau dafür war er der gänzlich ungeeignete Mensch.«

»Wissen Sie, wie es war, als sie verschwand? Wie das ablief?«

»Ich war ja nicht dabei.«

»Man wird in der Familie darüber gesprochen haben. Das ist sicher auch zu Ihnen gedrungen – auch wenn Sie nur entfernt verwandt sind.«

Er seufzte. Kate konnte sehen, dass er schwitzte. Er hasste dieses Gespräch. »Nach allem, was ich gehört habe«, sagte er, »kam Ryan eines Tages nach Hause, und sie war weg. Die kleine Hannah saß vor dem Fernseher im Wohnzimmer. Eine DVD war eingelegt, die in Endlosschleife immer wieder denselben Film spielte. Hannah hatte alle ihre Plüschtiere um sich, eine Trinkflasche mit Tee und jede Menge Schokoladenkekse. Von Linda keine Spur. Aber eine Reisetasche fehlte, und ein großer Teil ihrer Klamotten im Schrank. Daraus schloss Ryan, dass sie abgehauen war. Er hat nichts mehr von ihr gehört.«

»Ein Verbrechen hat nie jemand in Erwägung gezogen?«

»Ein Verbrechen?«

»Ein Mann kommt nach Hause, und seine Frau ist wie vom Erdboden verschluckt. Es könnte ja auch ein Verbrechen passiert sein.«

»Aber ihre Sachen waren ja weg. Es gab wohl auch nichts in dem Haus, was auf einen Kampf hindeutete. Und Hannah... sie war erst vier, aber sie hätte trotzdem erzählen können, wenn sie etwas beobachtet hätte. Nein, ich glaube nicht, dass irgendjemand so etwas vermutet hat.«

»Und...«, fragte Kate vorsichtig, »was ist mit Ryan selbst? Wurde innerhalb der Familie jemals ein Verdacht in *dieser* Richtung geäußert? Oder auch nur ein Gedanke dieser Art ausgesprochen?«

»Welcher Art?«

»Es hat nie irgendjemand geargwöhnt, dass Ryan Caswell etwas mit dem Verschwinden seiner Frau zu tun gehabt haben könnte?«

Brendan Saunders sah sie scharf an. Er knetete noch immer seine Finger, wirkte nervös, nun aber auch sehr wach. »Sind Sie auf irgendetwas gestoßen, das...«

»Ich denke in alle möglichen Richtungen. Ich finde es merkwürdig. Ein Mann, dessen Frau spurlos verschwindet. Jahre später dasselbe mit seiner Tochter. Das ist doch eigenartig.«

»Warum fragen Sie mich das alles? Warum ausgerechnet mich? Nur weil ich vor ein paar Tagen in dieser Klinik war und mich nach einer entfernten Verwandten erkundigt habe?«

»Warum haben Sie sich erkundigt, Mr. Saunders? Nach all den Jahren? Warum gerade jetzt?«

»Das habe ich Ihnen doch erklärt. Wegen meiner Depressionen. Ich wollte wissen, ob es sein kann, dass dies ein genetisches Problem in unserer Familie ist.«

»Zu diesem Thema hätten Sie massenweise Material im Internet finden können. Dazu müssen Sie nicht Lindas Ärzte aufsuchen. Und noch mal: Warum gerade jetzt?«

»Weil es mir *jetzt* schlecht geht. Mir ging es nie gut, aber jetzt geht es mir besonders schlecht. Ich komme mit meinem Leben nicht klar. Das Buch läuft nicht. Ich habe eine Blockade. Ich habe Schmerzen. Seelische Schmerzen.«

»Das kann ich verstehen, Mr. Saunders. Aber was nützen Ihnen da die Ärzte Ihrer Cousine? Die noch dazu damals gar nicht ihre Ärzte waren. Wie hätten die Ihnen helfen können?«

»Sie haben mir die Adresse gegeben. Von dem Arzt, der sie damals therapiert hat.«

»Dr. Russell«, sagte Kate.

»Bei dem waren Sie auch? Ich wollte zu ihm, aber er war nicht zu Hause.«

»Er praktiziert nicht mehr. Er hätte Ihnen bei Ihren Beschwerden konkret nicht helfen können. Ich verstehe einfach nicht, was Sie sich von alldem erhofft haben. Gut, möglicherweise die Auskunft, dass es sein kann, dass Depressionen in Ihrer Familie genetisch bedingt sind. Und dann? Das alleine hätte Ihnen ja noch nicht weitergeholfen.«

»Ich hätte zumindest gewusst, es ist genetisch. Es liegt nicht daran, dass ich etwas falsch gemacht habe. Oder dass ich falsch lebe oder immer die falschen Entscheidungen treffe. Sondern weil es in meinen Genen ist und nichts mit *meinen Fehlern zu tun hat*.«

Kate überlegte. Ein wenig begann ihr Brendan Saunders' Motiv einzuleuchten. Der Mann verurteilte sich für seine ständige Traurigkeit, für seine Krisen, für seine Schwermut, verbrachte vermutlich Stunden und Tage damit, über seine Fehler nachzugrübeln. Es mochte für ihn eine Erleichterung bedeuten zu wissen, dass er es mit einer angeborenen Krankheit zu tun hatte. Der er nicht hätte ausweichen können, ganz gleich, wie er sein Leben aufgebaut hätte.

Dennoch irritierte sie der Zeitpunkt. Saunders' zerfurchtes, gequältes Gesicht ließ darauf schließen, dass er seit vielen Jahren mit Depressionen zu kämpfen hatte. Nicht erst in der jüngeren Zeit und weil er eine Schreibblockade hatte. Trotzdem fuhr er erst jetzt nach Chamberfield.

Zufall. Vielleicht auch nicht.

Leider hatte sie aus Dr. Mannering nicht herausbekommen können, wie das Gespräch mit Brendan Saunders verlaufen war.

»Das besprechen Sie am besten mit Mr. Saunders selbst«, hatte er gesagt. Mehr konnte Kate nicht in Erfahrung bringen.

Etwas störte sie an Brendan Saunders. Seine Nervosität. Sein starkes Schwitzen. Die Art, wie er keine Sekunde lang die Hände ruhig halten konnte. Vielleicht nahm er Medikamente, die diese Nebenwirkungen hatten. Trotzdem. Er hatte vom ersten Moment an etwas in ihr ausgelöst. Es gab diesen Instinkt, den mancher Ermittler hatte und der im Laufe der Jahre durch die Erfahrung immer feiner, immer sensibler wurde. Dieser Instinkt war bei Kate angesprungen. Aber sie konnte ihn noch nicht in ein Gedankenkonstrukt kleiden, er blieb vorerst ein vages Gefühl. Unübersehbar jedoch, unüberhörbar.

Etwas stimmte mit diesem Saunders nicht. Sie wusste nur nicht, was es war und ob es relevant war für ihren Fall.

Sie erhob sich, und sofort schnellte auch Saunders in die Höhe. Erleichtert, weil sie endlich ging?

»Ja«, sagte sie, »dann muss ich weitersuchen. Ich werde dranbleiben, bis ich weiß, wie das alles zusammenhängt. Linda. Hannah. Die anderen Mädchen.«

Er räusperte sich. Fasste sichtlich einen Entschluss.

»Ich war nicht nur wegen meiner Depressionen in Chamberfield«, sagte er.

Kate, die sich schon zur Tür gewandt hatte, blieb stehen. »Nein?«

»Nein. Ich wollte … ich war eigentlich aus demselben Grund dort, aus dem Sie jetzt alle diese Fragen stellen. Wegen des Mannes, den Linda geheiratet hat. Wegen Ryan Caswell.«

»Aber Sie haben sich nach Linda erkundigt.« Sie hatte es doch gewusst. Geahnt. Saunders hatte nicht in erster Linie seiner eigenen Erkrankung nachgespürt.

»Ja. Schon. Aber im Grunde wollte ich herausfinden, für wie wahrscheinlich die Ärzte es halten, dass sie einfach weggegangen ist. Ihr kleines Kind vor dem Fernseher hat sitzen lassen und irgendwohin verschwunden ist. Ich wollte wissen, ob es Symptome gab, die das wahrscheinlich erscheinen lassen. Leider bekam ich keine Auskunft. Schweigepflicht. Sie gaben mir Namen und Adresse dieses Arztes im Ruhestand. Aber, wie gesagt, er war nicht daheim.«

Kate spürte, dass ihr Herz stärker pochte. Hier war etwas. Hier war etwas, zum Greifen nah.

»Warum? Haben Sie einen Verdacht, was Ryan Caswell angeht, Mr. Saunders?«

Er nickte. Er verknotete seine Hände so intensiv, dass Kate Angst bekam, seine Finger würden brechen.

»Ja.«

»Weshalb jetzt?«

Er sah sie nicht an. »Ich hatte ihn immer. Spätestens nach der Sache mit Hannah. Aber es gab nichts... Verstehen Sie... ich konnte es an nichts so richtig festmachen. Es war ein Gefühl. Dass das alles nicht so richtig zu Linda passte. Und dass mit Caswell etwas nicht stimmt.«

»Was genau meinen Sie mit: *Es stimmt etwas nicht mit ihm?*«

»Der Mann ist komisch. Ich habe ihn vor ein paar Wochen wieder einmal in der Stadt gesehen. Aus der Ferne, er hat mich nicht bemerkt. Dieser Gesichtsausdruck... mit Gott und der Welt verfeindet. Und ich musste daran denken, was Linda mir damals erzählte, als sie noch mit ihm verheiratet war...«

»Was erzählte sie denn?«

»Sein Kontrollzwang. Dass sie kaum einen Schritt tun konnte, ohne ihm gegenüber Rechenschaft abzulegen. Dass er ständig wissen wollte, was sie vorhatte, wohin sie ging, wann sie wiederkam. Die Szenen, die er ihr machte, wenn sie sich verspätete. Er hat sie behandelt wie ein unmündiges Kind. Hat ihr andauernd ihre seelische Erkrankung vorgehalten und behauptet, sie müsse tun, was er sage, weil sie schließlich krank sei. Sie kam sich vor wie ein dressiertes Haustier.«

»Aber dann ist es nicht ganz unwahrscheinlich anzunehmen, dass sie flüchtete?«

»Nein, natürlich nicht. Deshalb war ich auch immer im Zweifel. Aber dann verschwand Hannah. Dann Saskia Morris. Dann Mandy Allard.«

Mandy Allard.

Kate erstarrte. Mandy Allard. Den Namen hatte ihr Caleb genannt. Er war nicht in den Medien aufgetaucht. Woher kannte Saunders den Namen?

Rechtzeitig fiel ihr ein, dass sie ihn auch nicht kennen durfte.

»Mandy Allard?«, fragte sie erstaunt. »Von der habe ich noch nichts gehört. Auch ein verschwundenes Mädchen?«

Er nickte.

Das kann er eigentlich nicht wissen.

»Und Sie meinen, Ryan Caswell steckt hinter ihrem Verschwinden? Wie hinter dem der anderen?«

Er sah sie lange und nachdenklich an. Wog Optionen ab, die er hatte, Risiken.

»Ich weiß es«, sagte er. Und nach einer Pause fügte er hinzu: »Ich weiß, wo Mandy Allard ist.«

5

Er saß am Steuer. Obwohl es sich um Kates Wagen handelte. Er hatte darauf bestanden.

»Ich möchte fahren. Das ist einfacher, als wenn ich Sie dirigieren muss. Komplizierte Strecke.«

Sie merkte, dass es noch eine andere Seite in Brendan Saunders gab. Jenseits des depressiven, nervösen Mannes, der schwitzte, zitterte und seine Finger verhakte, bis man Angst um seine Gelenke bekam. Da war auch etwas sehr Zielstrebiges in seinem Wesen. Und eine Härte, mit der er sich durchsetzte. Er hatte jetzt einen Plan. Er kam Kate vor wie jemand, der wusste, dass er nichts mehr zu verlieren hat. Und der nun rigoros einen Weg ging.

»Ich besitze kein Auto. Wir müssen Ihres nehmen. Aber ich fahre.« Er hatte einen Schweißausbruch, als er das sagte.

»Mr. Saunders, mein Auto fahre eigentlich immer nur ich.«

»Wir können es auch bleiben lassen. Ihre Entscheidung.«

Sie wusste, dass es im Grunde Wahnsinn war. Mit ihm in ein Auto zu steigen, ihm auch noch das Steuer zu überlassen, mit ihm an einen Ort zu fahren, von dem sie keine Ahnung hatte, wo er sich befand. Etwas stimmte ganz und gar nicht mit diesem Mann. Selbst wenn es Ryan Caswell war, der hinter all dem steckte, dann war Brendan Saunders doch eindeutig mehr als nur ein misstrauischer Verwandter, der ihm auf die Schliche gekommen war.

Er wusste, wo Mandy Allard war? *Und ging damit nicht zur Polizei?*

Sie hatte zu verhandeln versucht. »Mr. Saunders, wenn Sie etwas über Ryan Caswell wissen, das ihn als mehrfachen Entführer und Mörder entlarvt, und wenn Sie überdies wissen, wo sich das jüngste Opfer in diesem Moment befindet, und wenn dieses Opfer noch lebt, dann müssen wir jetzt die Polizei verständigen. Sofort!« Sie hatte nach ihrem Handy gegriffen.

Seine Fingerknochen knackten. »Wenn Sie die Polizei rufen, sage ich nichts mehr. Gar nichts.«

Sie sah ihn an, versuchte ihn einzuschätzen. Er war nicht der Typ, der eine Polizeibefragung allzu lange durchhielt. Er war ein Weichei. Aber *irgendwie krank.* Würde vielleicht zusammenbrechen, irgendetwas sagen, was dann nicht stimmte. Heulen. Zeit schinden.

Als könne er ihre Gedanken lesen, sagte er: »Mandy Allard bleibt nicht mehr viel Zeit. Wenn wir überhaupt noch rechtzeitig kommen.«

»Wenn sie in Gefahr ist, müssen wir Polizei und Sanitäter zu ihrem Aufenthaltsort schicken!«

Er wischte sich mit einer hektischen Geste den Schweiß

vom Gesicht. »Ich fahre mit Ihnen zusammen hin. Oder ich sage kein Wort.«

»Mr. Saunders, Sie machen sich gerade strafbar. Wirklich, es ist nicht in Ordnung, welchen Verlauf die Dinge jetzt nehmen.«

Knack!

Kate erwog, ihm ihren Polizeiausweis vor die Nase zu halten. Könnte sein, dass diese Information ihn einknicken ließ. Aber das Risiko war groß. Dass er verstummte. Und genau die Verzögerung herbeiführte, die Mandy Allard am Ende das Leben kostete.

Aber natürlich konnte das alles ein riesiger Bluff sein.

Sie fluchte lautlos. Keine Chance, jemanden zu verständigen. Zumindest jetzt nicht. Vielleicht zu einem späteren Zeitpunkt. Immerhin, das war ein kleiner Vorteil, wenn er fuhr. Sie hatte die Hände frei, war beweglich. Hatte das Handy in der Tasche.

Es konnte sein, dass sie einen riesigen Fehler beging. Sogar ziemlich sicher, in den Augen ihrer Kollegen, ihres Vorgesetzten. In Calebs Augen. Sie verstieß gegen so ziemlich jede Vorschrift, die sie einmal gelernt hatte.

Sie entschloss sich, alles auf eine Karte zu setzen. »Okay. Wir fahren. *Sie* fahren. Sie bringen mich zu Mandy Allard?« Ganz die Reporterin, die scharf ist auf eine gute Geschichte. Die helfen würde, ein Mädchen zu retten, und dafür später die Story exklusiv bekam.

Er nahm ihren Autoschlüssel. Er ging dicht hinter ihr die Treppe hinunter, aus dem Haus, zum Auto. Keine Möglichkeit, auch nur eine Nachricht abzusetzen.

Und nun fuhren sie. Seit bereits über zwei Stunden. Durch diesen trüben Tag, an dem der Wind aus Osten über die bleigraue Nordsee gejagt kam. Eine eintönige Gegend. Einsam.

Saunders war ein sicherer, routinierter Fahrer. Er schien

jetzt nicht mehr ganz so nervös wie am Anfang zu sein. Er hatte die Kontrolle über die Situation gewonnen.

Während ich sie leider abgegeben habe, dachte Kate voller Unbehagen. Sie schaute scheinbar gleichmütig zum Fenster hinaus, aber hinter ihrer Stirn überschlugen sich die Gedanken. Was konnte sie tun? Was steckte hinter alldem?

Welche Rolle spielte Saunders?

»Ich kenne Mandy Allard«, sagte Saunders unvermittelt. »Deshalb ...« Er sprach nicht weiter, aber Kate ahnte, was er hatte sagen wollen: *Deshalb* wollte er ihr helfen.

»Sie kennen sie?«

»Ja. Sie hat eine Zeitlang bei mir gewohnt. Es ging ihr nicht gut. Ihre eigene Mutter hatte einen Kessel mit kochendem Wasser nach ihr geworfen und ihr schlimm den Arm verbrannt. Daraufhin war sie weggelaufen.«

Ein tätlicher Angriff durch ihre Mutter, hatte Caleb gesagt und: *Mandy Allard passt nicht in die Serie.*

Offenkundig passte sie doch. Und ganz klar war auch: Brendan Saunders kannte Mandy wirklich. Er wusste über zu viele Details Bescheid.

»Und nachdem sie von daheim weggelaufen ist, kam sie zu Ihnen?«, fragte Kate.

Er nickte, fast ein wenig stolz, wie ihr schien. »Ich habe sie von der Straße aufgesammelt. Sie war in einem erbärmlichen Zustand. Ihr Arm brauchte dringend medizinische Versorgung. Sie war obdachlos, heruntergekommen, verwahrlost, hungrig.«

»Und sie ging einfach mit Ihnen mit? Einem völlig Fremden?«

»Sie hatte keine Wahl. Sie hätte keinen Tag länger auf der Straße ausgehalten.«

Und was war dann geschehen?

»Was geschah dann?«, fragte sie.

Er verzog das Gesicht zu einem verächtlichen Ausdruck. »Sie war eine Woche bei mir. Sie hatte es wirklich gut. Ich habe ihr mein Bett überlassen, selbst auf dem Sofa geschlafen. Ich habe Medikamente für ihren Arm gekauft. Ich habe Essen für sie gekocht. Und habe mit ihr geredet. Stundenlang. Über ihre Familie, warum sie es dort nicht mehr aushielt, welche Pläne sie hat... solche Sachen. Ich habe ihr endlos zugehört.«

Er klang beleidigt. Offenbar hatte es Mandy Allard an Dankbarkeit fehlen lassen.

»Ich verstehe«, sagte Kate. Sie hörte konzentriert zu, versuchte gleichzeitig die Orientierung zu wahren, wo sie sich befanden. Sie waren bereits an Newcastle vorbei und fuhren immer weiter nach Norden.

»Ist es noch weit?«, fragte sie.

»Noch ein Stück.«

»Sie haben Mandy Allard dann aus Ihrer Wohnung dorthin gebracht, wo sie jetzt ist?«

Wieder der verächtliche Ausdruck. »Nein. Sie ist weggelaufen.«

»Weggelaufen?«

»Weggelaufen!«, äffte er sie nach. »Wissen Sie nicht, was der Ausdruck bedeutet? Weglaufen! Sie lief weg!«

Seine Nervosität nahm zu.

»Klar, verstehe«, sagte Kate besänftigend. »Aber warum tat sie das? Nachdem Sie so fürsorglich gewesen waren und so aufopfernd?«

In Wahrheit konnte sie nur zu gut nachvollziehen, weshalb Mandy Allard das Weite gesucht hatte. Erstaunlich, dass sie es überhaupt eine Woche lang ausgehalten hatte. Dieser Saunders tickte nicht richtig. Das hatte Mandy mit Sicherheit gespürt. Aber vermutlich hatte sie die Zeit gebraucht, um wieder zu Kräften zu kommen.

»Ich nehme an, sie hat ein Telefongespräch von mir falsch interpretiert«, erläuterte Saunders. »Sie dachte, ich rufe die Polizei.«

Was du sofort hättest tun sollen, dachte Kate, anstatt eine vierzehnjährige Ausreißerin eine Woche lang bei dir zu beherbergen und mit deinem Geschwätz zu behelligen.

»Und mit wem haben Sie tatsächlich telefoniert?«, fragte sie.

Saunders wandte den Kopf zu ihr. »Das geht Sie ja wohl nichts an!«

»Entschuldigen Sie. Dumme Frage.«

»In der Tat«, bestätigte er mürrisch.

Kate fühlte sich immer unbehaglicher. Unauffällig spähte sie auf ihre Armbanduhr. Gleich vier. Sie steckte vermutlich in ziemlichen Schwierigkeiten, fuhr zusammen mit einem mehr als undurchsichtigen Mann immer höher in den Norden Englands, in immer einsamere Gegenden, um eine junge Ausreißerin... ja, was? Im günstigsten Fall: zu befreien.

Aber konnte es in Saunders' Absicht liegen, Mandy auf freien Fuß zu setzen? Falls er selbst in der ganzen Geschichte mit drinsteckte, war das kaum in seinem Interesse. Und er *musste* in irgendeiner Weise in Mandys Verschwinden verwickelt sein, sonst wüsste er gar nicht, wo sich das Mädchen aufhielt. Wenn er es tatsächlich wusste. Wenn er nicht eine Falle aufgestellt hatte, in die Kate hineingetappt war.

Sie fröstelte. Je weiter sie fuhren, umso brisanter wurde ihre Lage. Kurz erwog sie, die Tür aufzustoßen und einfach aus dem Auto zu springen, aber sie fuhren auf der A1, die in einigen Abschnitten eine Autobahn, in anderen eine Schnellstraße war. Ein Sprung wäre vermutlich tödlich ausgegangen.

Sie ging in Gedanken noch einmal das Gespräch durch, das sie in seiner Wohnung geführt hatten. Es war mittendrin gekippt, hatte eine andere Tonart angenommen. Als hätte Brendan Saunders plötzlich seine Strategie geändert oder überhaupt auf einmal eine Strategie entwickelt. Er hatte von seinen Depressionen gesprochen, davon, wie schlecht es ihm ging. Dass er in Chamberfield herausfinden wollte, ob seine Depressionen genetisch bedingt seien und er somit entschuldigt war, was eine möglicherweise völlig verkehrte Lebensführung anging. Sie entsann sich, ihn verstanden zu haben. Sie hatte gewusst, was er meinte.

Und dann war er umgeschwenkt. Nachdem sie von ihrem Verdacht bezüglich Ryan Caswell berichtet hatte. Auf einmal hatte er offenbart, denselben Verdacht zu haben. Und auf einmal war er nicht mehr in der Klinik gewesen, um seinem eigenen Gemütszustand auf die Spur zu kommen, sondern um herauszufinden, wie wahrscheinlich es war, dass Linda Caswell damals tatsächlich ihr kleines Kind zurückgelassen hatte und auf Nimmerwiedersehen verschwunden war. Er hatte sich komplett an Kates Seite gestellt, war zu einer Person geworden, die dieselbe Fährte verfolgte. Und hatte dann noch das Ass Mandy Allard aus dem Ärmel gezogen. Und schon war sie bereitwillig mit ihm auf die Fahrt zu einem unbekannten Ziel gegangen. Ohne irgendjemanden zu verständigen. Was allerdings auch unmöglich gewesen wäre. Trotzdem hätte sie sich nicht darauf einlassen dürfen.

Sie stöhnte leise, presste kurz ihr heißes Gesicht gegen die kühle Fensterscheibe. Sie hatte keine Ahnung, wie das alles zusammenhing. Aber möglicherweise hatte Caswell überhaupt nichts mit der Sache zu tun. Möglicherweise ging es um Saunders. Möglicherweise saß sie mit dem Hochmoor-Killer in einem Auto. Er hatte sie als Gefahr verifiziert.

Zähe, entschlossene Journalistin, die ihn in Schwierigkeiten bringen konnte. Weil er sich in der Chamberfield-Klinik nach Linda Caswell erkundigt hatte und weil diese Journalistin dahintergekommen war.

Verrückterweise, dachte Kate, hätte ich daraus ja gar nichts machen können.

Wäre er einfach bei der Version geblieben, sich wegen seiner Depressionen gesorgt zu haben, hätte sie das so stehenlassen, weil es ihr plausibel erschien. Aber vielleicht hatte er einfach kein Risiko eingehen wollen.

Er war Linda Caswells Cousin. Falls diese Darstellung stimmte. Allerdings deckte sich seine Schilderung des tyrannischen Verhaltens von Ryan seiner Frau gegenüber mit dem Bericht von Kevin Bent darüber, wie sich Ryan bei Hannah verhalten hatte. Saunders schien also Einblick in die inneren Strukturen der Familie Caswell zu haben. Wenn er wirklich ihr Cousin war, wäre Linda freiwillig mit ihm mitgegangen. Und Hannah Jahre später auch.

Aber Saskia Morris? Mandy Allard?

»Nachdem Mandy bei Ihnen abgehauen ist«, fragte sie mit einer Stimme, die zu ihrem eigenen Erstaunen noch immer eher interessiert als verängstigt klang, obwohl ihr mittlerweile das Herz bis zum Hals schlug, »was geschah dann?«

Er sah zu ihr hinüber. »Dann«, sagte er, »geriet sie richtig in Schwierigkeiten. Richtig!«

»Weil sie Ryan Caswell begegnete?«

»Weil sie dumm ist. Einfach dumm.«

Sie verließen die A1, fuhren jetzt über einsame Landstraßen. Kate wünschte, sie würden endlich durch eine Stadt kommen. Oder ein Dorf. Eine Ampel würde Saunders zum Anhalten zwingen, und es würde ein paar Häuser geben, Menschen. Etwas, wohin sie flüchten konnte. Aber sie hatten vermutlich inzwischen die Grenze nach Northumberland überquert. Kate war dort noch nicht gewesen, hatte aber begeisterte Schilderungen gehört. Wie einsam es dort streckenweise war. Menschenleer. Dass man endlos unterwegs sein konnte, ohne irgendjemandem zu begegnen.

Ich hätte mich, verdammt noch mal, nicht auf diese Sache einlassen dürfen!

Vielleicht lebte Mandy Allard längst nicht mehr. Er hatte nur ein Druckmittel gegen Kate gebraucht. Und es hatte bestens funktioniert.

Er wollte sie einfach nur irgendwo loswerden.

Sollte sie sich doch noch offenbaren? Ihm endlich den Polizeiausweis vor die Nase halten? Könnte sein, dass es ihn einschüchterte. Aus dem Konzept brachte.

Könnte aber auch sein, dass es ihn noch entschlossener machte. Sie würde sich diesen Trumpf, falls es überhaupt einer war, bis später aufheben.

Wann würde sie jemand vermissen? David als Einziger vermutlich, ab fünf Uhr vielleicht, spätestens ab halb sieben, sieben Uhr. Aber er hatte keine Ahnung, wo sie sich aufhielt. Er würde sie auf ihrem Handy anrufen. Unwahrscheinlich, dass Saunders ihr gestattete, den Anruf entgegenzunehmen. Falls sie demnächst überhaupt noch in der Situation war, zumindest theoretisch angerufen werden zu können.

Sie war dumm gewesen. So dumm.

Wie Mandy. Das hatte Brendan gesagt. *Sie ist dumm. Einfach dumm.*

Was war mit Colin? Er stand wahrscheinlich schon vor ihrer Haustür. Oder würde es innerhalb der nächsten Stunde tun. Würde feststellen, dass sie nicht da war oder nicht aufmachte. Und dann? Das brachte ihn keinen Schritt weiter. Und sie leider auch nicht.

Denk nach, Kate, befahl sie sich, und behalte einen kühlen Kopf.

»Wir sind in Northumberland, oder?«, fragte sie.

Ich muss wissen, wo wir sind!

»Ja«, bestätigte er knapp.

»Mr. Saunders, ich habe heute Abend noch eine wichtige Verabredung. Ich meine … können Sie mir ungefähr sagen, wie lange es jetzt noch dauert, bis wir da sind? Damit ich ausrechnen kann, wie lange ich etwa für den Rückweg brauchen werde?«

Fast rechnete sie mit einer zynischen Antwort in der Art: *Für Sie gibt es keinen Rückweg!*, aber stattdessen ließ er sich tatsächlich widerwillig zu einer Auskunft herab. »Wir müssten in zwanzig Minuten da sein.«

Ihre Handtasche klemmte auf ihrem Sitz zwischen ihr und der Tür. Im Zeitlupentempo und so unauffällig wie möglich ließ sie ihre Hand hineingleiten. Tastete im Inneren herum, so vorsichtig sie nur konnte. Sie durfte kein Geräusch verursachen, durfte nicht Schlüssel oder Geldstücke klirren lassen.

Das Handy. Ihre Finger schlossen sich um das Handy. Sie überlegte. Um es zu entsichern, musste sie kurz in die Tasche blicken, das schaffte sie nicht blind.

Sie schniefte. »Dürfte ich mir ein Taschentuch nehmen?«, fragte sie unterwürfig, ahnend, dass er ihr nicht gestatten würde, einfach so in ihrer Tasche zu kramen.

Saunders nickte. »Okay.«

Sie zog die Tasche auf den Schoß, spähte hinein, begann herumzuwühlen. Mit derselben Hand, mit der sie das Smartphone hielt, schaffte sie es, den Entsicherungscode einzugeben. Gott sei Dank. Sie vertippte sich nicht. Das Display öffnete sich.

»Was dauert das denn so lange?«, fragte Saunders scharf.

Er blickte kurz zu ihr hinüber, musste dann aber sofort wieder nach vorne schauen, da die Straße sehr eng und kurvig war. »Haben Sie jetzt das verdammte Taschentuch oder nicht?«

»Ich weiß nicht. Ich war sicher, dass ich ...« Sie wühlte weiter. Klickte dabei auf den WhatsApp-Button.

»Das reicht«, sagte Saunders entnervt. Seine Hände umklammerten das Lenkrad, als wollten sie es zerbrechen. »Schluss jetzt. Stellen Sie die Tasche weg. Dann schniefen Sie eben weiter!«

Die Show ist vorbei, dachte Kate. Bislang waren sie so etwas wie Komplizen gewesen. Saunders, der einen Fall aufklären wollte. Kate, die einen Fall aufklären wollte. Saunders hatte sich längst verdächtig gemacht, aber er hatte zumindest noch den Anschein gewahrt, als wäre er nicht selbst in eine düstere Geschichte verstrickt. Jetzt hatte er aufgegeben. Jetzt setzte er Kate unverblümt unter Druck.

»Okay.« Sie stellte die Tasche neben sich. Sie hätte sie gerne zwischen sich und Saunders gestellt anstatt zwischen sich und die Tür, aber es war zu riskant, dass er dann bemerkte, dass sie ihre Hand im Inneren behielt. Vorsichtig spähte sie zur Seite und nach unten, dankte Gott, dass Saunders nach wie vor gezwungen war, auf die Straße zu blicken. Das Display leuchtete. Sie war in einem ihrer WhatsApp-Chats, konnte aber nicht erkennen, in welchem. Im günstigsten Fall hatte sie Caleb Hale aufgerufen, am zweitbesten wäre einer ihrer Kollegen in London. Vielleicht hatte sie David. Aber auch er würde irgendwie reagieren. Wahrscheinlich sofort zur Polizei gehen.

Sie drückte den Aufnahmepfeil einer Sprachnachricht. Hielt ihn gedrückt, sah jetzt aber wieder nach vorne. Sie hoffte, dass die Lautstärke ihrer Stimmen ausreichte und dass das Motorengeräusch nicht alles überlagern würde.

Deshalb hätte sie die Tasche lieber näher an Saunders gestellt, aber es half nun nichts.

»Northumberland«, sagte sie laut. »Ich war hier noch nie. Es ist wirklich so einsam, wie man sagt. Sind wir nahe an der Küste?«

»Wir fahren praktisch an der Küste entlang. Das Meer ist keine halbe Meile entfernt.«

»Großartig. Eine großartige Gegend.«

»Zu karg. Zu kalt. Ich finde England überhaupt zu kalt. Wenn ich könnte, würde ich irgendwo im Süden leben.«

»Warum tun Sie es nicht? Als Schriftsteller können Sie doch überall wohnen.«

»Mal sehen«, knurrte er. Das Thema schien ihm schon wieder zu intim zu werden.

Sie musste so viele Informationen übermitteln, wie sie nur konnte.

»Kennen Sie Detective Chief Inspector Caleb Hale? Er ermittelt im Fall der verschwundenen Mädchen.« Wer immer das hörte – falls es nicht Caleb selbst war –, sollte wissen, wer unmittelbar benachrichtigt werden musste.

Brendan Saunders gab einen verächtlichen Laut von sich. »Und ob ich den kenne! Ein Arschloch!«

»Sie hatten mit ihm zu tun?«

»Er hat mich verdächtigt. Konnte mir aber nichts nachweisen.«

Kate schluckte. Caleb hatte diesen Typ auf dem Bildschirm gehabt.

Nicht analysieren. Weiter.

»Glauben Sie, wir können Mandy Allard einfach mitnehmen? Also, meinen Sie, sie möchte überhaupt zu ihrer Familie zurück?« Sie hatte den Namen *Mandy Allard* besonders klar und betont ausgesprochen, aber bereute es gleich darauf. Saunders war nicht blöd.

547

»Warum schreien Sie denn so? Ich bin nicht taub.«

»Entschuldigung.« Sie musste vorsichtiger sein. »Ich meinte nur, wegen Mandy…«

»Ich habe es schon verstanden. Keine Ahnung. Ihre Familie ist das Letzte. Das Allerletzte. Deshalb dachte ich ja auch, dass sie…« Er sprach nicht weiter.

»Ja?«, hakte Kate nach.

»Ich dachte, sie wäre perfekt«, sagte Saunders.

»Perfekt wofür?«

Er antwortete nicht. Blickte starr geradeaus.

Kate hoffte zu Gott, dass ihr Handy noch immer das Gespräch aufnahm. Zwei Wochen zuvor hatte Colin ihr einmal abends eine Sprachnachricht geschickt, in der er fast fünfzehn Minuten lang auf sie eingeredet hatte. Daher wusste sie, dass einiges an Redezeit übermittelt werden konnte. Sie hatte keine Ahnung, wo das Limit lag. Aber falls ihr Daumen nicht aus Versehen verrutscht war, befanden sie sich noch im Aufnahmemodus.

Ihr war jetzt klar, dass Brendan Saunders nicht vorhatte, sie und Mandy gehen zu lassen, falls Mandy überhaupt noch am Leben war. Er hatte sich längst als Täter verraten. *Ich dachte, sie wäre perfekt.* Er steckte tief in der Geschichte drin, und ihm musste klar sein, dass Kate eins und eins zusammenzählen konnte.

Er konnte sie nicht mehr auf und davon gehen und die Polizei verständigen lassen.

Er hatte das vermutlich auch nie vorgehabt.

Es brachte Kate nichts, sich als Idiotin zu beschimpfen, sie brauchte ihre Energien für anderes. Zumal ihr nach wie vor bewusst war, dass sie wenig Spielraum gehabt hatte: Er hielt Mandy Allard offenbar gefangen, das Mädchen lebte womöglich noch, und er wäre zugeklappt wie eine Auster, wenn Kate nicht mitgespielt hätte.

Sie seufzte laut.

»Wir sind gleich da«, sagte Brendan.

Sie fuhren noch ein kurzes Stück die schmale Landstraße entlang – sie waren seit einer halben Stunde niemandem mehr begegnet –, dann setzte Brendan plötzlich den Blinker und verlangsamte das Tempo. Sie bogen in einen Schotterweg ab. Rechts und links Wiesen und dornige Hecken, in denen vereinzelt letzte Hagebutten hingen. Ihr Rot leuchtete durch das Grau des Tages wie ein lebendiger Gruß einer Welt, die sich anschickte in den Winterschlaf zu gehen.

An der Einfahrt des Weges stand ein verwittertes Schild. Es blieben Kate nur Sekunden, die kaum lesbaren, eingeritzten Schriftzeichen zu entziffern.

Seagulls Cliff. Wenn sie es richtig erfasst hatte. Aber das Wort machte zumindest Sinn.

»Seagulls Cliff«, sagte sie laut. Wieder *zu* laut, aber egal, es war wichtig, dass der Name verständlich rüberkam. An den Empfänger der Botschaft, wer immer das war. »Seagulls Cliff in Northumberland. Nie gehört.«

»Gott, brüllen Sie doch nicht so!«, fuhr Brendan sie an.

»Entschuldigung. Ich bin so aufgeregt. Das Ganze ist eine irre Story. Ein verschwundenes Mädchen, und wir beide stehen gleich vor ihr und befreien sie!« Sie fragte sich, ob Saunders ihr so viel Naivität abkaufte, aber er sagte nichts, sondern lenkte den Wagen vorsichtig über den holprigen Weg.

Kate wagte einen Blick in ihre Tasche. Das Display leuchtete nicht mehr, aber das besagte nicht, dass die Aufnahme nicht mehr lief, sondern nur, dass das Handy Energie sparte. Sie bewegte ihren Finger, das Display leuchtete auf. Die Aufnahme lief. Sie hoffte auf ein Netz und drückte auf Absenden.

Bitte, bitte, bitte. Wer immer diese Nachricht bekommt, möge sie schnell abhören. Und verstehen. Und das Richtige tun!

Der Schotterweg schlängelte sich durch ein kleines Wäldchen aus teilweise abgestorbenem Nadelgehölz, dann öffnete er sich auf ein Hochplateau. Kate konnte das Meer sehen. Eine weite, großartige, absolut einsame Landschaft. Mitten darin ein grau verwittertes Haus mit moosbewachsenem Dach, verfallene Reste eines Zauns, der Jahre zuvor einmal so etwas wie einen Garten umschlossen haben mochte, inzwischen aber der rauen Witterung zum Opfer gefallen war. Hinter dem Haus schien sich noch ein Schuppen zu befinden. Der Garten: Eine verwahrloste, von Unkraut und wilden Gräsern überwucherte Wildnis. Hierher kam nie jemand. Wanderer mochten die Küste entlangwandern, aber falls der Küstenpfad ein Stück unterhalb des Plateaus verlief, sahen sie das Haus nicht.

Ein perfektes Versteck, dachte Kate.

Sie schluckte. Ihr Mund war trocken.

»Wir sind da«, sagte Brendan.

6

Colin Blair betätigte zum dritten Mal die Klingel und hörte ihren dumpfen Ton drinnen im Haus, aber erneut regte sich nichts. Keine Schritte, nichts. Er trat zurück, spähte an der Fassade hinauf. Alles dunkel. Es war fast halb fünf und schon sehr dämmrig. Wäre jemand daheim, müsste irgendwo in diesem Haus ein Licht brennen.

Es war die richtige Adresse, zudem hatte er den Namen *Linville* auf einem Schild vorne an der Gartenmauer lesen können.

Er ging um das Haus herum, betrat den kleinen Garten, der im Sommer ein Paradies sein musste mit all den Bäumen und Büschen und langen Reihen mit Rosenstöcken, jetzt aber natürlich kahl und dunkel vor ihm lag. Auch auf der Rückseite des Hauses sah er nirgends Licht. Überdies hatte er auch vorne auf der Straße und in der Einfahrt keine Spur von Kates Auto gesehen.

Sie war nicht zu Hause. Dabei hatte er ihr geschrieben, dass er kommen würde. Und er hatte anhand der kleinen blauen Haken sehen können, dass sie die Nachricht gelesen hatte.

Sie war unfair. Wirklich unfair.

Er trat dicht an die Küchentür heran, legte den Kopf an die Scheibe, spähte nach innen. Schattenhaft konnte er etwas von der Einrichtung erkennen. Spüle, Herd. Kühlschrank. Ein paar Oberschränke. Er schrak zurück, als plötzlich ein Schatten auftauchte und direkt an die Tür kam, aber dann sah er, dass es sich um eine schwarze Katze handelte. Messy. Kate hatte ihm bei einem ihrer Treffen ein paar Bilder von ihr gezeigt. Messy stellte sich auf die Hinterbeine, richtete sich auf, die kleinen Pfoten gegen die Glasscheibe gestemmt, und maunzte. Sie fühlte sich offenbar einsam.

Ob Kate bei ihrem Liebhaber war? Aber ließe sie dann die Katze alleine in einem dunklen Haus zurück?

Colin überlegte. Der Gedanke an diesen ominösen anderen Mann in Kates Leben versetzte ihm einen schmerzhaften Stich. Er war sich die ganze Zeit über allerdings nicht sicher, ob Kate ihm nicht einfach einen Bären aufband. Dieser Mann war wie aus dem Nichts aufgetaucht, und Kate war weiß Gott nicht der Typ, auf den Männer wie verrückt flogen. Nicht die Frau, die einfach angesprochen wurde, weil ein Mann sie sah und dachte, er müsste sie unbedingt kennenlernen. Jemand, der sie längere Zeit kannte, entdeckte vielleicht irgendwann ihre inneren Werte und fand diese anziehend: Sie war sehr klug, sie konnte manchmal – selten – witzig sein, und sie strahlte Zuverlässigkeit und Berechenbarkeit aus; Eigenschaften, die einem Mann signalisierten, dass er in ihr jemanden hatte, der ihm immer zur Seite stehen und für ihn da sein würde.

Aber ansonsten... Sie war wirklich nicht attraktiv, sah man von ihrer sehr guten Figur ab. Der Rest... Colin hatte sich in den letzten zwei Wochen, in denen er hinter ihr her telefoniert und gemailt hatte, oft gefragt, weshalb er sich ein Bein für eine Frau ausriss, die ihn optisch so wenig ansprach. Irgendetwas faszinierte ihn an ihr. Wahrscheinlich wirklich ihr Beruf.

Detective Sergeant bei Scotland Yard. Er hatte nie eine Frau mit einem spannenderen Beruf getroffen.

Vielleicht, so mutmaßte er, hatte sie diesen anderen Mann erfunden, um ihn, Colin, auf mehr oder weniger elegante Art loszuwerden. Obwohl er einfach nicht verstand, warum. Sie war einsam. Erbärmlich allein. Nicht, dass sie das so gesagt hätte. Aber man sah es ihr an. Man spürte es. Eine Frau wie sie nahm auch nicht die Hilfe von *Parship* in Anspruch, wenn sie sich nicht wirklich mit dem Rücken zur Wand fühlte. Verabredungen mit Männern waren ihr ein Graus, auch das konnte man fühlen. Sie war verzweifelt, sonst täte sie es nicht.

Und dann landete sie tatsächlich einen Treffer, zog einen Mann wie ihn an Land und... machte sich aus dem Staub. Buchstäblich wie im übertragenen Sinn. Verschwand nach Yorkshire, um sich um den Verkauf des Hauses zu kümmern – was der Makler wunderbar auch ohne sie hätte tun können – und flüchtete sich in eine Affäre, die höchstwahrscheinlich erfunden war. Wieso tat sie das?

Angst vor zu viel Nähe, dachte Colin. Sie lebt seit Jahrzehnten völlig alleine. Vielleicht erschreckt sie der Gedanke, ihr Leben plötzlich mit jemandem zu teilen.

Aber dann sollte man, verdammt noch mal, nicht zu *Parship* gehen und anderen etwas vormachen.

Er ging wieder um das Haus herum nach vorne, setzte sich in sein Auto und dachte nach. Er war lange unterwegs gewesen, hatte in einem Stau gestanden und war müde. Hatte keine Lust, heute noch nach London zurückzufahren. Wenn Kate nicht auftauchte, würde er sich ein Hotel suchen müssen. Es waren sicher gar nicht viele geöffnet zu dieser Jahreszeit.

Vielleicht wartete er noch etwas. Wenn es diesen Lover gar nicht gab – und Colin war da fast sicher –, musste Kate ja irgendwann hier aufkreuzen. Er seufzte.

Sein Handy hatte er auf dem Beifahrersitz liegen lassen, während er um Kates Haus herumschlich, nun griff er eher beiläufig danach und schaute, ob sich irgendetwas getan hatte.

Und setzte sich sofort aufrecht hin, schluckte trocken und starrte das Display an. Eine WhatsApp-Nachricht. Von Kate.

Er öffnete sie. Eine Sprachnachricht. Sekundenlang spürte er Furcht: Vielleicht machte sie ihm jetzt in scharfem Ton und in unmissverständlichen Worten klar, er solle sich aus ihrem Leben verpissen. Fast hatte er Angst, die Botschaft abzuhören. Aber dann drückte er doch auf den Pfeil.

Er hörte ... Motorengeräusch. Ja, ein Auto. Die Nachricht kam aus einem fahrenden Auto. Kate hatte wohl beim Fahren in die Freisprechanlage gesprochen.

Er vernahm ihre Stimme. Ziemlich dumpf. Er konnte sie kaum verstehen, obwohl er das Handy an sein Ohr presste.

»Northumberland ... ich ... einsam ...«

Er ging noch einmal an den Anfang, aber das Rauschen

war zu laut, und das Aufnahmegerät war ... ja, es musste irgendwo weit weg sein. Im Handschuhfach? Oder in Kates Handtasche? Aber wie bescheuert war das denn?

Zu seinem größten Erstaunen vernahm Colin nun eine andere Stimme. Eine Männerstimme. Eindeutig.

»Wir fahren ... an der Küste entlang. Das ...« Es wurde wieder undeutlich.

War das der Typ, den sie angeblich aufgerissen hatte? Gab es ihn doch?

Er verstand das Wort »Italien«. Der Mann sagte es. Dann schnappte er von Kate den Satzfetzen »Als Schriftsteller« auf.

Gebrabbel, unverständlich. Dann Kates Stimme, ziemlich laut: »Detective Chief Inspector Caleb Hale ...«

Der Mann: » ... mich verdächtigt ...«

Kate erklang erneut, wieder sehr laut. Sie sagte einen Namen. »Mandy Allard.«

»...Schreien ...«, verstand Colin jetzt von dem Mann. Und nach einer Reihe unverständlicher Worte dann wieder: »Perfekt«.

»Seagulls Cliff, Northumberland«, sagte Kate dann. Sie brüllte fast.

Der Mann erklang. Colin verstand: » ... nicht so ...« Vermutlich bat er Kate, nicht so laut zu reden. Dann brach die Nachricht ab. Sie war gesendet worden um 16 Uhr 23. Vor zehn Minuten etwa.

Colin starrte sein Handy an. Was, zum Teufel, war das denn?

Er hörte die Nachricht noch einmal ab, konnte aber kaum mehr verstehen als beim ersten Mal, hier und da ein »und«, das er zuvor nicht hatte erkennen können, und einmal das Wort »Familie«.

Wie seltsam, wie absolut seltsam.

Das machte keinen Sinn. Hatte Kate aus Versehen ein Gespräch aufgezeichnet und abgeschickt? Aber um eine Sprachnachricht aufzunehmen, musste man den Aufnahmepfeil die ganze Zeit gedrückt halten. Dann auf Senden gehen. Colin wusste aus eigener Erfahrung, dass es vorkam, dass man jemanden unwillentlich anrief, weil das Handy gegen etwas gedrückt und dabei der Mechanismus ausgelöst wurde, der eine eingespeicherte Nummer wählte. Aber eine WhatsApp-Sprachnachricht aus Versehen abschicken? Das hatte er noch nie gehört.

Er rief den Chat mit Kate auf und tippte eine Antwort. *Hi, Kate, komische Nachricht. Ich verstehe nur Bruchstücke. Was ist los? Wo bist du? In Northumberland?? Ich stehe hier vor deinem Haus in Scarborough!*

Er stieg aus, machte ein Selfie von sich vor Kates Haustür, das er an die Nachricht anhängte, setzte sich wieder ins Auto und schickte sie ab. Betrachtete minutenlang die Häkchen. Die Nachricht war angekommen, wurde jedoch nicht gelesen.

Er überlegte. *Angenommen,* sie hatte ihm diese Nachricht bewusst geschickt, was wollte sie damit bezwecken? Ihn auf ziemlich brutale Weise wissen lassen, dass es *wirklich* einen anderen Mann in ihrem Leben gab? Mit dem sie gerade im Auto saß und in ein romantisches Liebeswochenende fuhr, irgendwo in die Wildnis und Einsamkeit von Northumberland? Wollte sie Colin endlich loswerden, indem sie ihm so deutlich wie möglich unter die Nase rieb: *Ich habe einen anderen! Lass mich in Ruhe!*

Aber warum hielt sie das Handy dann nicht direkt vor ihren Mund? Und vor den ihres Liebsten? Warum riskierte sie, dass man sie kaum verstand, weil sie das Aufnahmegerät irgendwo weitab platzierte?

Weil ihr Typ nichts mitbekommen sollte? Nichts von

Colin wissen durfte? Wieso? Wenn sie Colin ohnehin abservierte.

Irgendwie... war das auch nicht Kates Art. Es passte nicht. Etwas war merkwürdig an dieser Sache.

Er schaute wieder nach. Sie hatte seine Nachricht noch immer nicht gelesen. Womöglich war sie nun in einem Funkloch. Konnte da oben alle naselang der Fall sein.

Einen Namen hatte sie besonders laut und deutlich gesagt: *Detective Chief Inspector Caleb Hale.*

Ein Kollege von ihr? Scotland Yard?

Colin runzelte die Stirn. Er hatte den Namen schon mal gehört. Oder gelesen?

Es fiel ihm ein. Der Mord an Kates Vater. Auch so eine Sache, die Colin absolut faszinierend gefunden hatte. Er hatte noch nie persönlich einen Menschen gekannt, aus dessen Familie jemand *ermordet* worden war. Er hätte etwas darum gegeben, jedes Detail zu erfahren, aber Kate sprach nicht gerne darüber, das hatte er gemerkt. Er hatte dann auf eigene Faust Nachforschungen im Internet angestellt und jede Menge Presseberichterstattung gefunden. Ein Name war ihm immer wieder begegnet, der des ermittelnden Polizisten: Detective Chief Inspector Caleb Hale. Er entsann sich ganz deutlich. So hieß der Mann. Er musste also bei der Kriminalpolizei hier in Scarborough tätig sein.

Colin hörte die Nachricht noch einmal ab, ohne einen weiteren Erkenntnisgewinn zu haben. Seine eigene Botschaft war von Kate noch immer nicht abgerufen worden.

Was, wenn das hier ein Hilfeschrei war?

Er googelte den Namen *Mandy Allard,* fand aber nichts, was ihn weitergebracht hätte. Verdammt, wer war das? Kate hatte diesen Namen nie erwähnt. Allerdings hatten sie ja auch seit gut zwei Wochen kaum noch richtigen Kontakt. Vielleicht eine Freundin von ihr hier aus der Gegend.

Kate war offenkundig in Northumberland unterwegs, im Auto, zusammen mit einem Mann. Sie befand sich an einem Ort, der *Seagulls Cliff* hieß, wenn Colin das richtig interpretierte. Konnte ein Dorf sein, aber auch ein Gebäude, ein Hotel, ein Gehöft. In einer Unterhaltung, von der Colin gefühlt nur etwa jedes zehnte Wort verstanden hatte, waren zwei Namen gefallen: der einer ihm völlig unbekannten Mandy Allard und der eines hohen Polizeibeamten aus Scarborough, den Kate vermutlich gut kannte, weil er in dem Fall ihres ermordeten Vaters ermittelt hatte.

Das ergab keinen Sinn. Zumindest keinen, der es gerechtfertigt hätte, einen *Hilfeschrei* aus den Satzfetzen herauszuhören. Und damit … ja, was? Zur Polizei zu gehen? Zu jenem DCI Hale, den Kate so laut und deutlich benannte, dass man ihn sogar aus dem konfusen, undeutlichen Sprachgewirr klar verstehen konnte.

Ihm fiel auf, dass sie bei einigen Worten fast geschrien hatte. Er spielte es noch einmal ab: *Detective Chief Inspector Caleb Hale, Mandy Allard, Seagulls Cliff, Northumberland.*

Als wollte sie eine Ortsangabe machen, die unbedingt verstanden werden sollte. Den Namen eines Polizisten nennen. Und was das mit Mandy Allard sollte … das blieb Colin in der Tat rätselhaft.

Sie konnte die Nachricht nicht aus Versehen abgeschickt haben. Und sie hatte das Handy offensichtlich verborgen halten müssen, mit dem Risiko, dass man kaum verstand, was gesprochen wurde.

Weil der Mann im Auto neben ihr keinesfalls wissen durfte, dass sie die Unterhaltung aufzeichnete? Und absendete?

Am Ende hatte Kate wirklich einen Typen kennengelernt und sich verliebt. Und war dabei … an einen Verbrecher geraten?

Colin war ganz aufgeregt. Sie befand sich womöglich in

einer gefährlichen Situation. Und rief ihn, Colin, um Hilfe. Wie erbärmlich, wenn er darauf nicht reagierte. Umgekehrt: Er wäre der Held der Stunde, wenn er jetzt das Richtige tat. Das könnte auch Kate ihm nie mehr vergessen.

Wenn sie allerdings wirklich mit einem harmlosen Liebhaber unterwegs war ... dann stand Colin da als jemand, der eifersüchtig war, gekränkt, im Stich gelassen. Und der sich deshalb eine absolut obskure Geschichte ausgedacht hatte.

Was sollte er machen? Selten hatte er sich so zerrissen gefühlt.

Endlich fasste er einen Entschluss. Er googelte die Nummer der Zentrale des CID Scarborough und wählte sie mit klopfendem Herzen. Er würde sich mit DCI Hale verbinden lassen. Er wollte sich nicht lächerlich machen. Aber er konnte sagen, dass ihm da etwas sehr merkwürdig vorkam.

7

Erst im Näherkommen bemerkte Kate den Wagen. Sie hatten ihr Auto jenseits des umzäunten Grundstücks stehen gelassen und waren ausgestiegen, aber innerhalb des halb zerfallenen Zaunes, dennoch in einigem Abstand zum Haus, befand sich eine Art Parkbucht, ursprünglich sogar asphaltiert, aber inzwischen von ungehemmt wuchernden Brombeerranken fast unsichtbar gemacht. Durch den Asphalt liefen breite Risse, aus denen lange, gelbe Gräser und weitere Dornenranken wuchsen. Aber hier parkte ein Auto. Ein großes dunkelblaues Auto.

Brendan blieb abrupt stehen. »Lieber Gott«, sagte er.

»Ryan Caswell?«, fragte Kate. »Ist das Caswells Auto?«

Brendan gab ihr keine Antwort. »Kommen Sie. Wir müssen…« Er sprach nicht weiter, lief auf die Haustür zu. Kate versuchte den unbeobachteten Moment zu nutzen, in die Handtasche zu greifen und nach ihrem Handy zu suchen, aber Brendan schien hinten Augen zu haben oder er hatte die Bewegung gespürt, denn er drehte sich ruckartig um und entriss Kate die Tasche. So schnell, dass sie völlig überrumpelt war und an Gegenwehr nicht einmal denken konnte. »Hier wird nicht telefoniert!«

»Ich wollte gar nicht telefonieren«, widersprach Kate. »Und geben Sie mir sofort meine Tasche zurück!«

Er ging schon weiter. Kate blieb ihm auf den Fersen. Nun hatte sie nichts mehr. Sie konnte nur beten, dass ihr Notruf rausgegangen war und verstanden wurde.

Die Tür zu dem Haus war nur angelehnt, Brendan stieß sie auf, lief hinein.

Es war dämmrig im Inneren, denn auch draußen senkte sich jetzt die Dunkelheit herab. Ein kurzer Gang, der sich nach wenigen Schritten in ein größeres Zimmer öffnete. Das Zimmer hatte ein vergittertes Fenster, durch das das letzte Licht des Tages sickerte. In diesem Licht bot sich Kate ein völlig überraschender Anblick.

Zwei Frauen. Beide kauerten auf dem Fußboden. Die eine genau gegenüber dem Fenster. Ein ganz junges Mädchen noch, vierzehn oder fünfzehn Jahre alt. Mandy Allard? Sie sah schrecklich aus, mit wirren Haaren, riesigen fiebrig glänzenden Augen, einer gelblichen Gesichtsfarbe. Abgemagert, mit eingefallenen Wangen. Sie wirkte mehr tot als lebendig, und sie schien sich nur mit letzter Kraft aufrecht zu halten. Jeden Moment würde sie zusammenbrechen, das war erkennbar. Sie hatte etwas von einem schwerverletzten Tier, das in die Enge getrieben wurde und sich dort noch verteidigte, obwohl es ohne Chancen und die Niederlage nur noch eine Frage der Zeit war. Sie hielt etwas in ihrer linken Hand, von sich weggestreckt wie eine Waffe. Kate erkannte es erst bei zweimaligem Hinsehen. Eine zerbrochene Flasche. Sehr scharf gezackt. Gefährlich, selbst in der Hand einer Halbtoten.

Ihr gegenüber kniete eine andere Frau, deutlich älter, aber immer noch jünger als Kate. Die Frau befand sich in einem wesentlich besseren körperlichen Zustand als das Mädchen, hielt aber eine Hand, um die sie einen Schal geschlungen hatte, mit der anderen umklammert, als hätte sie Schmerzen. Sie wandte ihnen den Kopf zu. Ihr Gesicht war blutüberströmt.

Der ganze Raum stank. Nach Exkrementen. Nach Blut. Nach Schweiß. Nach Fieber.

»Um Gottes willen!«, rief Kate entsetzt.

Brendan war kreideweiß geworden. »Linda! Linda, lieber Himmel, was ist passiert?«

Kate war fassungslos. »Linda Caswell?«, fragte sie.

»Sie hat den Schlüssel«, sagte Linda Caswell. Sie sprach mit einer seltsam monotonen, etwas abgehackt klingenden Stimme. »Den Autoschlüssel. Ich kann hier nicht weg.«

»Wieso bist du hier?«, fragte Brendan. Er stand mitten im Zimmer, Kates Tasche in der Hand, und wirkte von der bizarren Situation deutlich überfordert.

»Ich wollte es beenden«, sagte Linda. »Schneller. Weil du immer gesagt hast, es ist grausam, sie einfach hier sich selbst zu überlassen.«

»Aber ich habe doch nicht gemeint ... oh Gott, Linda ...« Brendan war den Tränen nahe.

»Wir brauchen sofort einen Arzt«, sagte Kate.

Lindas Blick schnellte zu ihr hin. »Wer sind Sie?« Sie schaute zu Brendan. »Wer ist sie?«

»Eine Journalistin«, erklärte Brendan. »Sie schreibt eine Geschichte über die verschwundenen Mädchen. Und sie ist uns verdammt nah gekommen. Heute Mittag kreuzte sie plötzlich bei mir auf. Da dachte ich ...«

»Du entsorgst sie hier am besten«, vollendete Linda. Sie rappelte sich mühsam auf, stand schwankend auf ihren Beinen. Ihr Gesicht sah entsetzlich aus. Ein tiefer Schnitt verlief von der linken Schläfe quer über die Wange und hatte ihr zudem den Mund halb aufgeschnitten. »Mein Gott, sie war doch angekettet. Mandy. Sie hatte sich befreit. Sie hat mich aus dem Hinterhalt angegriffen. Mit dieser Flasche.«

»Scheißfotze«, stieß Mandy hervor. Es klang wie das Fauchen eines Tieres. »Verfluchte Scheißfotze.«

»Mir ist der Autoschlüssel aus der Hand gefallen«, erklärte Linda. Kate erkannte, weshalb sie so seltsam sprach. Es lag an den durchsäbelten Lippen und daran, dass sich ihr Mund offenbar ständig neu mit Blut füllte, denn immer wieder spuckte sie aus. Neben ihr auf dem Fußboden hatte sich bereits eine Lache gebildet. Wahrscheinlich hatte auch die Zunge etwas abbekommen. »Und ist durch das Zimmer gerutscht. Sie sitzt darauf. Ich komme nicht dran.«

Kate begriff, dass die beiden Frauen einander womöglich seit Stunden in diesem furchtbaren Raum gegenübersaßen. Jede wartete darauf, dass die andere zusammenbrechen würde. Unglücklicherweise würde das aller Voraussicht nach Mandy sein. Sie war völlig am Ende.

»Wir haben jetzt ein Auto«, erklärte Brendan. »Das von ihr.« Er wies auf Kate.

»Du willst sie hierlassen?«, fragte Linda.

»Was sollen wir sonst tun? Sie war dicht daran, alles herauszufinden. Ich musste sie hierherbringen.«

»Unsinn, sie hätte wahrscheinlich gar nichts herausgefunden.« Linda hob ihren Arm und wischte sich mit dem Ärmel ihres wollenen Wintermantels das Blut vom Gesicht. Wollfäden blieben in der Wunde hängen, was ihr Aussehen noch grotesker erscheinen ließ. Der Schal, mit dem sie die Hand umwickelt hatte, war getränkt mit Blut. Mandy musste wie eine Wilde mit dem abgebrochenen Flaschenhals um sich geschlagen haben, und sie hatte gute Arbeit geleistet.

»Doch, sie weiß eine Menge«, sagte Brendan. Es hatte den Anschein, als wäre er fast den Tränen nahe. »Bitte, Linda, ich wollte unbedingt das Richtige …«

»Schon gut. Sie ist jetzt hier. Es lässt sich nicht mehr ändern. Wir sollten zusehen, dass wir verschwinden.«

Kate wusste noch nicht, wie sie Linda Caswell in das alles einordnen sollte, aber eines begriff sie: Hier waren die Mädchen gestorben. Hannah Caswell vermutlich, und ganz sicher Saskia Morris. Verhungert, laut Obduktionsbericht. Sie überließen sie einfach ihrem Schicksal, in dieser völligen Einöde, weit weg von jeder menschlichen Behausung. Eine einfache Art des Tötens, man schloss die Tür hinter sich und fuhr davon, und wenn man nach einigen Wochen wiederkehrte, war alles passiert. Brendan entsorgte wahrscheinlich die Leichen.

Aber warum? Warum das alles?

Sie würde das später herausfinden. Jetzt musste sie versuchen, die beiden am Verlassen des Hauses zu hindern – wobei sie bereits ahnte, dass es ihr nicht gelingen konnte. Sie mussten sie loswerden, denn inzwischen stellte sie wirklich eine Gefahr dar. Sie konnten sie nicht einfach gehen lassen.

Kurz überlegte sie, ob sie sich *jetzt* als Polizeibeamtin zu erkennen geben sollte, verwarf den Gedanken aber erneut.

Vielleicht würde das Brendan beeindrucken, Linda Caswell ganz sicher nicht. Wie immer die beiden zueinander standen, die Hierarchie innerhalb ihrer Beziehung war auf den ersten Blick klar erkennbar gewesen. Linda gab den Ton an. Brendan war ihr völlig ergeben, buhlte um ihre Gunst. Und Linda war nicht leicht einzuschüchtern. Auch deshalb nicht, weil sie krank war. Kate sah das in ihren Augen. Linda Caswell war psychisch krank. Selbst wenn sie nicht gewusst hätte, dass Linda lange Zeit in einer geschlossenen psychiatrischen Klinik verbracht hatte, wäre ihr das aufgefallen.

Wenn Linda wüsste, dass ihr eine Polizistin gegenüberstand, könnte sie dieser Umstand rabiater werden lassen. Bislang sah sie in Kate eine unbedarfte Journalistin, die überhaupt nicht gefährlich geworden wäre, hätte Brendan nicht überreagiert. Als Polizistin würde sie sie anders einschätzen. Und dann vielleicht zu drastischeren Mitteln greifen, sie unschädlich zu machen, als sie hier einfach eingesperrt zurückzulassen. Was ihnen immer noch die Chance bot, irgendwie lebend zu entkommen. Wenngleich, so fürchtete Kate, die Chance gering war.

Hoffentlich durchwühlen sie nicht meine Tasche, dachte sie, sonst finden sie den Dienstausweis.

»Sie machen sich strafbar, wenn Sie uns hier zurücklassen«, erklärte sie. »Das wissen Sie. Das Mädchen hier braucht dringend ärztliche Hilfe. Und zwar so schnell wie möglich.«

»Was Sie nicht sagen«, sagte Linda unbeeindruckt. »*Das Mädchen* weiß, warum ich es fallenlasse. Das Ganze ist nicht meine Schuld.«

»Fallenlassen ist nicht dasselbe wie einsperren«, sagte Kate.

Linda zuckte mit den Schultern. Sie schien nicht das geringste Unrechtsbewusstsein zu haben.

»Brendan, wir gehen«, sagte sie.

»Ich möchte meine Tasche haben«, verlangte Kate.

Linda schüttelte den Kopf. »Vergessen Sie es. Sie behalten hier überhaupt nichts. Brendan, du schaust mal nach dem Handy dieser Frau. Schalte es aus, und wirf es ins Meer. Ich will sichergehen, dass es nicht geortet werden kann.«

Sofort begann Brendan folgsam in der Tasche zu wühlen. Kate hielt den Atem an. Zum Glück entging ihm der Dienstausweis. Er hielt das Smartphone in die Höhe. »Hier!«

Hoffentlich kamen sie nicht auf die Idee, in ihre E-Mails und WhatsApp-Nachrichten zu schauen. Aber offenbar war das Linda zu mühsam. »Schalte es aus.«

Brendan schaltete das Handy aus. Als Nächstes würde er an den Rand der Hochebene laufen und das Gerät in hohem Bogen ins Meer werfen. Keine Chance, dass jemand ihre Spur dann noch nachverfolgen konnte. Es blieb tatsächlich nur noch die Hoffnung, dass Kates Nachricht irgendjemanden erreicht hatte, der dann die richtigen Schlüsse zog.

Linda spuckte noch einmal Blut auf den Boden. Dann zogen sie und Brendan sich schrittweise zurück, rückwärtsgehend, wobei sie die Gefangenen nicht eine Sekunde aus den Augen ließen. Kate wusste, dass es keinen Sinn machte, einen Angriff zu riskieren. Vielleicht wäre sie mit der verletzten Linda fertiggeworden. Aber sicher nicht mit Brendan.

Die Tür fiel ins Schloss. Sie hörte, wie ein Schlüssel mehrfach umgedreht wurde.

»Oh Gott«, sagte Mandy. Sie hielt sich nicht länger aufrecht, sank völlig in sich zusammen. Die zerbrochene Flasche, die sie so eisern umklammert hatte, fiel ihr aus der Hand, rollte davon. »Oh Gott, wir sind verloren. Wir sind absolut verloren.«

Kate kauerte sich neben sie auf den Boden, nahm ihren Kopf in ihren Schoß. »Keine Angst, Mandy. Du bist Mandy Allard, nicht wahr? Keine Angst, wir finden hier einen Weg raus.«

Mandy schüttelte schwach den Kopf. »Ich habe alles abgesucht. Alles. Es gibt keinen Weg. Absolut keinen.«

»Du bist ein sehr starkes und tapferes Mädchen, Mandy. Die Idee mit der Flasche war genial.«

»Hat auch nichts genützt.«

»Und dann den Autoschlüssel nicht rauszurücken. Du hättest es schaffen können, Mandy. Wären dieser Brendan Saunders und ich nicht aufgetaucht.«

»Nett von Ihnen. Ich hätte es nicht geschafft. Ich bin zu sehr verletzt.« Sie hob ihre rechte Hand.

Zumindest musste es sich, den anatomischen Gesetzmäßigkeiten zufolge, um ein Handgelenk mit einer Hand daran handeln. Viel war davon nicht mehr zu erkennen. Ein Stück rohes, blutiges Fleisch. Kate zuckte zurück. »Was ist denn damit passiert?«

Mandy machte eine Kopfbewegung zu der Wand, unter der sie lag. Kate sah den eingelassenen Ring mit der Kette und der Handschelle daran. »Sie hatte mich festgekettet. Ich konnte die Hand rausziehen. Ich habe mir mehr oder weniger die Haut abgezogen, dann ging es.«

Kate unterdrückte einen jähen Brechreiz. Die Hand, oder was von ihr übrig war, sah furchtbar aus und roch nach einer schlimmen Infektion. Noch entsetzlicher als dieser Anblick war der Gedanke, was dieses Mädchen durchgemacht hatte. Mit welcher Tapferkeit, mit wie viel Mut und Rücksichtslosigkeit gegen sich selbst hatte sie gekämpft! Das durfte nicht vergeblich sein. Viel Zeit blieb allerdings nicht. Es war ein Wunder, dass Mandy noch keine Blutvergiftung hatte, aber das konnte nicht mehr lange auf sich warten lassen.

»Ich werde hier sterben«, sagte Mandy leise. Das Sprechen strengte sie deutlich an. »Mein Arm sieht auch ganz schlimm aus. Eine Brandverletzung. Ich habe solchen Hunger und Durst. Und es gibt keinen Ausweg. Es ist vorbei.«

Draußen konnte Kate in einiger Entfernung ihren Wagen anspringen hören. Brendan hatte offenbar das Handy entsorgt. Er und Linda machten sich auf den Weg.

»Mandy, hör zu, du darfst jetzt nicht aufgeben. Wir kommen hier raus. Ich bin keine Journalistin, wie Brendan Saunders glaubt. Ich bin Polizistin. Verstehst du?«

Mandys weiße, durchsichtig scheinende Augenlider flatterten. »Super. Aber das nützt uns hier auch nichts.«

»Doch. Ich habe bereits einen Hilferuf absetzen können. Man wird herkommen und uns hier rausholen.«

»Das hier findet niemand.«

»Ich habe es genau beschrieben.« Das war mehr als beschönigend ausgedrückt. Ebenso wie der gesamte *Hilferuf* eine äußerst vage Angelegenheit war. Aber für den Moment zählte nur eines, sie musste Mandys Lebensgeister wecken, ihre letzten Reserven mobilisieren, um die nächsten Stunden zu überstehen, und das ging nur, indem sie ihr Hoffnung gab. »Glaub mir bitte. Wir kommen hier raus.«

»Diese Linda Caswell«, erklärte Mandy, »hat einen riesigen Dachschaden. Gott, die ist so was von durchgeknallt. Ich hätte nie in ihr Auto steigen dürfen. Aber ...« Sie sprach nicht weiter, doch Kate erriet, was sie hatte sagen wollen. Linda Caswell war eine Frau. Das hatte es ihr leicht gemacht. Bei Hannah – konnte das sein? Die eigene Tochter? –, bei Saskia, bei Mandy. Kate musste an jenen nicht weit zurückliegenden Abend denken, als sie in Staintondale nach Ryan Caswell gesucht hatte und eine fremde Frau von einer Bushaltestelle aufgepickt und mitgenommen hatte. Damals hatte sie gedacht, wie bereitwillig diese zu ihr, einer ihr völlig unbekannten Person, eingestiegen war, aber dann hatte sie sich gesagt, dass es natürlich daran lag, dass sie eine Frau war. Bestimmte Ängste und entsprechende Vorsichtsmaßnahmen verbanden sich für Frauen immer automatisch mit Männern. Nicht mit anderen Frauen.

»Wir kommen hier raus«, wiederholte sie.

Inzwischen war es dunkel im Zimmer, nur schattenhafte Umrisse waren noch erkennbar. Und es war sehr kalt. Kate zog die Wolldecke heran, die neben ihnen auf dem Fußboden lag, drapierte sie um sich und Mandy. Viel half das nicht. Aber Mandy spürte die Kälte vermutlich kaum. Sie zitterte vor Fieber.

Wer immer die Nachricht bekommen hatte, er musste schnell reagieren. Ganz schnell.

»Bitte«, flüsterte Kate lautlos. »Bitte.«

Niemand hörte sie.

8

»Verdammt! *Seagulls Cliff* ist so ziemlich der gebräuchlichste Name für Häuser, Hotels, Bed & Breakfasts, Restaurants, Pubs oder einfach küstennahe Straßenecken in ganz England«, erklärte Detective Sergeant Robert Stewart wütend. »Und Northumberland macht da keine Ausnahme. Ich habe den Begriff gegoogelt. Großer Gott!«

DCI Caleb Hale stützte beide Arme schwer auf seinen Schreibtisch. »Wir müssen die Informationen noch einmal durchgehen. *Was sagt sie uns?*«

»Die Techniker arbeiten immer noch daran, die Aufnahme von Hintergrundgeräuschen zu befreien«, sagte Stewart. »Ich hoffe, sie kommen schnell voran.«

Caleb starrte auf ein Stück Papier, auf dem er sich die Stichworte notiert hatte.

»Küste und einsam«, murmelte er, »das bringt uns nicht weiter, weil jeder Ort namens *Seagulls Cliff* an der Küste liegen dürfte.«

Er las weiter: »Italien. Hm. Was uns das sagen soll, weiß ich im Moment gar nicht.«

»Kate Linville hat zwischendurch wahrscheinlich auch über Unverfängliches gesprochen«, meinte Stewart. »Wenn unsere Annahme stimmt, und sie befindet sich in der Gewalt von jemandem, der gefährlich ist oder sie sogar direkt bedroht, kann sie ihre Botschaften ja nur unauffällig verpacken.«

»Schriftsteller…«, sagte Caleb. Er runzelte die Stirn. »Entweder die sprechen über Literatur oder…«

Irgendetwas löste der Begriff *Schriftsteller* in ihm aus, aber er kam nicht darauf, was es war.

Natürlich fragte er sich zwischendurch auch, ob sie gerade einer ganz falschen Fährte folgten. Seitdem ein ihm völlig unbekannter Colin Blair aus London bei ihm aufgetaucht war und ihm eine kaum verständliche Sprachnachricht aus seinem Chat mit Kate Linville vorgespielt hatte, brannte in seinem Kopf ein rotes Alarmlicht, aber dann wieder dachte er, dass er vielleicht völlig überreagierte. Derselben Meinung war auch jener Mr. Blair gewesen, der ganz offenkundig große Sorge gehabt hatte, sich einfach nur gnadenlos zu blamieren.

»In welchem Verhältnis stehen Sie denn zu DS Linville?«, hatte er ihn gefragt.

Blair war leicht errötet. »Ich bin ihr Freund. Na ja, Exfreund vielleicht… Offenbar hat sie einen anderen. Aber vielleicht ist es genau der, der sie bedroht?«

Kate Linville mit aktuellem Liebhaber und einem Ex-Freund, der ihr nachreiste ... Das war, wenn man Kates bisheriges nicht vorhandenes Liebesleben auch nur in Ansätzen kannte, mehr als verwunderlich.

Caleb war diesem Verdacht, den er nicht teilte, aber ausschließen musste, mit einem Anruf bei David Chapland nachgegangen. David war noch in seinem Büro und reagierte äußerst erstaunt. »In Northumberland? Nein, ich bin nicht mit Kate in Northumberland. Was macht sie denn dort?«

»Das hatte ich gehofft, von Ihnen zu erfahren«, sagte Caleb. »Sie ist dort mit jemandem im Auto unterwegs. Haben Sie eine Vorstellung, wer das sein könnte?«

Man konnte David durch das Telefon förmlich nachdenken hören. »Sie ist ja immer noch an dieser Story dran, die sie schreiben möchte«, sagte er dann. »Aber sie erzählt mir nicht wirklich davon. Da ist sie sehr professionell, wissen Sie. Sie meint immer, Dinge müssten erst wirklich sicher und erwiesen sein, ehe man darüber redet.«

Ja, sie war professionell, in der Tat, das wusste Caleb. Und das schätzte er an ihr. Zwei Dinge schloss er aus diesem Telefonat: Kates Freund glaubte immer noch, sie sei eine Journalistin. Und dass er sagte, Kate recherchiere an der Story, hieß: Sie ermittelte. Als Undercover-Scotland-Yard-Beamtin sozusagen.

Caleb fluchte. *Das* schätzte er überhaupt nicht an ihr, diesen Hang, sich in *seine* Fälle einzumischen.

»Hat sie denn erwähnt, was sie heute vorhat?«, fragte er. Viel Hoffnung machte er sich nicht. Eben weil Kate hundert Prozent Profi war, würde sie selbst dem Mann, mit dem sie im Augenblick privat liiert war, nichts oder zumindest kaum etwas von ihrem persönlichen Stand der Ermittlungen sagen.

»Sie sagte heute früh nur, dass sie nach Newcastle müsse. Und, ach ja, um kurz vor zwei hat sie mir auf die Mailbox meines Handys gesprochen. Ich war gerade in einem anderen Telefonat, deshalb konnte ich ihren Anruf nicht entgegennehmen. Sie sagte, sie sei zurück in Scarborough, habe noch ein Gespräch und würde dann nach Hause fahren und ihre Katze abholen. Und dann zu mir kommen.«

»Hat sie in irgendeinem Zusammenhang einmal den Begriff *Seagulls Cliff* genannt?«

»Nein. Nie.«

»Als sie Ihnen auf die Mailbox sprach – rief sie da aus einem Auto an?«

»Nein. Zumindest nicht aus einem, das fuhr.«

»Irgendwelche Hintergrundgeräusche?«

»Nicht, dass ich mich erinnere ...«

»Ich schicke Ihnen einen Beamten vorbei. Wären Sie bereit, uns Ihr Handy zu überlassen, damit wir diesen Anruf von Kate technisch auswerten können?«

David wirkte nicht begeistert, willigte aber ein. »Was ist denn los? Ist Kate irgendwie in Gefahr?«

»Wir wissen es nicht. Haben Sie sie eigentlich zurückgerufen, nachdem sie Ihnen auf die Mailbox gesprochen hatte?«

»Nein. Es war ja sozusagen alles klar. Ich wusste, wir sehen uns heute Abend. Was ist denn passiert?«

»Möglicherweise gar nichts. Machen Sie sich nicht zu große Sorgen, Mr. Chapland. Es kommt jemand wegen des Handys.« Dann hatte er das Gespräch beendet.

»Newcastle«, sagte er zu Robert Stewart.

»Was wollte sie denn da?«

»Irgendeine Spur hat sie dort oben im Norden entdeckt. Newcastle, Northumberland ...«

Sie hatten alle einen Moment schweigend nachgedacht,

aber in keinem hatte die Erwähnung von *Newcastle* einen Geistesblitz ausgelöst.

Jetzt biss sich Caleb an dem Wort *Schriftsteller* fest. Er wusste, da war etwas. Es lag noch nicht lange zurück ...

»Natürlich«, sagte er. »Ich weiß jetzt, wann ich mit einem Schriftsteller zu tun hatte. Dieser Brendan Saunders. Er nannte sich so. Schriftsteller.«

Stewart starrte ihn an. »Er hatte doch Mandy Allard eine Woche lang Unterschlupf gewährt. Bis sie fluchtartig aus seiner Wohnung gestürmt war.«

»Ja, bloß hat sich der Verdacht gegen ihn nicht erhärtet. Trotzdem, Mandy Allard ... Ihren Namen nennt Kate ebenfalls. Meinen Namen, den von Mandy Allard und den Begriff Schriftsteller ... Verflucht, an was ist sie da dran?«

»Und der Typ, mit dem sie im Auto sitzt, sagt: ... *mich verdächtigt* ...«, rief Stewart. »Jede Wette, das ist Saunders! Den wir ja verdächtigt haben. Sie ist mit Brendan Saunders in Northumberland unterwegs zu einem Ort namens *Seagulls Cliff.* Und sendet diese bizarre Nachricht. Sie hat definitiv ein Problem.«

»Warum schickt sie die Nachricht dann nicht an mich? Sondern an diesen seltsamen Blair, den sie offenbar längst abgehakt hat?«

»Weil sie das so genau womöglich nicht steuern konnte. So wie das klingt, hat sie ihr Handy in der Tasche. Saunders darf ja nicht mitbekommen, dass sie die Unterhaltung aufzeichnet. Sie muss das alles mehr oder weniger per Tastsinn machen. Wahrscheinlich konnte sie froh sein, dass sie überhaupt irgendwie in ihre Chats gelangt ist. Sie musste die Aufnahme an irgendjemanden abschicken, weiß vermutlich selbst nicht, an wen, und konnte nur hoffen, dass es irgendwie zu uns kommt.«

Caleb lief zur Tür, zog im Rennen seinen Mantel an. »Wir fahren zu Saunders. Jetzt sofort.«

»Der ist wahrscheinlich in Northumberland«, bemerkte Stewart.

»Egal. Vielleicht weiß ein Nachbar etwas. Saunders ist der einzige Hinweis, den wir haben. Und setzen Sie jemanden an den Begriff *Seagulls Cliff*. Wir müssen infrage kommende Orte eingrenzen, etwas anderes bleibt uns nicht.«

Stewart verdrehte die Augen. Eine Nadel im Heuhaufen zu finden schien ihm einfacher. Er nickte Helen zu, die ebenfalls im Raum stand.

»Okay«, sagte sie ergeben. »Seagulls Cliff.«

Dann folgte er seinem Chef.

Wir fahren durch die Dunkelheit. Brendan sitzt am Steuer. Ich betrachte sein Profil, seine zusammengepressten Lippen. Er weiß, dass ich nicht gut finde, was er getan hat, und er ist total frustriert deswegen. Der arme Brendan. Immer will er mir alles recht machen, und dann sitzt er da und schaut mich an wie ein Hund, der eine Belohnung möchte.

Aber ich kann ihn nicht immer belohnen. Manchmal macht er einfach Blödsinn.

Zum Beispiel heute. Es war gut, nach Seagulls Cliff zu kommen und mich aus der Situation mit Mandy zu befreien. Aber musste er diese Journalistin mitbringen? Weil sie uns auf der Spur war? Sie wusste nichts, gar nichts. Nichts, was sie die wirklich richtigen Schlüsse hätte ziehen lassen können.

Idiot. Wenn man bedenkt, dass er auch noch verwandt ist mit mir. Um sieben Ecken zwar nur, aber trotzdem … Peinlich!

Das einzig Gute ist, wir haben ein Auto. Kurz habe ich erwogen, zusammen mit Brendan zu versuchen, Mandy den Schlüssel für mein eigenes Auto wegzunehmen, aber selbst zu zweit hätte das ein Risiko bedeutet, solange sie diese Glasflasche in der Hand hielt. Das Ding ist scharf wie eine Rasierklinge. Mich hat sie furchtbar verletzt, und Brendan hätte bestimmt auch noch etwas abbekommen. Ich wage mir kaum vorzustellen, wie mein Gesicht aussieht, Brendans entsetzter Blick sagt mir, dass es schlimm sein muss. Ich könnte den Spiegel über dem Beifahrersitz herunterklappen und mir die Bescherung ansehen, aber irgendwie brauche ich dazu noch eine innere Anlaufzeit. Vielleicht mache ich das zu Hause, in der Wärme und

Sicherheit meines Badezimmers. Dann kann ich das Blut vorsichtig abwaschen und Jod auf den langen Schnitt träufeln. Ich werde eine Narbe behalten, so viel ist klar. Am meisten Sorgen machen mir meine Lippen. Sie bluten und bluten, und wenn sie nicht richtig zusammenwachsen, werde ich für alle Zeiten einen schiefen Mund haben.

Aus dem Verbandskasten des Wagens habe ich mir große Mullkompressen geholt, die drücke ich gegen mein Gesicht. Ich muss sie immer wieder austauschen, weil sie durchweichen, allerdings habe ich den Eindruck, dass die Abstände größer werden, was bedeuten würde, die Blutung lässt langsam nach.

Ich werde das diesem Biest Mandy Allard nie verzeihen.

»Du solltest eigentlich zu einem Arzt«, sagt Brendan. Er ist kreideweiß, das kann ich sogar in der diffusen Beleuchtung, die ausschließlich durch unsere eigenen Scheinwerfer entsteht, erkennen. Draußen ist es inzwischen dunkel. Ich hoffe, wir erreichen bald die A1 und können schneller fahren. Noch kurven wir über schmale, gewundene Landstraßen.

»Und was soll ich einem Arzt sagen? Dass ich überfallen wurde? Dann holt der die Polizei, die wollen wissen, wann, wo und wie … Und das in unserer Situation. Das geht nicht.«

»Aber ich glaube nicht, dass es gut ist, wenn die Wunde unbehandelt …«

»Was du nicht sagst!«, fauche ich. Wenn ich etwas hasse an Brendan, dann ist es sein ewiges Lamentieren. Es würde ihm ähnlich sehen, jetzt die ganze fast dreistündige Heimfahrt über herumzujammern, was aus meiner Wunde wird, ohne dass er eine Lösung anbieten könnte. Es gibt keine. Ich muss mich selbst verarzten. Das ist klar, und deshalb brauchen wir darüber auch nicht mehr zu reden.

Ich sollte Brendan sowieso zum Teufel jagen, denn ihm verdanke ich Mandy Allard. Er hat sie aufgegriffen, an einem Tag, an dem er eigentlich nur mein Auto von der Werkstatt abholen sollte, aber auf dem Rückweg hat er dieses verwahrloste Geschöpf die Straße entlangschleichen sehen und hat sie mitgenommen. Sie war dann eine gute Woche bei ihm, dann rief er mich an und sagte, er habe sie gefunden. Das perfekte Mädchen. Genau die Richtige. Wie geschaffen für mich. Leider hat er selbst diesen Anruf so dämlich angefangen, dass Mandy es mitbekam und blitzschnell türmte. Sie dachte vermutlich, er ruft die Polizei an oder das Jugendamt oder er arbeitet für einen Pornoring oder Ähnliches. Bei der Polizei hat er später angegeben, er hätte seine Mutter angerufen, und die hat ihn wie immer gedeckt.

Mandy aber jedenfalls war weg.

Es war ein absoluter Zufall, dass ich sie Tage später auf der Straße sah. Seltsamerweise wusste ich sofort, dass sie das Mädchen ist, von dem Brendan erzählt hat. Die Beschreibung stimmte und irgendetwas ... in ihrer Ausstrahlung, ich weiß auch nicht, ich war mir jedenfalls sicher. Außerdem war es naheliegend, dass sie sich noch immer in der Gegend herumtrieb, sie war ja ausgerissen von daheim und wollte, laut Brendan, um nichts in der Welt wieder zurück. Als ich dann an ihren Bewegungen merkte, dass ihr linker Arm verletzt war, wusste ich Bescheid. Sie musste es sein.

Ehrlich gesagt, ohne Brendans begeisterte Schilderungen hätte ich sie nicht in Erwägung gezogen. Zu heruntergekommen. Zu verwahrlost. Zu wenig Hannah.

Ja. Viel zu wenig Hannah.

Aber Brendan hatte gemeint, sie sei genau richtig, weil sie kein Zuhause mehr hatte und deshalb nicht dauernd jammern und weinen und mich mit ihren Bitten, zurück zu ihrer Familie zu wollen, malträtieren würde. Von wegen. Zu ihrer Familie wollte sie zwar nicht, aber bei mir bleiben wollte sie auch nicht. Und im Unterschied zu Hannah und Saskia weinte und bettelte sie nicht. Sie war aggressiv, wütend, rabiat. Ein eingefangenes wildes Tier, das mit jedem Tag gefährlicher wurde. Gleich am ersten Abend habe ich sie, nachdem sie völlig erschöpft im Haus eingeschlafen war, angekettet, aus einer Vorsicht, einem warnenden Instinkt heraus. Der Metallring in der Wand hatte sie nicht irritiert, wahrscheinlich war sie auch einfach zu müde, um sich Gedanken zu machen. Ich montierte die Kette, befestigte ihr Handgelenk. Dabei wachte sie auf. Von dem Moment an war die Hölle los. Ich dachte, sie beruhigt sich irgendwann, ich kann sie befreien. Aber dazu kam es nicht. Es wurde nur immer schlimmer.

»Warum bist du heute zu ihr gefahren?«, fragt Brendan. Es liegt ein leiser, quengeliger Vorwurf in seiner Stimme. Warum bin ich zu ihr gefahren, habe ihm nichts gesagt, habe ihn nicht eingeweiht, unsere Komplizenschaft nicht so sklavisch gelebt, wie er sich das immer vorstellt …

»Hab ich dir doch gesagt. Ich wollte es abkürzen.« Ich sehe, dass er schluckt. Er versucht sich gerade vorzustellen, wie genau das »Abkürzen« hätte aussehen sollen.

Ich weiß inzwischen nicht mehr, ob es tatsächlich ein Akt der Gnade und Barmherzigkeit war, der mich heute nach Seagulls Cliff getrieben hat. Also, ob ich Mandy wirklich habe töten, erlösen wollen. Ich hatte den Schal mitgenommen, den ich jetzt als Verband um die Hand trage, und ich habe mir vorgestellt, wie es sich anfühlen würde, ihn um ihren Hals zu legen und … Aber ob ich es getan hätte? Schwer zu sagen. Vielleicht zog es mich nur einfach zu ihr, ich wollte sie noch einmal sehen. Ich wusste, dass sie sehr geschwächt sein musste und dass es möglich sein sollte, ruhig mit ihr zu reden. Das Bedürfnis hatte ich bei den anderen nicht, die waren irgendwann für mich abgehakt, erledigt. Langweilig. Sinnlos.

Mandy nicht. Sie hat mich fasziniert. Sie fasziniert mich sogar jetzt noch, da ich hier mit blutüberströmtem Gesicht sitze und eine XL-Packung Mullbinden aufbrauche, weil sie mich so schwer verletzt hat. Meine Hand hat auch ganz schön was abbekommen, aber nicht so schlimm wie das Gesicht. Ich sollte Mandy hassen, und irgendwie hasse ich sie auch, aber tatsächlich faszinieren mich ihre Wildheit und Unbeugsamkeit noch immer. Aber über diese komplizierten und widersprüchlichen Vorgänge in meinem Inneren spreche ich mit Brendan nicht, er wäre verwirrt und würde es nicht kapieren.

»Du kannst froh sein, dass ich heute dort war«, sage ich, »sonst hätte sie dich und diese Journalistin angefallen, und du würdest jetzt mit einem Schnitt quer durch das ganze Gesicht herumlaufen.«

Ich bin überzeugt, Mandy wäre auch auf zwei Menschen losgegangen. Auf drei oder vier, wenn es hätte sein müssen.

Ich habe einfach eine Sekunde zu lange gebraucht, um zu begreifen, was ich sehe. Da war der kalte, stinkende Raum. Die Decke, hoch getürmt, ich war absolut überzeugt, dass Mandy darunter liegt, es war logisch, angesichts der Kälte, dass nicht einmal ihre Nasenspitze herausschaute … Aber irgendetwas störte mich, irgendetwas stimmte nicht an der Szenerie, bloß wusste ich eine Sekunde lang nicht, was es war, und in dem Moment, da ich erkannte, dass die Kette schlaff an der Wand hing und Mandys Hand nicht darin steckte, nahm ich aus den Augenwinkeln eine Bewegung schräg hinter mir wahr, und ehe ich ausweichen konnte, schlug mir etwas über das Gesicht, ich empfand einen reißenden, scharfen, stechenden, fürchterlichen Schmerz, ich schrie laut auf, fühlte Blut, sah Blut, schmeckte Blut, schluckte Blut. Als Nächstes ein ebenso heftiger Schmerz an meiner Hand, der Autoschlüssel, den ich festgehalten hatte, fiel hinunter und rutschte über den Boden. Es war wirklich so, dass ich dachte, so muss es sein, wenn ein Leopard oder eine andere Raubkatze über dich herfällt und ihre Zähne und Pranken in deine Haut schlägt. Dann endlich gelang es mir, mich umzudrehen, und ich sah Mandy, ein ausgemergeltes, gelbgesichtiges Skelett mit irgendeiner Waffe in der Hand.

Woher hat sie die, woher hat sie die, fragte ich mich panisch, als ob das wirklich eine Rolle spielte in diesem Moment, und gleichzeitig hielt ich schützend einen Arm vor mein Gesicht, während ich mit dem anderen, dessen Hand verletzt war, Abwehrbewegungen in Richtung der tobenden Furie vor mir machte. Ich glaube, ich hätte keine Chance gehabt, und noch ein, zwei Minuten später hätte mir Mandy mit ihrer Waffe – in der ich später eine entzweigeschlagene Flasche erkannte – die Kehle durchgeschnitten. Zum Glück war sie zu schwach. Seit Tagen hungernd und durstend und selbst schwer verletzt. Sie taumelte plötzlich, versuchte sich auf den Beinen zu halten, knickte aber ein, fiel und rollte sich dabei noch ein Stück von mir weg, denn ich trat jetzt mit den Füßen, die in schweren Winterstiefeln steckten, nach ihr. Sie lag direkt neben meinem Autoschlüssel, schnappte ihn blitzschnell und schob ihn unter sich. Dann richtete sie sich halb auf, hielt die Flasche von sich gestreckt und fletschte buchstäblich die Zähne.

Damit hatte sie mich. Mit dem Schlüssel. Der Haustürschlüssel steckte, ich hätte verschwinden, abschließen und sie endgültig ihrem Schicksal überlassen können. Aber ohne Auto kam ich nicht aus dieser Einöde weg, völlig ausgeschlossen, noch dazu so verletzt und blutend, wie ich war.

Und so kauerten wir einander gegenüber, und die Stunden verrannen, und jede wartete, dass die andere zusammenbrechen würde. Ich wusste, dass es Mandy sein würde. Im Unterschied zu ihr war ich gut genährt. Ich hatte Reserven. Sie kaum noch.

Und dann kam Brendan. Mit dieser Frau. Einer Journalistin. Wie blöd kann man sein, da schleppt er noch die Presse in das Haus und mitten hinein in diese groteske Situation. Die er natürlich nicht erwartet hatte. Ich hatte ihm nicht gesagt, dass ich heute nach Northumberland fahren würde. Er dachte, er findet dort einfach nur eine halbtote, ungefährliche Mandy vor. Womit er sich so oder so geirrt hätte. Mandy ist selbst halbtot noch eine Gefahr.

»Dein Plan war, diese Journalistin zu Mandy zu sperren und dann beide dort ihrem Schicksal zu überlassen«, sage ich, in dem Bemühen, wirklich zu verstehen, was dieser Trottel vorgehabt hatte.

Er nickt. »Ich musste es tun, Linda. Sie war dicht dran. Sie glaubte allerdings, Ryan stecke in der ganzen Geschichte drin und du seist sein erstes Opfer gewesen.«

Interessanter Gedanke.

»Wäre doch nicht schlecht gewesen, sie in dem Glauben zu lassen«, sage ich. »Ich meine, Ryan hätte wahrscheinlich Probleme gekriegt, aber warum auch nicht? Er hätte es verdient. So wie er mit den Menschen umgeht.«

»Sie war auch in Chamberfield«, sagt Brendan. »Ich hatte einfach Angst...«

Chamberfield. Wenn ich ein Wort hasse, dann dieses. Diese furchtbare Klinik. Die Ärzte. Die ganzen Irren.

»Okay«, sage ich, »ich glaube trotzdem nicht, dass sie dahintergekommen wäre, diese ... wie heißt sie noch?«

»Kate Linville.«

»Diese Kate Linville. Aber nun ist es, wie es ist. Die beiden werden da oben verrecken, und du gehst irgendwann hin und entsorgst sie, und das war es dann.«

Er nickt wieder, ergeben wie immer. Er hat Hannah weggeschafft und Saskia. Er wird Mandy und Kate wegschaffen. Die Hütte wird frei sein.

Er schaut mich von der Seite an. »Es muss aufhören, Linda. Es kann nicht so weitergehen.«

Ach, was er nicht sagt.

»Du hast mich selbst zu Mandy überredet«, erinnere ich ihn.

»Nicht direkt überredet«, verteidigt er sich schwach. »Ich dachte, sie wäre vielleicht geeignet.«

Ich seufze. Wenn Brendan schon mal denkt.

Als wir die Autobahn erreichen, ist die Blutung in meinem Gesicht zum Stillstand gekommen. Zum Glück, die Pads, mit denen ich das Blut auffange, neigen sich dem Ende zu. Ich kann endlich aufhören, ständig irgendetwas gegen mein Gesicht zu pressen. Müdigkeit überfällt mich jäh, ich will gähnen, aber das geht nicht, weil ich meinen Mund nicht weit genug öffnen kann. Die Lippen spannen, ich habe Angst, dass sie wieder zu bluten anfangen, also unterdrücke ich das Gähnen. Um mich zu beschäftigen, öffne ich die Handtasche dieser Kate Linville, die ich immer noch auf dem Schoß halte, wühle mit meiner unverletzten Hand darin herum. Ich kann die Gegenstände, die ich nun einzeln heraushole, nur schwach erkennen. Schlüssel. Ein Lippenbalsamstift. Eine Brieftasche. Ich klappe sie auf, sehe als Erstes die Bankkarte, die in einem der Fächer steckt. Kneife die Augen zusammen, um lesen zu können, was darauf steht.

Kate Linville. Sie hat Brendan also ihren richtigen Namen genannt.

Ich habe vorhin in der Hütte begreiflicherweise auf Kate kaum geachtet, ich hatte anderes zu tun. Wenn ich mich jetzt zu erinnern versuche, denke ich, dass sie ziemlich unscheinbar wirkte, wie sie so dastand. Eine graue Maus. Ich könnte sie nicht beschreiben, aber das könnte ich wahrscheinlich auch nicht, wenn wir einander unter anderen Umständen begegnet wären. Sie hat nichts an sich, was man sich merken könnte. Ich glaube, sie gehört zu den Frauen, die vom Leben immer betrogen werden. Die niemand wahrnimmt. Für die sich kein Kerl je interessiert. Die immer alleine leben und irgendwann alleine sterben. Na ja, das ist jetzt bei Kate nicht der Fall. Sie stirbt zusammen mit Mandy.

Der Inhalt ihrer Handtasche ist typisch für jemanden wie sie. Nichts, was andere Frauen, ich zum Beispiel, mit sich herumschleppen: Kein Lippenstift – bis auf diese durchsichtige Fettpflege –, keine Puderdose, kein Kajal, keine Wimperntusche. Nichts, womit sie sich im Laufe eines Tages etwas aufpeppen könnte. Zwei Tampons rollen lose herum, nahezu der einzige Hinweis darauf, dass es sich bei Kate überhaupt um eine Frau handelt.

Dann finde ich noch etwas. Eine Art schwarzes Lederetui. Ich ziehe es heraus, klappe es auf. Auf der linken Seite eine ID-Karte. Überschrieben mit: Metropolitan Police. Darunter: Police Officer. Darunter: Eine Ausweisnummer. Darunter das Bild der Frau, die ich gerade dort oben am Seagulls Cliff kennengelernt habe. Kate Linville, lese ich, Detective Sergeant.

Wie bitte?

Ich starre darauf, lese wieder und wieder, was dort steht, so als könnte es sich doch noch ändern, wenn ich es nur oft genug lese. Metropolitan Police? Das ist Scotland Yard. Diese Frau, die Brendan aus obskuren Gründen in die Hütte geschleppt hat, ist gar keine Journalistin, die einfach nur hinter irgendeiner heißen Story herhechelt. Sie ist Detective Sergeant bei Scotland Yard. Polizistin bei der bedeutendsten Polizeibehörde des Landes. Das heißt: Nicht irgendeine Pressetrulla ist aus Versehen ein bisschen nah an mich herangekommen. Sondern: Scotland Yard ermittelt in meinem Fall. Scotland Yard hat sich in Chamberfield nach mir erkundigt. Scotland Yard hat Brendan aufgesucht. Scotland Yard ist möglicherweise auf einer etwas falschen Fährte, was den Verdacht gegenüber Ryan betrifft, aber während ich bei Kate, der Journalistin, gedacht habe: Na super, dann verdächtigt eben irgendjemand Ryan, und wenn schon, denke ich bei Kate, der Polizistin: Verdammt. Verdammt nah. Und diese Leute von Scotland Yard sind schlau. Perfekt ausgebildet. Sehr erfahren.

Und sie hat Kollegen. DS Kate Linville wird nicht auf eigene Faust einfach so vor sich hin ermitteln. Es wird Leute geben, die genau wissen, woran sie gerade arbeitet, was sie vorhat, welches ihre nächsten Schritte sind. Vielleicht hat sie sogar irgendjemanden über die Fahrt nach Northumberland informiert. Brendan ist bescheuert genug, um selbst so etwas nicht zu bemerken. Verdammter Mist, dass wir das Smartphone entsorgt haben. Ich hielt es zuerst für eine gute Idee. Aber vielleicht hätte man anhand von Mails und SMS herausfinden können, was genau sie alles weiß und wem sie was wie weitergegeben hat.

»Scheiße«, sage ich laut.

Brendan zuckt zusammen. »Was ist denn?«

Ich wedele mit dem Ausweis vor seiner Nase herum, obwohl er so natürlich gar nichts erkennen kann.

»Journalistin? Ja? Das hat sie dir erzählt?«

»Ja. Was ...?«

»Detective Sergeant Kate Linville. Scotland Yard. Du hast eine verdammte Scotland-Yard-Beamtin in das Haus geschleppt, das ist es, was du getan hast und was selbst für deine Verhältnisse extrem idiotisch ist. Oh Gott, was für eine Katastrophe!«

Brendan ist kalkweiß, noch weißer als zuvor. »Aber sie sagte ...«

»Ja, sie sagte! Du hast sie offenbar nicht aufgefordert, sich auszuweisen, ehe du ein ausführliches Gespräch mit ihr begonnen und sie anschließend zum Haus gebracht hast?« Ehrlicherweise hätte ich vielleicht auch nicht auf einen Ausweis bestanden, ich hätte das mit der Journalistin auch so einfach geglaubt. Weil ich auf die andere Variante in meinen finstersten Träumen nicht gekommen wäre. Aber egal, ich habe jetzt keine Lust, Brendan gegenüber fair zu sein. Ich hasse ihn. Hasse seine Blödheit.

Ich schiebe den Ausweis in die Tasche zurück. Überlege. Fieberhaft, schnell. Meine Müdigkeit ist verflogen.

»Umkehren«, sage ich. »Bei der nächsten Gelegenheit umkehren.«

»Aber wieso...«

»Weil wir eine andere Lage haben. Weil diese Frau Polizistin ist. Weil sie möglicherweise noch Kollegen hat darüber informieren können, wer sie wohin gefahren hat.«

»Nein, sie hat nicht...«

»Kannst du es ausschließen?«, schreie ich. »Kannst du es zu hundert Prozent ausschließen?«

Er schweigt. Er kann es nicht.

»Wir können nicht warten, bis die in ein paar Tagen von selbst gestorben ist. Vorher stürmt womöglich ein Sonderkommando die verfluchte Hütte. Und sie kennt uns. Unsere Namen. Das ist zu riskant. Noch kann sie meinen Namen zumindest nicht weitergegeben haben. Wir müssen zurück. So schnell wie möglich.«

Brendan sieht aus wie ein Geist. Fast durchsichtig vor Blässe. »Aber was sollen wir...«

»Wir müssen sie töten«, sage ich. »Beide. Bevor die Polizei sie findet. Wir müssen Mandy töten und vor allem diese Kate Linville. Dreh um, verdammt noch mal, sobald du kannst, und dann gib Gas!«

9

Detective Sergeant Robert Stewart hatte angesichts der Vorgehensweise seines Chefs überhaupt kein gutes Gefühl, aber er hatte nicht den Eindruck, dass man Caleb würde aufhalten können. Nach mehrmaligem Klingeln und keinerlei Reaktion aus Brendan Saunders' Wohnung, hinter deren Fenstern nirgendwo ein Licht brannte, hatte er kurz entschlossen bei jener Nachbarin, die Saunders seinerzeit bei der Polizei gemeldet hatte, geläutet und sich und Stewart somit Eintritt in das Haus verschafft. Er hielt der Frau seinen Dienstausweis vor die Nase und fragte, ob es irgendjemanden gebe, der einen Schlüssel zu Saunders' Wohnung habe. Glücklicherweise hatte er auf Anhieb die richtige Adresse erwischt, denn es stellte sich heraus, dass die alte Dame die Blumen in Saunders' Wohnung goss, wenn er verreist war, und daher über einen Zweitschlüssel verfügte.

»Dann wäre es nett, wenn Sie ihn mir aushändigten«, sagte Caleb freundlich. Die alte Dame war sofort dazu bereit.

»Sir«, sagte Stewart unruhig, während Caleb die fremde Wohnung aufschloss und das Licht im Flur anknipste, »das geht nicht, was wir jetzt gerade machen!«

»Kate ist möglicherweise in akuter Gefahr, und bis wir einen Durchsuchungsbeschluss haben, kann alles zu spät sein«, entgegnete Caleb. »Wir müssen uns möglichst schnell und möglichst genau umschauen. Nach etwas, das uns irgendeinen Hinweis auf diesen Ort gibt. Seagulls Cliff.«

»Die Wohnung ist damals gründlich von unseren Leuten durchsucht worden.«

»Aber die hatten etwas anderes auf dem Radar. Spuren der vermissten Mädchen, vor allem Hinweise auf Amelie Goldsby, von der wir noch glaubten, sie gehöre in die Reihe der anderen. Niemand hätte auf etwas geachtet, was *Seagulls Cliff* heißt. Also, los!«

Das gibt Ärger, dachte Robert unbehaglich. Sie waren einfach in eine fremde Wohnung eingedrungen, und ob sie sich später auf *Gefahr in Verzug* berufen konnten, war zweifelhaft angesichts der nur bruchstückhaften Sprachmail von Kate, die Caleb als Hilferuf interpretierte – die aber auch etwas ganz anderes bedeuten konnte.

Aber es half nichts. Caleb war der Chef. Und vielleicht hatte er recht.

Brendan Saunders' Wohnung war klein und verlor durch die Dachschräge noch mehr an Raum. Sie war ungeschickt eingerichtet, zu viele und zu große Möbel, aber sie gewann durch die vielen auffallend schönen Topfpflanzen an den Fenstern, auf Regalen, auf den Küchenborden. Saunders musste ein hingebungsvoller Blumenliebhaber sein. Und er mochte Literatur. Die Wohnung war voller Bücher, sie stapelten sich überall, auch auf dem Fußboden, und machten stellenweise das Durchkommen schwer.

Wo sollen wir hier etwas finden?, dachte Robert verzagt.

Sie durchstöberten alles. Zogen Schubladen auf, öffneten Schranktüren, blätterten in alten Kalendern, hoben Blumentöpfe an, räumten Bücherstapel zur Seite, spähten unter Kommoden und Schränke. Caleb fuhr den Laptop hoch, der auf dem Schreibtisch stand, aber wie er gefürchtet hatte, gab es ein Passwort. Er kam nicht weiter.

Sie blickten einander ratlos an.

»Es muss doch einen Hinweis geben«, murmelte Caleb.

»Es muss nicht«, widersprach Robert. »Es ist noch nicht einmal sicher, ob Seagulls Cliff wirklich der entscheidende Ort ist. Ein Hinweisschild vielleicht, das Sergeant Linville zufällig im Vorbeifahren gesehen und als Information weitergegeben hat, aber ob das der Zielort ist ... wer weiß das?«

»Es ist das Einzige, was wir haben«, sagte Caleb, »also weiter!«

Sie fuhren mit der Suche fort. Zwischendurch telefonierte Caleb mehrfach mit seinem Büro. Die weitere technische Auswertung der Sprachnachricht hatte noch keine neuen Ergebnisse gebracht, auch aus dem Handy von David Chapland ließ sich nichts ableiten, was ihnen weitergeholfen hätte. Helen mühte sich mit den verschiedenen Seagulls Cliffs in Northumberland ab, wobei sie davon ausging, dass Kate um zwei Uhr noch in Scarborough gewesen war und die Nachricht aus Northumberland um kurz vor halb fünf abgesandt hatte. Wenn man voraussetzte, dass sie zwischen zwei und halb drei losgefahren war, ließ sich der Radius der Orte, die sie in der betreffenden Zeit erreichen konnte, eingrenzen. Vorausgesetzt, sie hatte den Namen genannt, kurz bevor sie ihn erreichte. Was sie keineswegs mit Sicherheit wussten.

Ungefähr eine Stunde nachdem sie die Wohnung betreten hatten, landete Robert Stewart den entscheidenden Treffer. Er blätterte in verschiedenen Büchern, die sich auf einem Ablagebrett direkt über Brendan Saunders' Bett befanden. Die Bücher waren mit einer dicken Staubschicht überzogen, was darauf hindeutete, dass Saunders schon lange nicht mehr in ihnen gelesen hatte. Robert hatte zu diesem Zeitpunkt die Hoffnung eigentlich schon aufgegeben, aber aus einem der Bücher rutschte plötzlich ein Lesezeichen heraus. Es fiel ihm vor die Füße, er bückte sich und hob es auf.

Ein Prospekt.

Seagulls Cliff.

»Chef!«, rief er. Er lief in die Küche, wo Caleb gerade die Kochbücher aus einem Regal zog, um dahinter nachzuschauen. »Ich habe etwas. Das kann kein Zufall sein!«

Caleb starrte auf den Prospekt. »Nein. Kein Zufall. Das ist es.« Er studierte den Prospekt, der an den Rändern vergilbt war und augenscheinlich schon lange in dem Buch im Schlafzimmer gelegen hatte. Auf der Vorderseite stand in roten geschwungenen Lettern der Name *Seagulls Cliff,* darunter ein Name, bei dem alle Alarmlichter in Caleb aufleuchteten: Joseph Maidows.

»Das ist der Mann, dessen Auto Saunders damals von der Werkstatt abgeholt hat. Verdammt noch mal. Wir hätten nicht von ihm ablassen sollen. Er war nicht zu Hause, aber unsere Leute…« Er sprach nicht weiter. Er hatte Saunders damals als Verdächtigen fallenlassen und sich auch um Maidows nicht mehr gekümmert.

Falsche Spur, hatte er gedacht, führt nicht weiter.

Sie waren ganz dicht dran gewesen.

Wenn man den Prospekt aufklappte, konnte man die stilisierte Zeichnung einer Küstenlandschaft sehen. *England's Coastpath* stand darunter, dann folgte die Zeichnung einer Hütte und eine Liste dessen, was man dort offenbar bekommen konnte: verschiedene Getränke, Salate, Fish 'n' Chips, Burger.

Die Rückseite war wiederum mit einer skizzierten Landkarte bedeckt, auf der eine Küste eingezeichnet war – vermutlich die von Northumberland – und ein Ort genannt wurde: Alnwick. Das Ausflugslokal schien ein Stück weiter südlich zu liegen.

»Eine Kneipe«, sagte Robert aufgeregt.

»Ich glaube eher, eine Art Imbiss am Rande eines Küstenwanderpfades«, sagte Caleb. »Aber der Wisch hier ist steinalt. Ob das Ding noch in Betrieb ist?«

»Maidows scheint jedenfalls der Besitzer zu sein. Oder zumindest der Betreiber.«

»Eher nicht mehr«, sagte Caleb, »denn er wohnt ja hier in Scarborough. Das ist auf jeden Fall zu weit weg.« Er überlegte. »Ich verständige jetzt die Kollegen in Northumberland«, sagte er. »Die müssen sofort Leute dorthin senden.«

»Was sagen wir ihnen, was sie dort vorfinden?«

»Mandy Allard könnte dort sein. Kate Linville. Brendan Saunders. Joseph Maidows. Es kann sich um eine Geiselnahme handeln. Die brauchen ein bewaffnetes Kommando.«

»Sir … es kann auch alles ganz anders sein. Das wissen Sie.«

»Kann sein. Aber ich werde jetzt nichts mehr riskieren. Vor allem nichts, was Kate in Gefahr bringen könnte.«

»Verstehe. Aber …«

»Und wir fahren jetzt erneut zu dem Haus von Maidows. Und diesmal kommen wir rein.«

Robert seufzte. Das klang, als werde sein Chef womöglich innerhalb der nächsten Stunden zum zweiten Mal widerrechtlich in eine fremde Wohnung einbrechen.

10

Mandy war kaum noch ansprechbar. Sie glühte vor Fieber und stieß sogar wieder und wieder die Decke von sich, in die Kate sie geduldig immer von Neuem einwickelte. Sie hielt die Augen geschlossen, murmelte ab und zu Unverständliches vor sich hin. Kate hatte nichts, womit sie ihr helfen konnte, kein Wasser vor allem, aber auch kein Verbandszeug, nichts Desinfizierendes. Das Mädchen war am Ende. Wenn nicht bald Hilfe kam, würde sie nicht überleben.

Obwohl längst die Nacht hereingebrochen war, konnte Kate, deren Augen sich an die Dunkelheit gewöhnt hatten, schattenhafte Umrisse ihrer Umgebung wahrnehmen. Sie hatte begonnen, die Hütte noch einmal gründlich nach einer Fluchtmöglichkeit abzusuchen, obwohl sie ahnte, dass sie nicht erfolgreich sein würde. Mandy hatte endlose Stunden damit verbracht, das Gleiche zu tun, und das bei wesentlich besseren Lichtverhältnissen, und wenn sie nichts entdeckt hatte, gab es höchstwahrscheinlich auch nichts. Kate hätte es nur nicht ausgehalten, einfach dazusitzen und nichts zu tun, zu warten, ohne zu wissen, ob das Warten überhaupt irgendeinen Sinn machte.

Schließlich setzte sie sich wieder neben Mandy, deckte sie zum hundertsten Mal zu, lehnte sich gegen die Wand, beide Arme fest um den Körper geschlungen. Gut, dass sie einen warmen Mantel und warme Stiefel trug, trotzdem fühlte sie sich an wie ein einziger großer Eisklumpen. Hunger und Durst hielten sich bei ihr noch in Grenzen, würden aber natürlich in absehbarer Zeit zum Problem werden. Und sie hatte erwartungsgemäß nichts gefunden, was sie in die Freiheit hätte führen können. Linda hatte hier ganze Arbeit geleistet.

Linda Caswell. Sie war kein Opfer, sie war Täter. Wo immer sie hingegangen war, nachdem sie ihre Familie verlassen hatte, sie war zurückgekehrt. Wie hatte sie es geschafft, völlig unerkannt in England zu leben? Sie musste irgendwo gemeldet sein, und Kate ging davon aus, dass es nach Hannahs spurlosem Verschwinden von Seiten der Polizei rein routinemäßig Versuche gegeben hatte, die Mutter zu kontaktieren. Man hatte sie jedoch nicht ausfindig machen können, was für Kate ein echtes Rätsel darstellte. Ganz offenkundig lebte sie kein verborgenes Leben in dieser einsamen Hütte – was ohne Wasser und Strom über all die Jahre auch kaum möglich gewesen wäre. Und ohne Geld. Irgendwie musste sie ja auch an Geld kommen. Sie fuhr ein großes Auto. Natürlich konnte sie irgendwo illegal beschäftigt worden sein, als Haushälterin oder Putzfrau, aber sie konnte keine Wohnung mieten, ohne dass dies ein für die Behörden nachvollziehbarer Schritt gewesen wäre. Denkbar war, dass Menschen, die ihr illegal Arbeit gaben, sie auch unangemeldet bei sich wohnen ließen. Liehen sie ihr auch den großen, teuren Wagen?

Oder wohnte sie bei Brendan Saunders, mit dem sie außer der Tatsache, dass sie entfernt verwandt waren, ja anscheinend irgendeine Art seltsame Beziehung verband?

Sie hatte Hannah entführt, da war sich Kate sicher. Möglicherweise hatte dem ganz zu Anfang der nachvollziehbare Wunsch einer Mutter zugrunde gelegen, ihr Kind zurückzuholen. Sich gerichtlich das Sorgerecht erstreiten zu wollen war ihr vielleicht als aussichtsloses Unterfangen erschienen – angesichts ihres langen Aufenthaltes in einer psychiatrischen Klinik. Sie musste Hannah beschattet haben, vielleicht schon tage- oder wochenlang. An jenem regnerischen Novemberabend vor dem Bahnhof in Scarborough hatte sie zugeschlagen. Hannah, die sich an ihre

Mutter sicher nur vage erinnerte, sie jedoch bestimmt von Fotos her kannte, war ohne Zaudern eingestiegen. Erstaunt sicherlich, perplex, aber nichts Böses vermutend. Vielleicht sehnte sie sich nach ihrer Mutter, gerade weil sie einen so schwierigen, unzugänglichen Vater hatte. Sie mochte erfreut gewesen sein. Ohne Arg.

Aber dann war sie hierhergeschafft worden, und irgendwann hatte sie begriffen, dass Linda nicht vorhatte, sie zurückkehren zu lassen. Egal, wie schlecht das Verhältnis zu Ryan gewesen sein mochte, er war ihr Vater, bei ihm war ihr Zuhause. Sie war ein ganz normales Schulmädchen gewesen, hatte Freunde gehabt, einen Alltag. Sie hatte wieder in ihr Leben gewollt und war zur Gefangenen geworden. Hatte wahrscheinlich zunehmend gespürt, dass sie es mit einer Geisteskranken zu tun hatte. Wie verzweifelt musste sie gewesen sein, wie hilflos. Verstört, entsetzt, voller Angst. Kate sah sich in dem dunklen, leeren Raum um. Es war ihr, als könnte sie das ganze Leid atmen, das zwischen diesen Mauern hing.

Und dann?

Man hatte Hannah nie gefunden, aber Kate ging davon aus, dass sie tot war, dass sie wie Saskia Morris verhungert und verdurstet war. Irgendwann war Linda nicht mehr in der Hütte erschienen. Hatte kein Wasser und kein Essen mehr gebracht, hatte Hannah einsam und qualvoll sterben lassen. Weil sie nicht mitgespielt hatte? Weil sie nicht mehr die Tochter war, die sich Linda erträumt hatte?

Kate dachte an das Gespräch mit den Ärzten in Chamberfield zurück. Sie waren aufgrund der Schweigepflicht zurückhaltend in ihren Beschreibungen von Lindas Krankheitsbild gewesen. Manisch-depressiv. Aber vielleicht war da mehr gewesen. Vielleicht hatte sich Linda in geradezu krankhafter Weise nach einem Menschen verzehrt, der zu ihr gehörte. Gerade aus der Verlorenheit ihrer depressiven Phasen heraus. Und offensiv, wenn sie einen manischen Schub hatte. Vielleicht war sie in ihrem Verhältnis zu Ryan zu Anfang weit mehr die treibende Kraft gewesen als er. Ryan hatte sich mit Sicherheit auch nach einer Beziehung gesehnt. Aber in einem normalen Rahmen. So, wie sich ein Mensch, der sehr alleine ist, eben nach einem Partner sehnt.

Sie hat sich von Hannah abgewendet und sie einfach sterben lassen, dachte Kate, weil sie ihre Tränen und ihr Flehen, sie gehen zu lassen, nicht mehr ertragen konnte. Hannahs Weigerung, sie zu lieben und in ein gemeinsames Leben mit ihr einzuwilligen, muss sie über die Maßen gedemütigt, verletzt und frustriert haben. Und ich könnte fast wetten, dass sie nicht besonders gut darin ist, mit Frustrationen umzugehen.

Aber sie ist auf den Geschmack gekommen. Sie will eine Tochter. Glaubt auch, dass ihr das zusteht, denn sie hat schließlich ein Mädchen auf die Welt gebracht und somit ein Anrecht darauf, Mutter einer Tochter zu sein und mit dieser Tochter zu leben. Sie entführt Saskia Morris. Erleidet erneut Schiffbruch, erlebt dasselbe Drama wie mit Hannah. Natürlich will Saskia zu ihrer Familie zurück. Bettelt ebenso verzweifelt wie Hannah. Zeigt nicht die geringste Bereitschaft, Linda als Mutter anzunehmen. Womit sie ihr eigenes Todesurteil spricht. Linda wendet sich erneut ab. Auf radikale Weise.

Kate warf einen Blick auf die schlafende, dabei aber schwer atmende Mandy neben sich. Mit Mandy Allard hatte Linda ihr Muster durchbrochen. Hannah war ein überbehütetes, schüchternes Mädchen gewesen. Saskia auch. Linda mochte darin schließlich das Problem gesehen haben. Deshalb Mandy Allard. Alles andere als ein behütetes Mädchen. Ausgerissen von daheim, umherstreifend, entschlossen, nicht zurückzukehren. Natürlich hatte das auch nicht funktioniert. Denn gerade eine Mandy Allard ließ sich nicht widerstandslos einsperren. Und zur Traumtochter umfunktionieren.

Und sie würde weitermachen. Davon war Kate überzeugt. Linda war die klassische Serientäterin. Eine Soziopathin, unfähig, echte Beziehungen einzugehen, aber gerade deshalb mit zunehmender Entschlossenheit darauf aus, eine Beziehung zu leben. Kate hatte ihre Augen gesehen, und sie hatte den Ausdruck darin gekannt, genauer gesagt: das Fehlen jeglichen Ausdrucks. Sie hatte solche Menschen bereits gejagt und gefasst. Empathielose Geschöpfe. Völlig unfähig, sich in die Gefühle anderer hineinzudenken, etwas anderes zu sehen als sich selbst und die eigenen Empfindungen. Nicht ansprechbar. Mit Linda Caswell würde man niemals reden, sie niemals überzeugen können. Sie hätte nie außerhalb einer Klinik leben dürfen, aber natürlich ließen das die Gesetze nicht zu. Es musste erst etwas passieren, bis man das ganze Ausmaß erkannte. In diesem Fall waren zwei Mädchen gestorben. Und Mandy und Kate würden auch sterben, wenn nicht ein Wunder geschah.

Man wird mich suchen, versuchte sich Kate Mut zuzusprechen, David wird längst alle verrückt machen, weil ich nicht erschienen bin. Er wird zu meinem Haus fahren. Wird merken, dass dort niemand ist. Ihm wird klar sein, dass etwas nicht stimmt.

Und dann?

Vielleicht hatte ihn die WhatsApp-Nachricht erreicht. Bei irgendjemandem musste sie jedenfalls eingegangen sein. Es sei denn, sie befanden sich hier im totalen Funkloch. Dann hing die Nachricht irgendwo fest und kam nirgends an. Und war vielleicht ohnehin unverständlich – akustisch und was ihren Sinn anging.

Kate vergrub ihren Kopf in beide Hände, starrte auf den

Fußboden. Unterdrückte ein Stöhnen. Ihre Lage war katastrophal. Und mit jeder Minute, die verging, wurde ihr das klarer. Die Tatsache, dass Linda und Brendan sie beide nicht sofort umgebracht hatten, sondern auf einen natürlichen Verlauf setzten, hatte ihr Hoffnung gegeben, weil ihnen eine Chance blieb, dass sie sich befreien konnten oder befreit wurden, aber allmählich begriff sie, dass es diese Chance nicht gab. Wer sollte diesen verdammten Ort entdecken?

Sie vernahm ein Geräusch und hob den Kopf. Es kam von draußen. Die Nacht war windig, und gelegentlich schrien Möwen, aber sonst war es ruhig, und deutlich konnte sie etwas hören ... ein Auto. Ein Auto näherte sich.

Kate sprang auf. Ein Auto kam hier nicht zufällig vorbei, schon gar nicht am späten Abend.

David, dachte sie einen Moment lang. David, der ihre Nachricht bekommen, verstanden und auf wundersame Weise sogar dieses abgeschiedene Haus ausfindig gemacht hatte. David, ihr Held und Retter. Aber dann erkannte sie den Motor, sein leises Stottern war ihr nur allzu vertraut. Es war ihr Auto, das kam.

Das hieß, die Täter waren umgekehrt.

Sie kamen zurück.

11

Caleb hatte den Kollegen in Northumberland den Standort des Hauses beschrieben, soweit das anhand einer Zeichnung auf einem Flyer als einzigem Anhaltspunkt möglich war. Der Beamte am anderen Ende der Leitung hatte nicht begeistert geklungen angesichts der Vorstellung, zusammen mit einigen seiner Leute in tiefer Dunkelheit einen unwirtlichen und dünn besiedelten Küstenstreifen abfahren und nach einer Hütte suchen zu müssen, die *Seagulls Cliff* hieß, und in der sich möglicherweise ein zu allem entschlossener Entführer – Brendan Saunders – mitsamt seinen Opfern aufhielt.

»Eine Beamtin der Metropolitan Police befindet sich höchstwahrscheinlich in Lebensgefahr«, hatte Caleb ihn angeblafft, als er sein Zögern spürte. »Es ist ja wohl selbstverständlich, dass wir alles zu ihrer Rettung Mögliche unternehmen!«

»Ich habe keine Ahnung, wo dieses *Seagulls Cliff* sein soll«, sagte der Kollege genervt. »Ich frage hier mal rum, vielleicht kennt es ja jemand. Eine Art Rasthütte nahe am Küstenpfad, meinen Sie?«

Das hatte Caleb bereits gesagt. »Ja. Und beeilen Sie sich!« Damit beendete er das Gespräch. Inzwischen hatte sich Stewart die Adresse von Joseph Maidows vom Revier geben lassen.

»Nichts wie hin«, sagte Caleb, »hoffen wir, dass er zu Hause ist. Dann hätten wir endlich eine genaue Beschreibung, wo sich diese verdammte Hütte befindet.«

»Falls der Typ kooperiert«, gab Robert zu bedenken.

»Das wird er«, sagte Caleb grimmig.

Joseph Maidows wohnte in einem schönen freistehenden Haus in der Nordbucht, ironischerweise nicht weit entfernt vom Haus der Familie Goldsby. Caleb und Robert waren noch nicht dort gewesen, Mitarbeiter hatten Maidows seinerzeit zu sprechen versucht und waren unverrichteter Dinge zurückgekommen. Es brannte kein Licht, und auf das Klingeln reagierte niemand. Durch ein kleines Seitenfenster warf Caleb einen Blick in die Garage. Sie war leer.

»Nicht daheim, Sir«, sagte Stewart unbehaglich.

Caleb ging ein Haus weiter und klingelte dort. Ein junger, gestresst wirkender Mann öffnete. Im Hintergrund plärrten Kinder.

»Ja?«

Caleb zeigte ihm seinen Ausweis. »Detective Chief Inspector Caleb Hale, CID Scarborough. Wir müssten unbedingt mit Mr. Maidows sprechen. Ihrem Nachbarn.«

Der junge Mann starrte ihn an. »Mit Mr. Maidows?«

»Ja. Der wohnt doch nebenan?«

»Ja, schon. Aber es dürfte ziemlich aussichtslos sein, mit ihm sprechen zu wollen, Inspector. Mr. Maidows ist schon lange ... vollkommen dement. Der weiß wahrscheinlich nicht einmal mehr seinen eigenen Namen. Ist ein kompletter Pflegefall, wenn Sie mich fragen.«

»Und wohnt noch zu Hause?«

»Seine Frau betreut ihn.«

»Aber im Moment scheint niemand da zu sein. Kann ihn denn seine Frau abends ganz alleine lassen und einfach weggehen?«

Der Mann seufzte. »Wissen Sie, ich steige da auch nicht ganz durch. Ich sehe sie oft wegfahren und frage mich, was sie denn mit dem armen Mr. Maidows macht. Stellt sie ihn mit Medikamenten vollständig ruhig? Andererseits, vielleicht kann er sich schon längst nicht mehr alleine bewegen, ich habe keine Ahnung. Trotzdem sollte man einen Menschen in seinem Zustand nicht stundenlang alleine lassen.«

»Haben Sie Kontakt zu ihr?«

»So gut wie gar keinen. Sie ist sehr merkwürdig. Meistens grüßt sie nicht einmal, wenn man ihr auf der Straße begegnet. Sie ist sehr viel jünger als Mr. Maidows. Die beiden sind vor fünf Jahren neben uns eingezogen. Zu diesem Zeitpunkt wirkte Mr. Maidows schon ziemlich vergesslich und manchmal desorientiert. Meine Frau wollte die beiden einmal einladen, aber wir fanden dann nur eine Karte in unserem Briefkasten mit einer ziemlich unfreundlich formulierten Absage ohne Begründung. Dann haben wir uns auch zurückgezogen. Es war offensichtlich, dass die junge Frau keinen Kontakt wollte.«

»Wann haben Sie Mr. Maidows zuletzt gesehen?«

Der Mann überlegte. »Vor vielleicht einem halben Jahr. Ja, im Sommer. Da hat sie mit ihm einen Spaziergang gemacht, einmal die Straße rauf und runter. Er wirkte nicht so, als begreife er irgendetwas von dem, was er um sich herum sah. Ob sie später noch einmal draußen waren, weiß ich nicht. Ich habe sie jedenfalls nicht gesehen.«

»Wissen Sie, ob Mr. Maidows früher eine Art Ausflugslokal betrieben hat? Oben in Northumberland?«

»Das weiß ich nicht, aber die beiden kamen jedenfalls von dort. Das hat sie erwähnt, als meine Frau sie einmal ganz am Anfang danach fragte. Dass sie dort gewohnt haben. Aber mehr sagte sie nicht.«

Bingo, dachte Caleb, wir sind hier auf jeden Fall auf der richtigen Fährte.

»Sie haben nicht zufällig einen Schlüssel zu dem Haus der Maidows?«, fragte er.

Der Mann schüttelte bedauernd den Kopf. »Nein. Ich glaube auch nicht, dass die *irgendjemandem* einen Schlüssel gegeben haben. Die wollten für sich sein.«

»In Ordnung. Vielen Dank.« Caleb wandte sich zum Gehen. Der Mann schloss die Haustür. Zum Glück schien er nicht neugierig zu sein, wie die Geschichte weiterging.

»Wir müssen da rein«, sagte Caleb zu Robert. Er schaute wieder an der Fassade des dunklen, stillen Hauses hinauf. »Irgendwie.«

»Wir kommen da nicht rein, Sir. Und es würde uns wahrscheinlich nichts nützen. Selbst wenn Joseph Maidows zu Hause ist, Sie haben es ja gehört, er ist völlig dement. Er kann uns bestimmt nicht den Weg zu der Hütte beschreiben, er weiß vermutlich nicht einmal mehr, dass es die gibt.«

»Kann sein. Trotzdem…« Caleb schüttelte den Kopf. »Ich habe so ein Gefühl, dass wir hier rein sollten. Dringend.«

»Wir kommen da nicht rein.«

Caleb hörte gar nicht mehr zu, sondern betrat bereits den Garten, umrundete das Haus. Robert folgte ihm, leise vor sich hin fluchend.

Es gab eine gläserne Terrassentür, die kaum gesichert zu sein schien. Caleb zog seine Jacke aus, wickelte sie um seine rechte Hand, durchstieß eines der kleinen quadratischen Glasfenster, in die die Tür unterteilt war. Er griff hindurch und drehte den Schlüssel um. Öffnete die Tür.

»Das geht so nicht«, sagte Stewart, folgte seinem Chef jedoch in das dunkle Haus.

Caleb schaltete Licht ein. Sie befanden sich allem Anschein nach im Esszimmer. Ein langer Tisch, Stühle, eine schwere Anrichte aus dunklem Holz. Schwere, klobige Möbel. Der Raum wirkte nicht so, als werde er oft benutzt. Sie verließen ihn, traten in einen Flur. Hier herrschte chaotische Unordnung. Unmengen an Schuhen, die entlang der Wand aufgereiht standen, dazu Stühle, auf denen sich Jacken, Mäntel, Mützen und Schals türmten. In Ermangelung einer Garderobe legte man alles auf die Stühle.

»Nicht sehr anheimelnd hier«, bemerkte Stewart.

»Wir gehen nach oben«, bestimmte Caleb. »Dort sind wahrscheinlich die Schlafzimmer, und vermutlich finden wir da Joseph Maidows.«

Sie fanden ihn jedoch nicht. Tatsächlich gab es drei Schlafzimmer, aber eines war völlig leer ohne das geringste

Möbelstück. In den beiden anderen standen Betten, aber nur eines schien benutzt zu werden, denn dort war das Bett bezogen, die Wäsche zerknäult. Klamotten flogen im ganzen Raum herum – eindeutig Dinge, die einer Frau gehörten. Das Bett in dem anderen Zimmer war nur mit einer Matratze belegt, aber es gab weder Kissen noch Decken. Caleb öffnete den Schrank. »Hier sind Kleidungsstücke, die einem Mann gehören«, sagte er. »Mr. Maidows. Aber wo ist er? Er scheint hier nicht mehr zu schlafen.«

»Vielleicht hat die Frau ihn inzwischen in ein Pflegeheim gebracht«, meinte Stewart. »Sie ist wohl nicht der Typ, der so etwas den Nachbarn erzählen würde. Aber es würde erklären, weshalb niemand ihn mehr gesehen hat und warum sie nicht dauernd zu Hause bleiben muss.«

»Hm«, machte Caleb. »Aber warum ist seine ganze Kleidung dann hier? Wäsche, Pullover, Hosen?«

»Weil er nur noch Schlafanzüge trägt in dem Heim?«, mutmaßte Stewart. »Außerdem wissen Sie ja nicht, ob das dort seine ganze Kleidung ist.«

Caleb runzelte die Stirn. »Hat das Haus einen Keller? Wenn ja, dann will ich da runter.«

»Sir, wir dürfen das hier nicht.«

Caleb war schon auf dem Weg zurück ins Erdgeschoss. Stewart fluchte erneut. Diesmal nicht mehr leise.

Von dem unordentlichen Hausflur unten führten Türen in Küche, Wohn- und Esszimmer. Hinter der letzten, die Caleb öffnete, erwartete ihn Kälte und Dunkelheit, und als er einen Lichtschalter betätigte, flammte eine Glühbirne auf, die an der Decke hing und beleuchtete steinerne Stufen, die nach unten führten. Ein modriger Geruch drang nach oben, durchsetzt von etwas weit Schlimmerem …

»Hier riecht es … seltsam«, bemerkte Sergeant Stewart, »irgendwie … nach Verwesung …«

In derartigen Kellern, überlegte Caleb, konnten natürlich tote Ratten und Mäuse liegen. Dennoch verstärkte sich das ungute Gefühl, das ihn schon die ganze Zeit über begleitete. Sie mussten auf jeden Fall da runter und sich genau umschauen.

Sie stiegen die steilen Stufen hinab. Der Geruch nahm zu, je weiter sie nach unten kamen. Caleb und Robert Stewart wechselten kein Wort mehr. Beide waren hochgradig angespannt.

Sie blickten in zwei Räume hinein, deren Türen offen standen, schalteten das Licht ein. In dem einen Raum standen eine Waschmaschine und ein Trockner, außerdem ein Wäschekorb, der mit Wäsche gefüllt war. In dem anderen Raum befand sich ein Holzregal entlang einer gemauerten Wand, auf dem mehrere Packungen mit Cornflakes standen, ein paar Konserven, einige Flaschen mit verschiedenen Fruchtsäften. Wenn dies die Speisekammer der Maidows war, ernährten sie sich nicht gerade üppig.

Es gab noch einen Raum, dessen Tür geschlossen war. Der Gestank war inzwischen schwer auszuhalten. Die Tür war verschlossen, der Schlüssel steckte jedoch. Caleb drehte ihn um, öffnete. Der Verwesungsgeruch, der ihnen entgegenkam, ließ beide Männer taumeln.

»Mein Gott«, ächzte Stewart und presste reflexartig die Hand gegen Mund und Nase. Caleb betätigte den Lichtschalter.

Der Raum war fensterlos wie die anderen, aus rohen Steinen gemauert. Steinerner Fußboden, steinerne Wände, steinerne Decke. Ein Verlies.

In der Mitte stand ein Bett, und darauf lag ein Körper. Im vorsichtigen Näherkommen erkannten Caleb und Stewart, dass sich der Körper, unzulänglich mit einer Decke geschützt, im Zustand der fortgeschrittenen Verwesung

befand. Und dass Arme und Beine dieses Menschen dort –
oder das, was von ihnen noch übrig war – am Bettgestell mit
Stricken festgebunden waren.

Caleb wandte sich zu seinem Kollegen um. Er atmete
flach.

»Ich schätze«, sagte er, »das ist Mr. Maidows.«

»Hilf mir«, sage ich zu Brendan, als wir angekommen sind und aussteigen. Er schaut mich aus weit aufgerissenen Augen an.

»Was willst du tun?«, fragt er. Er hat Angst, ich kann seine Angst fast riechen. Er hat sich das so schön gedacht, die Dinge würden sich von selbst erledigen, so wie immer. Tun sie aber manchmal nicht. Nicht wenn man bescheuert genug ist, eine Beamtin von Scotland Yard in das Versteck eines Entführungsopfers zu schleppen.

»Im Schuppen stehen noch ein paar Kanister mit Benzin«, erkläre ich. »Hol sie her. Und schau nach, ob du eine Stange findest oder eine Axt oder irgendetwas. Wir schlagen ein Fenster ein oder besser beide. Kippen das Benzin rein und zünden die ganze Hütte an.«

Er blickt entsetzt drein. »Mit den zwei Frauen da drinnen?«

»Nein, natürlich ohne sie!«, fauche ich ihn an. Wie kann man so blöd sein?

»Welchen Sinn hätte das alles, wenn wir die beiden vorher rauslassen?«, frage ich.

Brendan wirkt überfordert, aber er hat sich mir noch nie ernsthaft widersetzt. Er glaubt, wenn er sich nur angepasst und unterwürfig genug verhält und alles tut, was ich sage, werde ich eines Tages seine Liebe erwidern, dabei habe ich noch nie Menschen geliebt oder auch nur gemocht, die sich mir unterordnen. Ich benutze solche Menschen, aber ich verachte sie. Brendan ist nicht dumm, er spürt meine Verachtung wahrscheinlich, aber er schafft es nicht, sein Verhalten zu ändern. Er ist zu verliebt, zu hoffnungslos verfangen in seiner Sehnsucht, eine echte und dauerhafte Beziehung mit mir einzugehen. Er würde alles dafür tun. Er hat schon eine Menge getan.

Er geht um das Haus herum zum Schuppen, benutzt die Taschenlampe in seinem Handy. Ich höre ihn herumstöbern, suchen, über Gegenstände stolpern. Es herrscht das totale Chaos da drinnen, über Jahre wurde alles, wovon man gerade nicht wusste, wohin man es tun sollte, in diesen Schuppen entsorgt. Ich weiß aber, dass auch ein Vorrat an Benzin dort gelagert wurde. Eigentlich für den Motor des Segelbootes von Joseph. Aber irgendwann brauchte er es nicht mehr, weil er ohnehin nicht mehr segelte. Weil er vergessen hatte, wie das geht.

Brendan kommt mit zwei Kanistern zurück, stellt sie mir vor die Füße, macht kehrt, verschwindet wieder im Schuppen. Jetzt sucht er die Brechstange oder etwas Ähnliches. Ich krame eine Zigarette aus meiner Manteltasche und das Feuerzeug, will ein paar Züge zur Entspannung rauchen, muss es aber aufgeben, weil meine Lippen zu sehr spannen und ich Angst habe, dass sie wieder zu bluten anfangen. Ich schaue die Hütte an, die dunkel und still vor mir liegt. Kein Laut ist zu hören. Mandy ist vielleicht schon bewusstlos, aber jede Wette, dass Kate Linville hellwach ist, den Motor gehört und ihr eigenes Auto erkannt hat. Sie weiß, dass wir zurück sind, und ihr wird klar sein, dass wir nicht gekommen sind, um sie zu befreien oder mit ihr eine Runde nett zu plaudern. Sie weiß, dass es jetzt ernst wird. Wahrscheinlich erwartet sie, dass wir jeden Moment reinkommen und hält sich dafür bereit. Haben die Polizisten von Scotland Yard eigentlich Schusswaffen? Keiner von uns hat sie durchsucht. Allerdings glaube ich eher, dass sie keine Waffe hat, sonst hätte sie sie vorhin schon benutzt und sich nicht einfach in ihr Schicksal ergeben. Diese Linville ist eine graue Maus und leidet unter einem Mangel an Selbstwertgefühl, aber sie ist kämpferischer und cleverer, als ihr selbst bewusst ist. Ich spüre so etwas bei anderen Menschen. Sie hätte sich gewehrt.

Sie würde sich spätestens jetzt wehren, aber ich tue ihr nicht den Gefallen, dieses Risiko einzugehen. Wir erledigen das von draußen.

Brendan erscheint wieder, eine Eisenstange in der Hand. Ich sage ja immer, er ist nützlich.

Ich nehme ihm die Stange aus der Hand. »Ich schlage beide Fenster ein. Du schaust nach, ob du noch irgendwelche Stoffstücke findest. Wir schütten Benzin durch die Fenster, dann tränken wir den Stoff mit Benzin, zünden ihn an und werfen ihn hinterher.« Letzteres werde ich ihm überlassen. Ich habe keine Lust, plötzlich selbst in Flammen zu stehen.

»Linda …«, sagt er beschwörend.

»Tu, was ich dir sage«, erwidere ich schroff, stapfe um das Haus herum, um als Erstes das Küchenfenster einzuschlagen. Da es vergittert ist, muss ich mir keine Sorgen machen, dass die Gefangenen doch noch irgendwie fliehen können. Sie sitzen in der Falle.

Das Glas ist ganz schön dick. Ich muss mehrmals zuschlagen, habe ja nur eine Hand, die unverletzte, zur Verfügung. Zweimal treffe ich aus Versehen die Gitterstäbe. Endlich ein Splittern. Das Ganze ist so laut, dass es mich nervös macht. Das muss man weithin hören. Ich rufe mir ins Gedächtnis, dass aber weithin niemand ist.

»Alles wird gut«, murmele ich, »alles wird gut.«

Brendan erscheint hinter mir. Mit einem Kanister und irgendwelchen Stofffetzen. Gleichzeitig vor mir eine Bewegung im Inneren der Hütte. Ich kann eine schattenhafte Gestalt erkennen und weiß, dass es Kate Linville ist. Es knirscht unter ihren Füßen, der ganze Boden liegt voller Glassplitter. Ich greife nach dem ersten Kanister, schraube den Verschluss auf, hole Schwung und lasse das Benzin in das Innere der Hütte schwappen. Kate weicht einen Schritt zurück. Spätestens jetzt kapiert sie, was ich vorhabe.

Sie hebt die Hand. »Sehen Sie, was ich hier habe?«, fragt sie.
Natürlich sehe ich es nicht, es ist zu dunkel. »Was denn?«

Sie schwenkt irgendetwas hin und her. »Wie wollen Sie denn
Ihr Auto hier wegbekommen?«, fragt sie.

Ich erstarre.

Das Auto. Verdammter Mist.

Es parkt in sicherer Entfernung. Es ist abgeschlossen, die
Handbremse gezogen. Dazu das unwegsame Gelände ... Wir
werden es nicht schaffen, es bis zum Ende des Steilhangs zu
schieben, damit es ins Meer stürzt, ganz abgesehen davon,
würde es vermutlich selbst dann nicht ins Wasser fallen, sondern auf dem Klippenpfad unterhalb der Hochebene liegen
bleiben. Ein Auto kann man nicht weit wegschleudern wie ein
Handy. Das Auto führt die Polizei direkt zu Joseph. Und damit
zu mir.

»Geben Sie mir den Schlüssel«, verlange ich. Aber sie ist
nicht blöd. Sie wird das nicht tun.

»Ich bin Detective Sergeant bei der Metropolitan Police«,
sagt sie. »Sie finden meinen Ausweis in meiner Handtasche.
Meine Leute kennen den Stand meiner Ermittlungen. Sie werden ziemlich bald hier sein.«

»Ich weiß, wer Sie sind«, entgegne ich. In meinem Kopf
jagen sich die Gedanken. Das kann stimmen mit ihren Kollegen oder auch nicht. Das Risiko, dass sie die Wahrheit sagt, ist
hoch; nach allem, was ich aus Büchern und Filmen weiß, tun
Polizisten innerhalb ihrer Ermittlungen keinen Schritt, der
nicht mit der Einsatzleitung abgesprochen ist oder sofort dorthin gemeldet wird.

»Wenn Sie mich und Mandy jetzt umbringen«, sagt sie,
»haben Sie zwei Morde mehr am Hals. Glauben Sie mir, das
macht sich bemerkbar im Strafmaß.«

Nummernschilder abschrauben, denke ich, aber gleich darauf ist mir klar, dass das überhaupt nichts nützt. Wir können

die Fahrzeugidentifizierungsnummer nicht entfernen. Ich habe keine Ahnung, wo sich die befindet, und selbst wenn wir an die Stellen, wo sie eingeprägt ist, drankämen – durch Einschlagen der Fenster zum Beispiel –, würden wir Stunden brauchen, um sie unkenntlich zu machen, und die haben wir wahrscheinlich nicht.

Nach Scarborough fahren und den Ersatzschlüssel holen, von dem ich allerdings im Moment nicht weiß, wo ich ihn überhaupt habe … Fast drei Stunden hin, drei zurück, mindestens sechs Stunden würde das kosten, die Zeit für die Suche nach dem Schlüssel noch nicht eingerechnet.

»Geben Sie mir sofort den Schlüssel«, sage ich noch einmal.

Sie antwortet nicht einmal darauf.

Wir könnten das Auto in Brand setzen, aber nützt das etwas? Ich habe ausgebrannte Autowracks gesehen, im Fernsehen, auf Bildern. Da bleibt verdammt viel Blech und Metall übrig. Die Scheiß-FIN ist vermutlich auch dann noch erkennbar.

Ich könnte heulen vor Wut. Das Auto ist das verdammte Problem. Klar, auch die Hütte führt zu Joseph, aber sie ist seit Jahren stillgelegt, unbewohnt, jeder könnte sie nutzen, für jeden möglichen Zweck. Aber das Auto …

Das Auto ist auf Joseph zugelassen. Die Nachbarn kennen mich als die Frau an seiner Seite. Sie halten mich für Mrs. Maidows, wissen nichts von Linda Caswell. Natürlich bin ich mit Joseph nicht verheiratet, wie auch, ich bin ja von Ryan nicht geschieden.

Ich könnte jedenfalls nicht mehr nach Hause zurück. Ich käme auch an Josephs Geld nicht mehr heran. Brendan müsste auch fliehen, vorsichtshalber, sie kennt seinen Namen, sie kann ihn bereits weitergegeben haben. Wir müssten das Land verlassen. Ich als ein Mensch ohne Identität.

In dem Auto einer Polizistin, die wir zuvor umgebracht haben.

Mir ist schwindelig, weil meine Gedanken so schnell rasen

und weil sie, egal in welche Richtung ich denke, immer in eine Katastrophe zu münden scheinen.

Ich ziehe mich ein Stück zurück, trete neben Brendan, der in einiger Entfernung wartet.

»Es hilft nichts«, sage ich, »du musst da jetzt reingehen und ihr den Schlüssel wegnehmen. Wir müssen mein Auto von hier wegschaffen.«

Brendan blickt mich fassungslos an. »Was? Sie könnte bewaffnet sein!«

»Unsinn. Hätte sie eine Schusswaffe, hätte sie sie schon längst benutzt. Sie ist unbewaffnet.«

»Sie hat diese Glasflasche …«

Er ist ein so entsetzlicher Schlappschwanz. »Die Glasflasche hat bei Mandy funktioniert, weil sie mich damit überrascht hat. Ich war nicht gewappnet. Du bist es aber jetzt. Es wird dir doch wohl gelingen, eine Frau zu überwältigen und ihr einen verfluchten Autoschlüssel abzunehmen!«

»Es sind zwei Frauen.«

»Mandy ist kaum mehr lebendig. Du hast es nur mit dieser kleinen, dürren Kate Linville zu tun, und selbst davor hast du Angst?«

Er scheint hin- und hergerissen zu sein. Das Schlimme ist, dass wir keine Zeit haben. Ich kann jetzt nicht eine Stunde lang auf ihn einreden, bis er vielleicht genug Mumm in den Knochen spürt, um es mit einer Frau aufzunehmen, die ihm gerade bis zur Schulter reicht und wahrscheinlich etwa die Hälfte seines Körpergewichts hat.

»Ich gehe rein«, sage ich.

»Du bist schon genug verletzt«, warnt er, aber ich würde jetzt lachen, wenn ich meine schmerzenden, gespannten Lippen weit genug bewegen könnte. Ich bin schon genug verletzt? Ja, klar. Aber einer von uns muss jetzt da rein, und es sieht nicht so aus, als würde er es tun.

12

Kate hatte gewusst, dass zumindest einer von beiden hereinkommen würde, denn sie brauchten den Autoschlüssel, wollten sie nicht einen direkten Hinweis für die Polizei hinterlassen, um wen es sich bei den Tätern handelte. Linda Caswell war keine Frau, die sich schnell geschlagen gab. Sie wollte den Schlüssel. Er war ihre Chance, noch irgendwie ungeschoren diesem ganzen Wahnsinn zu entkommen.

Sie konnte hören, dass die Haustür aufgeschlossen wurde. Vorsichtige Schritte.

Sie blieb in der ehemaligen Küche stehen, rührte sich nicht. Sie hatte den Eindruck, dass nur einer kam. Die Schritte schienen leicht, passten nicht zu dem großen Brendan Saunders. Es war Linda, die sich in die Hütte wagte. Kate wusste nicht, was besser war. Brendan war größer und stärker, dafür zögerlicher und weniger gewaltbereit. Linda war viel kleiner und zarter, aber zu allem entschlossen.

Die Schritte verharrten. Linda musste jetzt in dem vorderen Raum sein, suchte ihn vermutlich gerade mit dem Lichtstrahl einer Taschenlampe ab. Vergewisserte sich, dass Mandy in ihrer Ecke lag und ihr nicht irgendwo auflauerte.

Mandy lag tatsächlich unter der Decke, aber der Kopf sah hervor, die Haare verteilten sich auf dem Fußboden. Sie sah mehr tot als lebendig aus, das wusste Kate. Und leider war sie es auch. Von ihr ging keine Gefahr aus.

Wieder Schritte. Sie kamen näher. Sehr langsam.

»Kate Linville?« Lindas Stimme.

Kate antwortete nicht.

»Ich nehme an, Sie sind noch in der Küche«, sagte Linda. »Ich komme jetzt zu Ihnen. Ich möchte den Schlüssel haben.«

Kate gab noch immer keine Antwort.

Sie sah den Lichtschein draußen im Flur. Er huschte über den Boden, die Wände, die Decke. Linda bewegte sich mit der vorsichtigen, lauernden Angespanntheit einer Raubkatze, die weiß, dass überall lebensbedrohliche Gefahren warten können.

Der Lichtschein war jetzt direkt vor der Tür. Dann tauchte eine Gestalt auf. Linda Caswell.

Die Lampe ihres Handys, das sie in ihrer unverletzten Hand hielt, beleuchtete schemenhaft ihr Gesicht. Die hohen spitzen Wangenknochen sahen in diesem Spiel aus Licht und Schatten noch kantiger aus, die Augen noch größer. Der blutige Schnitt, der sich von der Schläfe bis zum Mund über eine Gesichtshälfte zog, gab ihr einen grotesken, verzerrten Ausdruck. Trotzdem, sie war noch immer eine schöne Frau, das erkannte Kate trotz der geschwollenen Lippen, des verkrusteten Blutes überall. Sie war keine Frau, die irgendeines Schutzes bedurfte – außer dem vor sich selbst –, aber sie war der Typ, der in Männern Beschützerinstinkte auslöste. Die sie sich dann zunutze machte. Während die Männer noch glaubten, ein zerbrechliches Wesen zu umsorgen, wurden sie längst manipuliert und instrumentalisiert.

»Den Schlüssel«, sagte Linda.

Kate schüttelte den Kopf. »Warum sollte ich das tun?«

»Weil wir sowieso an den Schlüssel kommen, Brendan und ich. Aber das wird dann schmerzhaft für Sie.«

»Bislang sehe ich von Brendan nicht viel.«

»Wenn ich es ihm sage, kommt er.«

»Linda, er wird nicht kommen. Er ist dabei zu kapieren, dass für Sie beide alles immer schlimmer wird. Er verzweifelt längst an dieser ganzen Geschichte. Er war in Chamberfield und hat Fragen nach Ihrem Krankheitsbild gestellt. Wussten Sie das?«

An einem überraschten Blinzeln in Lindas Augen konnte Kate erkennen, dass sie es nicht gewusst hatte.

»Blödsinn«, sagte sie.

»Fragen Sie ihn. So bin ich ja auf ihn gekommen. Weil er dort seinen Namen genannt hat. Jede Wette, er versuchte Anhaltspunkte zu bekommen, die ihm helfen würden, Sie zu stoppen. In Ihrem absoluten Wahnsinn.«

»Ich bin nicht wahnsinnig«, sagte Linda. Ein Rinnsal Blut begann von ihrem Mundwinkel über das Kinn zu sickern. Die Verletzungen brachen wieder auf. »Und Brendan will gar nichts stoppen. Sonst hätte er Sie wohl kaum hierhergebracht.«

»Er war in Panik, weil er glaubte, ich sei kurz davor, alles auffliegen zu lassen. Aber meiner Ansicht nach ist er verzweifelt über das, was hier geschieht.«

»Was hier geschieht, geht Sie nichts an.«

»Sie haben Ihr eigenes Kind umgebracht. Hannah.«

»Ich habe sie nicht umgebracht.«

»Sie haben sie hier qualvoll verhungern und verdursten lassen. Das ist *Wahnsinn*, Linda.«

»Sie wollte mich nicht.«

»Sie wollte nicht hier in dieser Einöde eingesperrt sein. Herausgerissen aus ihrem Leben. Zu Gefühlen für eine Frau genötigt, die ihr ganz fremd war. Ihr ganzes Konzept ist ein einziger Wahnsinn, Linda. Sie können Menschen nicht zwingen, Sie zu lieben. Keiner von uns kann das. Man kann sich nicht einmal selbst zwingen, jemanden zu lieben. Sie rennen einer völlig grotesken Idee hinterher, und Brendan weiß das längst. Er möchte, dass Sie aufhören, bevor noch mehr Menschen sterben müssen.«

»Den Schlüssel«, sagte Linda.

»Ich werde ihn Ihnen nicht freiwillig geben. Sie müssen ihn sich holen.«

Linda tat einen Schritt nach vorne. Kate sah, wie krank ihre Augen waren, wie starr und leer. Sie selbst trat einen Schritt zurück. Unter ihren Füßen knirschte das Glas der Fensterscheibe. Der ganze Raum stank nach dem Benzin, das Linda zuvor hineingeschüttet hatte.

Dann machte Linda plötzlich einen Sprung und griff Kate frontal an. Sie schlug ihr die fünf Finger ihrer unverletzten Hand ins Gesicht und rammte ihr gleichzeitig ihr Knie in den Bauch. Kate schrie auf vor Überraschung und vor Schmerz. Sie krümmte sich zusammen, und diese Gelegenheit nutzte Linda, ihr mit dem Unterarm ins Genick zu schlagen. Mit einem Stöhnen brach Kate zusammen. Linda warf sich sofort auf sie, versuchte, die Hand zu erreichen, mit der Kate nach wie vor den Schlüssel umklammert hielt. Obwohl Kate einen Moment lang glaubte, vor Schmerz ohnmächtig zu werden, war sie geistesgegenwärtig genug zu wissen, dass sie um den Schlüssel kämpfen musste bis zum letzten Atemzug. Wenn Linda erst den Schlüssel hatte, war Kates und Mandys Schicksal besiegelt. Linda würde sie nicht leben lassen, sie wussten zu viel. Und offenbar hatte niemand den Hilferuf empfangen oder nichts damit anzufangen gewusst, jedenfalls sah es nicht so aus, als wäre Hilfe im Anzug. Zumindest nicht rechtzeitig.

Linda hatte bei dem Angriff ihr Handy fallen gelassen, das Licht der kleinen Lampe war erloschen. Es herrschte Dunkelheit im Raum.

Kate spürte die Glassplitter unter ihrem Rücken und roch das Benzin, das sich in großen Lachen über den Fußboden verteilte, noch durchdringender, nun da ihr Kopf darin lag. Über ihr keuchte Linda in dem Bemühen, sie außer Gefecht zu setzen. Sie schlug ihr immer wieder ins Gesicht, trat mit den Füßen, wohin sie traf. Kate hätte nie vermutet, dass diese Frau über solche Körperkräfte verfügte. Sie schaffte es nicht, die Kontrolle über die Situation zu gewinnen, obwohl sie in verschiedenen Verteidigungstechniken ausgebildet war. Der Tritt in den Magen war zu heftig gewesen. Sie rang mit ihrer Übelkeit, fühlte sich wie gelähmt. Ihre letzte verbliebene Energie konzentrierte sie darauf, den Schlüssel festzuhalten. Darüber hinaus war sie zu nichts anderem in der Lage.

Plötzlich stieß Linda einen Schrei aus.

»Brendan! Brendan! Hilf mir!«

Wenn Brendan jetzt dazukam, hätte Kate verloren. Er würde ihr wie nichts den Schlüssel entwinden. Gegen zwei Gegner kam sie nicht an, schon gar nicht in ihrem lädierten Zustand.

»Brendan!«, schrie Linda erneut.

Über Lindas Schulter hinweg konnte Kate sehen, dass eine Gestalt im Türrahmen erschien. Sie war nur als grauer Schatten wahrzunehmen. Brendan. Zögernd, wie üblich. Aber nicht in der Lage, Linda Widerstand entgegenzusetzen. Kate nahm alle Kraft zusammen und versuchte, sich auf den Bauch zu rollen und Linda unter sich zu begraben, aber das Vorhaben misslang. Sie bekam so schlecht Luft, das schwächte sie zusätzlich. Auch wegen des Benzins. Der Gestank war betäubend, narkotisierend.

Die anderen gewinnen, dachte sie, das war's. Sie gewinnen.

Sie würde in diesem Haus am Meer sterben. Gerade jetzt, da ihr Leben sich zum Guten gewendet hatte.

Angst erfüllte sie. Und Traurigkeit.

Und dann flammte plötzlich ein Streichholz auf, und im zuckenden Licht der winzigen Flamme erkannte Kate, dass es nicht Brendan war, der in der Tür stand.

Sondern Mandy. Nicht zögernd, wie es den Anschein gehabt hatte. Nur furchtbar schwach.

Glühend vor Fieber, kaum fähig, sich auf den Beinen zu halten, aber mit einer Entschlossenheit, die den allerletzten Rest an Energie, der sich noch in ihrem Körper befand, hervorholte.

»Nicht!«, brüllte Kate. Sie wusste nicht, woher sie so viel Stimmkraft nahm. »Mach das Feuer aus! Mach um Gottes willen das Feuer aus!«

Linda wandte den Kopf, und diese Sekunde nutzte Kate zu einem letzten Aufbäumen. Sie richtete sich ruckartig auf und schmetterte Linda die Faust ins Gesicht. Linda schrie auf und kippte zur Seite, rollte auf den benzinschwimmenden Fußboden.

»Feuer aus!«, brüllte Kate.

Woher hatte Mandy die Streichhölzer? Sie würden hier alle elendig verbrennen, wenn sie das Mädchen nicht stoppte.

»Um Gottes willen, Mandy, mach es aus!«

Mandy war in die Knie gegangen. Sie zitterte wie Espenlaub vor Schwäche, aber sie schaffte es, die Flamme an die Pfütze mit dem Benzin zu halten. Eine gewaltige Stichflamme schoss hoch in die Luft, erhellte die Küche und die Gestalt, die reglos auf dem Fußboden lag.

»Verreck doch, du Hexe!«, krächzte Mandy. Vermutlich hatte sie diese Worte schreien wollen, aber ihre Kraft reichte dafür nicht mehr aus.

Kate rappelte sich auf, kam auf die Beine, ignorierte den Schmerz in ihrem Magen, griff nach Mandys Arm und zerrte sie in die Höhe.

»Raus!«, schrie sie und schubste sie in den Gang. »Sofort raus!«

Mandy taumelte in Richtung Eingangstür davon. Linda versuchte, sich aufzurichten, aber sie hatte Benzin in Mund und Augen bekommen, wirkte orientierungslos und verwirrt. Die Flammen fraßen sich in rasendem Tempo durch den Raum, es konnte nur noch Sekunden dauern, und Linda würde eingeschlossen sein.

Kate bezwang ihren Instinkt, der ihr riet, so schnell wie möglich das Weite zu suchen. Sie war Polizistin. Selbst eine Verbrecherin konnte sie nicht hilflos dem Feuer überlassen. Sie war mit einem Satz neben Linda, versuchte, ihr auf die Beine zu helfen. »Stehen Sie auf, Linda, stehen Sie auf!«

Lindas Gesicht war blutüberströmt. Sie richtete sich auf, kam auf wackeligen Beinen zum Stehen. Sie bewegte sich jedoch nicht auf die Tür zu, sondern versuchte, tiefer in den Raum zurückzuweichen. Kate hielt eisern ihre Arme umklammert, aber Linda war noch immer erstaunlich stark und entschlossen.

»Kommen Sie, wir müssen raus!«

»Nein!«, schrie Linda.

»Kommen Sie!« Kate war nicht gewillt, die kranke Frau loszulassen, aber die Situation wurde immer brenzliger, und in Kürze würde es für sie nur noch darum gehen können, ihr eigenes Leben zu retten.

»Nein!« Linda kämpfte verzweifelt, sich aus Kates Umklammerung zu befreien. Sie sah grotesk aus mit ihrem blutüberströmten Gesicht, den wirren Haaren, den weit aufgerissenen Augen. Sie begriff, dass es vorbei war, und sie wollte eher in den Flammen sterben, als den Rest ihres Lebens im Gefängnis oder in der Psychiatrie zu verbringen. Es gelang Kate, sie ein Stück in Richtung Tür zu zerren. Ein

Blick über die Schulter zeigte ihr, dass zumindest Mandy verschwunden und hoffentlich nach draußen entkommen war. Dass ihr dort Gefahr von Brendan Saunders drohte, glaubte Kate nicht. Brendan würde angesichts des brennenden Hauses mit hängenden Armen in der Gegend herumstehen und keinerlei Kraft finden, in irgendeiner Weise in das Geschehen einzugreifen.

Eine Stichflamme schoss plötzlich in die Höhe, und reflexartig machte Linda einen Schritt nach vorne. Es gelang Kate, sie aus der Küche in den Flur zu drängen. Vor lauter Rauch konnte man dort schon nichts mehr sehen, Kate hoffte, dass sie sich in die richtige Richtung bewegten. Die Hitze war unerträglich. Ihre Lunge brannte, jeder Atemzug schmerzte. Sie hustete krampfhaft, schluckte dabei nur Rauch, rang um Atem.

Raus, raus, raus, hämmerte es in ihrem Kopf.

Linda hing inzwischen wie ein nahezu lebloses Gewicht in ihren Armen, nur ihre Beine bewegten sich noch, schienen aber nicht von ihr bewusst gesteuert zu werden. Ihr Atem klang röchelnd. Kate hatte das Gefühl, zusammenbrechen zu müssen, aber irgendwie schleppte sie sich vorwärts, spürte einen Strom frischer, kalter Luft vor sich, jenseits des Rauches und der Hitze. Dorthin musste sie, dort war die Rettung. Linda rutschte ihr aus den Händen, fiel zu Boden. Kate bückte sich, griff unter ihre Arme und zog sie, sich rückwärts bewegend, ruckartig voran. Der Rauch biss in ihren Augen, sodass sie heftig tränten, sie konnte nichts mehr sehen, sie konnte kaum noch atmen, sie würde jeden Moment nicht mehr weiterkönnen. Aber da spürte sie den Luftstrom stärker, es wurde kalt, sie taumelte, Linda hinter sich herschleifend, ins Freie, rang um Atem, fühlte die nächtliche Feuchtigkeit wie einen wunderbaren Schleier, der sich um ihre heiße, brennende Haut im Gesicht schlang.

Sie brach zusammen, ließ Linda einfach fallen, kauerte im Gras, hustend und keuchend.

Schließlich hob sie den Kopf und betrachtete den Feuerschein, der in leuchtendem Orangerot die Nacht erhellte. Sie sah Mandy, die auf der Erde saß, apathisch gegen einen Baum gelehnt, die Augen geschlossen. Brendan, der einfach nur dastand und nicht zu fassen schien, was er sah.

Linda öffnete die Augen, sah Kate an. »Ich will sterben«, murmelte sie.

SAMSTAG, 18. NOVEMBER

Sie kam in den frühen Morgenstunden daheim an. Ein Mitarbeiter von Caleb, den sie nicht kannte, hatte sie mit nach Scarborough genommen und nach Hause gebracht. Alles, was in dieser Nacht geschehen war, von dem Moment an, da das Feuer ausbrach, verschwamm für Kate wie in einem Nebel, unwirklich, verworren, Bilder, die ineinanderflossen, Geschehnisse, die sie nicht mehr steuern konnte, weil ihr die Kraft fehlte und weil sie stundenlang immer wieder husten musste bis zur völligen Erschöpfung. Sie hatten im Gras gesessen und dem Feuer zugesehen, als plötzlich die Polizei da gewesen war, Sanitäter, Feuerwehr. Linda und Mandy waren in Krankenwagen weggebracht worden, Brendan Saunders war in einem Polizeiauto verschwunden, Kate hatte in einem anderen Auto gesessen, auf der harten Rückbank eines Kleinbusses, jemand hatte ihr eine warme Decke um die Schultern gelegt, ein Arzt hatte sie untersucht und dabei irgendwelche Dinge gemurmelt, die sie nur in Bruchstücken verstand. Sie bekam heißen Tee mit Honig, aber sie verschluckte sich immer wieder wegen ihres Hustens. Sie hörte den Begriff *leichte Rauchvergiftung* an sich vorbeischwirren und hoffte, sie würde es irgendwie verhindern können, dass man sie in ein Krankenhaus brachte. Sie wollte einfach nur nach Hause. Und zu David.

Wie aus dem Nichts tauchte schließlich Caleb auf und berichtete, dass ein Mann namens Colin Blair ihm die kryptische Sprachnachricht von Kate hatte zukommen lassen, und Kate dachte: Natürlich, Colin. Klar, dass ich ihn erwischt habe. Er mit seinen ständigen Nachrichten. Er stand ganz oben in meinen WhatsApp-Chats.

»Was, verdammt noch mal, tun Sie hier?«, fragte Caleb, aber sie konnte genau spüren, dass seine Erleichterung größer war als sein Ärger.

»Linda Caswell«, sagte sie. »Sie hat die Mädchen entführt und umgebracht.«

Caleb sah sie völlig perplex an. »Linda Caswell? Die Mutter von Hannah?«

»Sie wollte ihre Tochter zurück«, sagte Kate. »Und als es mit Hannah nicht funktionierte, versuchte sie es mit Saskia. Und dann mit Mandy. Natürlich klappte es nicht. Es konnte nicht klappen.«

»Sind Sie in der Lage, eine Aussage zu machen?«, fragte Caleb.

Sie hatte genickt, aber selbst die Aussage, die sie dann zu Protokoll gab, verschwamm nun im Nachhinein zwischen all den Bildern und Empfindungen der Nacht zu einem unkenntlichen Bild. Kate ahnte nur, dass sie verständlich gesprochen hatte, denn niemand hatte seltsam reagiert. Offenbar hatte sie alles logisch und in der richtigen Reihenfolge erzählt, und als sie fertig war, hatte sie gesagt: »Bitte, ich will nach Hause.«

»Sie müssen in ein Krankenhaus und sich richtig untersuchen lassen«, sagte Caleb. »Sie haben eine leichte Rauchvergiftung erlitten und eine schlimme Brandwunde am Arm.«

Von der Wunde hatte sie noch gar nichts bemerkt. Sie starrte ihren Arm an, um den jemand einen Verband geschlungen hatte, wahrscheinlich der Arzt.

»Mir geht es gut«, sagte sie, »ich will heim.«

Die anderen sahen schließlich ein, dass man sie nicht würde halten können. Caleb konnte noch nicht weg, aber einer seiner Leute nahm Kate im Wagen mit, da der Arzt ihr strikt verbot, selbst zu fahren. Ihr Auto würde jemand am nächsten Tag bringen. Es war fast vier Uhr in der Frühe, als sie in Scarborough ankamen. Unterwegs hatte Kate von dem Handy des Beamten aus eine SMS an David geschickt, ihm erklärt, dass sie kein Handy mehr habe, dass es ihr aber gutgehe, dass sie auf dem Weg nach Scarborough sei und so bald wie möglich zu ihm kommen werde. Er musste krank sein vor Sorge.

In irgendeinem Winkel ihres Herzens hatte sie gehofft, er werde vor ihrem Haus auf sie warten, aber die Straße war leer und still, rechts und links nur schlafende Häuser.

»Kann ich Sie alleine lassen?«, fragte der Beamte besorgt.

Kate nickte. »Ja. Mir geht es gut.« Ihr Husten hatte sich beruhigt, dafür begann ihre Brandwunde jetzt zu schmerzen. Und ihr Magen tat noch immer weh. Egal. Sie fühlte sich zu Tode erschöpft und zugleich hellwach. Dankbar dachte sie daran, wie gut sich der Moment angefühlt hatte, als Caleb erschien und alles übernahm und sie endlich loslassen konnte nach Stunden der Anspannung, der Sorge, der wachsenden Panik und Verzweiflung. Sie hatte ihren Teil getan, sie hatte Mandy, Linda und sich selbst aus dem brennenden Haus gerettet, sie hatte dafür gesorgt, dass sie und Mandy dort nicht elend verhungerten und verdursteten, sie hatte Linda in das Haus gelockt und dadurch erreicht, dass sie und Mandy nicht hilflos abwarten mussten, bis sie verbrannten. Caleb konnte sich nun um Linda kümmern und um Brendan Saunders. Und um alles.

Sie hatte ihre Handtasche wieder bekommen und konnte ihre Haustür aufschließen. Sofort stand Messy vor ihr und gab leise klagende Laute von sich. Kate beugte sich hinunter, hob sie auf den Arm.

»Du Armes. Du warst so lange alleine. Und niemand hat dir etwas zu essen gegeben.«

Sie schaltete alle Lichter an und ging in die Küche, setzte Messy ab, füllte eine Schüssel mit Katzenfutter und eine andere mit frischer Milch. Messy machte sich begeistert darüber her. Kate verspürte keinen Hunger, aber sie trank in großen, durstigen Zügen eine halbe Flasche Mineralwasser leer. Ihr Husten war tatsächlich viel besser geworden, sie verschluckte sich nicht mehr ständig.

»Und jetzt?«, fragte sie laut.

Am liebsten wäre sie sofort zu David gefahren, hätte sich mit ihm an den großen Tisch in seiner Küche gesetzt, einen Tee getrunken und ihm alles erzählt, die Wahrheit über sich selbst, aber auch alles, was in den letzten Tagen und vor allem in dieser Nacht geschehen war. Aber sie hatte kein Auto, und sie hatte nicht einmal ein Telefon, um sich ein Taxi zu rufen. Bei der Nachbarin konnte sie um diese Uhrzeit nicht klingeln und bitten, telefonieren zu dürfen. Es half nichts, sie musste irgendwie den nächsten Vormittag abwarten.

Sie duschte lange und ausgiebig, wobei sie ihren verbundenen Arm mit einer Plastiktüte schützte. Sie wusch sich das Benzin und den Gestank nach Rauch aus den Haaren und von der Haut. Ihre Kleidungsstücke hätte sie am liebsten sofort in die Waschmaschine gesteckt, wenn es in dem leer geräumten Haus eine gegeben hätte. Sie legte sie zu der übrigen Schmutzwäsche, um sie bei der nächsten Gelegenheit in den Waschsalon zu bringen. Dann kroch sie zusammen mit Messy in ihren Schlafsack und versuchte zu schlafen, aber nach einer knappen Stunde resignierte sie. Ihr Herz hämmerte zu sehr, das Adrenalin jagte noch immer durch ihren Körper. Um halb sechs stand sie wieder auf, machte sich einen Tee und ein Toastbrot. Sie starrte aus dem Küchenfenster hinaus in die Dunkelheit, sah nur sich selbst im Lichtschein gespiegelt: Eine einsame Frau, die in aller Herrgottsfrühe auf einem Campingstuhl in einer weitgehend leeren Küche saß und sich an einem großen Becher Tee festhielt.

»Ich bin nicht einsam«, sagte sie, »noch ein paar Stunden, und ich fahre zu David.«

Warum war die Angst wieder so groß? Das Gefühl, alleine zu sein? Warum hatte sie wieder diese nagenden Zweifel – an sich, an David, an ihrer Beziehung?

Er sollte hier sein, sagte eine innere Stimme, du hast ihm die SMS geschickt, dass du auf dem Weg nach Scarborough bist. Er weiß, dass du längst hier sein musst.

Vielleicht hat er die SMS noch nicht gelesen. Es war mitten in der Nacht, als du sie geschickt hast.

Aber wieso schläft er seelenruhig, wenn du zu einer festen Verabredung nicht erscheinst und offenbar wie vom Erdboden verschluckt bist?

Vielleicht schläft er ja keineswegs *seelenruhig*. Er ist in einen erschöpften Schlaf gefallen, nachdem er dich den ganzen Abend über gesucht hat. Auf deiner Mailbox sind wahrscheinlich hundert verzweifelte Anrufe von ihm.

Sie rieb sich mit den Zeigefingern die Schläfen, versuchte, die quälenden Gedanken zu verscheuchen. Es brachte nichts, zu rätseln und zu grübeln, sie wusste einfach nicht, was in David vorging. Am Ende war er sauer, weil sie nicht erschienen war und nicht einmal abgesagt hatte.

Ich werde alles klären, nahm sie sich vor, und dann wird alles gut sein.

Sie bemühte sich, an etwas anderes zu denken. Sie hatte den Fall gelöst. Die Täterin war überführt und gefasst.

Freude darüber wollte in ihr nicht aufkommen: Es war zu schlimm, was mit den Mädchen geschehen war. Es war zu schlimm, dass Linda Caswell über Jahre ungestört ihren Wahnsinn hatte ausleben können. Dass Brendan Saunders ihr so verfallen war, dass er sie unterstützt hatte. So viel sinnloses, schreckliches Leid. Und am Ende auch nur geboren aus Leid: Sie konnte fühlen, wie verloren Linda gewesen sein musste. Schon als Teenager hatte sie wahrscheinlich verzweifelt Menschen gesucht, an die sie sich klammern konnte, die ihr Halt gaben, die sich bereiterklärten, wirklich zu ihr zu gehören, und natürlich hatte es tragischerweise in der Natur der Sache gelegen, auf genau diese Weise andere Menschen nur abzuschrecken. Ihre einzige Chance war Ryan Caswell gewesen, selbst ein kontaktgestörter Sonderling, an dessen Seite Linda jedoch seelisch verhungert war. Ihre Tochter Hannah musste ihr als die Rettung erschienen sein, aber natürlich hatte Hannah gespürt, dass sie es mit einer Kranken zu tun hatte. Ganz abgesehen davon, dass niemand in dieser Hütte hoch im Norden eingesperrt vor sich hin vegetieren wollte, um für Linda Caswell einen Anker inmitten ihrer Einsamkeit darzustellen. Die Frau gehörte in die Psychiatrie. Sie hätte nie entlassen werden dürfen.

Kate schenkte sich einen zweiten Becher Tee ein und fragte sich beklommen, was es für ihr Verhältnis zu Caleb bedeuten würde, dass sie nun zum zweiten Mal im Alleingang einen Fall gelöst hatte, der eigentlich seiner war und bei dem er in die falsche Richtung ermittelt hatte. Ob sein Angebot noch galt, dass sie sich in seiner Abteilung bewerben sollte? Oder hatte er endgültig genug von ihr und würde es kaum abwarten können, sie auf Nimmerwiedersehen nach London zu verabschieden?

Auch auf diese Frage würde sie im Moment keine Antwort finden.

Sie nahm Messy auf den Schoß, streichelte sie, und ihr eigener Herzschlag beruhigte sich über dem leisen, sanften Schnurren der Katze. So saß sie und blickte hinaus, und langsam ging die Dunkelheit in eine anthrazitgraue Dämmerung über, und die kahlen Bäume und Büsche draußen, der verwitterte Gartenzaun, die Hütte, in der die Gartenmöbel aufbewahrt worden waren, schälten sich aus der Unsichtbarkeit und wurden wieder zu vertrauten Bildern.

Sie hatte nicht übereifrig sein wollen und kam kurz vor zehn Uhr am Vormittag vor Davids Haus an. Messy hatte sie nicht mitgenommen, damit es nicht so aussah, als plante sie gleich das ganze Wochenende bei ihm ein. Im Zweifel konnten sie die Katze später immer noch holen. Vom Telefon ihrer Nachbarin aus hatte sie ein Taxi bestellt und mühsam die aufgeregten Fragen abgewehrt: Wieso sie kein Auto habe? Und kein Handy? Und was mit ihrem Arm passiert sei? Die Nachbarin hatte sie erst losgelassen, nachdem Kate versprochen hatte, demnächst auf einen Kaffee vorbeizukommen und alles genau zu erzählen.

Sie stand vor Davids Tür und klingelte, aber es kam keine Reaktion. Sie konnte auch sein Auto nirgends sehen. Samstagvormittag, wahrscheinlich kaufte er für das Wochenende ein. Kate bemühte sich, das Gefühl von Angst und Irritation nicht Gewalt über sich gewinnen zu lassen. Er ging einfach einkaufen, als wäre nichts gewesen. Inzwischen musste er ihre SMS gelesen haben und wissen, dass sie zurück war. Dennoch war er bis zum Moment ihres Aufbruchs nicht bei ihr in Scalby aufgetaucht. Oder war er gerade jetzt dort, und sie hatten einander verfehlt?

Spät, dachte sie beklommen, wenn er jetzt bei mir ist, dann hat er sich spät auf den Weg gemacht.

Sie überlegte. Es war kalt, und sie hatte nicht einmal ein Auto, in dem sie warten konnte. Und nach wie vor kein Handy, um sich erneut ein Taxi zu rufen und sich zurückbringen zu lassen.

Sie wusste, dass David einen Schlüssel für seine Wohnung unter der Regentonne neben der Haustür versteckt hatte, er hatte sie das auch ohne Scheu wissen lassen. Die klare Erlaubnis, dass sie jederzeit auch in seiner Abwesenheit die Wohnung betreten durfte, hatte er nicht ausgesprochen; dazu hätte auch eher gehört, dass er ihr einen eigenen Schlüssel aushändigte. Sie kannte ihn allerdings schon gut genug, um zu wissen, dass die Tatsache, dass er dieses Thema weder angesprochen noch irgendwelche konkreten Schritte unternommen hatte, nicht zwangsläufig bedeutete, dass es ihn störte, wenn sie hineinging. Er kam oft einfach nicht auf die Idee, solche Probleme zu klären, genau genommen sah er die Probleme gar nicht. Und war später überrascht zu erfahren, dass Kate sich endlos Gedanken gemacht hatte.

Ich gehe jetzt rein, dachte sie, ich hole mir sonst eine schlimme Erkältung, und das wird er verstehen.

Der Schlüssel lag nach wie vor in einer Vertiefung unter der Tonne, Kate schloss die Tür auf und stieg die steile Treppe nach oben hinauf. Wärme und die vertraute Behaglichkeit empfingen sie, und sie atmete tief durch. Alles war gut.

Sie hängte ihren Mantel an die Garderobe, ging in die Küche. Ein halb leer getrunkener Becher mit inzwischen erkaltetem Kaffee stand auf dem Tisch, daneben lagen eine angebrochene Packung mit Toastbrot und ein marmeladenverschmiertes Messer. Kate räumte ein wenig auf, merkte, dass sie sich zu entspannen begann. Es fühlte sich in Ordnung an, hier zu sein. Sie hatte schon so viel Zeit mit David in diesen Räumen verbracht, sie hatten hier zusammen gekocht und gegessen, geredet, gelacht, Wein getrunken, Kerzen angezündet, miteinander geschlafen, sich hinterher wieder in die Küche gesetzt und noch einen Wein getrunken und einander an den Händen gehalten.

»Du wohnst dann einfach bei mir«, hatte er gesagt, als sie ihn fragte, wo sie sich denn aufhalten sollte, wenn erst ihr Haus verkauft sei.

Es ist ihm ernst, dachte sie, natürlich ist es ihm ernst.

Trotzdem, sie blieb unruhig. Untergründig inzwischen. Weil er nicht da war. Weil er nicht schon in den ersten Morgenstunden da gewesen war.

Er ist einfach nicht der Typ. Er ist nachlässiger als ich, in allem. Das gehört zu seinem Wesen.

Sie beschloss, einen Schnaps zu trinken, um ruhiger zu werden. Eine ungewöhnliche Uhrzeit, aber sie hatte den Eindruck, sich irgendwie etwas entspannen zu müssen, oder sie würde verrückt. Die Nacht war einfach zu viel gewesen. Und die einsame Ankunft daheim. Es hätte jemand da sein müssen, sie in die Arme nehmen, fragen, was passiert war. Ihr zuhören, sie trösten.

Hör auf mit dem Selbstmitleid, befahl sie sich, weil sie wusste, dass sie aus dieser Spirale nicht mehr herausfand, wenn sie zu tief hineingeriet.

Sie ging ins Wohnzimmer, wo David einen Vorrat an Alkohol im Fach eines Schrankes aufbewahrte. Gin, Whisky, Rum, verschiedene Obstbrände. Sie zog einen Karton hervor, auf dem *Macallan* stand, ein schottischer Whisky, öffnete ihn und nahm die Flasche heraus.

Bravo, Kate, spottete sie in Gedanken, Whisky morgens um zehn. Du bist wirklich auf einem guten Weg.

Eine Karte fiel ihr vor die Füße. Sie bückte sich, hob sie auf. Es handelte sich um ein ausgedrucktes Foto, unter dem in krakeliger Schrift geschrieben stand: *Zur Erinnerung an unsere grandiose Schottlandreise, August 2014.*

Das Foto zeigte zwei Männer, beide im T-Shirt und mit Drei-Tage-Bart. Sie standen am Ufer eines Flusses, im Hintergrund ragten grasbewachsene Berge in den Himmel. Schottland vermutlich. Beide grinsten fröhlich.

Kate starrte das Bild entgeistert an. Der eine Mann war David.

Der andere war Alex Barnes.

Sie erkannte ihn sofort von den Zeitungsbildern her, aber ihr Gehirn sagte ihr gleichzeitig, dass das nicht sein konnte. David und Alex kannten einander nicht, ihre erste und einzige Begegnung hatte im Oktober in einer stürmischen Nacht unten am Meer stattgefunden, als sie gemeinsam ein Mädchen aus dem Wasser zogen. Davor hatten sie einander nie gesehen und danach auch nicht. Unmöglich konnten sie im Sommer drei Jahre zuvor gemeinsam eine Reise nach Schottland unternommen haben.

Irgendetwas in ihr weigerte sich, die Wahrheit zu begreifen, aber nach und nach dämmerte ihr, dass es nur eine einzige Erklärung gab, und vor Entsetzen begann sie am ganzen Körper zu frieren, und in ihrem Magen breitete sich ein flaues Gefühl aus.

Die einzig mögliche Erklärung hieß: David hatte gelogen. Er kannte Alex Barnes nicht nur, er war sogar gut befreundet mit ihm. Er war an jenem Abend nicht zufällig unten am Strand entlanggekommen, weil er nach seinen Booten gesehen und dabei absurderweise den umständlichsten Weg genommen hatte. Er war entweder gekommen, weil Alex ihn angerufen und um Hilfe gebeten hatte. Oder er hatte sowieso von Anfang an in der ganzen Sache mit dringesteckt. In dieser ganzen vertrackten, verlogenen Geschichte um Amelie Goldsbys angebliche Entführung.

»Das kann nicht wahr sein«, flüsterte sie, »das kann einfach nicht wahr sein.«

Ihr nächster Impuls war, die Whiskyflasche und die Karte in den Geschenkkarton zurückzupacken und zu vergessen, was sie gesehen hatte, aber gleichzeitig wusste sie, dass ihr das nicht gelingen konnte. Es war unmöglich, so etwas zu vergessen. Es war unmöglich, die Beziehung mit David weiter auszubauen, zu vertiefen und die ganze Zeit zu wissen, dass eine unglaubliche Lüge zwischen ihnen stand. Sie musste ihn darauf ansprechen. Es war im Grunde absurd, aber es gab eine kleine, hoffnungsvolle Stimme in ihr, die sich an dem Gedanken festklammerte, dass David eine Erklärung haben würde. Eine überzeugende Erklärung, die jeden Zweifel an ihm und seiner Gesinnung aus dem Weg räumte.

Immerhin, ich habe auch gelogen, dachte sie, ich habe den falschen Beruf angegeben. Wir sind beide nicht ausgesprochen ehrlich miteinander umgegangen.

Der Gedanke an ihren Beruf ließ sie erneut erschrecken. Sie war Polizistin. Sie hatte gerade herausgefunden, dass David Chapland gegenüber der Polizei eine falsche Aussage gemacht hatte. Sie wusste, dass sie das nicht für sich behalten durfte, ganz gleich, was David zu seiner Verteidigung anführen mochte. Selbst wenn er sie auf der menschlichen Ebene überzeugte, musste sie die reinen Fakten melden. Tat sie es nicht und es kam irgendwann raus, würde es sie den Job kosten.

Sie stöhnte leise. Wenn sie jetzt Caleb Hale anrief und ihm sagte, was sie wusste, wäre das das Ende ihrer Beziehung mit David.

Sie war so entsetzt, so ratlos, überlegte so verzweifelt, was sie tun sollte, dass sie das Auto nicht kommen gehört hatte. Völlig unvermittelt nahm sie wahr, dass plötzlich unten an der Tür der Schlüssel ins Schloss gesteckt wurde. Schritte kamen die Treppe herauf.

David.

Sie wollte ihn warnen, damit er nicht erschrak, wenn er plötzlich einen anderen Menschen in seiner Wohnung sah, aber sie brachte keinen Ton hervor. Sie schaffte es nicht einmal, sich zu bewegen. Sie stand im Wohnzimmer neben dem offenen Schrank mit den Flaschen und hielt die Karte in der Hand und fragte sich noch immer, was sie bloß tun sollte.

Er sah sie vom Flur aus und zuckte zusammen, fasste sich jedoch schnell.

»Kate! Da bist du ja. Was ist denn gestern passiert?« Er kam ins Wohnzimmer, wollte auf sie zugehen, aber irgendetwas in ihrer Haltung und ihrer Ausstrahlung ließ ihn innehalten.

»Dein Arm ist verletzt«, sagte er.

Sie nickte. »Ja.«

»Warum hast du dich nicht mal gemeldet?«, fragte er.

»Ich habe dir eine SMS geschickt.«

Er hob bedauernd die Schultern. »Ich habe mein Handy im Moment nicht. Dieser Inspector Hale hat es gestern abholen lassen. Sie wollten deinen letzten Anruf auf meiner Mailbox auswerten. Was war denn los? Du siehst…« Er stockte. Kate vermutete, dass er hatte sagen wollen, dass sie schrecklich aussah, denn genauso fühlte sie sich. Übernächtigt, bleich, erschöpft. Sie wusste, dass ihre Augen noch immer stark gerötet waren von dem beißenden Qualm in der Hütte.

»Du siehst müde aus«, sagte er schließlich.

Er hatte ihre SMS nicht bekommen. Noch vor einigen Minuten wäre das eine beruhigende Nachricht für Kate gewesen, denn es hätte erklärt, weshalb er sich nicht hatte blicken lassen: Er hatte nicht die allergeringste Ahnung gehabt, was eigentlich los war und wo sie steckte.

Aber inzwischen hatten sich die Dinge verkompliziert. Jetzt wünschte sich Kate, eine kleine Nachlässigkeit seinerseits im Umgang mit ihr würde die einzige Schwierigkeit zwischen ihnen darstellen.

»Ich war einkaufen«, fuhr er fort. »Soll ich uns etwas zu essen machen, und dann erzählst du mir ...«

Sie unterbrach ihn. »David. Wir haben ein Problem.«

Er sah sie an. »Welches?«

Sie wedelte mit der Karte. »Das hier.«

Er griff danach, sah die Karte genau an, so genau, als wollte er sie auswendig lernen. »Woher hast du das?«

»Tut mir leid. Ich habe nicht gestöbert. Ich wollte eigentlich nur einen Schluck Whisky trinken. Die Karte mit dem Foto fiel aus der Packung.« Sie zögerte. »Der Mann neben dir«, sagte sie dann, »das ist Alex Barnes.«

David legte die Karte auf einen Tisch und nickte. »Ja. Sieht so aus.«

»Ihr habt zusammen Urlaub in Schottland gemacht? Vor drei Jahren?«

»Wir haben uns in Schottland kennengelernt. Ich habe einen Segeltörn durch den Caledonian-Kanal organisiert und geleitet. Alex war einer der Teilnehmer, er hatte gerade einmal Arbeit, verdiente etwas Geld und leistete sich den Trip. Zufällig stammte er auch aus Scarborough, aber wir waren einander vorher nie begegnet.«

»Er scheint begeistert gewesen zu sein von der Reise. Er hat dir einen Whisky geschenkt.«

»Ja. Aber von den anderen habe ich auch Geschenke bekommen. Das ist üblich.«

»Ja, aber das ist nicht der Punkt. David«, sie sah ihn an, ahnte, wie verzweifelt ihre Augen dreinblickten, »du hast behauptet, ihn nicht zu kennen. Ihn nie vorher gesehen zu haben. Vor jenem Abend. Als du ihm geholfen hast, Amelie Goldsby an Land zu ziehen. Du hast gegenüber der Polizei...«

Er unterbrach sie ungeduldig. »Ja, weiß ich. Und?«

»Du bist auch mir gegenüber bei dieser Darstellung geblieben.«

»Ist das so wichtig? Ich wollte keinen Stress. Weder mit der Polizei noch mit dir.«

»Hat dich Alex angerufen an jenem Abend? Weil er es nicht schaffte, Amelie aus dem Wasser zu ziehen?«

David entgegnete nichts.

Sie begriff. »Nein. Da hätte er ja auch gleich die Polizei anrufen können. Hätte ja nichts daran geändert, dass er der Retter gewesen wäre. Du warst von Anfang an mit den beiden da unten verabredet. Falls es Probleme gab in dieser Sturmnacht. Amelie sollte ja nicht zu Schaden kommen. Besser, es standen gleich zwei starke Männer zu ihrer Rettung bereit, nicht wahr?«

David erwiderte noch immer nichts.

»Ich vermute«, sagte Kate, »du und Alex, ihr seid ziemlich gute Freunde. Seit damals, seit dieser Segeltour durch Schottland. Du warst eingeweiht. In alles. Von Anfang an. Du wusstest von seiner Affäre mit einer dreizehnjährigen Schülerin. Davon, dass sie zu ihm geflüchtet war. Und wahrscheinlich hast du mit an dem Plan gearbeitet, wie man aus alldem Geld machen kann.«

David verzog das Gesicht. »Eingeweiht! Das klingt, als wäre ich in irgendeine hochkonspirative Geschichte verstrickt gewesen. Ich erfuhr irgendwann von ihm, dass er eine Affäre mit dieser Amelie hatte, und ich sagte ihm sofort, dass er verrückt sei. Ein Schulmädchen! Der spinnt, habe ich gedacht. Er hat sie übrigens wirklich für älter eingeschätzt, als sie war, aber seit dem Sommer wusste er Bescheid, und... na ja, er tat mir leid. Sie war wie eine Klette. Er wurde sie nicht mehr los.«

»Der Ärmste«, sagte Kate.

David blickte sie an, eigentümlich kalt. »Ja, ob du es glaubst oder nicht, er steckte wirklich in einer verfahrenen Situation. Er wollte die Geschichte beenden, aber wann immer er etwas in dieser Richtung andeutete, drehte sie komplett durch. Sie drohte mit Selbstmord, wurde völlig hysterisch... Es war klar, dass ihre Eltern dann etwas merken und zur Polizei gehen würden... Alex wäre ins Gefängnis gekommen. Er war echt verzweifelt.«

»Und da dachte er, diese fingierte Entführungsgeschichte löst seine Probleme?«

»Sie war weggelaufen und hatte sich mit ihm getroffen, und sie war nicht zu bewegen, wieder nach Hause zu gehen. Also schmiedete Alex diesen Plan mit der Entführung und der Rettung... Er brachte Amelie dazu mitzuspielen, indem er ihr versprach, dass sie zusammen irgendwo im Ausland eine Zukunft aufbauen würden, wenn er Geld von ihren Eltern bekommen hätte.«

»Er hatte aber wahrscheinlich nie vor, mit ihr ins Ausland zu gehen?«

»Er wollte alleine gehen. Er wusste, dass er langfristig das Land verlassen musste, weil irgendwann die ganze Geschichte auffliegen würde.«

Kate schwirrte der Kopf. »Und von all diesem Irrsinn wusstest du?«

»Als ich in der Zeitung las, dass Amelie verschwunden war, rief ich Alex an, und er sagte, sie sei bei ihm. Ich fragte ihn, ob er wahnsinnig sei, und er sagte, er müsse sich jetzt irgendetwas überlegen, wie er aus der Nummer rauskommen könne. Ich meine, was sollte ich machen? Zur Polizei gehen und einen Freund verpfeifen? Ich habe die Klappe gehalten und gehofft, dass das irgendwie glimpflich für ihn ausgeht.«

»Du hast leider nicht nur einfach die Klappe gehalten«, sagte Kate. »Du bist schließlich sogar Teil der Geschichte geworden.«

»Aber ich war nicht in die Planung involviert. Alex rief mich an jenem Abend an, bevor er in die Pizzeria aufbrach, in der er kellnerte. Er weihte mich in sein Vorhaben ein und bat mich, zu einer bestimmten Uhrzeit *zufällig* unten am Meer vorbeizukommen. Er beschrieb mir genau den Treffpunkt. Es sei nur wichtig, sagte er, dass ich mich nicht als sein Freund zu erkennen gäbe, wir müssten so tun, als wären wir einander fremd. Also lief ich irgendwann zwischen elf und zwölf Uhr runter, durch Regen und Sturm. Ich hatte mich ziemlich verspätet, weil ich unschlüssig und innerlich sehr widerstrebend war. Amelie hing schon eine Weile an der Kaimauer. Die Situation war mehr als brenzlig. Aber Alex hatte mich vor allem deshalb dabeihaben wollen, damit es jemanden gab, der die Szene, so wie sie sich darstellte, gegenüber der Polizei bezeugen konnte. Er hatte bereits eine Ahnung, dass man ihm misstrauen könnte. Wir zogen Amelie an Land. Ich rief die Polizei an, und ich tat so, als würde ich Alex nicht kennen, als wäre ich zufällig vorbeigekommen, denn nur so hatte meine Aussage ein Gewicht. Nicht einmal Amelie erfuhr, dass wir keine Fremden füreinander waren. Später erklärte mir Alex, welchen Plan er verfolgte. Das war's.«

»Das war's? David, wie konntest du dich auf so etwas einlassen? Dich hergeben für eine solche … Geschichte? Dich damit in die Hände eines Mannes wie Alex Barnes begeben? Bei aller Freundschaft, das ist … vollkommen irrsinnig!«

Er schwieg. Starrte an ihr vorbei zum Fenster hinaus.

In dem Schweigen wuchs ein Verdacht in Kate. Die einzige Erklärung. »Er hat dir Geld angeboten? Einen Teil dessen, was er von Amelies Eltern bekommen würde. Stimmt's? Er hat dich gekauft.«

David seufzte. »Meine Geschäfte laufen alles andere als gut. Der Brexit wird es nicht besser machen. England löst sich vom Kontinent, und für Leute wie mich, die für ihr Geschäft auf eine möglichst engmaschige Vernetzung mit anderen europäischen Ländern angewiesen sind, wird alles äußerst schwierig. Keine Ahnung, wie lange ich mich überhaupt noch werde halten können.«

»Und da dachtest du ...«

»Er wollte mir zehntausend Pfund geben. Das hätte mir etwas Luft verschafft. Ja.«

»Oh Gott«, sagte Kate. »Wie konntest du das tun!«

In seinen Augen stand wieder die Kälte, die sie schon die ganze Zeit über frösteln ließ. »Die Geschichte bleibt unter uns, ja? Darauf verlasse ich mich. Ich würde sowieso alles abstreiten.«

»Es ist nachweisbar, dass du Alex Barnes kennst«, erinnerte ihn Kate. »Es wird ja sicher geschäftliche Unterlagen geben, die seine Teilnahme an der Segeltour klar belegen.«

Sein Blick wurde noch kälter. »Sieh an«, sagte er langsam. »Vor dir muss man sich in Acht nehmen. Hör zu, Kate, du hast einfach keine Ahnung, wie ich beruflich kämpfen muss. Du bist Journalistin, offenbar gefragt, und für dich wird es immer Aufträge geben. Aber wenn die Zeiten schlechter werden, hören die Menschen auf, so luxuriösen Hobbys wie dem Segeln nachzugehen, und ... ach, verdammt. Es ist einfach ein anderes Leben, das ich führe. Scarborough ist anders als London. Schau dich mal um in der Stadt. Ziemlich versifft. Hier kommt nicht viel Geld rein.«

Er glaubte es immer noch. Dass sie Journalistin war. Die ganze Zeit über hatte Kate gefürchtet, er werde sie googeln und ihr im Handumdrehen auf die Schliche kommen, und nun dachte sie, wie absolut seltsam es war, dass er es *nicht* getan hatte. Sie hatte ihm von der Ermordung ihres Vaters erzählt, und nicht einmal das hatte ihn genug interessiert, um über Einzelheiten des Falles im Internet zu stöbern. Weil es ihm egal war. Dazu passte, dass er sich ganz offensichtlich nicht allzu sehr über ihr Verschwinden am gestrigen Tag aufgeregt hatte. Sie war wie vom Erdboden verschluckt gewesen, und die Polizei war bei ihm erschienen, hatte um sein Handy gebeten, weil sie ihrem letzten Anruf nachgingen. Alle Alarmsignale, dass ihr etwas Ernsthaftes zugestoßen war, hätten bei ihm aufleuchten müssen. Er hätte die Polizei belagern müssen. Ihr Haus. Ihre Nachbarin.

Stattdessen war er in Seelenruhe für das Wochenende einkaufen gegangen. Was hätte er getan, wenn sie nicht an diesem Morgen in seiner Wohnung aufgekreuzt wäre? Sich alleine etwas Schönes gekocht und sich einen entspannten Tag gemacht?

Sie wollte die nächste Frage nicht stellen. Sie konnte seine Kälte fühlen. Seinen Ärger darüber, dass sie nun alles wusste. Aber vor allem konnte sie die Gleichgültigkeit spüren, die unter all diesen augenblicklichen Emotionen lag. Sie hatte sie schon länger gespürt. Deshalb ihre wachsende Angst. Ihre Unruhe.

Sie stand vor einem Abgrund. Wenn sie einen Schritt nach vorne tat, stürzte sie. Aber wenn sie ihn nicht tat, blieb der Abgrund trotzdem ein Abgrund. Teile ihrer Seele befanden sich ohnehin schon im freien Fall.

»Die Beziehung mit mir«, sagte sie langsam, und die Angst nahm ihr fast die Fähigkeit zu atmen, »die Beziehung mit mir ... war die echt oder ...?«

Er musterte sie schweigend. Taxierte sie von oben bis unten. Kate war sich ihrer geröteten Augen bewusst. Ihrer Blässe. Ihrer Müdigkeit und Abgekämpftheit. Der Tatsache, dass sie einige Jahre älter war als er und an diesem Morgen wahrscheinlich *viele* Jahre älter aussah.

Er lächelte. Es war ein böses Lächeln. Sie hatte es nie zuvor an ihm bemerkt, aber nun erkannte sie, dass er der nette, verständnisvolle Typ sein mochte, daneben aber auch noch etwas anderes war. Da gab es noch eine Strömung in ihm, die unangenehm war. Es war der Anteil in ihm, der ihn dazu gebracht hatte, gemeinsame Sache mit Alex Barnes zu machen. Seinen Anteil am Geld von Amelies Eltern haben zu wollen.

Warum habe ich das nie bemerkt?, fragte sie sich verwirrt.

»Schau dich doch mal an«, sagte er.

In ihren Ohren begann das Blut dröhnend zu rauschen. »Du wolltest …«

»Informationen«, sagte er gelassen. »Du warst so verbissen in die Recherche, und Alex hatte die ganze Zeit Angst, was als Nächstes passieren würde … und ich natürlich auch, weil ich ja blöderweise an der einen Stelle mitgespielt hatte … Ich dachte mir, mit dir bin ich ganz gut am Ball. Und dann stellte sich noch heraus, dass du mit diesem Inspector befreundet bist. Dranbleiben, sagte ich mir.«

Sie fühlte, dass ihre Gesichtszüge entgleisten und dass gleichzeitig ihr Herz zersplitterte. »Aber … hätte es nicht gereicht …« Das Sprechen fiel ihr schwer. Ihre Zukunft, alles was sie sich erträumt und was sie sich ausgemalt hatte, versank in einem Meer aus Schmerz und Erniedrigung. »Hätte es für … deine Zwecke … nicht gereicht, einfach eine Bekanntschaft mit mir zu haben? Warum musstest du so tun, als ob …«

»Weil es so mehr Spaß gemacht hat«, sagte er brutal.

Sie lag längst auf dem Boden des Abgrundes, und alles in ihr war zerbrochen.

»Es ging für dich einfach nur um Informationen und um Spaß?«

Er musterte sie noch einmal. Abschätzend. Abfällig.

»Im Schlafzimmer war es ja dunkel«, sagte er.

Sie standen einander schweigend gegenüber. Minuten nur, aber für Kate dehnte sich das Schweigen in die Unendlichkeit. Sie dachte, dass Sterben sich so ähnlich anfühlen musste wie das, was sie gerade empfand. Das Verlöschen aller Lebendigkeit. Aller Kraft. Es war, als hätte sie jemand zu Boden geschlagen, und sie wusste, dass sie nie mehr würde aufstehen können.

Sie versuchte, in seinem Gesicht zu lesen. Sie konnte einen Ausdruck erkennen, der vage an Reue erinnerte. Er war härter mit ihr umgesprungen, als er das beabsichtigt hatte. In die Enge getrieben, erwischt, genötigt, Erklärungen abzugeben, plötzlich in der Situation, einen Mitwisser zu haben. Er hatte sich instinktiv gewehrt wie ein Tier, das sich angegriffen fühlt, er hätte normalerweise nicht die Worte gewählt, die er in diesen Momenten benutzt hatte. Aber das änderte nichts daran, dass er gesagt hatte, wie es war: Für ihn war sie eine Affäre gewesen, die in erster Linie dem Zweck gedient hatte zu erfahren, ob ihm von Ermittlungsseite her irgendeine Gefahr drohte. Vielleicht hatte er manchen Augenblick mit Kate ganz nett gefunden. Vielleicht aber auch nicht. Es hatte ihn nicht gekratzt, als sie verschwunden war. Es hatte ihn auch nicht gekümmert, was mit ihrem Haus passierte. Und dass sie ihren Job in London hatte. Für ihn war das alles ohnehin nicht auf eine gemeinsame Zukunft ausgerichtet gewesen, und deshalb waren ihm all die Dinge, über die Kate gegrübelt und mit denen sie sich herumgeschlagen hatte, scheißegal gewesen.

Und seitdem Alex überführt und gefasst war, hatte er das alles vermutlich ohnehin nur noch beenden wollen, daher hatte Kate in den letzten Tagen zunehmend diese quälende innere Unruhe gespürt.

Inmitten der Betäubung, die sie empfand, konnte sie zumindest dies klar erkennen: Es war vorbei. Für sie.

Für ihn hatte es nie angefangen.

Er unterbrach irgendwann das Schweigen. »Kate... ich wollte das so nicht sagen... Aber du kannst doch nicht... Hast du wirklich geglaubt...?«

Jedes einzelne seiner Worte war ein Schlag ins Gesicht für sie. Was, verflucht noch mal, sollte sie denn sonst geglaubt haben? Dass er ein attraktiver Mann war, und sie eine unattraktive Frau, und dass er deshalb keineswegs ernsthafte Absichten haben konnte, was ihr hätte klar sein müssen, wenn sie nicht blind vor Verliebtheit in eine aberwitzige Wahnvorstellung gestolpert wäre? Und was hatte er geglaubt? Dass sie wusste, dass es ihm nicht ernst war und er sie ziemlich indiskutabel fand? Dass sie aber trotzdem richtig gerne mit ihm ins Bett ging und es großartig fand, Sex mit einem Mann zu haben, der sie nur im Dunkeln ertrug? Dass sie über den Verkauf ihres Hauses und was das für sie beide bedeutete nur deshalb sprach, weil ihr gerade kein anderes Thema einfiel?

Er hatte genau gewusst, wie tief involviert sie war, und auch wenn er sie als Informationsquelle und als sexuelle Überbrückung, bis ihm etwas Besseres begegnete, ganz in Ordnung fand, hätte er mit einem Rest von Anstand die Notbremse ziehen müssen.

Aber was sollte sie von jemandem erwarten, der mit

einem Mann wie Alex Barnes befreundet war und ihn sogar in seinen kriminellen Machenschaften unterstützte?

»Soll ich dich nach Hause fahren?«, fragte er unbehaglich, weil sie noch immer schwieg. »Du bist ja offenbar ohne dein Auto hier. Jedenfalls habe ich es unten nirgends gesehen.«

Er wollte sie schnellstens loswerden. Wollte raus aus der ganzen Geschichte mit Kate, wie auch aus diesem unschönen Gespräch in seinem Wohnzimmer. Er wollte das Foto von sich und Alex Barnes zurück in den Karton stecken und vergessen, er wollte vergessen, dass Kate Bescheid wusste, er wollte Kate vergessen. So war er, und sie dachte, wie eigenartig es war, dass sie das die ganze Zeit über nicht hatte sehen wollen: Dass er jemand war, der mit den Schwierigkeiten des Lebens so umging, dass er sie verdrängte, wegschob oder dadurch vermeintlich löste, dass er andere gnadenlos benutzte und dann auch wegschob. Er weigerte sich, irgendetwas zu vertiefen, sei es eine Beziehung, sei es seine Arbeit, in der es offensichtlich Probleme gab, seien es Erkenntnisse, die sich jedem Menschen im Laufe seines Lebens aufdrängten und die es einem nicht immer leicht machten, in die eigene Seele zu blicken und sich mit all dem auseinanderzusetzen, woran es dort haperte.

Sie war noch immer in tausend Scherben zerbrochen, und noch immer hatte sie keine Ahnung, wie sie es jemals schaffen sollte, dass ihr Leben wieder hell wurde, aber ein Teil von ihr funktionierte: Die Kate, die sie jenseits der abgewiesenen, gedemütigten, tief verletzten Frau war. Jenseits der unscheinbaren Person, der sich dieser gefühllose Mann vor ihr haushoch überlegen glaubte.

Es gab sie noch. Oder zumindest einen Rest von ihr.

Erstaunlicherweise gelang es ihr, sich zu bewegen. Sie griff in ihre Handtasche, zog ihren Dienstausweis hervor und hielt ihn David vor die Nase.

»Detective Sergeant Kate Linville, Metropolitan Police. Sie sind vorläufig festgenommen, David Chapland. Wegen des Vorwurfs der Beihilfe zu einer Straftat und der Falschaussage gegenüber der Polizei.«

Er starrte den Ausweis entgeistert an.

»Was?«

»Sie können jederzeit einen Anwalt hinzuziehen.«

»Du bist ... was?«

Sie gönnte ihm noch immer den Blick auf ihren Ausweis. Sah, wie sich das Begreifen in seine Züge schlich und wie es überging in helles Entsetzen.

»Du ... bist überhaupt keine Journalistin?«

Sie steckte den Ausweis wieder ein. »Nein.«

»Du liebe Güte«, sagte David, dem immer mehr dämmerte, in welch fatale Lage er sich gebracht hatte, indem er gegenüber einer Polizistin ein Geständnis abgelegt hatte. »Kate ... lass uns reden. Lass uns ...«

Sie ging zu seinem Festnetztelefon, nahm den Hörer ab und wählte die Nummer der Polizei. David unternahm keinen Versuch, sie daran zu hindern. Er stand mitten im Zimmer und sah vollkommen fassungslos drein.

Kate forderte eine Streife in die Sea Cliff Road an. Nachdem sie den Hörer wieder aufgelegt hatte, trat sie ans Fenster und blickte hinaus auf die stille Straße.

»Kate!«, sagte David beschwörend. »Ich habe das alles nicht so gemeint. Ich war ... hör zu, du kannst doch nicht ... nach allem, was war ...«

Sie gab ihm keine Antwort mehr.

Caleb Hale fragte sich, ob Kate ihm öffnen würde. Er konnte sich vorstellen, wie schlecht es ihr ging, und er wusste, dass sie dazu neigte, sich völlig zurückzuziehen, wenn sie traurig und verletzt war. Und nach allem, was geschehen war ... musste sie mehr als *traurig* und *verletzt* sein. Er konnte nur ahnen, was sie sich von der gemeinsamen Zukunft mit David Chapland versprochen hatte. Sie musste das Gefühl haben, statt eines neuen Lebens einen Scherbenhaufen vor sich liegen zu haben.

Ihr Auto, das ein Beamter aus Calebs Team am Wochenende von Northumberland nach Scarborough gebracht hatte, parkte vor dem Haus. Immerhin war sie also offenbar nicht überstürzt nach London abgereist.

Er klingelte. Wartete. Er klingelte ein zweites Mal. Endlich hörte er Schritte. Die Tür ging auf. Kate stand vor ihm.

Sie sah müde aus, aber nicht wie jemand, der in seiner Verzweiflung untergeht. Eigentlich sah sie aus wie immer, nur erschöpfter. In ihren Augen jedoch erkannte Caleb einen neuen Ausdruck. Sie hatte nichts mehr zu verlieren. Dieses Gefühl würde sie möglicherweise stärker werden lassen.

Sie blickten einander an, dann sagte Caleb leise: »Es tut mir so leid, Kate. Ich hätte Ihnen ... einen ganz anderen Ausgang dieser Geschichte gewünscht.«

»Möchten Sie reinkommen, Caleb?«, fragte Kate. Jetzt

signalisierte ihr Gesichtsausdruck Härte. Sie würde über ihr persönliches Scheitern nicht sprechen. Nicht mit ihm. Vermutlich mit niemandem.

Er folgte ihr in das leere Wohnzimmer mit den beiden Campingstühlen. Der elektrische Kamin war eingeschaltet und verbreitete eine behagliche Wärme.

»Ich habe gerade Tee gemacht«, sagte Kate. »Setzen Sie sich doch.« Sie verschwand in der Küche.

Caleb blieb stehen, streichelte Messy, die plötzlich auftauchte und ihm um die Beine strich.

Ihr bleibt jetzt nur diese Katze, dachte er.

Er wusste nicht, was genau zwischen Kate und David vorgefallen war, aber natürlich würde die Beziehung die Tatsache, dass Kate David der Polizei übergeben hatte, nicht überleben. Das musste Kate klar gewesen sein, dennoch hatte sie diesen Weg gewählt, egal wie schwer er ihr gefallen sein mochte. Caleb empfand große Achtung vor ihr. Aber das hatte er eigentlich schon immer getan.

Sie kehrte mit einem Tablett mit Teetassen, Milch und Zucker zurück, stellte alles auf den Boden.

Dieses leere Haus …

»Gibt es Neuigkeiten von Ihren Mietern?«, fragte Caleb.

Sie schüttelte den Kopf. »Keine Spur von ihnen. Ich glaube auch nicht, dass man sie irgendwann noch finden wird. Und wenn, dann hätten sie wahrscheinlich ohnehin kein Geld, um mir all den Schaden zu ersetzen.«

»Wollen Sie das Haus weiterhin verkaufen?«

»Ich brauche etwas Zeit«, sagte sie. »Ich habe meinen Urlaub bis Anfang nächster Woche verlängert. Ich bleibe solange hier. Ich muss herausfinden, wie meine Zukunft aussehen soll.«

»Noch eine Woche ganz alleine in diesen leeren Räumen?«

»Sieht so aus.«

»Was ist mit Ihrem … Exfreund? Diesem Colin Blair?«

Sie lächelte freudlos. »Der sieht sich als mein Lebensretter.«

»Ist er aber nicht. Sie haben diesen Albtraum da oben in Northumberland ganz alleine in den Griff bekommen.«

»Ja, aber es war schon gut, dass dann ziemlich bald die Polizei auftauchte. Und er hat wirklich alles richtig gemacht. Die Brisanz meiner Nachricht erkannt, Sie verständigt … Ich bin ihm dankbar. Aber ich habe ihn nach London zurückgeschickt. Ich will ihn nicht hier haben. Ich will gar nichts mit ihm haben.«

»Verstehe«, sagte Caleb.

Sie tranken von ihrem Tee. Dann sagte Caleb: »Ich wollte Sie über einige neue Erkenntnisse informieren. Nachdem Sie ja den Fall gelöst haben.«

Vor einiger Zeit noch hätte Kate an dieser Stelle höflich widersprochen. Jetzt sagte sie nichts, sah ihn nur aufmerksam an. »Ja?«

»Nach allem, was wir bisher herausfinden konnten, hat Linda Caswell 2003 England tatsächlich verlassen, ist aber, entgegen der Vermutung ihres Mannes, nicht nach Australien gereist, sondern hat sich mehrere Jahre auf dem Kontinent durchgeschlagen, hauptsächlich in Spanien und Italien. Sie hat in verschiedenen Urlaubsorten in der Gastronomie gejobbt und sich damit leidlich über Wasser gehalten. Gemeldet war sie nirgends. 2008 hat sie in einem spanischen Hafen Joseph Maidows kennengelernt. Er lag dort mit seinem Segelboot vor Anker. Die beiden begannen eine Beziehung. Maidows nahm Linda dann mit nach England zurück. Wir wissen, wie einfach das ist. Die vielen kleinen englischen Segelboote, die täglich auf dem Kanal herumkreuzen, werden häufig nicht überprüft, wenn sie in ihrem Heimathafen einlaufen. Niemand bemerkte, dass Linda

Caswell wieder in England war. Offiziell hatte sie 2003 ihre Familie verlassen und war mutmaßlich bei Verwandten in Australien untergetaucht. Das war die Information, die wir hatten, als wir nach Hannahs Verschwinden ermittelten. Niemand hat das je infrage gestellt. Sie war eben weg. Ganz gleich, welche Szenarien wir uns vorstellten, Hannahs Mutter kam in keinem davon vor.«

»Das ist verständlich. Sie war schon viel zu lange weg.«

»Wir kamen nicht auf die Idee zu überprüfen, wo und wie Ryan Caswell seine Frau eigentlich kennengelernt hat. Vielleicht wären wir misstrauisch geworden, hätten wir erfahren, dass Linda Caswell in der Psychiatrie war… Aber dadurch, dass man damals in Chamberfield keine Anzeige gegen Ryan erstattet hatte, waren die Geschichte um sein Verhältnis mit einer Patientin und sein Rauswurf nicht aktenkundig. Wir wussten einfach nichts davon. Tatsache ist aber auch, dass wir in diese Richtung nicht nachgebohrt haben.«

»Das ist zu verstehen. Wer hätte gedacht, dass die eigene Mutter dahintersteckt?«

»Es ist ja nicht unüblich in Trennungsgeschichten, dass ein Elternteil ein Kind entführt«, sagte Caleb.

Kate schüttelte den Kopf. »Aber da gibt es dann eine andere Vorgeschichte. Trennung, Kampf um das Sorgerecht… Linda Caswell verschwand und kämpfte nicht einen Tag um ihr Kind. Hannah schien ihr ganz gleichgültig zu sein. Sie hätte sie sonst ohnehin gleich mitnehmen können. Man konnte nicht davon ausgehen, dass sie ihr Kind unbedingt wiederhaben wollte.«

»Auf jeden Fall ging sie mit Maidows nach Northumberland«, fuhr Caleb fort. »Sie betrieben diesen Imbiss. *Seagulls Cliff*, oberhalb eines Wanderweges gelegen. Maidows, der wesentlich älter war als Linda, bekam zudem eine Rente aus seinem früheren Beruf als Ingenieur auf einer Schiffswerft.

Sein Gesundheitszustand verschlechterte sich. Demenz. Irgendwann schlossen sie das *Seagulls Cliff* und mieteten das Haus hier in Scarborough. Ich kann nur vermuten, dass das bereits auf Lindas Betreiben hin passierte. Sie wollte in Hannahs Nähe sein.«

»Warum auf einmal?«

»Ich nehme an, das hing mit Maidows' zunehmender geistiger Umnachtung zusammen. Linda ist absolut abhängig von einer Bezugsperson, von einem Partner, einem Menschen, der zu hundert Prozent ihr gehört. Maidows gehörte ihr noch, aber er war kein Partner mehr, kein Mensch, an den sie sich anlehnen, auf den sie sich stützen konnte. Im Gegenteil, er war zunehmend abhängig von ihr, und es war unklar, wie lange er noch leben würde. Sie brauchte jemand Neuen. Da kam ihr Hannah in den Sinn.«

»Sie hat *Seagulls Cliff* als Versteck vorbereitet?«

Caleb nickte. »Es gehörte ja nach wie vor ihrem Lebensgefährten. Strom und Wasser waren abgestellt, was Linda so beließ, um keine Aufmerksamkeit auf sich zu ziehen. Es hätte Strom- und Wasserrechnungen gegeben, Überweisungen ... das war ihr zu riskant. Ansonsten eignete sich diese einsame Hütte hervorragend. In der Vernehmung hat sie zugegeben, Hannah wochenlang beschattet zu haben. An jenem Novemberabend wollte sie sie eigentlich in Hull schon ansprechen und mitnehmen, aber genau in diesem Moment tauchte Kevin Bent auf. Sie folgte den beiden bis Scarborough. Vor dem Bahnhof schlug dann ihre Stunde. Sie bot Hannah an, sie nach Hause zu fahren. Hannah erkannte ihre Mutter, weil sie Fotos gesehen hatte. Ich nehme an, sie war völlig perplex. Aber sie ist natürlich ohne jedes Misstrauen in ihr Auto gestiegen.«

Kate zog schaudernd beide Schultern hoch. »Das arme Mädchen. Was muss in ihr vorgegangen sein, als sie begriff, dass sie plötzlich eine Gefangene war. Als ihr aufging, dass sie an eine Geistesgestörte geraten war.«

»Ich nehme an, sie hat Linda bei jeder Gelegenheit angefleht, sie endlich wieder nach Hause gehen zu lassen. Ganz gleich, wie beengt sie das Leben bei ihrem Vater empfand – in diesem Gefängnis da oben muss ihr der Gedanke an ihn wie das Paradies vorgekommen sein. Mit ihren Bitten und ihren Tränen besiegelte sie tragischerweise ihr Schicksal.«

»Linda wandte sich ab …«

»Linda Caswell kann Zurückweisung nicht ertragen. Ich denke, ihre Besuche in der Hütte wurden immer seltener. Irgendwann kam sie gar nicht mehr. Hannah ist qualvoll verhungert und verdurstet.«

»Und dann …«

»Dann kam Brendan Saunders ins Spiel. Er hat auf Lindas Geheiß hin die Leiche abgeholt. Und vergraben. Er hat uns den Ort beschrieben, im Niemandsland, nicht weit von dem Haus entfernt. Ein Team von uns dürfte jetzt gerade mit der Exhumierung beschäftigt sein.«

»Und Saskia Morris …?«

»Die hat er in den Mooren zwischen den Wanderwegen einfach in ein Gebüsch gelegt. Er gibt an, er habe das wegen der Eltern getan. Er wollte, dass Saskias Leiche gefunden wurde. Damit die Eltern endlich Gewissheit bekamen.«

»Wie konnte er sich bloß zu einem Mittäter machen?«

»Er ist ein um viele Ecken verwandter Cousin von Linda. Seit seiner Jugend hoffnungslos in sie verliebt. Ihr völlig hörig. Trotzdem bekam er Angst. Er erkundigte sich in Chamberfield nach ihrer Krankheit. Er hoffte, sie stoppen zu können.«

»Offenbar konnte er selbst nicht der Mensch sein, nach dem sie so verzweifelt suchte.«

»Zu schwach. Für Linda war er ein Erfüllungsgehilfe. Mehr nicht.«

»Mandy Allard ...«

»...war Linda durch Brendan zugespielt worden. Er dachte, mit einer Ausreißerin, die auf keinen Fall nach Hause wollte, könnte es funktionieren. Er hat Linda angerufen, als Mandy noch in seiner Wohnung war, aber Mandy glaubte, er telefoniere mit der Polizei, und suchte das Weite. Linda griff sie aber später auf. Es war ja klar, dass sie noch in der Gegend herumirren musste.«

»Wie krank muss Linda sein«, murmelte Kate.

Caleb nickte. »Kränker und gefährlicher, als das ihre Ärzte offenbar eingeschätzt hatten. Oder es ist im Laufe der Jahre immer schlimmer geworden. Irgendwann muss sie sich völlig in die Idee verbissen haben, ihre Tochter könnte für sie das sein, was sie so dringend suchte. Als das nicht funktionierte, griff sie sich das nächste Mädchen. Mit einigem Abstand, vermutlich brauchte sie eine Weile, um sich von dem Gedanken zu verabschieden, dass es ihre leibliche Tochter sein musste, und sich mit der Vorstellung von einem fremden Mädchen anzufreunden. Das war der zeitliche Abstand, der mich an einem Zusammenhang zweifeln ließ. Auch da waren Sie scharfsichtiger, Kate.«

Sie erwiderte nichts. Ja, sie war sich in diesem Punkt ziemlich sicher gewesen. Intuitiv. Hätte auch verkehrt sein können.

»Doch dann ging es immer schneller«, fuhr Caleb fort. »Sie war jetzt besessen von dem Gedanken, einen Ersatz für Hannah zu finden. Ach, und ...« Er stockte.

»Ja?«, fragte Kate.

»Joseph Maidows haben wir im Keller seines Hauses gefunden. Festgekettet an ein Bett. Tot, verhungert und verdurstet. Er war zu anstrengend geworden, und sie hat sich seiner genauso entledigt, wie sie es mit den Mädchen tat.«

»Wie furchtbar«, flüsterte Kate.

»Den Nachbarn fiel zwar auf, dass man ihn seit einem halben Jahr nicht mehr gesehen hatte, aber da er so krank war, ging man davon aus, dass er das Haus eben nicht mehr verlassen konnte. Linda hielt keinerlei Kontakt zu ihrer Umgebung, daher fragte auch niemand. Man glaubte übrigens überall, sie sei Maidows' Frau. Als *Linda Caswell* war sie tatsächlich komplett untergetaucht. Ihr Lebensgefährte starb unten im Keller, aber seine Rente floss weiterhin auf sein Konto, und sie konnte problemlos Geld abheben. Sein Auto benutzen, in dem Haus wohnen. Und ihren Wahnsinn ausleben. Es war fast nicht möglich, ihr auf die Schliche zu kommen.« Er lächelte. »Es sei denn, es taucht plötzlich eine Superbeamtin von Scotland Yard auf und nimmt die Dinge in die Hand!«

Sie musterte ihn. Er wirkte gelassen, aber sie ahnte, dass er es in Wahrheit nicht war. Er empfand sich als Versager, als denjenigen, der hilflos im Kreis herumgetappt war und die Dinge nicht von der richtigen Seite beleuchtet hatte.

»Caleb …«, sagte sie, aber er winkte ab.

»Schon gut. Sie sind die Bessere. Das kann ich anerkennen. Wirklich.«

Ehe sie etwas erwidern konnte, fuhr er fort: »Wie ist es, bewerben Sie sich endlich in meiner Abteilung? Ich kann jemanden wie Sie brauchen.«

Sie hob die Schultern. »Ich weiß es nicht. Ich weiß einfach gar nichts im Moment. Wo ich leben möchte. Wie es weitergehen soll. Ich bin …« Sie sprach nicht weiter. Ihre Stimme hatte zu zittern begonnen, und sie bemühte sich, die Kontrolle zu wahren.

Es geht ihr dreckig, dachte Caleb, richtig dreckig.

»Noch ungefähr vier Wochen bis Weihnachten«, sagte er und wollte sich im nächsten Moment auf die Zunge beißen. Wie unsensibel konnte man sein? Aber nun war es zu spät. »Haben Sie schon Pläne?«

»Wenn ich das Haus noch habe, komme ich vielleicht hierher über die Feiertage. Mal sehen.«

»Ich finde die Vorstellung, dass Sie an Weihnachten ganz alleine in diesem völlig leeren Haus sitzen, ehrlich gesagt bedrückend«, meinte er. »Warum kommen Sie nicht zu mir? Am Weihnachtsmorgen. Wir könnten... spazieren gehen, frühstücken, Geschenke auspacken. Reden. Was auch immer.«

»Sie müssen mich nicht bemitleiden, Caleb«, sagte sie leise.

»Ich bemitleide Sie auch nicht. Ich habe aber selbst keine Lust, alleine zu sein. Das endet bei mir immer mit... na ja, Sie wissen schon.«

Sie wusste. Bis zum Mittag hätte er so viel getrunken, dass er nicht mehr aufrecht würde stehen können.

»Ich überlege es mir«, sagte sie. »Es ist ja noch Zeit. Aber vielen Dank jedenfalls.«

Er stellte seine Teetasse ab und erhob sich. »Ich muss los. Es ist jetzt noch viel zu tun.«

»Wie geht es Mandy?«, fragte Kate, während sie zur Haustür gingen.

»Sie ist noch im Krankenhaus. Aber es geht ihr den Umständen entsprechend gut. Ihre Betreuerin vom Jugendamt war bei ihr. Es wird jetzt entschieden werden müssen, ob sie nach Hause zurückkehrt oder ob man eine Pflegefamilie für sie sucht.«

»Das arme Mädchen«, sagte Kate.

»Sie ist stark«, erwiderte Caleb.

Nach einem Moment fügte er leise hinzu: »Genau wie Sie. Vergessen Sie das nicht. Sie sind klug und entschlossen und stark. Sie müssen das nur irgendwann einmal selbst glauben.«

SAMSTAG, 25. NOVEMBER

Deborah hatte gehofft, niemandem an diesem Tag am Strand zu begegnen. Am Samstagvormittag hatten die Leute anderes zu tun, als spazieren zu gehen, und noch dazu hing ein unangenehmer Sprühregen in der Luft. Der Sand war nass und schwer. Die Wolken lagen tief über dem Meer, das anthrazitgrau war und fast unbeweglich wirkte.

Ein Tag, der genauso aussah wie Deborahs Seele.

Sie sah die einsame Gestalt schon von weitem, und erst im Näherkommen erkannte sie, dass es die Polizistin war. Kate Linville. Sie versank in ihrem grauen Wintermantel, es sah fast aus, als wäre sie kleiner geworden. Aber dann wurde Deborah klar, dass sie nicht kleiner, sondern magerer geworden war. Innerhalb weniger Tage hatte sie einiges an Gewicht verloren, und sie war schon vorher ziemlich dünn gewesen. Ihre Wangen waren eingefallen, ihr Gesicht wirkte spitz, die Augen riesig.

Sie sieht todtraurig aus, dachte Deborah.

Es war zu spät, um auszuweichen, also blieb sie stehen. Auch Kate erkannte sie jetzt, verharrte.

»Hallo, Deborah«, sagte sie.

»Kate! Sie sind noch hier«, sagte Deborah.

»Ja, das Haus...«

»Ach so...«

Es war so viel passiert, ganze Welten waren eingestürzt,

aber sie wussten beide nicht, worüber sie sprechen sollten. Deborah war sich bewusst, dass sie ähnlich aussah wie Kate. Auch sie hatte pfundweise Gewicht verloren, auch ihr sah man den Schmerz an.

Zwei traurige Frauen, die einander im Regen am Meer gegenüberstanden.

»Wie geht es Ihnen?«, fragte Kate schließlich.

Deborah war einen Moment lang versucht, mit dem reflexhaften »Gut« zu antworten, aber dann dachte sie, dass Kate die Frage wahrscheinlich ehrlich gemeint hatte und dass sie ehrlich darauf antworten sollte.

»Nicht besonders. Sie … wissen ja sicher …«

»Ich weiß«, sagte Kate.

Deborah ballte die Fäuste in ihren Manteltaschen. »Zum ersten Mal im Leben fühle ich keinen inneren Bezug mehr zu einem Menschen, der mir nahesteht. Zu meiner eigenen Tochter. Ich kann sie nicht mehr verstehen. Nicht mehr mit ihr kommunizieren. Sie hat alle Luken geschlossen. Es ist, als wäre alles, was je zwischen uns bestanden hat, durchtrennt.«

»Sie braucht Hilfe.«

»Sie ist in einer jugendpsychiatrischen Klinik. Auf vorerst unbestimmte Zeit. Ich habe sie mehrfach besucht, aber es war hoffnungslos, mit ihr reden zu wollen. Sie antwortet nicht. Das Einzige, was sie ab und zu sagt, ist, dass sie zu diesem Alex Barnes möchte.«

»Barnes sitzt in Untersuchungshaft«, sagte Kate, »und er wird für einige Zeit ins Gefängnis gehen.«

»Manchmal habe ich das Gefühl, Amelie macht mich dafür verantwortlich«, sagte Deborah und spürte, dass schon wieder die Tränen in ihr aufstiegen. »Sie behandelt mich, als hätte ich ihr Lebensglück zerstört. Mit diesem Mann. Als ob ein Glück auf sie gewartet hätte. Er wollte sie loswerden, schon sehr lange, das hat er in der Vernehmung immer wieder beteuert. Aber es dringt nicht zu ihr vor.«

»Sie will das nicht hören«, sagte Kate. »Diese Wahrheit ist zu schmerzhaft.«

»Irgendwann muss sie sich ihr stellen. Irgendwann muss sie die Verantwortung übernehmen für das, was sie getan hat.«

»Die Ärzte werden ihr helfen. Ganz sicher.«

»Ja«, sagte Deborah ohne Überzeugung, dann fügte sie hinzu: »Wir verlassen übrigens Scarborough. Zu Beginn des neuen Jahres. Jason hat sich bereits bei einer Klinik in London vorgestellt und dann noch bei einer in Liverpool. Mir ist es egal, wohin wir gehen, Hauptsache weg von hier.«

»Es ist zu viel passiert.«

»Ja, und die Presse hat alles hochgekocht... Ich habe das Gefühl, ständig angestarrt zu werden. Wir sind diese kaputte Familie mit der kaputten Tochter... Manchen abfälligen Blick bilde ich mir vielleicht auch nur ein, aber ich habe kaum noch Lust, das Haus zu verlassen. Ich gehe nur noch raus, wenn das Wetter so schlecht ist wie heute.«

»Vielleicht ist ein Neuanfang wirklich die beste Lösung«, meinte Kate, und dann standen sie sich unschlüssig im Nieselregen gegenüber.

»Einen schönen Tag noch«, sagte Kate schließlich und wandte sich zum Gehen.

Deborah zögerte eine Sekunde. »Kate... wenn Sie an Weihnachten hier sind... Ich weiß ja nicht, was Sie vorhaben, aber mögen Sie vielleicht das Fest mit uns verbringen? Mit Jason und mir?«

Kate überlegte, und Deborah sah in ihren Augen, was sie dachte: Mitleid? Um Gottes willen, bitte kein Mitleid!

»Es wäre schön für uns«, sagte sie schnell. »Das erste Weihnachten ohne Amelie... Wir sind beide so traurig und niedergedrückt und sehnen uns nach Gesellschaft, aber wir möchten nicht mit Menschen zusammen sein, die sowieso nicht verstehen, was wir durchgemacht haben, oder die sensationslüstern sind oder die sich selbst dadurch besser fühlen, dass es uns schlecht geht ... Sie waren von Anfang an dabei. Sie verstehen uns und unsere Situation.«

»Ich überlege es mir«, sagte Kate. »Danke. Ich schreibe Ihnen eine Mail deswegen. Es ist ja noch Zeit.«

Sie gingen jede in eine andere Richtung davon.

Wie einsam sie ist, dachte Deborah, aber auch so frei.

Sie hob den Kopf.

Auf ihrem Gesicht vermischten sich die Tränen mit dem Regen.

Schon zwei Einladungen für Weihnachten, dachte Kate. Sie forschte nach einem Gefühl von Erleichterung und Dankbarkeit in sich, aber da war nichts zu finden. Sie hatte Weihnachten mit David verbringen wollen. Es gab keinen Ersatz, keinen Trost. Es gab einfach nichts jenseits dieses Gefühls eines schrecklichen Verlustes.

Sie lief den ganzen Weg vom Strand bis nach Scalby zu Fuß zurück, was fast eine Stunde dauerte, aber das störte sie nicht. Unterwegs sein war besser, als daheim zu sitzen und zu grübeln und an David zu denken. Alles war besser.

Sie bog in ihre Straße und sah von weitem ihr Haus. Ein Auto parkte davor.

Oh nein, dachte sie.

Colin stieg aus, als sie näher kam, und ging ihr ein paar Schritte entgegen. »Hallo Kate«, sagte er unsicher.

Sie seufzte und machte sich nicht einmal die Mühe, ihre fehlende Begeisterung zu verbergen. »Du warst doch schon längst wieder in London«, sagte sie anstelle einer Begrüßung.

Colin nickte. »Ja. Aber dann… na ja, ich dachte… Wochenende… ich…« Er holte tief Luft. »Ich wollte nicht alleine sein«, sagte er.

Obwohl sie so versunken und vergraben war in ihren Schmerz, begriff Kate die Besonderheit des Momentes. Colin räumte eine Schwäche ein. Großspurig und selbstherrlich, wie er sich eigentlich immer gab, hätte er normalerweise beteuern müssen, Kates wegen nach Scarborough zurückgekommen zu sein. Um ihr zu helfen, nach allem, was sie da oben in Northumberland durchgemacht hatte. Er hätte sich als hilfreicher Engel in der Not aufgespielt.

Stattdessen erlaubte er Kate einen Blick in sein Inneres. Sie konnte es sehen in diesem Augenblick: Wie allein er tatsächlich jenseits seines großartigen Gehabes war. Sie hatte geglaubt, er komme wunderbar mit sich und seinem Leben zurecht, selbstverliebt wie er auftrat, aber nun begriff sie, dass er in Wahrheit ein einsamer, unglücklicher Mann war. Er kompensierte das auf eine Art, die aller Wahrscheinlichkeit nach dafür sorgen würde, dass er tatsächlich immer allein blieb, denn den Menschen, der er vielleicht war, konnte man hinter seinem lauten und angeberischen Auftreten nicht sehen. Aber es gab ihn. Kate konnte sich zwar nicht vorstellen, dass sie für ihn jemals auch nur ansatzweise die Gefühle aufbringen würde, die sie für David empfunden hatte, dazu fehlte es an dem Funken, der hätte überspringen müssen. Aber vielleicht konnte man ab und zu Zeit miteinander verbringen. Reden. Freundschaft schließen.

»Komm erst einmal rein«, sagte sie.

Sie ahnte, dass er ihre dritte Option für Weihnachten sein würde. Langsam wurde es kompliziert. Das Ganze hätte sich wie die Bestätigung der gern geäußerten Weisheit vom Leben, das weitergeht, anfühlen können, aber Kate hasste diesen Ausspruch, weil er zu abgegriffen war, weil er von vielen Menschen gedankenlos geäußert wurde, nur eine wohlklingende Phrase, meist dazu benutzt, dem trostlos Traurigen das Recht auf ebendiesen Zustand abzusprechen: untröstlich zu sein.

Aber Colin, Caleb und Deborah waren wie Schritte. Kleine, zögernde Schritte. Eben doch ein Sinnbild für das Klischee von der Bewegung des Lebens. Es stand nicht still. Nicht einmal dann, wenn man glaubte, in seiner Hoffnungslosigkeit eingefroren zu sein.

Sie schloss die Tür auf.

Messy sprang ihr entgegen.

Leben.

Die Romane von Charlotte Link im Blanvalet Verlag:

alle Romane auch als E-Book erhältlich.

Liebe Leserinnen und Leser,

Sie begleiten mich und meine Bücher schon seit so vielen Jahren, und vielleicht interessiert es Sie, ein bisschen mehr über mich und mein Leben als Autorin zu erfahren.

Über das Entwickeln der Ideen, über meine Recherchearbeiten, über den Schreibprozess. Aber auch darüber, was sonst wichtig für mich ist und womit ich mich beschäftige, wenn ich nicht schreibe. Besuchen Sie doch einfach meinen **Facebook-&-Instagram-**Account und schauen Sie ein Stück weit hinter meine Kulissen.

Sehr herzlich

Ihre

Charlotte Link

© Julia Baier

facebook.com/charlotte-link-autorin   instagram.com/charlottelink.autorin